57197A

Über dieses Buch

Ich habe in diesem Buch versucht, die Erfahrungen meines Lebens, so gut wie ich es kann, der Wahrheit gemäß darzustellen. Mein Leben stand unter gefährlicher Bedrohung, aus der zu entkommen mir immer wieder gelang. Ein guter Stern schien über mir zu walten und leitete mich durch Gefahr und Verfolgung zu Glück und Erfolg.
Begegnungen und Freundschaften mit vielen großen Autoren, von Franz Werfel, Thomas Mann, Thornton Wilder, Sigmund Freud, Stefan Zweig, Boris Pasternak bis zu den Jüngsten von heute, erhöhten mein Leben.
Dies alles aufzuschreiben und somit vielen zugänglich zu machen, schien mir nicht ohne Wert, um damit am Beispiel meines eigenen Schicksals Geschehnisse einer vergangenen Epoche vor der Vergessenheit zu bewahren. Dieses Buch ist aber auch die Geschichte des S. Fischer Verlages von meinem Eintritt im Jahre 1925 an, durch die erregenden zwanziger Jahre bis zur Machtergreifung, durch Verfolgung und Emigration hindurch bis zur Rückkehr des Verlages und zu seinem Wiederaufbau nach dem Zweiten Weltkrieg.

Gottfried Bermann Fischer

Der Autor

Gottfried Bermann Fischer, geboren 1897 in Gleiwitz, damals Deutsch-Oberschlesien, nahm nach Absolvierung des humanistischen Gymnasiums in Gleiwitz als Kriegsfreiwilliger und später als Offizier am Ersten Weltkrieg teil, studierte nach dem Ende des Krieges Medizin an den Universitäten Breslau, Freiburg und München, war chirurgischer Assistent am Krankenhaus am Friedrichshain, Berlin, und trat im Jahre 1925 in den S. Fischer Verlag ein. Nach mehrjähriger Zusammenarbeit mit seinem Schwiegervater, S. Fischer, übernahm er die Leitung des Verlages im Jahre 1932. Nach der Machtergreifung emigrierte er mit dem in Deutschland verfemten Teil des Verlages nach Wien, von wo er sich 1938 mit knapper Not vor der SS retten konnte.
Zwei Jahre nach der Neueröffnung des Verlages in Stockholm wanderte er mit seiner Familie nach den USA aus und leitete den Stockholmer Verlag von dort aus weiter. 1947 führte er den Emigrationsverlag mit dem in Deutschland verbliebenen Teil wieder zusammen. Dr. Fischer ist amerikanischer Staatsbürger und lebt in den Vereinigten Staaten und Italien.

Gottfried Bermann Fischer

Bedroht – Bewahrt

Der Weg eines Verlegers

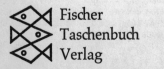

Fischer
Taschenbuch
Verlag

Fischer Taschenbuch Verlag
 1.–15. Tausend: März 1971
16.–18. Tausend: April 1979
19.–21. Tausend: Oktober 1982
22.–24. Tausend: März 1984
Ungekürzte Ausgabe

Umschlagentwurf: Hans Keller

Fischer Taschenbuch Verlag GmbH, Frankfurt am Main
Lizenzausgabe mit freundlicher Genehmigung
des S. Fischer Verlages GmbH, Frankfurt am Main
© S. Fischer Verlag GmbH, Frankfurt am Main, 1967
Druck und Bindung: Clausen & Bosse, Leck
Printed in Germany
980-ISBN-3-596-21169-7

Meiner geliebten Frau,
ohne die das alles
nicht möglich gewesen wäre

»... die Frage, ob einer seine eigene Biographie schreiben dürfe, ist höchst ungeschickt. Ich halte den, der es tut, für den höflichsten aller Menschen. Wenn sich einer nur mitteilt, so ist es ganz einerlei, aus was für Motiven er es tut. Es ist gar nicht nötig, daß einer untadelhaft sei, oder das Vortrefflichste und Tadelloseste tue, sondern nur, daß etwas geschehe, was dem andern nutzen oder ihn freuen kann.«   Goethe

Inhalt

Oberschlesien, im äußersten südöstlichen Winkel der Provinz Schlesien gelegen, gehörte im Jahre 1897 noch zum Deutschen Reich. Als Goethe es im Jahre 1790 besuchte, schrieb er: »Fern von gebildeten Menschen, am Ende des Reiches, wer hilft Euch Schätze finden und sie glücklich zu bringen ans Licht?« Es hatte den Charakter eines Koloniallandes. Von polnischen Bauern besiedelt und mit einer gleichfalls vorwiegend polnischen Arbeiterbevölkerung, war es nach dem Ruhrgebiet das zweitgrößte Industriegebiet Deutschlands. Die zwischen den Hauptstädten Kattowitz, Beuthen, Gleiwitz und Zabrze, das später Hindenburg hieß, bis zur damaligen russischen Grenze sich erstreckenden Kohlengruben lieferten die Energie für eine ausgedehnte Eisen- und Stahlindustrie. Sie war von westdeutschen Ingenieuren und mit westdeutschem Kapital erst in den achtziger Jahren entwickelt worden. Die Industriekapitäne und Finanzleute und die Juristen, Ärzte, Lehrer, Verwaltungsbeamte aller Art stellten die Oberschicht dar. Sie waren zum großen Teil zugewandert, hatten ihre Wurzeln im westlichen Deutschland und kehrten dorthin zurück, sobald sie sich ein Vermögen erworben hatten oder die wohlverdiente Pension es gestattete.

Mein Vater war Arzt, war in Gleiwitz geboren und hat sein ganzes Leben dort verbracht. Er gehörte zu dem heute fast ausgestorbenen Typ des Land- und Hausarztes — praktischer Arzt, Wundarzt und Geburtshelfer nannte man es —, der Tag und Nacht auf den Beinen war, die polnischen Bauern behandelte wie die Mitglieder des gehobenen Bürgertums und so schließlich zu einer populären Figur wurde. Er war Stadtverordneter und Vorsteher der jüdischen Gemeinde, die zu dieser Zeit in der Nähe der Dreikaiserecke, wo Deutschland, Österreich und Rußland zusammentrafen, politisch und sozial eine gewisse Rolle spielte. Mein Großvater väterlicherseits war Besitzer eines Restaurants in Gleiwitz gewesen, in dem die Honoratioren und nicht zu vergessen die Lehrer des Humanistischen Gymnasiums verkehrten, wodurch meinem Vater, der ein Schüler dieses Gymnasiums war, in seiner Jugend viel Kummer und Sorgen entstanden. Denn nichts blieb der elterlichen Strenge durch die Freundschaft mit dem ›Lehrkörper‹ verborgen. Die Urgroßväter und Ururgroßväter waren Handwerker in Gleiwitz und seiner näheren Umgebung gewesen.

Auch die Vorfahren meiner Mutter stammten aus dieser entlegenen deutschen Provinz; aus Tarnowitz, wo ihr Vater, an den ich mich noch gut erinnere, eine Sägemühle besaß, die die

Kohlengruben des Fürsten Henckel-Donnersmarck belieferte. Der riesenhafte Holzplatz mit der Miniatureisenbahn, die zwischen den mir wie Wolkenkratzer erscheinenden Stapeln der Grubenhölzer daherfuhr, war für mich ein Spielplatz voller Abenteuer und Geheimnisse. Er beflügelte meine Phantasie wie die Rappen meines Großvaters, die im laut schallenden Gleichschritt, den Jagdwagen ziehend, ab und zu in Gleiwitz vor dem Haus meiner Eltern antrabten. Mein Großvater war ein großer, schwerer Mann — mit rotblondem Haar und rotblondem Nietzsche-Schnurrbart — vor dem ich gewaltigen Respekt hatte.

Wie immer in solchen Kolonialgebieten stand der Nationalismus in hoher Blüte. Das Offizierskorps des feudalen Ulanenregiments Nr. 2 und des Infanterieregiments Nr. 22 spielte eine große Rolle im gesellschaftlichen Leben der Stadt, und die jüngeren Offiziere, die am Nachmittag auf der Hauptstraße zu flanieren pflegten, waren der Schwarm der jungen Mädchen und das Idol der Gymnasiasten.

So ist es kein Wunder, daß ich in dieser Atmosphäre selber von preußisch-nationalen Ideen durchsetzt war, um so mehr, als mein bester Schulfreund aus den Kreisen der Großindustrie stammte, in denen ich bis zu meinem 17. Lebensjahr fast ausschließlich verkehrte. Der Antisemitismus hatte damals noch eine sehr persönliche Ausprägung, und da die tonangebenden Gesellschaftsschichten dem Grundsatz des Altbürgermeisters von Wien, Lueger, folgten: »wer ein Jud' ist, bestimme ich«, wurde mir das Vorhandensein eines weitverbreiteten Antisemitismus kaum bewußt — eines Antisemitismus freilich, der noch fern war von seinen grauenvollen späteren Erscheinungsformen, obwohl er ihre Grundlage bildete.

Das Gymnasium der Stadt ›humanistisch‹ zu nennen, mußte auf einem Mißverständnis beruhen, sofern man darunter die Erziehung zum freien, unabhängigen Denken und zu einer allgemeinen Bildung versteht. Das ›Humanistische‹ war mehr oder weniger der Unterricht in lateinischer und griechischer Grammatik. Von dem Geist dieser Sprachen, von der Sprache als Ausdruck einer Geisteshaltung, von ihrer Logik und ihrer poetischen Kraft und Schönheit verspürten wir keinen Hauch. So waren Ovid, Vergil, Cicero, Homer nichts als lästige Schullektüre, für den nächsten Tag mühselig mit dem Wörterbuch vorzubereitende Satzkonstruktionen, die seelenlos an uns vorüberzogen. Ganz schlimm stand es um die modernen Sprachen. Die Lehrer, die sie zu lehren hatten, waren unfähig, sie zu sprechen. Kaum daß einer der alten, verknöcherten Herren Frankreich oder England gesehen hatte, geschweige denn die französische oder englische Literatur kannte oder imstande war, uns ein Bild unserer Nachbarländer zu vermitteln. Offenbar waren für die entlegene Provinz Oberschlesien diese Lehrer-Karikaturen, die sich mit der Abwicklung des vorgeschriebenen Pensums begnügten und danach zu ihrem patriotischen Stammtisch eilten, gerade gut genug. Hätten wir, eine kleine Gruppe, uns nicht selbst in natürlichem jugendlichem Drang nach Wissen um die Erweiterung unseres Gesichtskreises gekümmert, wir wären wie die Barbaren aufgewachsen. Gewiß gab es bessere Schulen in Deutschland. Was wir vom Französischen Gymnasium in Berlin hörten, von Gymnasien in Frankfurt, Breslau und manchen anderen Städten, erregte unseren Neid und unsere Bewunderung. Aber ich fürchte, die Mehrzahl der Kleinstadtschulen, insbesondere in den Ostprovinzen, glich mehr oder weniger der unseren.

Hier blühte der Nationalismus. Das Haus Hohenzollern, Kaiser Wilhelm, die preußischen Prinzen und Generale waren die angebeteten Idealgestalten. Ihr Mangel an Geistesbildung, ihre Verachtung kultureller Werte, war fast ein Programm. Im Offizierskorps galt das Interesse für diesen Bereich als höchst verdächtig, und wer sich mit Literatur beschäftigte, Bücher las oder gar selbst schrieb, mußte um seine Karriere besorgt sein. Das höchste Ziel des Erdenbürgers war es, Reserveoffizier zu werden. Diese Mentalität färbte auf weite Kreise des mittleren Bürgertums ab. Da man sich den Weg zu den erstrebten Epauletten und dem Portepée nicht verbauen wollte, gab es unter den jungen Lehrern, den Studenten und Beamten eine Katzbuckelei, die nicht ohne Folgen bleiben konnte.

Den Höhepunkt des Jahres bildete die Feier von Kaisers Geburtstag. Am 27. Januar verwandelte sich unsere Stadt in eine Stätte flammender Begeisterung. Die Fahnen flatterten im Winde. Auf dem Marktplatz im Zentrum der Stadt, der ›Der Ring‹ hieß — mit seinem alten Rathaus in der Mitte und dem schönen Neptunbrunnen, in dem wir nach der Schule, trotz strengen elterlichen Verbotes, Kaulquappen zu fischen pflegten —, zogen am Festtage die beiden Regimenter der Stadt zur Kaiserparade auf. Da das Kopfsteinpflaster den im Paradeschritt zu schwingenden Beinen der Infanteristen schweren Schaden zugefügt hätte, wurde es während der Nacht mit einer dicken Sandschicht bedeckt. Die vom Glück begünstigten Bürger hatten die Fenster und Balkone der umliegenden Häuser dicht besetzt. Dann marschierte die Truppe in Paradeuniform, blau und rot mit blitzenden Pickelhauben, in Zwölfer-Kolonnen auf. Die Ulanen, hoch zu Roß, mit wimpelbesetzten Lanzen, angeführt von ihrer berittenen Bläserkapelle, mit riesiger Pauke auf dem Rücken eines Pferdes, nahmen ihre vorgeschriebene Position ein. Die Honoratioren der Stadt, in schwarzem Gehrock und Zylinder, scharten sich um den kommandierenden General, der vor dem Eingang zum Rathaus die Honneurs der Bürgerschaft entgegennahm, während die Kapelle des Infanterieregiments zu

den zackigen Taktschlägen ihres Tambourmajors feurige Marsch-
musik darbot. Dann kam der große Augenblick der Kaiserrede
des Generals. Da es noch keine Lautsprecher gab, mußte er mit
ungeheurem Stimmaufwand seine markigen Worte zu Ehren
Seiner Majestät hinausschmettern, bis zu der letzten Steigerung
des dreimaligen ›Hurra‹, das von den Wänden der Häuser ge-
waltig widerhallte. Und dann begann die Parade: im Stech-
schritt wälzte sich Kolonne auf Kolonne um das Rathaus herum,
schwenkte in Viererkolonne ein und verschwand in einer der
engen Straßen, die in den ›Ring‹ einmündeten. Die Kavallerie
folgte, auch sie in Zwölferreihe, die Pferde Kopf an Kopf; straff
am Zügel gehalten, bewegten sie sich, Sand unter den stamp-
fenden Hufen aufwirbelnd, an ihrem General vorbei. Und alle
Herzen schlugen hoch. Für Kaiser und Reich!

Daß mein Vater als Stadtverordneter unter den Honoratioren
in der Mitte des Marktplatzes, in der Nähe des kommandierenden Generals seinen Platz hatte, erfüllte mich mit großem Stolz.
Um so mehr enttäuschte er mich jedes Jahr, wenn er nachher
nach Hause kam, zum bürgerlichen Mahl, statt an dem feierlichen Kaiser-Geburtstagsfestessen im Konzerthaussaal teilzunehmen. Ihm war dieser Zauber ein Horror. Die 48er Tradition
steckte ihm noch im Blut. Bismarck war für ihn ein verabscheu-
ungswürdiger Tyrann. Und Festreden zum Lobe der Obrigkeit
konnte er nun einmal nicht ausstehen.

Für mich war es eine in sich abgeschlossene Welt. Mein Elternhaus, mein Vater, der für seine Patienten lebte und Tag und
Nacht für sie da war — wie oft gellte die Nachtglocke durchs
Haus, um ihn zu Hilfe zu rufen, wie oft waren es nur ein paar
Betrunkene, die sich die Köpfe blutig geschlagen hatten, häufig
eine Geburtshilfe weit draußen auf dem Land —, meine Mutter,
die mit unermüdlicher Liebe und Kraft für alles sorgte, und
meine Geschwister. Daneben die Schar der Freunde, die fast täglich auf meiner ›Bude‹ zusammentraf, in Zigaretten- und Zigar-
renrauch gehüllt gemeinsam in der fremden Syntax sich verlor
oder mathematische Aufgaben für den nächsten Schultag löste,
nicht zu vergessen die Mädchen der höheren Töchterschule, die
wir bei dem täglichen Bummel auf der Hauptstraße mit unseren
Frechheiten anödeten oder in hoffnungsloser Liebe mieden. So
gingen die frühen Jugendjahre dahin, nur selten in ihrem sorg-
losen Ablauf durch Ferien im Riesengebirge unterbrochen, Reisen, nicht weiter als bis Hirschberg oder Glatz. Das Einkommen
eines Arztes in dieser Gegend war nicht groß. Man mußte sparen, wenn man seine Söhne später auf die Universität schicken
wollte. Es war ein bescheidenes Leben, ohne große Ansprüche
an Kleidung oder Ernährung. Eine Apfelsine, eine Banane oder
gar eine Ananasfrucht waren bereits ein Luxus, den man sich
nur zu besonderen Gelegenheiten leistete.

Der Umkreis unserer Welt war arg begrenzt. Breslau war in dieser Zeit, da es für den gewöhnlichen Bürger noch kein Auto gab, ein ferner Großstadt-Klang; ich habe es nach dem Ende des Ersten Weltkrieges zum erstenmal gesehen. Berlin, Hamburg, Frankfurt, München schienen fast unerreichbar, so weit, wie für uns heute Moskau oder Peking sein mögen — oder sogar weiter entfernt. Fast nichts drang aus dieser Welt zu uns, und wir interessierten uns auch kaum für sie. Daß in Berlin eine soziale Umwälzung ihren Anfang genommen hatte, daß eine sozialdemokratische Partei für allgemeines Stimmrecht und soziale Gleichberechtigung kämpfte, daß eine moderne Literatur und ein kämpferisches Theater gegen die verstaubte Ideologie der herrschenden Kreise Sturm liefen, um mit jugendlichem Elan eine neue Welt der Freiheit und Humanität zu schaffen, alles das drang nicht zu uns.

Wer diese Welt der deutschen Kleinstädte in den Jahren vor dem Ersten Weltkrieg nicht gekannt hat, wird die Haltung des kleinen und mittleren Bürgertums in den späteren Jahren und die Folgen, die seine politische Ahnungslosigkeit und seine mangelnde Beziehung zur Welt hatten, kaum mehr verstehen können. Es lebte in den alten überkommenen Begriffen, nach denen Frankreich der Erbfeind war und blieb; England war perfide und nur mit Mißtrauen zu betrachten, und hier in Oberschlesien galten die Polen als ein unkultiviertes, verachtetes Element, deren Existenz-Ansprüche in Schranken gehalten werden mußten.

Abgesehen von der polnischen Landbevölkerung, die die Wochenmärkte mit Geflügel, Eiern, Gemüse und Obst beschickte, gab es ein großes Industrieproletariat, das in kümmerlichen Verhältnissen lebte. Da ich meinen Vater oft auf seinen Krankenbesuchen begleitete, kannte ich diese armen Menschen. Sie wohnten in elenden Hütten und wurden — kein Wunder bei diesem Dasein — zu einem erschreckend hohen Prozentsatz Alkoholiker. Am Zahltag waren die zahlreichen Kneipen überfüllt; überall sah man die Betrunkenen, die ihr Elend mit dem gemeinsten Fusel, aus Kartoffeln destilliert, zu betäuben versuchten. Das Geschäft der Destillateure blühte. Sonst kümmerte sich niemand um diese Arbeiter, die in den Industriewerken und den Kohlengruben schufteten. Sie sprachen kaum Deutsch, untereinander ein mit deutschen Brocken durchsetztes sogenanntes Wasserpolnisch. — In unerreichbaren Höhen aber lebten die Vertreter des Hochadels, die Henckel-Donnersmarck, Strachwitz, Radziwill und andere, die auf ihren unermeßlich großen Gütern saßen und einen wesentlichen Teil der oberschlesischen Industrie und der Kohlengruben besaßen. Sie waren die eigentlichen Herren des Landes.

Schon in meinem 14. Lebensjahr entwickelte sich bei mir und meinen Freunden eine gewisse Opposition, die darin zum Ausdruck kam, daß wir verbotener Lektüre huldigten. Man wird heute kaum verstehen, daß dazu Kant und Schopenhauer gehörten und vor allem natürlich etwas so durchaus Verabscheuungswürdiges wie eine damals in jenen Gegenden Deutschlands kaum bekannte Zeitschrift, die mir eines Tages bei dem einzigen Gleiwitzer Buchhändler in die Hände fiel, die ›Neue Rundschau‹. Von ihrem Inhalt, ich erinnere mich noch an zwei Beiträge im ersten Heft, das ich stolz nach Hause trug, weil mir der schlichte, graue Umschlag des Heftes so gefiel, verstand ich so gut wie nichts. Es war ein Aufsatz über die Monroe-Doktrin und der Vorabdruck des ›Bogen des Odysseus‹ von Gerhart Hauptmann. Daß später einmal mein Name auf dieser Zeitschrift als Herausgeber stehen würde, konnte ich mir nicht träumen lassen.

Bei Ausbruch des Ersten Weltkrieges war ich gerade 17 Jahre alt geworden. Mein Geburtstag am 31. Juli fiel auf den Tag der Mobilmachung. Wie alle meine Alters- und Klassengenossen war ich vom patriotischen Rausch ergriffen. Wie hätte es bei der nationalistischen Erziehung, deren Opfer wir waren, anders sein können. Aber es dauerte noch ein ganzes Jahr, bis es mir gelang, als Kriegsfreiwilliger angenommen zu werden. Ich reiste von Regiment zu Regiment. Teils wegen meiner Jugend, teils wegen eines angeblichen Herzfehlers wurde ich überall zurückgewiesen. Schließlich gelang es mir im Jahre 1915, wieder an meinem Geburtstag, beim 5. Fußartillerie-Regiment in Posen anzukommen. Ich war mit der Erlaubnis meiner armen Eltern, denen ich sie abgepreßt hatte, mit einem Freund in diese andere entlegene Ecke Deutschlands gereist, um jene, wie mir schien, letzte Gelegenheit, den Krieg nicht noch zu versäumen, wahrzunehmen. Ich hatte, wie sich herausstellte, noch dreieinhalb Jahre Gelegenheit, ihn mitzumachen. Und es dauerte dreieinhalb Jahre, bis mir die Augen aufgingen und die sozialen und politischen Probleme unserer Zeit in meinen Gesichtskreis rückten.

Aber zunächst war ich fasziniert von der Erfüllung meines Wunschtraumes, die Uniform tragen und für das Vaterland kämpfen zu können. Von der Leichtfertigkeit, mit der die deutsche Regierung, ja ganz Europa, in diesen Krieg hineingeschlittert war, konnten wir uns natürlich keine Vorstellung machen. Wir waren indoktriniert mit nationalistischen Gemeinplätzen bis zur völligen Kritiklosigkeit. Das Blutopfer einer ganzen Generation blühender Jugend, das die Folge dieser ideologischen Vergiftung war, konnte niemals wieder gutgemacht werden. Die herrlichen Begabungen, die in den gefeierten Schlachten der ersten Kriegswochen vernichtet worden sind, konnten niemals wieder ersetzt werden. Der Gedanke, wie sich wohl die spätere Geschichte Deutschlands entwickelt hätte, wenn diese zu Männern herangereifte Jugend an ihr mitgewirkt hätte, hat mich später niemals verlassen.

Als ich Ende November 1918, als jüngster Leutnant meiner Batterie, mit dem ›ehrenvollen‹ Auftrag bedacht wurde, sie in Allenstein in Ostpreußen abzuliefern, war mein Rausch endgültig verflogen. Wie durch ein Wunder war ich durch die großen Schlachten in der Champagne, an der Somme und bis zum Zusammenbruch meiner Armee vor Reims unverletzt durchgekommen. Wir waren nur noch drei von den alten Batteriemannschaft von hundertfünfzig, die 1915 ausgezogen waren. Die anderen hatten wir durch Tod, Verwundung oder Krankheit verloren.

Still und in mich verschlossen kehrte ich für einige Wochen in mein Elternhaus zurück und stürzte mich in das Studium der Medizin, das mich von nun an ganz erfüllte. Daß ich den Beruf des Arztes ergreifen würde, war mir niemals zweifelhaft gewesen. Schon als Vierzehnjähriger hatte ich eine unüberwindliche Neugier für Zusammensetzung und Funktionieren eines lebenden Organismus; damals begann ich, mit den heimlich entliehenen Instrumenten meines Vaters, weiße Mäuse in Narkose zu operieren. Vor lauter Wißbegierde war mir die Grausamkeit dieses Vorhabens nicht bewußt. Solche Wißbegierde und ein gewisses manuelles Geschick hatten die Neigung zu diesem Zweig der Medizin, der Chirurgie, immer mehr wachsen lassen. So war der Seziersaal, der für so viele Studenten einen Ort des Schreckens darstellt, für mich ein anziehender Platz voller Geheimnisse. Mit großem Eifer begann ich das Studium an der Universität Breslau Ende 1918, das ich an der Universität Freiburg im Breisgau im Frühjahr 1919 und später in München fortsetzte. Ich war so besessen von meinen Zukunftsplänen, daß ich schon während des Vorklinischen die chirurgischen Vorlesungen von Professor Lexer besuchte, obwohl das wegen der Überfüllung der Hörsäle streng verboten war. Aus unbewußter Neigung wurde eine Passion. Ich war so in mein Studium versunken, daß ich von dem Hunger und der Not dieser Nachkriegsjahre kaum etwas verspürte.

Mein Staatsexamen und meinen Dr. med.* machte ich in München, arbeitete sechs Monate als Volontärassistent an der Chirurgischen Universitätsklinik von Professor Sauerbruch und verbrachte noch ein Jahr als Volontärassistent am Münchener Anatomisch-Pathologischen Institut, das damals unter der Leitung von Geheimrat Professor Borst stand. So kam ich wohl vorbereitet im Frühjahr 1923 nach Berlin und wurde nach kurzer Probezeit an der Chirurgischen Abteilung des Städtischen

---

* Durch die Einschaltung eines dritten sogenannten Kriegssemesters war es Kriegsteilnehmern ermöglicht, das sonst 5 Jahre dauernde Studium in 3 Jahren zu vollenden.

Krankenhauses Am Friedrichshain, die von Professor Moritz Katzenstein geleitet wurde, als Assistenzarzt angestellt.

Berlin Ende 1923 war eine aufregende, gleichsam elektrisierende Stadt, die sich mit gewaltiger Vitalität den Folgen des Krieges und der Inflation entrungen hatte. Die Luft zitterte vom Optimismus einer neuen Ära. Die Talente schossen aus dem Boden, wurden auf den Schild gehoben und wieder fallen gelassen. Begeisterte Zustimmung und grausames Vergessen waren das Charakteristikum dieses Berlin, in dem die Menschen von einem Wirbel des Lebensgenusses erfaßt waren. Was damals auf der Bühne des Deutschen Theaters unter Max Reinhardt, im Staatlichen Schauspielhaus unter Leopold Jessner, in den Konzertsälen und in der Oper unter Bruno Walter, Klemperer, Furtwängler, Fritz Busch an Leistungen geboten wurde, war hinreißend, und es ist in seiner Fülle und Vollendung niemals wieder erreicht worden.

Mir jedoch als jungem Arzt blieben die Schattenseiten des Lebens nicht verborgen. Der Nachtdienst auf der Empfangsstation des Krankenhauses Am Friedrichshain, östlich vom Alexanderplatz, war ein turbulentes Abenteuer. Stunde für Stunde lieferten die Unfallwagen die Opfer der Berliner Nacht bei uns ab, die kämpferischen Trunkenbolde mit zerschlagenen Köpfen, mit Stich- und Quetschwunden, die mißlungenen Selbstmorde, oft aus unglücklicher Liebe, junge Mädchen nach gefährlichen Eingriffen, meistens mit der Erklärung, sie seien die Treppe hinuntergefallen, mit schweren Blutungen, manchmal bereits hoch fiebernd oder in Agonie. Es war ein bedrückendes Bild von den sozialen Zuständen hinter dem Trubel und dem trügerischen Glanz der frühen Zwanziger Jahre.

So mancher meiner Kollegen wurde dort zum Zyniker, als Selbstschutz vor diesem Ansturm von Not, Schmutz und Verzweiflung. Ich wehrte mich dagegen durch vermehrte Aktivität und flüchtete mich in den Operationssaal. Dort wurde von früh um sieben bis in die Mittagsstunden an drei bis vier Tischen operiert.

Im ersten Jahr wurde der junge Assistenzarzt einem älteren Kollegen zugeteilt, der bereits selbständig kleinere und mittlere Operationen durchführen konnte, später dem Oberarzt und dem Chef. In der Hauptsache handelte es sich um die große Chirurgie des Bauches, Magen, Darm, Gallenblase und, meines Chefs besondere Spezialität, Gelenkoperationen und Muskeltransplantationen bei Lähmungen, ein Gebiet, auf dem er große Erfolge hatte. Meine Kenntnisse der Anatomie, die Erfahrungen aus meiner Tätigkeit im Anatomisch-Pathologischen Institut der Münchener Universität und mein manuelles Geschick erleichterten mir die Einarbeit. Dem Operateur zur Hand zu sein, aus der jeweils besonderen Operationslage seine Intentionen vorauszusehen und entsprechend zu handeln, schnell und präzise die von ihm gelegten Fäden zum Knoten zu schlingen, Blutungen zu stillen, das Operationsfeld freizuhalten und — immer sicherer und erfahrener werdend — auf das Ziel der selbständigen Operation zuzusteuern, das erfüllte damals meinen Tag.

Und dann kam das große Ereignis. Mein Chef assistierte mir bei meiner ersten Appendectomie. Sie verlief, als hätte ich sie schon hundertmal exekutiert. Man war mit mir zufrieden. Ich hatte mir einen Platz in den höheren Rängen erobert.

So leicht, wie bei dieser ersten, unkomplizierten Blinddarmoperation ging es nicht immer ab. Die Behandlung von Infektionen mit Sulfaten oder Antibioticis gab es damals noch nicht. Eine Bauchfellentzündung war immer lebensgefährlich. Wie oft standen wir verzweifelt und hilflos vor zu spät bei uns eingelieferten Kindern mit durchgebrochenem Blinddarm und daraus folgender Peritonitis, bei der weder die sofortige Appendectomie noch die Spülung der Bauchhöhle mit allen möglichen Desinfektionsmitteln etwas nutzten. Dieses Kindersterben gehörte zum deprimierendsten Erlebnis des jungen Arztes, diese sinnlosen Tode, verursacht durch Mangel an Erfahrung und durch Lässigkeit der Ärzte draußen. Aber genauso furchtbar waren die zahllosen Fälle von Sepsis bei jungen Mädchen, die sich aus Verzweiflung in die schmutzigen Hände von sogenannten ›weisen Frauen‹ begeben hatten.

Schon im ersten halben Jahr meiner Assistentenzeit hatte ich das schrecklichste Erlebnis, das einem Arzt widerfahren kann. Es konfrontierte mich unvorbereitet mit einem Problem, das keinem Arzt erspart bleibt und immer wieder von neuem die Gewissensfrage nach der Erhaltung eines ihm anvertrauten Lebens stellt.

Ich war eines Mittags allein auf der chirurgischen Station, als ich dringend in den Operationssaal gerufen wurde. Man hatte einen schweren Unfall, um keine Zeit zu verlieren, direkt dorthin gebracht und alle Formalitäten bei der Einlieferung vermieden. Als ich mir die Hände wusch und die Schwester mir den sterilen Operationsmantel überzog, sah ich auf dem Operationstisch das bleiche Gesicht eines Kindes. Ich ließ das Tuch, das es bedeckte, beiseite ziehen und sah den bildschönen Körper eines zwölfjährigen Jungen, dem beide Beine oberhalb der Knie nahezu völlig abgetrennt waren. Sie hingen noch an ein paar Haut- und Sehnenfetzen. Das Kind war ganz ausgeblutet und unter schwerem Schock. Es war, wie man mir berichtete, von einer Straßenbahn überfahren worden. Als ich die Blutgefäße abgebunden und die Wunde versorgt hatte—eine endgültige Stumpfoperation konnte wegen des Schockzustands erst später vorgenommen werden —, erwachte der Knabe aus seiner Bewußtlosig-

17

keit, sah mich lächelnd, ja strahlend an. Er war ganz ahnungslos, was ihm geschehen war, und hielt mich offenbar für einen freundlichen Onkel. Der Gedanke, diesen gesunden, prächtigen Jungen ohne Beine ins Leben zu entlassen, erschien mir untragbar. Draußen warteten die inzwischen herbeigerufenen jungen Eltern. Ich mußte ihnen sagen, was ihrem einzigen Sohn zugestoßen war. Woher wußte ich, wie das zu tun ist? Sie sahen mir wohl schon von weitem meine Erschütterung an, und es bedurfte nicht vieler Worte. Jetzt aber kam das Entsetzliche: die Mutter flehte mich an, ihn sterben zu lassen. Ich hatte vier Jahre Krieg erlebt und viele Tode gesehen. Dem war ich nicht gewachsen. Ich stürzte auf die Station, wohin man das Kind inzwischen gebracht hatte, verabreichte die übliche Morphiumspritze und kämpfte mit mir um weitere Entschlüsse. Bluttransfusionen gab es damals, 1924, noch nicht. Die Blutgruppenbestimmung, die die Voraussetzung ist, befand sich in ihren Anfängen. Die Technik der Transfusion, die heute jede Krankenschwester mit den überall zur Verfügung stehenden Plasmavorräten und Apparaturen beherrscht, war noch nicht entwickelt. Das Mittel der Wahl bei schweren Blutverlusten war die Kochsalzinfusion in die Armvene. Während ich noch mit mir kämpfte, ob ich sie anwenden, also das einzige zur Erhaltung dieses Lebens noch mögliche tun oder ob ich es dem Schicksal überlassen sollte, ob es dieses junge Leben erhalten wollte, erschien mein Chef, Professor Katzenstein, am Krankenbett. Ein Blick genügte, und er fragte mich: »Haben Sie die Kochsalzinfusion gemacht?« Als ich schwieg, blickte er mich an und winkte mich aus dem Krankenzimmer. Er wußte, wie es um mich stand, und ohne mich noch mehr zu fragen, sagte er: »Mein Lieber, es ist die unverbrüchliche Aufgabe des Arztes, Leben zu erhalten. Was wissen Sie über die Zukunft dieses Jungen? Vielleicht wird er ein großer Mathematiker oder Philosoph, auch ohne Beine. Können Sie wissen, ob er nicht dennoch ein glücklicher Mensch werden, Liebe finden und geben kann? Gehen Sie und tun Sie Ihre Pflicht.« Ich tat sie, widerstrebend. Die ganze Nacht kämpfte ich dann um das Leben dieses Kindes, das ich schließlich doch nicht retten konnte.

Ich war damals 26 Jahre alt und verwechselte meine perönlichen Empfindungen mit meiner Arztespflicht. Später sah ich ein, wie recht mein älterer, erfahrener Lehrer hatte, und wie sehr uns jungen Medizinern die Erziehung in ärztlicher Ethik fehlte. Sie sollte als Lehrfach eingeführt werden. Eine Verhaltenslehre des Arztes zum Patienten ist vonnöten. Mit der Lehre der Diagnose, Therapie und Technik ist es nicht getan. Wie vielen Ärzten bin ich in meinem späteren Leben begegnet, die dieser höchsten Aufgabe des Mediziners ahnungslos gegenüberstanden und es an der so notwendigen und für Heilerfolge unentbehrlichen psychologischen Behandlung fehlen ließen, weil ihnen während ihres Studiums dieser schwerste und dankbarste Teil ärztlicher Tätigkeit nicht erschlossen worden war.

Trotz all dieser Einblicke ließ ich mich vom Glauben an die Zukunft tragen, gleichsam in ein goldenes Zeitalter, das uns bevorstand — und ich fand mich in diesem Glauben bestätigt durch die Literatur dieser Jahre, welche den Rest meiner karg bemessenen Freizeit ausfüllte.

Die Literatur und die Musik.

Abschied von der Medizin

Musik und Literatur, sie sollten mir zum Schicksal werden. Musik als Mittlerin, Literatur als lebenserfüllende Aufgabe.

In meinem Elternhaus liebte man die Musik. Meine ältere Schwester war eine begabte Pianistin. Durch sie wurde mein Interesse geweckt, selbst ein Instrument zu erlernen. Ich hatte mit sieben Jahren in dem ersten Konzert, in das meine Eltern mich mitnahmen, Bronislaw Hubermann, den genialen Geiger, gehört und war von seinem dämonischen Spiel so tief beeindruckt, daß ich meine Mutter bat, mir Violinunterricht erteilen zu lassen. Sehr weit habe ich es damit nicht gebracht. Immerhin reichte es leidlich zur Kammermusik.

Während meiner Berliner Assistentenzeit spielte ich die zweite Violine in dem Streichquartett, das eine Tochter des Berliner Verlegers Bruno Cassirer in ihrem schönen, an erlesenen Kunstschätzen reichen Hause als erste Geige führte. Hier begegnete ich meiner künftigen Frau, und hier nahm das Schicksal, das mein weiteres Leben und das des S. Fischer Verlages bestimmen sollte, seinen Lauf.

Ein kleines Fest war im Gange, und ich tanzte gerade mit der blonden Renate, meinem neuesten Flirt, als in der sich öffnenden Tür ein Mädchen in weißem Abendkleid erschien, eine Gestalt, von der ein Strom von weiblichem Charme, von Klugheit und innerer Stärke, von Ernst und Selbstbewußtsein ausging, der mich so sehr traf, daß ich diesen ersten Augenblick der Begegnung nie mehr vergaß. Es war Brigitte Fischer, die Tochter des berühmten Verlegers S. Fischer, dessen Zeitschrift ›Die Neue Rundschau‹ mir seit meiner frühen Jugend so viel bedeutet hatte und dessen Bücher, insbesondere die von Thomas Mann und Hermann Hesse, mich damals stets begleiteten.

An diesem Abend kam es kaum zu einem Gespräch. Wohl aber beim nächsten Mal, als wir uns auf dem einmal im Jahr stattfindenden Ball der ›Berliner Sezession‹, der Vereinigung moderner Maler, wiedersahen. Es war ein Fest, auf dem sich alles traf, was mit Kunst, Musik, Theater in diesem von Energien überströmenden Berlin der Zwanziger Jahre zu tun hatte. Die Säle des ›Palais de Dance‹, einer höchst eleganten, aber wegen seiner losen Sitten in Bürgerkreisen nicht gerade gut beleumundeten Tanzstätte in der Behrenstraße, das die Sezession für diesen Zweck wohl nicht ganz ohne die Absicht ›d'épater le bourgeois‹ gemietet hatte, waren prächtig ausgeschmückt und erfüllt von ungeheurem Trubel übermütiger Künstler.

Ich war leider, im buchstäblichen Sinne des Wortes, nur halb dabei. In meinem Laboratorium in der Zellforschungsabteilung des Anatomisch-Pathologischen Instituts der Charité warteten in einigen Brutschränken Kulturen von lebenden Zellen, die ich dort züchtete, und die alle zwei Stunden neuen Nährstoff erhalten mußten. Ich hatte bei Frau Professor Rhoda Erdmann, einer früheren Mitarbeiterin des Zellforschers Professor Carrel in New York, eine Arbeit über die Staphylokokken-Infektion lebender Zellen begonnen, und nichts konnte mich davon abhalten, meinen Zellen, die auf mich warteten, ihre Nahrung zu verabreichen.

Mit meiner anderen Hälfte war ich allerdings im Verlauf des Abends mindestens so stark im ›Palais de Dance‹ engagiert.

Wie es kam, weiß ich nicht mehr. Jedenfalls saß ich plötzlich neben Brigitte Fischer und war in ein Musikgespräch vertieft, bei dem sich herausstellte, daß sie Klavier spielte und einen Bratschisten für das ›Forellenquintett‹ suchte, das sie demnächst in ihrem Elternhaus mit ihren Musikerfreunden auszuführen gedachte. Der Zufall wollte es, daß ich gerade von der Violine auf die Viola umgewechselt hatte, und so lag nichts näher, als daß ich mich mit aller Bescheidenheit anbot, einzuspringen.

Es war ein etwas merkwürdiges Tanzvergnügen, geteilt zwischen ernsten Gesprächen, einem kurzen Tanz im Trubel des Festes und der Fütterung meiner Zellen, zu denen ich alle zwei Stunden im Sturmschritt eilen mußte. Damals ahnte ich noch nicht im entferntesten, daß ich sie schließlich doch verlassen würde, und nicht nur sie, sondern die ganze Medizin und damit meine alte Welt.

Zweimal in der Woche fuhr ich nun auf dem oberen Stock des Omnibusses ein bis anderthalb Stunden vom Krankenhaus Am Friedrichshain quer durch Berlin nach dem Grunewald, den Bratschenkasten zwischen den Knien. Ich lernte die Straßenzüge auswendig, die in der Höhe der ersten Etage an mir vorbeizogen, und in meinem Inneren erklangen — wie ein Leitmotiv — die Melodien des Forellenquintetts; noch heute muß ich, wenn ich sie wieder höre, an diese langen und traumhaften Fahrten denken.

Wir machten das Leid aller Liebenden durch, die nicht zusammenkommen können. Es war eine Unmöglichkeit für uns, allein zu sein, einmal, weil die Eltern wie die Luchse aufpaßten, wie es damals der Brauch war. Zum andern, weil wir gar nicht auf den Gedanken kamen, aus diesem Sittenkodex auszubrechen. Kaum, daß es uns gelang, ein Wort allein miteinander zu sprechen. Selbst wenn wir bei Freunden musizierten und ich mich anschließend erbot, Brigitte — sie wurde zu Hause und von allen ihren Freunden Tutti genannt — nach Hause zu begleiten, konnte ich zwar in der Stadtbahn mit ihr reden, aber am Bahnhof Grunewald stand mit Sicherheit die Gouvernante mit Hund.

Als wir uns schließlich doch aussprechen konnten und Tutti ihren Eltern bekannte, wie es um uns stand, reiste die Familie fluchtartig ab. Ich bekam nur noch einen Anruf im Krankenhaus Friedrichshain, was immer ein entsetzlicher Umstand war, weil man durch den ganzen Klinik-Komplex zum Telefon laufen mußte, das es damals auf der Station selbst noch nicht gab. Dann hörte ich wochenlang nichts mehr. Miteinander zu korrespondieren war uns untersagt. — Man wollte Zeit gewinnen, bevor man sich in das Unausweichliche fügte.

Nach seiner Rückkehr bat mich Fischer sogleich in sein Büro. Mit Herzklopfen machte ich mich auf den Weg. Der S. Fischer Verlag befand sich damals in der Bülowstraße, dicht bei den Eisenbögen der Hochbahn. Das Haus bildete einen recht bescheidenen Rahmen für das weltweite Unternehmen, das es seit langem war — immer noch aber ein patriarchalisch regiertes, wie ich bald erfahren sollte.
Zunächst mußte ich eine halbe Stunde im Empfangsraum warten, von dessen Wänden mich die Fotos der Verlags-Autoren, von Jakob Wassermann bis Gerhart Hauptmann, von Thomas Mann bis Arthur Schnitzler, augurenhaft anzulächeln schienen. Als mein Herzklopfen gerade zum Trommelwirbel angeschwollen war, wurde ich in den ersten Stock gerufen. Dort saß S. Fischer hinter seinem Schreibtisch und sah mich freundlich an: »Sie wollen also meine Tochter heiraten?«
Ich sagte: »Ja.«
»Und wie stellen Sie sich das vor? Die Zukunft?«
Ich sagte: »Ich habe vor, mich an der Universität zu habilitieren, und das wird mindestens noch fünf bis sechs Jahre dauern. So lange müssen wir eben warten.«
Das erregte ganz offensichtlich sein Mißfallen, wie er überhaupt mein Eingeschworensein auf eine wissenschaftliche Laufbahn nicht billigte. Ich hatte nicht die leiseste Ahnung, daß er bereits mit dem Gedanken umging, mich zu fragen, ob ich vielleicht in den Verlag eintreten möchte.
Fischer war damals sechsundsechzig Jahre alt, sein Sohn Gerhart war jung gestorben, es gab keinen Nachfolger, und er war besorgt, ob der Verlag ihn überleben würde. Er hatte schon früher versucht, einen jüngeren Verleger als Partner zu gewinnen; er hatte mit Ernst Rowohlt, er hatte später mit Kurt Wolff verhandelt, aber alle diese Verhandlungen waren gescheitert. Es war nicht abzusehen, wie es weitergehen sollte.
Schon bei dieser ersten Besprechung stellte er mir eine sehr sonderbare Frage, die ich zunächst nicht verstand. Er wollte wissen, ob ich Organisationstalent hätte.
Darauf war ich nicht vorbereitet, aber immerhin, ich hatte oft Gelegenheit, schon im Kriege als Artillerie-Leutnant und später

im chirurgischen Alltag, festzustellen, daß ich eine gewisse Begabung hatte, die Dinge von einem zentralen Punkt aus zu sehen und entsprechend einzuteilen. Doch ich hatte nicht verstanden, was er im Sinn hatte, bis er dann am Ende des Gesprächs die Katze aus dem Sack ließ: ob ich nicht vielleicht daran denken könnte, den medizinischen Beruf an den Nagel zu hängen und in den Verlag einzutreten. Nicht im entferntesten hatte ich an diese Möglichkeit gedacht. Ich war tief beeindruckt, alle meine literarischen Neigungen und Träume wurden geweckt — dazu kam natürlich die Hochachtung für den Verlag und die, ich kann nur sagen, Ehrfurcht für seinen Herrn und Meister.

Trotzdem dauerte es noch viele Monate, bis ich mich entschied. Der Entschluß, die Medizin zu verlassen, wurde mir in diesem Augenblick besonders schwer, weil mir kurz vor meinem Gespräch mit S. Fischer die orthopädisch-chirurgische Universitätsklinik in Berlin eine Assistenzarztstelle angeboten hatte. Als ich meinen Chef Professor Katzenstein davon verständigte, daß ich das Angebot annehmen wolle, wurde er so böse, wie ich es nie für möglich gehalten hätte. Er sprach kein Wort mehr mit mir, und erst viel später erfuhr ich die Ursache seines Zorns: er wollte mich trotz meiner Jugend zum Oberarzt seiner chirurgischen Abteilung machen. Er mußte mich aus enttäuschter Sympathie als eine Art von Verräter empfunden haben — wie oft dachte ich später an diese Situation, wenn einer meiner Mitarbeiter, den ich gern behalten hätte, seine Kündigung aussprach.

So stand ich also am Scheideweg. Ich beriet mich mit meinen Freunden, mit den Eltern, den Kollegen und vor allem mit meiner zukünftigen Frau; schließlich kam ich zu der Erkenntnis, daß hier eine Lebensaufgabe auf mich wartete, die abzulehnen fast ein Sakrileg gewesen wäre.

Nach jenem Gespräch im Verlag mit dem alten Fischer fuhren wir zusammen in den Grunewald. Das hieß, daß ich akzeptiert war.

Das große Haus im Grunewald, Erdenerstraße 8, erbaut von dem Architekten Professor Hermann Muthesius, erinnerte mit seinem schönen, ringsum abgeschirmten Garten an ein Landhaus — eine Villa im ursprünglichen Sinn des Wortes. Es barg eine Fülle von erlesenen Kunstschätzen. S. Fischer hatte schon am Anfang seiner Laufbahn begonnen, sich mit den Werken der Impressionisten zu umgeben. Gemälde von Cézanne, van Gogh, Gauguin, Pissarro, aber auch von deutschen Malern wie Liebermann und Corinth füllten die Wände überall da, wo die vielen Bücher noch Platz gelassen hatten. Der große Bechstein-Flügel, der meine Frau und mich später durch alle Fährnisse um die Welt begleiten sollte, und der noch heute in unserem Haus in

Connecticut steht, bildete zunächst die Brücke zu diesen überwältigenden Eindrücken. Charakteristisch an diesem Haus war das selbstverständliche Zusammengehören aller Dinge, die harmonische Atmosphäre, die sogleich auf mich übergriff und mir jungem Menschen das Schwere leicht machte.

Es war viel Güte in dem alten Herrn, der mein Schwiegervater werden sollte. Er behandelte mich liebevoll, dabei aber vorsichtig; denn er war im Grunde ein scheuer Mensch, und ich bin es eigentlich auch. Ganz war diese Scheu nie zu überwinden, denn durch seine Menschlichkeit hindurch schimmerte immer ein Zug von Skepsis, dem gegenüber man sich zu behaupten hatte. Nie wäre jemand auf die Idee gekommen, sich vor ihm gehen zu lassen.

Frau Hedwig Fischer hingegen war die weibliche Offenheit selbst und um jedermanns Wohlergehen besorgt. Im Innersten ihres Wesens war sie von der Überzeugung durchdrungen, daß sich alles und jedes, wenn man nur den guten Willen dazu hatte, zum Besten kehren lasse. Diesen kindlichen Glauben erhielt sie sich bis tief in die Nazizeit hinein: das hätte ihr fast das Leben gekostet. Auch sie war von unbestechlichem Urteil, dabei aber ohne jeden Vorbehalt und immer bereit, wenn sie sich einmal für jemanden entschieden hatte, sich ganz für ihn einzusetzen. Von diesem liberalen und humanen Geist war das Haus durchdrungen, und man konnte sich dieser Atmosphäre nicht entziehen, wenn man einmal die Schwelle überschritten hatte. Ich fühlte, wie Frau Fischer mich mit ebenso gütigem wie zustimmendem Blick betrachtete — in diesem Augenblick war ich ganz in die Familie aufgenommen.

Schließlich war der schwere Entschluß gefaßt. Am 1. Oktober 1925 sollte das neue Leben beginnen.

In der letzten Nacht, in der ich noch Dienst im Krankenhaus hatte, wurde ich aus dem Schlaf geklingelt. Ein Patient mit einer schweren Bauchfellentzündung war eingeliefert worden. Die Diagnose war eindeutig: perforiertes Magenulcus.

Die Vorgeschichte der Erkrankung ergab für den weiteren Verlauf eine außerordentlich ungünstige Prognose, denn der Durchbruch war vor mehr als achtzehn Stunden erfolgt — für mich eine unangenehme Feststellung, denn ich war mir bewußt, daß dies meine letzte Operation sein würde. Das Gefühl, daß sie letal ausgehen könnte, war mir unerträglich. Andererseits war es mir klar, daß keine Minute zu verlieren war. Ich versuchte, den Chef zu erreichen. Er war nicht da. Ich rief den Oberarzt an. Auch er war nicht da. Ich hatte keine Wahl, ich mußte selbst das Messer führen, obwohl ich bis dahin nie selbständig eine Magenoperation vorgenommen hatte. Wohl war mir jede Einzelheit des Vorgehens bekannt, aber es ist etwas anderes, zu assistieren, als in eigener Verantwortung zu handeln.

Innerlich erregt, äußerlich mit ruhiger Hand, legte ich den Magen frei, fand die perforierte Stelle, schloß sie und machte die Bauchdecke wieder zu.

Gerade als ich die letzte Naht anlegte, schoß der Oberarzt mit fliegendem weißen Kittel herein, konnte aber nur feststellen, daß alles vorbei war.

Jeden Nachmittag begab ich mich in die Klinik, um nach dem Kranken zu sehen. Ich war schon ausgeschieden und saß bereits dem Schreibtisch des alten Fischer gegenüber, um mich in meinen neuen Beruf einzuarbeiten. Aber ich war geradezu besessen von der Idee, daß mein Patient gerettet werden müsse. Es war ein Omen: stieße ihm etwas zu, so hätte ich alles falsch gemacht; wenn er aber durchkäme, dann würde das Glück auch weiterhin mit mir im Bunde sein.

Mit täglich wachsender Entspannung beobachtete ich, wie mein Patient langsam wieder zu Kräften kam, bis er schließlich nach drei Wochen geheilt entlassen werden konnte.

Mein Nachfolger am Krankenhaus Friedrichshain, den ich noch einführen konnte, war Dr. Curt Emmrich, der später unter dem Namen Peter Bamm erfolgreiche Bücher schrieb. Wenn wir uns treffen, sprechen wir noch immer über unser Schicksal, das uns aus der Welt der Medizin in die Welt der Literatur verpflanzt hat. Trotz aller Fährnisse ist es uns beiden nicht schlecht bekommen.

Lehrzeit im Verlag

Wenn ich heute auf die geschäftliche Organisation des Verlages bei meinem Antritt am 1. Oktober 1925 zurückblicke, erscheint sie mir einfach, wohldurchdacht und im besten Sinne patriarchalisch. Man könnte neidisch werden, wenn man sie mit der komplizierten, automatisierten Organisation von heute vergleicht. Die Geschäftsleitung, das Lektorat, die Redaktion der ›Neuen Rundschau‹, die Theaterabteilung, die Herstellungsabteilung, die Werbung, die Buchhaltung, die Statistik und die Auslieferung für Berlin befanden sich in der Bülowstraße 90. Das Buchlager und die Verkaufsabteilung für das übrige Deutschland und für das Ausland waren in Leipzig untergebracht, dem damaligen Zentrum des deutschen Buchhandels. Dort hatte der Börsenverein des Deutschen Buchhandels seinen Sitz. Die meisten Druckereien, mit denen der Verlag arbeitete, wie das Bibliographische Institut, Spamer, Poeschel und Trepte, befanden sich dort, wie auch die großen Kommissionsbuchhändler, die das mittlere und kleine Sortiment belieferten und zu den Großabnehmern der Verlage gehörten. Diese Zentralisierung in Leipzig erleichterte den Verkehr zwischen Sortimentsbuchhandel und Verlag, wie es bis zum heutigen Tag nicht mehr erreicht worden ist.

Das Berliner Verlagshaus entsprach in seinem Äußeren keineswegs der Vorstellung, die man sich von einer Schatzkammer des Geistes machen würde. Es war ein düsterer Kasten im zweiten Hinterhof eines Geschäftsgrundstücks und auf alles andere als auf Repräsentation bedacht. Dieses Understatement, diese Untertreibung, fand ich später in London wieder, wo die Büros von weltumspannenden Handelsfirmen oft in unscheinbaren, altersgebeizten Räumen untergebracht sind. Hier aber entbehrten sie jedes romantischen Schimmers.

Den einzigen Schmuck bildeten die Autoren-Fotos im Empfangszimmer. Es war durch ein Glasfenster mit dem Auslieferungsbüro verbunden, in dem man einige Angestellte arbeiten sah. Im ersten Stock, den man über eine linoleumbelegte Betontreppe erreichte, befand sich das Sekretariat von S. Fischer, in dem gleichzeitig die Autorenabrechnung untergebracht war, beides unter der Leitung von Frau Regina Rosenbaum, welche die Autorenkonten verwaltete. Sie sah aus wie Frau Sorge persönlich, dabei war sie großzügig und als älteste Mitarbeiterin S. Fischers bevollmächtigt, gewisse Vorschüsse zu gewähren, insbesondere den jungen Autoren, wenn ihnen das Wasser am Halse stand.

Wie gesagt, es war ein patriarchalisches Haus. Natürlich hatte das auch seine Nachteile. So fand ich eine Buchhaltung vor, in der man noch mit riesigen Folianten arbeitete, wie in Gustav Freytags ›Soll und Haben‹, und die mit Feder und Tinte geführt wurde — man mußte sich darüber wundern, daß es nicht Federkiele waren. Es kostete mich später viel Mühe und Überredungskunst, das damals übliche Durchschreibeverfahren einzuführen. Nicht, daß ich viel davon verstand; aber hatte mich mein zukünftiger Schwiegervater nicht gefragt, ob ich Organisationstalent hätte? Obwohl ich kein Kaufmann und schon gar nicht ein gelernter war, schien es mir meine Aufgabe zu sein, im Verlag Zeit und Kraft zu sparen. Solche ›revolutionären‹ Maßnahmen bei dem alten Buchhalter durchzusetzen, erforderte viel Energie. Ich kam mir kühn und wagemutig vor — wie ein Rebell.

Noch weiter oben, im zweiten Stock, befand sich die Redaktion der ›Neuen Rundschau‹, die damals von Dr. Rudolf Kayser, dem Schwiegersohn Albert Einsteins, geleitet wurde. Hier hatte auch Oskar Loerke, der Lektor des Hauses, seinen Platz.

Der Leiter der Werbung und Buchausstattung war Paul Eipper, auch er ein bekannter Mann. Seine Tierbücher, die ebenso von seiner Beobachtungsgabe zeugten wie von fast mystischer Einfühlung in die Kreatur, waren so erfolgreich, daß er wenige Jahre nach meinem Eintritt in den Verlag ausschied, um sich nur noch seiner schriftstellerischen Arbeit zu widmen. Auf dem Schutzumschlag seines Buches ›Menschenkinder‹, das 1929 erschien, prangte ein Bild meiner damals anderthalbjährigen ältesten Tochter Gabrielle.

Die Theaterabteilung schloß sich an, die damals unter der Leitung des klugen Dr. Konrad Maril stand. Sie war ein spätes Kind des Verlagshauses. Als S. Fischer in seinen Gründerjahren Autoren wie Hauptmann und Ibsen unter seine Fittiche nahm, versäumte er, die Aufführungsrechte mit einzubringen. Die Verwaltung der Bühnenrechte lag beim Bühnenvertrieb Felix Bloch Erben, mit dem Fischer nicht nur den Justitiar gemeinsam hatte, sondern auch nahe freundschaftliche Verbindung pflegte. Auf die Dauer war aber dieser Zustand nicht befriedigend, und so richtete der Verlag im Jahre 1903 seinen eigenen Bühnenvertrieb ein, der sich zwar ohne die ersten ›Fischer-Klassiker‹, aber mit später hinzukommenden Dramatikern zu einer erfolgreichen Abteilung entwickelte.

Auf engem Raum drängten sich: die Telefonzentrale, das Verlags-Archiv, die Packerei und im dritten Stock die Herstellungsabteilung und das für den Berliner Bedarf eingerichtete Buchlager. Insgesamt waren — einschließlich der Geschäftsleitung — fünfundvierzig Personen beschäftigt. Dazu kamen etwa zehn Angestellte in der Leipziger Auslieferung und Versandstelle.

Das Angebot von Neuerscheinungen an die deutschen Buchhändler erfolgte zweimal im Jahr durch einen Reisenden, einen würdigen Herrn, der per Bahn zu den Buchhandlungen der großen und mittleren Städte fuhr; viel später kam ein zweiter Reisevertreter hinzu. Die Schweiz, Österreich und das Ausland wurden nur sporadisch besucht. Man kümmerte sich damals noch wenig um den Absatz außerhalb der Grenzen. Auch die Werbung beschränkte sich fast ganz auf die Anzeigen im Börsenblatt und auf ein paar Prospekte. Der Werbe-Etat war schmal, und nur in den großen Tageszeitungen wie im Berliner Tageblatt, der Vossischen Zeitung und der Frankfurter Zeitung wurden zweimal im Jahr — vor Ostern und vor Weihnachten — durch Sammelanzeigen die wichtigsten Neuerscheinungen bekanntgegeben. Alles andere lief gewissermaßen von selbst.

Der Verlag war gleich allen Unternehmungen, die im geheimen Einverständnis mit der Zeit stehen, wie ein lebender Organismus gewachsen — gewissermaßen wie ein Baum, der seine Früchte nicht erst anzupreisen braucht, um sie denen in die Hände zu geben, die nach ihnen verlangen. Für ein neues Buch von Gerhart Hauptmann, Thomas Mann, Hermann Hesse, Jakob Wassermann bedurfte es keiner Werbung. Die Leute gingen in die Buchhandlungen und fragten: »Was gibt es Neues bei Fischer — bei der Insel — oder bei Rowohlt — oder bei Kurt Wolff?«

Vom hektischen Betrieb der Gegenwart aus gesehen, in der produziert werden muß, schon um die Dynamik nicht zu verlieren, so wie Rastelli seine Bälle in Bewegung halten mußte, könnte die Verlagsarbeit jener Jahre wie eine Idylle erscheinen. Aber an innerer Spannung und an ständiger Auseinandersetzung mit den geistigen und politischen Forderungen der Zeit fehlte es auch damals nicht. Zudem hatten die jüngeren Verlage mit Macht den Konkurrenzkampf aufgenommen. Rowohlt, Kurt Wolff, Kiepenheuer, Malik kämpften für eine neue Schriftstellergeneration, die die Auseinandersetzung mit der Vergangenheit aufgenommen hatte.

S. Fischer hatte mir in seinem Arbeitszimmer einen Schreibtisch aufstellen lassen, an der Schmalseite seines eigenen. Da saß ich nun und konnte den verehrten Mann aus nächster Nähe beobachten. Kaum, daß ich den weißen Mantel ausgezogen und das Skalpell aus der Hand gelegt hatte, war ich in eine völlig andere Welt versetzt; aus einer Welt der Aktion, des Leidens und Helfens, des schnellen Entschlusses, aus einer Welt, in der Leben und Tod sich stündlich vor meinen Augen trafen, in eine Welt der Gespräche, des ruhigen Abwägens und Urteilens, der Begegnung mit dem schöpferischen Geist.

Niemals habe ich mich als Arzt als Herr über Leben und Tod gefühlt. Ein schlechter Arzt, der sich diese Rolle anmaßte. Aber mein Verhältnis zum Leben, zu Begriffen wie ›Krankheit‹ und ›Gesundheit‹, meine Beziehung zur Umwelt war bestimmt vom ärztlichen Denken, vom Wissen um den menschlichen Körper, seine komplizierten, geheimnisvollen Systeme von Nerven, Muskeln, Organen und Säften und vom Wissen um den Tod.

Die Menschen, denen ich hier begegnete, und mit deren Schicksal ich nun verbunden wurde, stellten Anforderungen, die dem vorwärtsdrängenden Leben entstammten. Intellektuelle Hilfe und Beratung und aktiver Einsatz für die Verbreitung und Verwertung ihrer Arbeit war die Forderung an den Verleger.

Daß ich S. Fischer bei dieser Tätigkeit nun Tag für Tag beobachten konnte, war ein Schicksalsgeschenk besonderer Art. Ohne ihn als ständig auf mich einwirkendes Vorbild wäre mir der schwere Übergang in diese andere Welt nicht möglich gewesen. Er wäre freilich auch nicht geglückt, wenn nicht die geistigen Voraussetzungen vorhanden gewesen wären, die Liebe zur Literatur und eine Neigung zu geschäftlicher Organisation, die ich bisher an mir gar nicht gekannt hatte.

S. Fischer war ein kleiner, untersetzter, sehr sorgfältig gekleideter Mann, bei dessen Anblick sich sogleich drei charakteristische Dinge einprägten: ein runder, fast kahler Schädel, seine etwas wulstigen Lippen, die seine Worte langsam, mit leichtem Zungenanschlag, formten, und seine hellblauen, meistens lächelnden, ausdrucksvollen Augen, die den Geist und den Humor dieses außerordentlichen Mannes, seine Güte, aber auch seine Strenge enthüllten.

Er war äußerst sensibel für richtige und falsche Töne und wendete sich Menschen und Büchern genauso schnell in Sympathie zu, wie er sich mit untrüglichem Instinkt von ihnen kehren konnte. Ich habe nur sehr selten erlebt, daß er sich geirrt hat, auch in Fällen, in denen seine Berater ihm heftig widersprachen und ihn zu überzeugen versuchten. Sein Gefühl für Qualität war unbestechlich. Dabei machte er von ihm in großer Bescheidenheit Gebrauch, hörte sich in Ruhe die Argumente der anderen an, um dann mit einem einzigen den Kern der Sache treffenden Satz seinen Gesprächspartner schachmatt zu setzen. Die Grundlage seines Wesens war eine tief verwurzelte Moralität, für die alles Unzuverlässige, Unechte, Unmenschliche, Unwahre so verletzend war, daß er daran krank werden konnte. Ich habe ähnliches nur noch bei Thomas Mann erlebt. Diese Sensibilität, seine Urteilskraft und seine Zuverlässigkeit ausstrahlende Persönlichkeit machten ihn zum Anziehungspunkt für Generationen von Schriftstellern, für deren in der Unsicherheit, im Zweifel, im Suchen schwebende Existenz Fischer der sichere Zufluchtshafen war.

Wenn man mich, der ich nahezu volle zehn Jahre fast täglich viele Stunden mit ihm zusammen war, nach seinen menschlichen Schwächen fragen würde, so fiele mir die Antwort schwer. Was sein Leben beschattete, war eine Neigung zur Melancholie, die durch den Tod seines Sohnes noch verstärkt worden war.

Als Verleger und Kaufmann, als Freund seiner Autoren und Verwalter ihres Gutes, war er von unbestechlicher und kompromißloser Ehrlichkeit und Ergebenheit. Er tat alles, um ihre Wünsche zu erfüllen, auch wenn diese manchmal weit über die vertraglichen Vereinbarungen hinausgingen. Die peinliche Sorgfalt, mit der er ihre Briefe beantwortete, ihre Honorar- und Vermögensangelegenheiten behandelte, wie er jede kleinste Kleinigkeit in der Herstellung der Bücher, der Einbände, der Werbung beobachtete und nach seinem Willen gestaltete, wie kein Aufsatz der ›Neuen Rundschau‹ an ihm vorüberging und kein Manuskript zur Annahme gelangte, ohne daß er sein Placet erteilt hätte, wie er aber auch teilnahm an der Entwicklung und dem Ergehen der Verlagsautoren und immer für sie da war, sei es in seinem Büro oder im Grunewaldhaus, im kleinen und großen Kreis der Gleichgesinnten — alles das wurde mir zum Vorbild für mein eigenes künftiges Wirken. Wenn ich ein Verleger geworden sein sollte und meiner Aufgabe später unter so schweren und völlig anderen Umständen gerecht werden konnte, so habe ich es dem großartigen Vorbild dieses Mannes zu verdanken, der sein ganzes Dasein den Dichtern und ihrem schöpferischen Werk gewidmet hat. Unter seinem Schutz war es leicht für mich, das Vertrauen der Autoren zu gewinnen, ohne das ein solcher Verlag nicht existieren und weiterleben kann.

Tag für Tag ließ ich die täglichen Geschehnisse im Direktionsbüro des Verlags an mir vorbeigehen. ›Vorbeigehen‹ ist das richtige Wort, denn zunächst verstand ich nichts. Ich sah die leitenden Angestellten dem Chef berichten, ich hörte Gespräche mit besuchenden Autoren an und kam am Abend so müde wie nach keinem anstrengenden Operationstag in meine Junggesellenwohnung. Als sich allmählich der Nebel lichtete, engagierte S. Fischer als meinen Mentor den Dichter Hermann Kasack, der mich mit den jüngeren Autoren und mit den Gepflogenheiten im Umgang mit Dichtern und Schriftstellern bekanntmachen sollte. Da ich inzwischen mit den Verlagsangestellten auf gutem Fuße stand und täglich Gelegenheit hatte, ihre Arbeit zu beobachten und mir erklären zu lassen, war ich Anfang des Jahres 1926 mit den technischen Vorgängen schon recht vertraut geworden. Als ich im Februar 1926 heiratete, fühlte ich mich bereits als junger Verleger und hatte einen eigenen, wenn auch kleinen Aufgabenkreis, der sich hauptsächlich auf die Gebiete der Buchherstellung, des Vertriebs und der Werbung beschränkte. Bei dieser schnellen Einarbeitung bedurfte es bald der Beratung durch Hermann Kasack nicht mehr, und wir trennten uns wieder.

Literarischer Berater des Verlages war damals Oskar Loerke. Er war der Familie Fischer und damit natürlich auch meiner Frau freundschaftlich-nahe verbunden. Sein Vorgänger, Moritz Heimann, der seit dem Jahre 1896 bis zu seinem Tod im Jahre 1925 Lektor des S. Fischer Verlages gewesen war, wird als Freund und Berater S. Fischers und der großen Autoren jener Zeit unvergessen bleiben. Leider war es mir nicht vergönnt, ihn noch persönlich kennenzulernen. Im Sommer 1925 mußte ich vor der Tür seines Krankenzimmers in der Berliner Charité umkehren, da er bereits zu leidend war, um mich empfangen zu können. Er starb bald darauf.

Oskar Loerkes Freundschaft erstreckte sich sehr bald auch auf mich. Er selbst erschloß mir den Zugang zu seiner Dichtung, die der modernen Lyrik neue Wege gewiesen hat. Aber nicht nur dazu wies er uns den Weg. Ihn als Interpreten Bachs und Bruckners zu hören, — am Klavier oder als literarischen Deuter — war ein einzigartiges Erlebnis. Die Stunden, die ich mit ihm verbringen konnte, waren von höherer Weihe. Er arbeitete nicht im Verlag, sondern kam nur ein- oder zweimal in der Woche ins Haus, um über die Manuskripte, die er geprüft hatte, zu berichten; es war eine ermüdende Arbeit für diesen einsamen Geist, unter der er litt. Erst viel später war ich erfahren und reif genug, um das in seinem vollen Ausmaß zu verstehen, wie ich damals wohl überhaupt zu jung war, um die Problematik meines neuen Berufes ganz zu erfassen. Meine Tätigkeit als Arzt hatte mir zwar Erfahrungen über meine Jahre hinaus eingetragen; aber bis zum vollen Verstehen eines Menschen wie Loerke und der Tragik seines Lebens war ich noch nicht vorgeschritten.

Ich sehe ihn vor mir, Manuskripte unter beiden Armen, gleichsam von Meltau bedeckt, unter der Last seiner Verantwortung. »Das schrecklichste«, pflegte er zu sagen, »sind nicht die Manuskripte, die schlecht sind; das schrecklichste sind die, die gut sind, aber nicht gut genug. Wenn man bedenkt, was für eine Fülle von Mühe, aber auch von Hoffnung, in so einem Konvolut steckt, wäre man eigentlich verpflichtet, nächtelang mit den unbekannten Verfassern zu diskutieren, ihnen ihre Fehler zu zeigen, Mut zuzusprechen — aber das wäre eine Aufgabe, die für anderes keinen Platz mehr ließe . . .« Und wenn er die Autoren dieser unverlangt eingesandten Manuskripte auch nicht aufsuchte, endlose Briefe schrieb er ihnen doch. Er faßte seinen Beruf als eine Art Seelsorge auf.

Oskar Loerke war mein literarischer Mentor. Die Beschäftigung mit der modernen Literatur hatte von meiner frühesten Jugend an eine große Rolle in meinem Leben gespielt. Als Bücherwurm in Buchhandlungen herumzustöbern, Bücher zu lesen — die einen zu lieben und sich zu eigen zu machen, die anderen abzulehnen und zu verwerfen, sie im Freundeskreise zu diskutieren und nach Hause zu tragen, was sie an Schönheit, Weisheit und vorwärtsdrängender Erkenntnis enthalten, war schon immer meine Leidenschaft. Was jetzt gefordert wurde, war jedoch mehr.

Es waren nicht mehr die fertigen Bücher, die das Urteil erfahrener Lektoren passiert und die Feuerprobe der Verlagslektorate bestanden hatten, die von nun an mein Urteil herausforderten, es waren die Manuskripte der noch ungeborenen Bücher, über deren Schicksal zu entscheiden war.

Ich war mir der Verantwortung, die sich da auf meine Schultern senkte, wohl bewußt. Die Ehrfurcht vor dem Lebenden, seine eigene Form und Gestalt Suchenden, war in mir tief verwurzelt. Ich empfand sie vor jeder Arbeit, die in meine Hände gelegt wurde, vor dem Bemühen eines um Ausdruck Ringenden, nach Erlösung oder Befreiung Strebenden.

In Oskar Loerke fand ich den Lehrer und Ratgeber, der behutsam meine Urteilskraft schulte und mich an seiner Hand in die Weite einer neuen Welt führte, die ich bisher nur als Zuschauer wie durch ein Kaleidoskop betrachtet hatte. Sie erschloß sich mir in vollem Glanze in dem Hause in der Erdenerstraße, das ein Zentrum ihrer Repräsentanten war.

Es war wie im Märchen. Alle die Prinzen und Fürsten, von denen ich gelesen und gehört hatte, ohne ihrer leibhaftigen Existenz gewiß zu sein, hier waren sie plötzlich in ihrem Menschendasein gegenwärtig. Sie kamen mir freundlich, forschend, erwartungsvoll entgegen und nahmen mich in ihren Kreis auf, als hätte ich immer schon dazugehört. So stark wirkte der Zauber dieses Hauses, der Geist, der es erfüllte.

GERHART HAUPTMANN war der erste der Großen, denen ich vorgestellt wurde. Er kam mit seiner Frau Margarete, von ihm und seinen Freunden Bocchi genannt, und seinem jüngsten Sohn Benvenuto zum Abendessen. Sein gewaltiges, von weißen Haaren umstrahltes Haupt auf einem mächtigen Körper hatte etwas Ehrfurchtgebietendes. Seine großen, weichen Hände wirkten, als könnten sie Formen gestalten. Es waren sprechende Hände, und er benutzte sie oft, mit ausgestrecktem Zeigefinger, um seinen stockenden, abgerissenen, wie Lavabrocken aus dem Innersten der Erde grollend hervorgestoßenen Sätzen Nachdruck zu verleihen. Thomas Mann hat die eigentümliche, äußerst ausdrucksvolle Redeweise Hauptmanns seinem Mynheer Peeperkorn im ›Zauberberg‹ in den Mund gelegt, der auch sonst einige Hauptmann'sche Züge trägt. Daß Hauptmann dadurch tief gekränkt war, hat niemanden mehr überrascht als Thomas Mann, der ihn – mit gelegentlicher Ironie – verehrte und bewunderte.

In seiner Rede auf Gerhart Hauptmann, die Thomas Mann am 9. November 1952 in Frankfurt hielt, gibt er eine so schöne und für seine Arbeitsweise aufschlußreiche Darstellung dieser Affäre, daß ich mich nicht enthalten kann, sie wiederzugeben.

»Es ist über diese Untat – eine Untat der Faszination – soviel gezischelt und geschwätzt worden: – warum soll ich nicht reden davon im Schutz der Verzeihung, die seine großartige Güte mir gewährt hat? – ... ich bin ihm persönlich nahe getreten, als er in seiner Fülle stand, mit achtundvierzig dem Einundsechzigjährigen, in Bozen-Gries, Herbst 1923, als sein Arbeitssinnen dem ›Großen Traum‹ und der ›Insel der Großen Mutter‹ galt und meines dem ›Zauberberg‹. Nichtssagende, flüchtige Begegnungen da und dort waren vorangegangen; jetzt, nahe dem Scheitelpunkt meines Lebens, auf der Überhöhe des seinen, führte der Zufall uns unter dem Dach derselben Hotel-Pension zusammen, eines Hauses, das den Blick auf die Berge des ›Rosengartens‹ hatte, und in all meiner Bedrücktheit durch erzählerische Sorgen, ein momentan ratloses Festsitzen, das mir gerade zustieß, teilte ich von Herzen seine Freude über diese Fügung. Gemeinsame Abende; die Frauen verstanden einander; und er zog mich an sich, wollte mich zum Genossen seiner geliebten Trinksitzungen in Bozener Weinhäusern und lachte mich herzlich aus, wenn mir nach all dem kalten Wein, den ich nur seinetwegen trank, der heiße Kaffee gar so wohl tat. Meiner Zigarre sah er, der Nichtraucher, mich angelegentlicher zusprechen als der Bacchusgabe, die ihn labte und erhöhte, und sah es mit amüsiertem Wohlgefallen. ›Er roocht!‹ sagte er in behaglichem Schlesisch, — zufrieden offenbar, daß ich doch auch einer Passion frönte. Autogrammjäger drängten herein und umlagerten ihn mit Albums und Papierblättern, ohne sich begreiflicherweise um mich im geringsten zu kümmern. Mir war das recht, nicht ihm. Nie vergesse ich, wie seine Herzensgüte diese mir durchaus willkommene Vernachlässigung, dies mein Verschwinden neben ihm nicht dulden wollte, ja, wie es ihn in Verlegenheit setzte. ›Meine Herrschaften‹, sagte er mit erhobenem Finger, ›Sie scheinen gar nicht zu wissen, wer hier denn doch auch noch . . . Kurzum, Sie sind in Gefahr, sich eine Gelegenheit . . .‹ — ›Aber lassen Sie doch!‹ bat ich, aber er gab nicht Ruhe, bis die Leute auch mir ihre Notizbücher und Papierfetzen vorlegten . . .

Damals sah ich ihn jeden Tag, sah ihn immer an, hing an seinen Lippen, seinen Gebärden, und in mir hieß es: ›Das ist er!‹ Noch einmal: ich war in erzählerischer Not, ich trachtete nach einer Figur, die kompositionell längst vorgesehen war, und die ich jetzt gerade einzuführen hatte, die ich aber nicht sah, nicht hörte, nicht besaß. Unruhig und besorgt war ich nach Bozen gekommen, und was mir dort zuteil wurde, war eine Vision. Kein anderes Wort paßt. Glauben Sie doch nicht, daß ich ihn belauert und heimtückisch beschlossen hätte, ihn abzukonterfeien. So geht dergleichen nicht vor sich, nicht so kleinlich und schlecht. Man ›beobachtet‹ nicht mit einem Blick, der sich an der Wirklichkeit zum *Schauen* bricht. Mit jenem ›Das ist er!‹ war nicht er, der gütige, große Freund gemeint. Gemeint war die wunderlich tragische Gestalt, die sich in meinem Roman erhob, Mynheer Peeperkorns Gestalt, des bannenden Redners im betäubenden Donner des Wasserfalls, der irrationalen ›Persönlichkeit‹, des herrscherlichen ›Formats‹, neben dem die intellektuellen Schwätzer und Pädagogen, die dialektischen Kampfhähne des Bildungsromans verzwergen. Jetzt eben, während ich diese Ansprache niederschrieb, kam mir das Buch wieder vor Augen, da ein Liebhaber es mir zur Signierung sandte; ich las die drei Kapitel nach, in denen ich den sündhaften Verrat begangen, und ich gestehe Ihnen: ich war ergriffen von der überwirklichen Getroffenheit dieser Porträt-Phantasie. Das ist kein schnödes Zerrbild, — es ist *kein* Verrat, sondern eine Huldigung, und als Niederschlag der rührend größten Erfahrung im Menschlich-Persönlichen, die mir je zuteil wurde, mag es der Nachwelt von dem Erlebnis seines Daseins, von seines Wesens weher Festlichkeit mehr überliefern, als noch so viele kritische Monographien je vermöchten.«*

Thomas Mann hatte Gerhart Hauptmann in einem Brief vom 11. April 1925 um Verzeihung gebeten. Aber es kam erst 1932 zur persönlichen Aussöhnung zwischen den beiden Männern. Die Begegnung fand in München anläßlich Hauptmanns 70. Geburtstag statt. Frau Katia Mann erzählte mir davon: »Da gab es einen intim-festlichen Lunch, an dem außer uns nur noch Halbes teilnahmen und das, bei unaufhörlich strömendem Champagner, von eins bis sechs dauerte. Bei dieser Gelegenheit war es auch, daß Hauptmann Tommy um ein Haar das Du angeboten hätte, indem er seine Rede begann: ›Also Herr Mann, wir sind doch Brüder ...‹, aber dann stockte er, und es kam nicht zur Verbrüderung. Infolge der überlangen mittäglichen Zecherei verschlief Hauptmann den Beginn der Festvorstellung der ›Ratten‹ im Schauspielhaus, die erst mit erheblicher Verzögerung anfangen konnte. Wir brachten ihn dann noch mit unserem Wagen in sein Hotel zurück, den nächsten Vormittag hielt Tommy im Residenztheater den Festvortrag, und in bestem Einvernehmen schied man voneinander. Zu einer weiteren Begegnung konnte es dann ja nicht mehr kommen. Eine Möglichkeit bestand etwa 1934, als Tommy in der oberen Etage des London-House in Zürich einen Anzug anprobierte und der Commis ihn darauf aufmerksam machte: ›Wissen Sie, wer unten ist? Gerhart Hauptmann! Wollen Sie ihn sehen?‹ Tommy meinte ›da wollen wir doch lieber ruhigere Zeiten abwarten‹, worauf der Mann sagte: ›Ja, das hat *er* auch gesagt.‹«
Hauptmann galt im Hause Fischer als der Olympier schlechthin. Von seiten Frau Fischers war es eine grenzenlose Verehrung seiner Person und seines Werkes, das sie in großen Teilen auswendig zitieren konnte. Für S. Fischer war Hauptmann der bewunderte Freund, dessen Werk die weltanschauliche Basis des Verlages in den Jahren des Beginns gebildet hatte. Die kämpferische Jugend der achtziger Jahre mit ihren neuen sozialen Ideen hatte sich um die beiden großen Dichterrevolutionäre Hauptmann und Ibsen geschart, deren Zugehörigkeit zum S. Fischer Verlag diesen zu einem der Zentren der damaligen sozialen Bewegung gemacht hatte.

* (aus: Thomas Mann, ›Gerhart Hauptmann‹ in ›Altes und Neues‹. Frankfurt am Main. S. Fischer 1953. Stockholmer Gesamtausgabe S. 452 ff.)

Bald nach meinem Eintritt in den Verlag kam es zwischen Gerhart Hauptmann und S. Fischer zu einer schweren Krise. Es ging natürlich ums liebe Geld. Hauptmann stand Ende 1925 kurz vor der Vollendung des ›Till Eulenspiegel‹, einer in Hexametern geschriebenen, umfangreichen Dichtung. Allzuviel war von den Verkaufsmöglichkeiten eines solchen Werkes, das wegen seines großen Umfanges einen hohen Preis haben mußte, nicht zu erwarten. Das hatte mit seiner literarischen Qualität nichts zu tun. Es war nun einmal so — und so ist es wohl auch noch heute —, daß die Zahl der Leser für ein Dichtwerk dieser Art begrenzt ist. Nichtsdestoweniger forderte Hauptmann durch seinen Anwalt, den er bezeichnenderweise vorschickte, — schon dies eine Kränkung für Fischer — eine garantierte Vorauszahlung von hunderttausend Reichsmark. Diese bei dem damaligen Geldwert exorbitante Forderung war begleitet von der Drohung, das Werk andernfalls einem anderen Verlag zu überlassen, der diese Summe sofort zu zahlen bereit sei.

Meine noch ganz esoterisch-idealistische Einstellung zum Verlegerberuf erhielt ihren ersten Stoß. Kaum hatte ich dem großen Manne zum erstenmal die Hand gedrückt und aus nächster Nähe ›zu ihm aufgeblickt‹, als sich mir auch schon die Abgründe zeigten, an deren Rand ich künftighin zu wandeln hatte.

Hauptmann hatte gewiß ein Recht, große Ansprüche an seinen Verleger zu stellen. Sie waren aber in einem Ausmaß erfüllt worden, das wohl einzigartig ist. Als ich die Verlagsverträge und sein Honorarkonto studierte, um mir ein objektives Bild über die juristische Lage und die geschäftliche und moralische Berechtigung der ungewöhnlichen Aktion des Hauptmann'schen Anwalts zu bilden, fand ich heraus, daß Hauptmann nach seinem Vertrag ohne jeden Zweifel verpflichtet war, dieses Werk dem S. Fischer Verlag zu überlassen, daß er für die im Verlag bereits erschienenen Bücher im voraus die höchsten jemals gezahlten Tantiemen für alle gedruckten Auflagen als nicht rückzahlbare Vorauszahlung erhalten hatte und darüber hinaus einen in die Hunderttausende gehenden Vorschuß auf künftige Bücher. Was Fischer hier für seinen Freund getan hatte, ging weit über die vertraglich abgemachten Bedingungen hinaus.

Ich kannte Hauptmann damals noch nicht gut genug. Es steckte eine ganz schöne Portion schlauen Bauerntums in ihm — und ein etwas leichtfertiges Vergnügen, vom guten alten Fischer soviel Geld wie möglich herauszulocken. Deshalb hatte er sich hinter seinem Anwalt versteckt, um als deus ex machina auftreten zu können, wenn seine Forderung etwa zum Bruch zu führen drohte. Das hätte er nun doch nicht gewollt.

Fischer aber, der solche Methoden verabscheute, war fassungslos, tief deprimiert, nicht so sehr über die Geldforderung als über die Art des Vorgehens, die ihn tief verletzte.

Ich war damals zu unerfahren, um eingreifen zu können, wie ich es später oft getan habe. Fischer gab schließlich nach. Kopfschüttelnd kam der Leiter unserer Herstellungsabteilung zu mir, verzweifelt über seine Kalkulationsversuche für das Buch, das bei solchem Honorar mit einem unmöglich hohen Verkaufspreis belastet werden mußte, und unser Werbeleiter Paul Eipper sprach die prophetischen Worte: »Jetzt werden wir für hundert Jahre ›Till Eulenspiegel‹ auf Lager haben«, womit er cum grano salis Recht behalten hat.

Aber dieser Vorfall ist natürlich nur eine Episode in dem langen Freundschaftsverhältnis, das sich über das ganze Leben der beiden Männer erstreckt hat. Auf kurze Stürme folgten lange friedliche Zeiten mit Begegnungen im Grunewald, in Hauptmanns Haus in Agnetendorf, und regelmäßig im Frühjahr in Rapallo, einem damals noch stillen Ort, wo Hauptmann eine der schönen, in großen Gärten gelegenen Villen für mehrere Monate zu mieten pflegte und Fischers im Hotel Excelsior wohnten. Max Beerbohm, der englische Schriftsteller und Karikaturist, lebte hier, nahe mit Hauptmann befreundet, Franz Werfel, Herbert Eulenberg, Julius Meier-Graefe, Hans Reisiger, Björn Björnson, der Sohn des norwegischen Dichters, und viele andere kamen aus aller Herren Länder, um einige mit Gesprächen erfüllte Tage mit Hauptmanns und Fischers zu verleben. Es waren unvergeßliche Abende für mich, an denen ich, zunächst schweigsam, ungewohnt des Umgangs mit so vielen Größen des Geistes, teilnahm. Meine Frau freilich überbrückte die Fremdheit. Hauptmann liebte sie wie eine Tochter. Sie war als Kind die Spielgefährtin seines jüngsten Sohnes Benvenuto gewesen. Dem elfjährigen kleinen Mädchen hatte er ins Poesiealbum geschrieben:

»Tuttis Augen sind zum sehen,
Tuttis Füßchen, um zu gehen,
Tuttis Herz, gesund zu schlagen,
Und ihr Mund zum Wahrheit sagen.
Ihre Locken soll sie schütteln!
Goldne Äpfel soll sie rütteln.
Der Onkel Gerhart Hauptmann
den 17. 3. 1916.«

Meine engere, wenn ich so sagen darf, respektvoll-freundschaftliche Beziehung zu Hauptmann entwickelte sich sozusagen auf medizinischer Grundlage. Die Frage war, wieviel er bei einem Blutdruck von 180 bis 200 trinken dürfe; »gar nichts« zu sagen, wäre völlig zwecklos gewesen. Daß ich ihm seinen Rotspon erlaubte, hat er mir hoch angerechnet. Er konnte unwahrscheinliche Mengen an Champagner, seinem abendlichen Hauptgetränk, zu sich nehmen und nahm es seinen meist viel jüngeren Tischgenossen äußerst übel, wenn sie mit zunehmender Stunde, einer nach dem anderen, allmählich unter den Tisch sanken.

»Mein liiiiiiieber Bermann«, sagte er dann, mit weit aufgerissenen Augen und erhobenem Zeigefinger, »wissen Sie ... ja ... die Jugend ... die Jugend von heute ... nichts!«, und ließ sich schließlich doch von Frau Margarete gegen ein oder zwei Uhr nachts bewegen, ins Bett zu gehen, um am nächsten Morgen um acht Uhr, frisch als hätte er zehn Stunden geschlafen, seiner Sekretärin, dem prachtvollen Fräulein Elisabeth Jungmann, die später Lady Beerbohm wurde, spazierengehend zu diktieren.

Damals, in diesen hoffnungsvollen Jahren zwischen 1925 und 1930, stand in den Kreisen eines wieder zu Wohlstand gelangenden Bürgertums die Politik weit hinten am Horizont. Man glaubte an Stresemann und Briand und war überzeugt, daß es zu einer einsichtsvollen Lösung der Schwierigkeiten, die für Deutschland aus dem Versailler Vertrag entstanden waren, kommen würde. Die Weimarer Verfassung hielt man für unerschütterlich und wollte nichts wissen von der Not der Inflationsgeschädigten und von den dunklen Mächten, die bereits am Werke waren.

Im Jahre 1929, ich war im Jahr zuvor Geschäftsführer des Verlages geworden, akzeptierte Hauptmann mich als seinen jungen Verleger. Ich hatte ihm einen langen Brief über ›Das Buch der Leidenschaft‹ geschrieben, der ihm offenbar zugesagt und seine Anerkennung gefunden hatte. Von da an gingen die geschäftlichen Verhandlungen mit ihm mehr und mehr auf mich über. Das Vertrauen, das er in seinen alten Freund gesetzt hatte, übertrug er nun auch auf mich, und wir kamen gut miteinander aus, wenn es auch zwischen uns nicht an explosiven Telefongesprächen und aufregenden Verhandlungen fehlte.

Als 1931 eine neue Gesamtausgabe fällig wurde, — die Gesamtausgabe in zwölf Bänden von 1924 und die 1926 publizierten ›Ausgewählten Werke in sechs Bänden‹ mußten durch die inzwischen erschienenen neuen Werke ergänzt werden — schlug ich Hauptmann eine — wie mir schien — den Zeitverhältnissen besser angepaßte Gesamtausgabe in vier Bänden vor, die sein ganzes Werk umfassen sollte, aber durch ihren relativ niedrigen Verkaufspreis einem großen Leserkreis zugänglich sein würde. Zunächst sollte ›Das Dramatische Werk‹ in zwei Bänden erscheinen, anschließend ›Das Epische Werk‹, ebenfalls in zwei Bänden. Da dies bei dem vorgesehenen niedrigen Preis und dem dreitausend Seiten betragenden Umfang nur bei einer Reduzierung des Honorars möglich war, stand mir die hübsche Aufgabe bevor, Hauptmann zu einem verständnisvollen Entgegenkommen zu bewegen. Ich hatte ihm schriftlich den Plan auseinandergesetzt und ihn vorsichtig darauf vorbereitet, worum ich ihn bei meinem Besuch, den ich bei diesem ›heißen Eisen‹ für notwendig hielt, bitten würde.

Früh am Morgen traf ich in Rapallo ein, auf schweren Sturm gefaßt. Er empfing mich im Schlafrock, die weißen Haare noch etwas in Unordnung; und ohne mir eine Atempause zu lassen, stieß er wie ein Adler auf mich herab: »Sie sind ja viel schlimmer als Ihr Schwiegervater! Wissen Sie, was Cotta dem Goethe für seine Gesamtausgabe gezahlt hat?« — Nun, ich wußte es nicht. Und da ich es auch im Augenblick gar nicht wissen wollte, lenkte ich das Gespräch, das sich allmählich am Frühstückstisch beruhigte, zurück auf das Jahr 1931 und unsere etwas realistischeren Kalkulationen. Ich kam als gekrönter Sieger heim, und unsere Freundschaft hatte keinen Schaden gelitten. Sie hätte gewiß ungetrübt weiterbestanden, hätte nicht auch er sich den dunklen Gewalten, die Deutschland bald beherrschen sollten, gebeugt.

Während Gerhart Hauptmann wie der olympische Donnergott über mir thronte — mich zu freundlichen Gesprächen, zu Festschmäusen und Trinkgelagen empfangend oder mich Blitze schwingend in den Orkus verweisend —, bewegten sich meine Beziehungen zu Thomas Mann auf wesentlich ruhigerer Bahn. Selbst sein freundliches Entgegenkommen zeigte so viel Reserve, daß es mir schwer wurde, meine eigene Zurückhaltung dem großen Manne gegenüber zu überwinden. Es wurde mir auch hier leichter gemacht, weil meine Frau seit frühester Kindheit in einem quasi ›verwandtschaftlichen‹ Verhältnis zu ihm stand. Thomas Mann hatte während des Ersten Weltkrieges des öfteren einige Sommerwochen mit der Familie Fischer verbracht. 1919 schrieb er der damals vierzehnjährigen Tutti ins Poesiealbum:

»Brigitte-Eva Fischer!
Der Onkel wird träumerischer.
Es hebt ihn zum Gedichte —
Was sagt er seiner Nichte?
Er sagt ihr — — —

NEIN, liebe Tutti, nicht also, wir wollen die Verse lieber lassen. Es ist höchst unwahrscheinlich, daß ich mich länger, als etwa noch zwei bis drei Zeilen lang, auf der bisherigen poetischen Höhe zu halten wüßte, und das Ende möge ein Fiasko sein, das in so illustrer Umgebung einen besonders schimpflichen Charakter tragen würde. Ich will mich in das heimatliche Element der Prosa zurücksinken lassen, um Ihnen ein Wort der Erinnerung an unsere Glücksburger Wochen in dieses Ihr hübsches Gedenkbuch zu schreiben ... Heimatliches Element? Erinnerung? Aber da hätten wir ja Thema und Stichwort dieser Zeilen — zwei sentimentale Stichworte, sentimental und farbig-

feucht verschleiert, wie die Landschaftsbilder nordisch-heimatlicher Küsten, und nach Thränen schmecken sie salzig, wie das Wasser nordisch-heimatlicher Fluten, in denen man nach vielen Jahren, in der harten Luftstimmung des Südens verbrachten Jahren, wieder einmal badet. Ja, der Süden ist hart, aber die nordische Heimat ist weich. Hart ist die Kunst, aber unser Herz — nicht wahr, liebe Tutti? — ist weich. Das ist eine alte Melodie, die mir im Ohr liegt, seit ich hier bin, die Melodie des alten Liedes und Stückes vom Tonio Kröger, und schade nur, daß es schon geschrieben ist, denn sonst schriebe ich's heute. Sie werden es nächstens lesen, schon aus kindlicher Pietät, denn der Papa hat es verlegt oder ›an Tag geben‹, wie man früher sagte. Dann denken Sie an unsere Glücksburger Wochen. Und wie bei allem Lieben und Schönen, was diese Wochen mir sagten und gaben, Ihre guten grauen Augen immer zugegen waren und in der Erinnerung zugegen sein werden, so gedenken Sie, wenn Sie sich frischer, salziger Segel- und Dampferfahrten und des Parks von Augustenburg und gesegneter Mahlzeiten und manches Spaziergangs durch das fruchtreiche Holsteiner Land erinnern, — so gedenken Sie, sage ich, auch freundlich Ihres wohlaffektionierten Oheims
Thomas Mann
Glücksburg, 31. VII. 1919.«

Diese unter funkelnder Ironie schlummernde Herzenswärme habe ich erst nach vielen Jahren gemeinsamer schmerzlicher Erlebnisse kennengelernt. Unser Verhältnis war vom Gleichmaß besonnener Erwägungen bestimmt, wie sie, besonders in den Jahren der Auswanderung und des Exils, vonnöten waren, um die weittragenden Entschlüsse fassen zu können, die jene besonderen Umstände erforderten. Daß es dabei nicht ohne Meinungsdifferenzen abging und sich manchmal Augenblicksimpulse in bösen Briefen an mich entluden, ist nur zu verständlich. Manchmal hat mir das schwere Stunden bereitet. Um so schöner war es dann, wenn ihnen ein versöhnlicher Brief folgte, wenn Thomas Mann sich geirrt und unberechtigte Vorwürfe erhoben hatte.
Auf die abscheulichen Angriffe, denen er vor und während der Nazizeit ausgesetzt war, reagierte er mit großer Empfindlichkeit. Wegen einer ganz nebensächlichen Attacke irgendeines unwichtigen Menschen konnte er körperlich erkranken. Der Umstand, daß ihn ein Bauer von seiner Wiese verwies, auf der er sich mit uns niedergelassen hatte, konnte ihm den ganzen Tag verderben.
Um so erstaunlicher war bei dieser Sensibilität seine Fähigkeit, sich täglich zur gewohnten Stunde auf die Arbeit zu konzentrieren und seine schöpferischen Kräfte zu mobilisieren. Ob er sich

auf Reisen befand, in seinem Haus in Zürich oder in Pacific Palisades in Kalifornien, in Princeton oder in Washington — seine unerschöpfliche Phantasie, sein analytischer Geist, seine phänomenalen Gedächtniskräfte arbeiteten weiter und schufen, unabhängig von den äußeren, manchmal äußerst deprimierenden Umständen, Werk nach Werk. Daß er dabei auch noch einen lebhaften Briefwechsel führte, viele dieser Briefe handschriftliche Zeugnisse seines Denkens und Erlebens, und sich oft in fast übermütiger Laune seiner Familie und seinen Freunden zu abendlicher Stunde widmete, zeugt von einer geradezu phänomenalen Spannkraft und Weite seines Geistes.

HERMANN HESSE lernte ich viel später kennen als die anderen Verlagsautoren. Er lebte fern von den Großstädten in dem Bergort Montagnola, nicht weit von Lugano. Bei einem seiner seltenen Besuche in Zürich begegnete ich ihm zum erstenmal im Jahre 1928. Viel Freude hatten wir beide nicht davon. Hesse war zwar freundlich, aber es blieb beim Austausch einiger Höflichkeiten. Sein Mißtrauen gegen den Städter aus dem ungeliebten Berlin war deutlich spürbar. Erst bei meinem Besuch in seinem Haus, es war wohl im Jahre 1930, taute er ein wenig auf. Ich besuchte ihn zusammen mit S. Fischer und meiner Frau, und beim Gang durch seinen Garten und den kleinen Weinberg enthüllte sich der Gärtner und Holzbrenner Hesse, der bedächtige Bauer, Poet und Philosoph, und schließlich lösten sich die Hemmungen beim Bocciaspiel, in dem er ein Meister war. Unsere Freundschaft begann 1932 mit dem Erscheinen seiner Erzählung ›Morgenlandfahrt‹, einem Präludium zu seinem letzten großen Werk ›Das Glasperlenspiel‹. Meinen Brief zu jener Erzählung, in dem ich ihm sagte, wie tief mich seine seltsam-fremdartige Geschichte berührt hatte, beantwortete er mit dem Angebot des ›Du‹, er, der soviel Ältere, der Dichter des ›Demian‹, dieses Buches, das mich und eine ganze Generation nach dem Ersten Weltkrieg zurück ins Leben geführt hatte, der einsame Weise in den Bergen, mir, dem noch Unerfahrenen und den Dingen der Welt so viel mehr Zugekehrten. Es bedeutete damals für mich etwas wie die Aufnahme in einen geheimen Orden. Von da an sahen wir uns öfters. Immer, wenn mich mein Weg nach der Schweiz führte, ging ich zu ihm, in langen Gesprächen in seinem Studio oder im Garten seines Hauses umherwandelnd.

Aber selbst nach unserem Freundschaftsbunde war es nicht leicht, zu ihm zu gelangen. Es bedurfte jedes Mal einer Art Zeremonie, um die Hürde zu überwinden, die Ninon, seine Frau, errichtete. Hesse war von Bewunderern überlaufen, und da auch ein Schild am Eingangstor zu seinem Haus, auf dem zu lesen stand: »Maler Hesse ›Fremde unerwünscht‹« nichts gegen enthusiastische Pilger nützte, hatte sich Frau Ninon wie eine Löwin vor die Eingangspforte gelegt, unerbittlich einen jeden davonjagend, der nicht ausdrücklich gemeldet und akzeptiert war. Aber selbst diese engeren Freunde mußten erst viele Ermahnungen anhören, den Meister nicht so sehr in Anspruch zu nehmen. War man dann schließlich bei ihm, so fiel alles Zeremoniell hinweg.

Hesse war von schmächtiger Figur, aber hart und trocken wie ein alter Rebstock. Aus seinem schmalen, asketischen Gesicht blickte hinter seinen Brillengläsern ein Paar durchdringende Augen, die manchmal so schlau und verschmitzt lächeln konnten, daß man sich total durchschaut fühlte. Dabei hatte er eine Art, mit spitzer Zunge seine Lippen zu befeuchten, die seinem Gesicht einen verteufelt intriganten Zug gab, der das Bäuerliche seiner sonstigen Erscheinung ad absurdum führte. Das taten auch seine schlanken, feinen Hände, denen man die Landarbeit, die er so liebte, nicht zutraute.

Wenn ich ihn in Baden oder Zürich, wo wir uns manchmal trafen, von der Bahn abholte, erschien er jedes Mal mit seinen schweren Schuhen und einer gestickten Reisetasche von Anno dazumal, wirklich wie der Bauer vom Berge, bis man sein vergeistigtes Gesicht und seine Augen in der Nähe hatte, und er in seinem alemannischen Deutsch die ersten Worte der Begrüßung sprach.

Seine Sparsamkeit paßte zu seiner äußeren Erscheinung, zum Bauern vom Berge. Als ein reicher Freund ihn mit einem Haus beschenken wollte, lehnte er das mit der Begründung ab, dann müsse er ja dafür alle möglichen Steuern zahlen, man möge das Haus nur bauen und ihm freies Wohnrecht bis zu seinem Tode einräumen. Und so geschah es dann auch.

Jedes Mal, wenn ich ihn nach vorheriger Anmeldung in Montagnola besuchte, erwartete mich ein großer Karton voll von Briefen, die er in Erwartung meiner Ankunft in alle Welt geschrieben hatte, und die ich von Deutschland aus frankieren und abschicken sollte. Als Briefpapier benutzte er gern die unbedruckten Seiten von Katalogen und leere Seiten von Briefen, die er empfangen hatte. Dafür stattete er sie mit köstlichen kleinen Aquarellskizzen in bunten Farben aus, die Landschaft, die Pflanzen und Bäume seines Gartens oder sein Arbeitszimmer abbildend.

In den Wintern der Jahre 1932 und 1933 trafen wir uns zum Skilaufen in St. Moritz, das damals noch nicht so vom mondänen Leben erfaßt war wie heute. Wir wohnten etwas abseits vom Fremdenstrom, auf der Chantarella, hoch über dem Ort. Skilifts existierten noch nicht. Man mußte mit Seehundfellen an den Skiern zur Furkla Schlatein oder zur Diavolezza in vielstündigem Marsch hinaufsteigen. Hesse, der viel ältere, traf uns meistens auf der Hälfte der Abfahrt. Im blauen Skianzug, mit blauer Ohrenklappen-Schildmütze sah er wie ein alter Skilehrer aus der Anfangszeit des Sports aus. Und so lief er auch Ski, als hätte es keine Schule Schneider gegeben, die damals gerade in Mode war. Die Christianiaschwünge machte man in Tiefhocke. Hesse fuhr breitbeinig im Stemmbogen, ab und zu einen Telemarkschwung riskierend. Er war ungemein eitel auf seine Skikünste. Als unser Skiführer seine Technik durch freundliche Ratschläge verbessern wollte, war Hesse so gekränkt, daß er aus unserer Spur hinausfuhr, um sogleich in einem tiefen Schneeloch zu verschwinden, aus dem wir ihn wieder ausgraben mußten. Er sprach an diesem Tage kein Wort mehr mit uns.

Während der langen Jahre der Emigration blieben wir in brieflicher Verbindung. Aber es waren nur spärliche Zeichen, die über das große Wasser von ihm zu uns und von uns zu ihm drangen.

Sein Werk verschwand langsam aus den deutschen Buchhandlungen. Hesse, der seit Jahrzehnten Schweizer Bürger war, machte aus seiner antinazistischen Haltung keinen Hehl, und so wurde der Nachdruck seiner Bücher langsam abgewürgt. Mein Angebot, sein Werk in meinen schwedischen Verlag zu übernehmen, lehnte er aber ab. Bei aller Freundschaft und Sympathie für die Emigration wollte er nicht in einem Emigrationsverlag erscheinen, zumal er die Möglichkeit hatte, seine Bücher bei Fretz und Wasmuth in der Schweiz herauszubringen. So erschien das ›Glasperlenspiel‹ im Jahre 1943 zuerst dort, und erst viel später (1947) brachte es der Suhrkamp Verlag in einer zweibändigen Ausgabe in Berlin heraus.

GEORGE BERNARD SHAW besuchte ich mit meiner Frau 1927 in London in seiner die Themse überschauenden Wohnung in einem der schönen victorianischen Gebäude am Whitehall Court. In seinem Arbeitszimmer saß der jugendliche alte Mann, er war gerade siebzig Jahre geworden, auf einem niedrigen Hocker, fast auf dem Fußboden, vor uns, seine langen Beine weit von sich gestreckt, und hielt uns mit sarkastisch-freundschaftlichen Bemerkungen über seinen deutschen Übersetzer Siegfried Trebitsch zum besten. Ich war damals gerade mit der Korrektur der deutschen Übersetzung seines Buches ›Wegweiser für die intelligente Frau zum Sozialismus und Kapitalismus‹ beschäftigt und klagte ihm mein Leid über die vielen Fehler der Übersetzung. Aber auf Trebitsch, seinen Entdecker, ließ er nichts kommen. Der Erfolg der deutschen Aufführungen hatte den Grundstein für seine Erfolge in England gelegt. Die deutschen Theaterkritiker, die sich bei Shaw über die Übersetzungen seiner Stücke beschwerten, bekamen es jedesmal von ihm zu hören, etwa nach dem Motto ›warum habt ihr mich nicht entdeckt?‹

Als wir uns verabschiedeten, sprach er den Wunsch aus, seinen deutschen Verleger S. Fischer endlich einmal persönlich kennenzulernen. Die beiden waren sich trotz jahrzehntelanger verlegerischer Verbindung niemals begegnet. Die Shaw-Festspiele in Malvern waren eine gute Gelegenheit, sich zu treffen. Es kostete uns einige Mühe, S. Fischer zu der Reise über den Kanal zu überreden. Er liebte Seefahrten nicht. Aber schließlich kam es im Juli 1928 doch dazu.

Malvern ist ein kleiner Badeort, etwa 200 km nordwestlich von London gelegen, in dem Shaw ein kleines Sommerhaus bewohnte. Er kam zu unserer Begrüßung ins Hotel, und es war rührend, zu sehen, wie der alte Spötter liebevoll seinen an Körpergröße soviel kleineren, ihm noch unbekannten Verlegerfreund begrüßte, rührend und ein wenig beklemmend, denn die beiden konnten sich überhaupt nicht verständigen. So blieb es beim Sich-anlächeln und Sich-die-Hände-Drücken und Sich-um-des-anderen-Wohl-besorgt-Zeigen.

Die Uraufführung von ›The Apple Cart‹, das später in Deutschland unter Reinhardts Regie mit Werner Krauss und Maria Bard am Deutschen Theater in Berlin Triumphe feierte, war der Höhepunkt dieser Festspiele.

Shaw fuhr uns in seinem Wagen in das nur etwa 40 km entfernte Stratfort on Avon, den Geburtsort William Shakespeares, führte uns durch dessen Geburtshaus und das Shakespeare-Theater mit der Grandezza des Grand Old Gentleman und mit nimmermüdem Witz seine Erklärungen begleitend.

Am nächsten Morgen trafen wir ihn zufällig auf einem Spaziergang durch die Parkanlagen des Städtchens. Er war in Begleitung eines neben ihm fast zierlich wirkenden jungen Mannes — so erschien er mir wenigstens beim ersten Anblick. Er stellte vor: »Mr. Shaw.« Da ging es mir auf, wen er da bei sich hatte: es war T. E. Lawrence of Arabia, der Wüstenfuchs, Verfasser der ›Seven Pillars of Wisdom‹. Ich wäre achtlos an ihm vorübergegangen, wenn ich dem unscheinbar wirkenden kleinen Mann auf der Straße begegnet wäre. Lawrence bediente sich mit Erlaubnis Shaws dessen Namens als Pseudonym. Es wurde auch jetzt nicht gelüftet. Man wechselte ein paar unverbindliche Worte und ging weiter. Aber mir blieb diese flüchtige Begegnung mit dem von Geheimnis umwitterten Mann im Gedächtnis.

Beim Abschiedsmahl in Shaws kleinem Haus gab es viel Milch und Honig. Der lebenslange Vegetarier duldete kein Fleisch in seiner Nähe.

Meine Verbindung mit Shaw riß während des Krieges ab. Es gab unüberbrückbare Schwierigkeiten mit seinem Übersetzer

Trebitsch, der durch Shaws Großzügigkeit allein verfügungsberechtigt über die deutschen Verlags- und Bühnenrechte war. Ich konnte ihm Forderungen, die seine eigenen schriftstellerischen Arbeiten betrafen, und die er mit denen Shaws verkoppelte, nicht erfüllen.

ALFRED DÖBLIN hatte im Berliner Norden seine Praxis als Nervenarzt. Neben dieser anstrengenden Tätigkeit schrieb er seine umfangreichen Romane wie den zweibändigen ›Wallenstein‹, ›Die drei Sprünge des Wang-Lun‹ und ›Berge, Meere und Giganten‹, ein wahrhaft gigantisches Werk. Dazu lieferte er noch in der ›Neuen Rundschau‹ unter dem Nom de Guerre ›Linke Poot‹ Beiträge zur Tagespolitik, so scharf und bissig, wie er selber war. Sein eher zartes Wesen verbarg er hinter dieser Bissigkeit, die nichts schonte. Ob es seine Literaten- und Mediziner-Kollegen waren — nichts war vor seiner scharfen Zunge sicher. Das hatte mit der Zeit zum Zerwürfnis mit S. Fischer geführt, der zwar viel Humor hatte, auf einem Gebiet aber äußerst empfindlich war: wenn es sich um Angriffe gegen die ihm nahestehenden Autoren-Freunde handelte, insbesondere gegen Gerhart Hauptmann und Thomas Mann. Aber das kleine, kämpferische Männchen Döblin konnte seine Zunge nicht im Zaume halten. Im Gegenteil machte es ihm einen diabolischen Spaß, den alten Fischer herauszufordern. Das Verhältnis wurde schließlich so gespannt, daß Fischer vor Ärger und Zorn beschloß, sich von Döblin zu trennen.
Ich hatte damals Teile aus seinem neuen Roman ›Berlin Alexanderplatz‹ im Manuskript gelesen und war so beeindruckt, daß ich alles daran setzte, eine Trennung zu verhindern und Frieden zu stiften. Aber mein Schwiegervater war bereits zu sehr in seinen Zorn verrannt; Zureden half nichts mehr. Ich mußte zu einer List greifen und veranlaßte Frau Fischer, Döblin zu einer Vorlesung im Haus im Grunewald einzuladen. Als Fischer im letzten Augenblick mit dieser Tatsache konfrontiert wurde, konnte er aus Höflichkeit die Einladung nicht mehr rückgängig machen. — Der Abend wurde ein voller Erfolg. Vor dem Eindruck dieser Vorlesung, der großen Konzeption des Buches, seiner neuartigen Diktion und Kraft, schwand Fischers Groll, und der Friede wurde wieder hergestellt.
Das Buch erschien mit einem Schutzumschlag von Georg Salter, der mit seiner plakathaften, an Bänkelsängertafeln erinnernden Gestaltung eine neue Phase der Buchausstattung in die Wege leitete und später Salters Karriere als Book Designer in den Vereinigten Staaten von Amerika begründete.

JAKOB WASSERMANN blickte mit seinen großen, schwarzen Augen unstet und melancholisch in die Welt. Alles an ihm war dunkel, auch seine Stimme. Er sprach langsam, mit etwas schwerer Zunge, und hatte eine Art, vor sich hin zu ›brummeln‹, daß man meinte, er sei mit der Welt zerfallen. Auch wenn er lachte, verzog sich sein Mund fast wie zum Weinen. Dabei hatte er viel Humor und war dem Wohlleben keineswegs abgeneigt, kleidete sich mit einer gewissen Eleganz, fuhr teure Autos und wohnte auf Reisen gern in den besten Hotels. Hinter seinem zurückhaltenden, skeptischen Wesen verbarg sich große Güte, Menschenkenntnis und die Weisheit seiner jüdischen Herkunft.

Bei Fischers war er als armer, vielversprechender Jüngling wie ein Sohn aufgenommen worden, und dieses Vater-Sohn-Verhältnis hat sich auch später nicht geändert. Sehr zu seinem Mißfallen sah er sich auch noch als arrivierter, gefeierter Schriftsteller der Kritik seines geliebten ›Sami‹ ausgesetzt, der seine zu luxuriösen Gewohnheiten und seinen zu großen Geldverbrauch — und entsprechende Forderungen nach Vorschüssen — ganz und gar nicht billigte. Dann kam er ›brummelnd‹ zu mir, um sich über ›den Fischer‹ zu beklagen, der wieder einmal zu sehr auf dem Geld sitze. Trotz seiner großen Erfolge in Deutschland und im Ausland, insbesondere in den Vereinigten Staaten, die ihm große Einnahmen brachten, war er immer in Geldnöten und lebte von den großen Vorauszahlungsgarantien für seine künftigen Bücher. Das war es, was Fischer Sorgen bereitete und nicht minder in den späteren Jahren mir, da *ein* Mißerfolg eine Katastrophe bedeuten mußte. Und sie blieb leider nicht aus. Ich habe niemals — weder vorher noch nachher — erlebt, wie ein so kontinuierliches und so außergewöhnliches Interesse, wie es die Bücher Wassermanns fanden, von einem Tag zum andern erlosch. Nach einer Kette von Erfolgsbüchern, ›Die Geschichte der jungen Renate Fuchs‹ (1901), ›Kaspar Hauser‹ (1908), ›Gänsemännchen‹ (1915), ›Christian Wahnschaffe‹ (1925) — um nur die bekanntesten zu nennen — hatte er den Gipfel seines Erfolges mit dem Roman ›Der Fall Mauritius‹ (1928) erreicht, dem ersten Band einer Trilogie, deren zweiter Band ›Etzel Andergast‹ (1931) einen unverhältnismäßig geringen Absatz fand. Der Verkauf von ›Bula Matari‹ (1932), der Biographie Stanleys, war kaum noch nennenswert. Wassermann starb 1934 als ein enttäuschter Mann, dem der Tod wenigstens die schlimmste Enttäuschung, die Schmähung und Vernichtung seines Werkes durch den Nationalsozialismus, erspart hat.

Eine Zusammenarbeit des Exil-Verlages mit der Verwalterin seines literarischen Erbes, seiner ersten Frau Julie, war mir leider später nicht möglich. Ich mußte auf die Fortsetzung der verlegerischen Verbindung mit diesem Werk, das eine große Rolle in der Literatur der Zwanziger Jahre gespielt hatte und für den

S. Fischer Verlag von nicht unbeträchtlichem Gewicht war, zu meinem Leidwesen verzichten.

Wie aber kann ich singen und sagen von der Herrlichen, Verehrungswürdigen, der Einmaligen, ANNETTE KOLB? Wer ihr nicht begegnet ist, hat die Bekanntschaft mit einer der wahrhaft großen Persönlichkeiten unserer Zeit versäumt.
Sie ragt wie ein Monument aus der Wirrnis der Zeiten. Ihr Alter ist ein viel diskutiertes Mysterium. Während ihre Freunde gute Gründe haben, es zur Zeit, da ich dies schreibe, auf hundert Jahre zu schätzen, besteht sie mit der ihr innewohnenden ungewöhnlichen Energie auf sechsundneunzig, und man würde sich heftiger Beschimpfung aussetzen, wenn man ihr zu widersprechen wagte.
Sie hat ihr langes Leben in selbstgewollter Einsamkeit verbracht, immer aber in freundschaftlicher Verbindung mit den bedeutendsten Persönlichkeiten in Schrifttum und Politik. Als Deutsche und Französin — und nicht zu vergessen — als engagierte Pazifistin — hat sie für die deutsch-französische Verständigung gekämpft, bis sie sich 1933, angeekelt von den Vorgängen in Deutschland, in ihre zweite Heimat, nach Paris, zurückzog.
Ihr nicht sehr umfangreiches Werk umfaßt die drei Romane ›Das Exemplar‹ (1913), ›Daphne Herbst‹ (1928), ›Die Schaukel‹ (1934), zwei Musiker-Biographien, ›Mozart‹ und ›Schubert‹, und mehrere kleinere Bücher mit Betrachtungen und Gedanken, die die bezaubernden Besonderheiten ihres Stils und die unerschütterliche Kraft ihres Geistes und ihrer Überzeugungen zeigen.
Wenn sie zu uns als Gast nach Berlin kam, war unsere größte Sorge, sie vor den unvermeidlich erscheinenden Verlusten zu bewahren, die ihr auf Schritt und Tritt zustießen. Ihre Handtasche, ihre Uhr, ihr Geld, alles, was eben noch in ihren Händen war, hatte sich auf geheimnisvolle Weise davongemacht. Die Gegenstände nahmen in ihrer Gegenwart eine zweite Realität an, eine weniger konzentrierte, die sie ungreifbar machten. Wenn sie eine größere Summe im Verlagsbüro abholte, ging ich ihr heimlich nach, bis sie den etwas sichereren Hafen ihres Hotels erreicht hatte, wo sich eventuelle Nachforschungen nach dem Verlorenen leichter anstellen ließen als auf der Straße. Aber sie trug diese ihr vom Schicksal zudiktierte Bürde mit kopfschüttelndem Humor, ohne endgültigen Verlusten lange nachzutrauern. Ihr Temperament, wenn sie ärgerlich wurde, bekam ich eines Tages zu fühlen, als sie mir — zwar nicht wie Luther dem Teufel ein Tintenfaß — aber immerhin einen Brieföffner — er war nur aus Holz — an den Kopf warf, als ich auf eine Forde-

rung von ihr nicht eingehen wollte. Aber das tat der Freundschaft keinen Abbruch. Ich hatte sogar die große Ehre, von ihr in ihrer schönen Pariser Wohnung ohne Hut empfangen zu werden, eine Auszeichnung, die sie nur wenigen Sterblichen zuteil werden ließ.

Die Geschichten über ihre Flucht von Portugal nach den USA — während des Krieges — sind so komisch, daß man darüber den tödlichen Ernst jener Situation vergessen kann. Nur ihr konnte es gelingen, den amerikanischen Konsul in Lissabon dazu zu überreden, ihr einen Platz in einem amerikanischen Flugzeug zu reservieren. Wie Reporter bei einer Zwischenlandung in Dakar sie für einen afrikanischen Häuptling hielten, als sie, in dunkle Tücher gehüllt, dem Flugzeug entstieg, muß man von ihr selbst hören, oder gesehen haben, wie sie mit stoischem Gleichmut am Stock mit silberner Krücke auf einer belebten Großstadtstraße den Verkehr zum Stillstand bringt, daß einen das Grausen erfaßt.

Das wie aus Holz geschnitzte Gesicht ihrer höheren Jahre zeigt die Größe einer edlen Seele und eines unbeugsamen Charakters.

Die Liste der jungen deutschen Autoren, die ich dem Verlag zuführte, begann mit SIEGFRIED KRACAUER, mit seinem Roman ›Ginster‹. 1929 waren es HEINRICH HAUSER mit zwei Büchern, dem Roman ›Donner überm Meer‹ und der Reportage ›Schwarzes Revier‹, KLAUS MANN mit dem Roman ›Alexander‹, MANFRED HAUSMANN mit ›Salut gen Himmel‹, WALTER MEHRING mit zwei Büchern, ›Die Gedichte, Lieder und Chansons des Walter Mehring‹ und sein Schauspiel ›Der Kaufmann von Berlin‹, das bei seiner von Erwin Piscator inszenierten Aufführung von reaktionär-nationalistischen Kreisen mehrfach unterbrochen wurde. Ich hatte RENÉ SCHICKELE für den Verlag gewonnen mit der Roman-Trilogie ›Das Erbe am Rhein‹, HERMANN BROCH mit seinem Roman ›Die unbekannte Größe‹ und die als Frau wie als Schriftstellerin von mir bewunderte Fürstin MECHTHILDE LICHNOWSKY.

Meine erste Begegnung mit HEINRICH HAUSER war romantisch-abenteuerlich. Er wohnte in Hamburg in ›Wiezels Hotel‹ über St. Pauli Landungsbrücken, einer Herberge für Seeleute, Liebespaare und Artisten, die leider nach dem Kriege nicht wieder auferstanden ist. Als ich dort eintraf, es war ein kalter, dunkler Winterabend, fiel es mir schwer, den richtigen Eingang zu finden. Ich lief um einen pavillonartigen Vorbau herum und stieß schließlich auf eine steile Holzstiege, die außen am Haus in das obere Stockwerk führte, das durch eine Holztür abgeschlossen war. Auf mein Klingeln ging eine Klappe, die ich gar nicht bemerkt hatte, auf, hinter der eine beleibte Matrone sichtbar wurde, aus deren umfangreichem Busen der Kopf eines kleinen Pinschers auftauchte.

Ich war am richtigen Platz. Die Dame führte mich einen dunklen Gang entlang und klopfte an der Tür des Hauserschen Logis. Auf dem Fußboden war ein großer dunkler Fleck, eine eingetrocknete Blutlache, die, wie Hauser erklärte, von einer Schlägerei vom vorhergegangenen Abend stammte. Er selbst, mit blondem, wie windzerzaustem Haar, im blauen Sweater, erinnerte mehr an einen Seemann als an einen Schriftsteller. Er hatte auf vielen Schiffen gedient, war ein erfahrener Mann und kannte sich in der Welt aus. Mit der Sprache konnte er umgehen wie mit dem Besansegel, zupackend und mit festem Griff. Psychologie war nicht von ihm zu erwarten, er sah die Dinge besser als die Menschen, eine Mischung zwischen Reporter und Poeten. Darum sind seine eindrucksvollsten Bücher auch die gewesen, in denen er Vorgänge beschreibt, Elemente oder Maschinen: ›Die letzten Segelschiffe‹ oder ›Das schwarze Revier‹, in dem er die vulkanische Welt des Ruhrgebiets schilderte.

Später, mit dem Aufkommen des Dritten Reiches, erlag auch er der großen Verführung, von der so viele ergriffen wurden und aus der sie gebrochen hervorgingen.

KLAUS MANN erschien wie ein verspielter Page an der Seite seiner geistsprühenden Schwester Erika, ein Dioskurenpaar, das immer nur zusammen auftrat und untrennbar schien. Kometenhaft tauchten sie in Berlin auf und verschwanden wieder. Sie sprachen ihren eigenen Jargon, nach dem ihr Vater ›der Zauberer‹ war, ihre Eltern ›die Greise‹, ihre Geschwister ›die Zwerge‹ und Papa Fischer, den sie mit List und Verschlagenheit zur Finanzierung ihrer weitfliegenden Reisepläne zu überreden versuchten, ›das große Vaterauge‹. S. Fischer ließ sich auch schmunzelnd die Ausnehmerei gefallen, und so entstand das kleine Buch ›Rundherum‹, das zwar keinen großen Erfolg hatte, dafür aber um so mehr Geschrei über die Kinder des berühmten Vaters auslöste, zwei eben flügge gewordene junge Menschen, die ihre Schwingen probierten, mit denen sie später weite Flüge unternehmen sollten.

Klaus entwickelte sich zu einem bedeutenden Schriftsteller, dem der Nachruhm sicher ist. Sein ›Alexander‹ zeigte es dem Sehenden schon damals; ganz bewies es der Lebensbericht ›Wendepunkt‹, eines der großen Dokumente jener Jahre und der Emigrationszeit. Sein früher Tod durch eigene Hand besiegelte die tragische Natur seines Wesens.

Erika Mann hatte schon frühzeitig den Kampf gegen den Nazismus aufgenommen. Im dem von ihr begründeten Cabaret ›Die Pfeffermühle‹, das bis Januar 1933 in dem kleinen Münchener Theater ›Bonbonniere‹ auftrat, wurde eine scharfe Klinge geführt. Hier wurde wirklich Widerstand geleistet, als es noch Zeit war. Wenn in Deutschland die Helden des Widerstandes gefeiert werden, sollte man der Kämpfer aus der Vorhitler-Zeit, zu denen sie wie ihr Vater gehörte, nicht vergessen. Nach der Machtergreifung verlegte sie ihr Cabaret nach Zürich, wo es bald wegen seiner aggressiven antinazistischen Aktivität den schweizerischen Behörden so sehr auf die Nerven ging, daß es geschlossen wurde. Sie konnte es jedoch noch jahrelang als Wanderbühne in den freien Hauptstädten Europas mit großem Erfolg weiterführen. Ihr Vater hatte die ›Pfeffermühle‹ den »Schwanengesang der deutschen Republik« genannt, ihr »letztes Lebenszeichen«.

1928 machte der Leiter unserer Theaterabteilung, Dr. Konrad Maril, uns auf ein Stück eines bisher unbekannten Autors namens Ferdinand Bruckner aufmerksam, das unter dem Titel ›Krankheit der Jugend‹ im Renaissance-Theater in Berlin einen gewissen Erfolg hatte und von bemerkenswerter Begabung zeugte. Wir boten ihm einen Verlagsvertrag an, das heißt wir verhandelten mit seinem von ihm bestellten Vertreter Theodor Tagger, der damals Besitzer und Leiter des Renaissance-Theaters war. Bruckner lebte in Wien und bestätigte mit herzlichen Worten den mit seinem Vertreter alsbald abgeschlossenen Vertrag. Kurze Zeit danach traf das Manuskript seines nächsten Stückes ein, das den Titel ›Verbrecher‹ trug. Die Hoffnungen, die das erste Stück erweckt hatte, erfüllten sich im zweiten in vollem Ausmaße. Aber wer war Ferdinand Bruckner? Wir erhielten zwar regelmäßig Briefe von ihm, in denen er sich zu unseren Abrechnungen äußerte oder seine Wünsche hinsichtlich der Inszenierung seines neuen Stückes kundtat, aber wir bekamen ihn nicht zu Gesicht. Als das neue Stück inzwischen von Max Reinhardts Deutschem Theater in Berlin angenommen worden war — es sollte unter Heinz Hilperts Regie im Herbst 1928 zur Uraufführung gelangen — bestürmte man uns von allen Seiten, das Geheimnis zu lüften. Aber wir wußten selbst nicht, wer Ferdinand Bruckner nun eigentlich war, und Tagger lehnte es entschieden ab, das Rätsel zu lösen. — Als der erste Akt der ›Verbrecher‹, mit Hans Albers und Lucie Höflich in den Hauptrollen, unter atemloser Spannung des Publikums geendet hatte, brauste mit dem tosenden Beifall der Ruf nach dem Autor durchs Theater. Ich saß, gespannt wie alle anderen, mit Fischers und meiner Frau in unserer Loge, der Vorhang ging hoch und fiel, die

Schauspieler verbeugten sich, Hilpert erschien — aber kein Autor. Er blieb im Dunkel, und die Frage: »Wer ist Bruckner?« wurde fast zum Gesellschaftsspiel. Dr. Maril hatte sich inzwischen mit Theodor Tagger überworfen und schrieb Beschwerdebriefe an Bruckner über seinen unverträglichen Vertreter. Er erhielt freundliche Besänftigungsbriefe aus Wien, und die Verlagsgespräche wurden nunmehr mit Frau Theodor Tagger geführt. So ging es weiter, bis eines Tages — im Jahre 1930, fast drei Jahre nach dem ersten Stück — der Schleier des Geheimnisses sich lüftete: Ferdinand Bruckner war Theodor Tagger!

S. Fischer hatte ihn angeregt, Ferdinand Bruckner die Dramatisierung der Biographie ›Elizabeth und Essex‹ von Lytton Strachey, die 1925 bei uns erschienen war, vorzuschlagen. Eines Morgens ließ Tagger sich bei S. Fischer melden, zog das Manuskript des Stückes ›Elizabeth und Essex‹ von Ferdinand Bruckner aus seiner Aktentasche und gestand, daß er es sei. Es war wohl die gelungenste Mystifikation und zugleich ein Akt der Selbstverleugnung, wie er kaum zuvor in der Literaturgeschichte vorgekommen ist. Die Selbstdisziplin, mit der Tagger sich beherrscht hatte, selbst als Zuschauer seines Stückes unter den schreienden und klatschenden Leuten sitzend, konnte man nur bewundern. Es stellte sich später heraus, daß der Grund für die Geheimhaltung der wahren Autorschaft seine großen Schulden waren. Er hatte einen Sturm von Gläubigern befürchtet, wenn seine Anonymität vorzeitig gelüftet worden wäre. So hatte er sie langsam im Laufe von drei Jahren in Ruhe befriedigen können und stand nun schuldenfrei und nicht unvermögend da. Später hat er alles wieder durch Börsenspekulationen verloren. Hélas!

Ein junger Autor, den ich niemals zu Gesicht bekam, war HANS VON CHLUMBERG, eine große Hoffnung des Theaters. Er stürzte bei der Generalprobe seines Stückes ›Wunder um Verdun‹ im Leipziger Schauspielhaus rückwärts in den nicht abgedeckten Orchesterraum und starb an einer Gehirnblutung, ohne den großen Erfolg seines Stückes erlebt zu haben, das von allen großen Bühnen nachgespielt wurde.

1926 schon war ALEXANDER LERNET-HOLENIA durch die Vermittlung Hugo von Hofmannsthals, der seine Gedichte schätzte, mit seinem Stück ›Ollapotrida‹ zu uns gekommen, für das er den Kleistpreis erhielt. Neben Bruckner-Tagger und Hans von Chlumberg war er der dritte österreichische Autor der jungen Generation, vom Scheitel bis zur Sohle der österreichische Aristokrat. Hugo von Hofmannsthal hat 1917 ein Schema, ›Preuße

und Österreicher‹, aufgestellt. Fast alle Eigenschaften, die er darin dem Österreicher, im Gegensatz zum Preußen, zuschreibt,
waren bei Lernet-Holenia versammelt: »Besitzt historischen Instinkt / geringe Begabung für Abstraktion / rascher in der Auffassung / handelt nach der Schicklichkeit / Ablehnung der Dialektik / mehr Balance / mehr Fähigkeit, sich im Dasein zurechtzufinden / Selbstironie / scheinbar unmündig / biegt alles ins
Soziale um / bleibt lieber im Unklaren / eitel, witzig, weicht den
Krisen aus / Lässigkeit / Hineindenken in andere bis zur Cha-
rakterlosigkeit / Schauspielerei / Jeder einzelne Träger einer
ganzen Menschlichkeit / Genuß-Sucht / Ironie bis zur Auflösung.« Mit einigen wenigen Einschränkungen stimmt das Bild.
Welche Charakterstärke hinter seiner scheinbaren Lässigkeit
steckte, hat er in den Jahren des Nazismus bewiesen, und von
Genuß-Sucht kann bei ihm keine Rede sein. Gewiß ist er kein
Verächter des guten Lebens, und er genießt es, wo es sich ihm
bietet. Aber er liebt vor allem das einfache Leben in seinem
Haus in St. Wolfgang, wo er in asketischer Zurückgezogenheit
seiner Arbeit nachgeht, oder in seiner Wohnung in der Wiener
Hofburg, die ihm der österreichische Staat zur Verfügung ge-
stellt hat.

Noch sechs weitere Autoren der damals jungen Generation fan-
den den Weg zu uns: KLAUS MEHNERT, AUGUST SCHOLTIS, JOACHIM
MAASS, KURT HEUSER, RICHARD BILLINGER, die Lyrikerin PAULA
LUDWIG und von den etwas Älteren: ERNST WEISS.
MEHNERT hatte als Austauschstudent bereits einige Monate in den
Vereinigten Staaten verbracht. Er beherrschte, zum Teil in Moskau aufgewachsen, die russische Sprache — es war im
Jahre 1931 — den Vorschlag, in die UdSSR zu reisen, um die
russische Jugend zu studieren. Nichts konnte mir willkommener
sein, als ein Buch über dieses Thema, und ich erwog sogar, mich
ihm anzuschließen. Daraus wurde leider nichts. Ich war bereits
zu sehr durch meine Verlagsarbeit gebunden. Aber ich konnte
S. Fischer für die Finanzierung seiner Reise gewinnen und 1932
sein Buch ›Jugend in Sowjetrußland‹ — es war sein erstes — veröffentlichen.
AUGUST SCHOLTIS kam mit seinem Roman ›Ostwind‹ — ein Roman der oberschlesischen Katastrophe, er selbst so unbändig wie
die Sprache seines Buches, und ERNST WEISS mit seinem Roman ›Boetius von Orlamünde‹.
›Boheme ohne Mimi‹ hieß der Roman von JOACHIM MAASS, dem
viele Bücher folgten, darunter ›Ein Testament‹, das nach meiner
Auswanderung in einem anderen deutschen Verlag — bei Eugen
Claassen in Hamburg — erschien. Er selbst verließ Deutschland
bald aus freien Stücken, da seinem humanen, freien, unabhän-

gigen Geist die Atmosphäre des Dritten Reiches unerträglich wurde. Mit den Einnahmen aus einer für den Vorabdruck in der ›Berliner Illustrirten‹ für diesen Zweck zurechtgemachten Version seines Romans ›Ein Testament‹ ermöglichte er noch vorher seinen nächsten Freunden, einem jüdischen Hamburger Arzt und seiner Frau, die in unmittelbarer Lebensgefahr schwebten, die Auswanderung nach den Vereinigten Staaten. Er selbst folgte bald und wirkte als Germanist am Mount Holyoke College in Massachusetts. Dort schrieb er sein bisher letztes Romanwerk ›Der Fall Gouffé‹, das 1952 wieder im S. Fischer Verlag veröffentlicht wurde. Die gemeinsam verbrachten Jahre der Emigration haben uns eng aneinander gekettet.

Es gab noch manche vielversprechende Talente: KURT HEUSER mit seinem Erzählungsband ›Elfenbein für Felicitas‹ und mehreren Romanen, HERBERT SCHLÜTER, HANS MEISEL, ERNST AUFRICHT-RUDA, die, durch Krieg, Revolution und Exil aus ihrer Bahn geworfen, nicht mehr zur Feder griffen.

1934 begann meine Freundschaft mit CARL ZUCKMAYER, dessen Erzählung ›Eine Liebesgeschichte‹ ich vom Verlag Ullstein übernahm, der unter dem Druck nationalsozialistischer Mitarbeiter von seinem so erfolgreichen Autor, dessen Gesamtwerk von da an im S. Fischer Verlag erschien, abrückte. Sein Name wird noch oft auf diesen Seiten sichtbar werden, denn unsere Lebenswege verliefen von da an fast parallel.

Eine der großen Neuerwerbungen des Verlages in dieser Zeit war das Gesamtwerk des 1925 verstorbenen großen englischen Schriftstellers JOSEPH CONRAD. Bis auf eine größere Erzählung, die in Engelhorns Romanbibliothek erschienen war, existierten keine deutschen Übersetzungen seiner Bücher. 1926 brachten wir als erstes den Roman ›Der Geheimagent‹, zu dem Thomas Mann eine Einführung schrieb, und ließen in kurzen Abständen das gesamte Werk folgen.

In diesem Zusammenhang müssen auch die Biographien von LYTTON STRACHEY — ›Queen Victoria‹ und ›Elizabeth und Essex‹ — als große Vorbilder für den so erfolgreichen biographischen Roman Erwähnung finden.

Ich führte JEAN GIONO mit seinen Romanen ›Die Ernte‹ und ›Die große Herde‹, SAINT-EXUPÉRY mit ›Nachtflug‹, JOHN DOS PASSOS mit ›Der 42. Breitengrad‹, VIRGINIA WOOLF mit der kurzen Erzählung ›Flush‹ beim deutschen Leserpublikum ein.

In diesen Jahren begann der Verlag auch seine Publikationen auf wirtschaftspolitischem Gebiet, die sich insbesondere mit den Vorgängen in den Vereinigten Staaten und mit der einsetzenden Krise in Deutschland befaßten. Damals führende Gelehrte wie M. J. BONN, CARL BRINCKMANN, WILLI HELLPACH, RICHARD

Lewinsohn (Morus), Julius Hirsch, Wilhelm Röpke, Otto Veit und andere setzten sich mit diesen wichtigen und damals brennenden Fragen in ihren Büchern und ihren Aufsätzen für die ›Neue Rundschau‹ auseinander.

Auf historisch-politischem Gebiet waren es hauptsächlich die Kriegsmemoiren von Lloyd George, Graf Carlo Sforzas aufschlußreiche Analysen europäischer Politik, Harold Nicolsons Bericht über die Friedensmacher 1919 und neben anderen die Memoiren von Leo Trotzki.

Viele unserer Verlagspläne wurden auf nachmittäglichen Spaziergängen mit S. Fischer besprochen. Ich berichtete ihm über die Vorgänge im Verlag, und wir besprachen die allgemeine Lage, solange er an den Vorgängen noch teilnehmen konnte. Bei einem solchen Spaziergang im Jahre 1929 war es, daß er während eines Gesprächs über das Schicksal Leo Trotzkis, der soeben von Stalin aus Rußland verbannt worden war, den Vorschlag machte, den politischen Redakteur der ›Neuen Rundschau‹, Geheimrat Samuel Saenger, nach Ankara, Trotzkis erstem Exil, zu schicken, um ihm einen Vertrag für seine Autobiographie anzubieten. Dieses historisch so wichtige Werk ist tatsächlich auf Anregung S. Fischers zu dem damaligen Zeitpunkt von Trotzki begonnen worden. Es erschien noch im gleichen Jahr in deutscher Sprache. Zwei Jahre später folgte der erste Band seiner ›Geschichte der russischen Revolution‹, 1932 der zweite Band. Meine Korrespondenz mit Trotzki über die ›Geschichte der Roten Armee‹, auf die alle militärischen Fachleute in Deutschland mit Ungeduld warteten, ist leider nicht erhalten geblieben. Ich verbrannte sie 1933, da sie mich bei einer Haussuchung, mit der ich damals immer rechnen mußte, in große Gefahr gebracht hätte.

Der erste Erfolg

Zum erstenmal griff ich in geschäftliche Angelegenheiten im Jahre 1929 ein. Es sollte weittragende Folgen nicht nur für den Verlag, sondern auch für den gesamten deutschen Buchhandel haben.

Der Verlag Th. Knaur stand damals unter der Leitung von Adalbert Droemer, dem Vater des heutigen Inhabers der Firma. Dieser außerordentlich geschäftstüchtige Verleger hatte eine Serie wohlfeiler Romane zu einer der erfolgreichsten deutschen Verlagsunternehmungen gemacht. Der von ihm eingeführte Warenhauspreis von 2,85 RM für die umfangreichen Bände hatte seine psychologische Wirkung auf das Leserpublikum, durch den Abschlag von fünfzehn Pfennigen von der runden Summe von drei Mark, nicht verfehlt.

Ich beobachtete die Entwicklung dieser Reihe mit Sorge, denn ich sah den Augenblick kommen, da Droemer versuchen würde, die Bücher lebender deutscher Autoren an sich zu ziehen. In Zusammenarbeit mit unserer damaligen Hauptdruckerei, dem Bibliographischen Institut in Leipzig, hatte ich schon 1928 Musterkalkulationen der ›Buddenbrooks‹ und anderer Verlagswerke, die für eine solche Buchreihe in Frage kamen, unter Zugrundelegung des gleichen Preises vorbereitet. Aber ich konnte S. Fischer für den Plan von Sonderausgaben unserer großen Romane zu dem ›Warenhauspreis‹ von 2,85 RM nicht gewinnen. Meine Überredungsversuche führten zu einer heftigen Auseinandersetzung mit ihm, der einzigen, die es je zwischen uns gegeben hat.

Im August 1929 platzte die Bombe. Thomas Mann teilte uns mit, vor einigen Tagen habe ihn ein Herr Droemer aus Leipzig besucht und ihm 100 000 RM buchstäblich auf den Tisch gelegt — als Honorar für eine billige Sonderausgabe der ›Buddenbrooks‹ — in einer Auflage von einer Million Exemplaren. Thomas Mann schrieb dazu, sein Freund S. Fischer würde ihm doch wohl die Erlaubnis zu diesem Seitensprung nicht verweigern, denn er könne doch so einen Betrag nicht einfach in den Wind schlagen.

Nun zeigte es sich, wie gut es war, daß ich mit meiner vorbereitenden Arbeit fertig war und nur noch den Druckauftrag zu erteilen brauchte. Viel Zeit hatten wir nicht mehr, wenn wir mit dieser Ausgabe noch im Herbst erscheinen wollten. — Als ich S. Fischer meine fertige Kalkulation einer 2,85 RM Ausgabe der ›Buddenbrooks‹ vorlegte, glaubte ich, ihn nun angesichts der Forderung des Autors überzeugen zu können. Dem war aber nicht so. Seine Reaktion war: »Das können wir dem deutschen Buchhandel nicht zumuten. Ein Buch, das Jahrzehnte hindurch seinen ständigen Absatz zum Normalpreis gefunden hat, auf einen Warenhauspreis herabzusetzen, würde die Grundlagen des deutschen Buchhandels erschüttern. Zu einem solchen Ramschgeschäft darf der S. Fischer Verlag nicht seine Hand reichen.«

Alle Einwände, daß uns dann nichts anderes übrig bliebe, als die billige Ausgabe der ›Buddenbrooks‹ Herrn Droemer zu überlassen, was unabsehbare Folgen für den Verlag haben könnte, nützten zunächst gar nichts. Thomas Mann kam selbst nach Berlin, um Fischer umzustimmen. Der hier folgende Brief ist ein schönes Dokument für Thomas Manns getreue Verbundenheit mit seinem Verleger und seine Versuche, einen Ausgleich zwischen Fischers Haltung und seinen eigenen Interessen zu finden.

München, 15. IX. 29

»Lieber Herr Fischer,
Meine Reise nach Berlin hat mit einer Enttäuschung geendet, wie sie mit einer Enttäuschung begonnen hat. Ich bin hingefahren in der bestimmten Absicht, die Angelegenheit zum Abschluß zu bringen, und bin abgereist, weil ich sah, daß wir mit mündlichen Verhandlungen nicht von der Stelle kamen. Nach meiner Rückkehr schreibe ich Ihnen gleich, um Ihnen noch einmal meinen Standpunkt in der Sache recht deutlich zu machen, damit ihm bei weiteren Verhandlungen und endgültigen Beschlüssen sein Recht werde.

Ich äußerte vorgestern abend, man möge die Gegenargumente gegen den Droemer'schen Plan nicht bei den Haaren herbeiziehen; Sie leugneten, daß Sie das täten, und doch ist ja klar, daß alle Ihre Einwände und Ausstellungen nur peripherer Natur sind, und daß das Entscheidende bei Ihrer Haltung eine tiefe grundsätzliche Abneigung gegen alle Unternehmungen dieser Art ist, so daß eigentlich jede neue Konzession, die Ihnen die Kontrahenten zu machen bereit sind, Ihnen ein Ärgernis ist. Es sind bestimmt nicht nur materielle Gründe, die mich zu einer anderen Auffassung der Dinge bestimmen, sondern ich bin überzeugt, daß die immer wiederkehrenden Konflikte dieser Art zwischen Ihnen und mir sich nicht zufällig einstellen, sondern daß die Zeit selbst es ist, die sie herbeiführt, und daß diese neue Zeit ihre Notwendigkeiten hat, denen man Rechnung tragen muß. Der von Droemer angebotene Vertrag stellt etwas so Einmaliges dar, und die Sicherstellungen und Schadloshaltungen, die er Ihnen bietet, sind so großzügig und weitgehend, daß schon die ganze, wesentliche Antipathie, die Sie gegen Versuche dieser Art hegen, nötig ist, um sich so ablehnend gegen ihn zu stellen. Ich werde nie verstehen, wie Sie etwas Ehrenrühriges darin sehen und wie Sie es als unerträgliche Zumutung empfinden können, wenn man Ihnen vorschlägt, gegen eine materiell durchaus angemessene Entschädigung die Volksausgabe eines Buches wie ›Buddenbrooks‹ einem Verleger zu übertragen, der technisch auf Derartiges eingestellt ist, wie Ihr Verlag es seiner Natur nach nicht ist und nicht sein kann. Es handelt sich um einen einmaligen Fall, und mit keinem anderen Buch der Gegenwart, so kann man wohl sagen, wäre das zu verwirklichen, was Droemer verwirklichen will. Es ist etwas Einmaliges, Neues und unter dem sozialen Gesichtspunkt Großes, daß das Buch eines Lebenden, heute dreißig Jahre in der Welt und von besonderer Popularität getragen, in einer Reihe von klassischen Werken der Weltliteratur in einer Volksausgabe der geplanten Art unter die breiten Massen geworfen werden soll. Das ist etwas, was einem deutschen Autor noch nicht geschehen ist, und man sollte, von allem Geschäftlichen abgesehen, das ideelle Interesse desjenigen, dem es widerfahren soll, nicht verkennen und das Gewicht dieses Interesses nicht zurückstellen. Sie sprachen wiederholt von dem Opfer, das man Ihnen zumute. Ich konnte immer nur antworten, daß ich das Wort nicht anerkennen kann, da Sie selbst materiell nach jeder Seite sichergestellt werden und der Ehre Ihrer Firma nichts vergeben. Die Welt wird und muß urteilen, daß Sie mit dieser Lizenz meinem Werk nur das haben zukommen lassen, was ihm den Forderungen der Zeit nach gebührt. Eine solche Ausgabe in den Händen eines darauf eingestellten Verlages kann in niemands Augen eine Entäußerung Ihrerseits und eine Trennung zwischen meiner Produktion und Ihrem Verlag bedeuten. Diesen Herbst erscheint der neue Essayband bei Ihnen, die neue Erzählung, wenn sich bestätigt, daß sie sich für ein selbständiges Bändchen eignet, wird ihm auf dem Fuße folgen. Dann kommt der Joseph-Roman. Es liegt mir wegen dieses Buches, aus dem bisher nur kurze Bruchstücke in die Öffentlichkeit gelangt sind, dem man aber offenbar Vertrauen entgegenbringt, ein Angebot, nicht aus der Knaursphäre, sondern von seiten der literarischen Konkurrenz, vor, wie Sie es mir nie gemacht haben und nach Ihrer geschäftlichen Überlieferung niemals machen könnten. Die Zeit hat sich geändert und mit ihr meine Stellung in ihr. Ich weiß nicht, ob Sie sich davon ein ganz richtiges Bild machen, wenn Sie von Opfern Ihrerseits sprechen und nicht daran denken, daß auch ich Opfer bringen könnte, wenn ich unserer dreißigjährigen Verbundenheit entgegen höchst verlockenden Angeboten die Treue wahre. Vielleicht gehe ich zu weit, wenn ich so spreche, denn Sie haben sich ja tatsächlich zu Opfern erboten, wenn der Kontrakt mit Droemer fallen würde und die Buchgemeinschaft dafür einträte. Nun kann ich zwischen der Buchgemeinschafts-Publikation und dem Droemerschen Plan freilich keine so wesentlichen Unterschiede sehen. Die Gefahr einer geschäftlichen Auspressung für lange Zeit, die Ihnen zu drohen scheint, besteht mehr oder weniger in beiden Fällen. Ich bin für meine Person der Überzeugung, daß diese Gefahr in keinem Fall ernst ist. Ein Buch, das seine Lebensfähigkeit ein Menschenalter lang bewährt hat, wird auch fortfahren zu leben nach Anlauf einer derartigen Veranstaltung, wie Droemer und die Buchgemeinschaft sie plant, und Sie würden nach Beendigung der Lizenzfrist ein unversehrtes Objekt wieder allein in Händen haben. Es ist mir unwahrscheinlich, daß die Buchgemeinschaft über den ursprünglich vorgesehenen Vertrag so weit hinausgehen wird, daß ich für das Fallenlassen des Droemerschen Antrages entschädigt werden würde, aber ich gebe zu, daß wenn das geschieht und Sie selbst eine wohlfeile Ausgabe Ihres Stiles herausbringen, ich materiell ja nicht geschädigt wäre. Unter diesen Umständen wäre es natürlich nicht leicht für mich, das ganze Gewicht meiner Willensmeinung in die Droemersche Schale zu werfen. Trotzdem möchte ich alles aufrecht halten, was ich zugunsten dieser Sache eben vorzubringen versuchte, und muß Sie bitten, die Droemerschen Vorschläge sich doch noch einmal von Ihrer Seite zu überlegen, wobei ich glaube hinzufügen zu dürfen, daß Droemer in jedem Einzelpunkt, der Ihnen noch anstößig oder schwierig scheinen sollte, zu jedem Entgegenkommen bereit sein wird. Ich habe ihm zugesagt, daß ich Ihnen noch einmal in diesem Sinne schreiben würde, und bitte Sie, ihn so bald wie irgend möglich (es handelt sich bei der Bedeutung der Sache bei ihm natürlich um Tage) wissen zu lassen, ob er grundsätzlich auf eine Einigung der Sache rechnen kann.

Ich will nicht unterlassen, lieber Herr Fischer, noch folgendes hinzuzufügen. Ich bin nicht der Mensch, Ihren inneren Kampf und Ihre Widerstände nicht vollkommen würdigen und mitfühlen zu können, und ich gestehe Ihnen ganz offen, daß ich selbst Stunden habe, wo diese Ansprüche und Angebote mir selber unheimlich sind, so daß ich es im Grunde vorzöge, alles beim Alten und Gewohnten zu lassen. Aber ich glaube nicht, daß wir das Recht haben, uns gegen sie zu stemmen, und auf die Möglichkeit zu verzichten, die in ihnen liegt.

Lassen Sie uns beide glauben, daß auch diese Angelegenheit, wie schon so manche andere, sich schließlich zu allseitiger Zufriedenheit wird lösen lassen und seien Sie, zugleich auch von meiner Frau, sehr herzlich gegrüßt

von Ihrem Thomas Mann.«

Erst mit Hilfe einiger wichtiger Buchhändler, die keinen anderen Ausweg aus dem Dilemma sahen als ich, gelang es mir, S. Fischer umzustimmen. Grollend gab er seine Zustimmung, die ›Buddenbrooks‹ als Volksausgabe für 2,85 RM herauszubringen, und

Thomas Mann erhielt selbstverständlich seine Honorargarantie von 100 000 RM für 1 Million Exemplare.

Auf die erste Ankündigung dieses umwälzenden Ereignisses setzte ein so gewaltiger Hagel von Bestellungen ein, daß wir die Verteilung rationieren mußten. Es war das erste Mal, daß ein Buch in knapp zwei Monaten eine Auflage von 700 000 Exemplaren erreichte.

Ich weiß nicht mehr, wie viele Druckereien von rasch hergestellten Matern gleichzeitig druckten, und wie viele Bindereien in Leipzig nur noch die ›Buddenbrooks‹ banden; doch erinnere ich mich, daß wir die Matern mit Flugzeugen von Leipzig nach abgelegenen Druckereien in die Provinz flogen — eine damals noch ungewöhnliche Transportmethode —, um den Anforderungen nachkommen zu können. Die Autokolonne von vierzig Lastwagen, die die Berliner Buchhandlungen am Erscheinungstag belieferten, war in allen Illustrierten als Sensation abgebildet.

Damit war dem billigen Buch die Bahn geebnet, und ein Schauer von 2,85 RM Ausgaben der Werke lebender Autoren ergoß sich über den Büchermarkt. Mit diesem Einbruch in die konservative Preisgestaltung des modernen Romans hat eine Entwicklung begonnen, die schließlich in das Taschenbuch von heute mündete und viel zur wirtschaftlichen Reform des deutschen Buchhandels beigetragen hat. Für den S. Fischer Verlag bedeutete diese Ausgabe, die 1929 erschien, einen seiner größten Erfolge, der noch dadurch vorangetrieben wurde, daß Thomas Mann im gleichen Jahr den Nobel-Preis erhielt. Die Million Exemplare wurde weit überschritten. Diese Rivalität zwischen Droemer und mir gab den Anstoß für einen späteren, für mich weit gefährlicheren Schachzug dieses Verlegers.

Der große Erfolg, der für Thomas Mann von nicht geringer Bedeutung war, trug natürlich auch zur Festigung der geschäftlichen Beziehungen zwischen Autor und Verlag bei: Für den Verlag bedeutete er den Beginn einer Serie von derartigen Sonderausgaben auch anderer Verlagsautoren, die eine nicht unwesentliche Erweiterung des Verlagsumfanges zur Folge hatte. Es waren damit wichtigen Büchern, die in Vergessenheit zu geraten drohten, neue Absatzgebiete, neue Leserschichten erschlossen worden, zu denen das teure Buch noch keinen Zugang gefunden hatte.

Dieses Mal hatte ich, anders als im Falle ›Till Eulenspiegel‹, eingreifen und ein aufziehendes Unwetter abwenden können. Wir hätten sonst trotz aller Verträge Thomas Mann kaum davon abhalten können, auf das Konkurrenzangebot Droemers einzugehen. Nicht nur für uns, für alle modernen literarischen Verleger hätte sich das in gefährlicher Weise ausgewirkt. Daß ich diese Entwicklung vorausgesehen und rechtzeitig meine Vor-

THOMAS MANN

Ungekürzte Sonderau

Es wurden ausgeliefert:

Das   1. bis 150. Tausend am 7. November 1929

Das 151. bis 200. Tausend am 16. November 1929

Das 201. bis 250. Tausend am 23. November 1929

Das 251. bis 300. Tausend am 2. Dezember 1929

Das 301. bis 350. Tausend am 5. Dezember 1929

Das 351. bis 400. Tausend am 6. Dezember 1929

Das 401. bis 450. Tausend am 9. Dezember 1929

Das 451. bis 500. Tausend am 10. Dezember 1929

Das 501. bis 550. Tausend am 12. Dezember 1929

Das 551. bis 600. Tausend am 14. Dezember 1929

Das 601. bis 650. Tausend am 19. Dezember 1929

Auslieferung: Leipzig C1, Reclamstr. 42, für die
Schweiz: Schweizerisches Vereinssortiment Olten   **S. FISCHER V**

kehrungen getroffen hatte, gab meiner Position im Verlag ihre endgültige Bestätigung.

S. Fischers erbitterter Widerstand hatte natürlich seine tieferen Gründe. Er wußte, daß es sich nicht nur um eine Episode im Konkurrenzkampf handelte, sondern um einen Einbruch in das traditionelle Verlagswesen, der zu neuen Verlags- und Vertriebsformen führen würde. Mit seinem Nachgeben überließ er ganz bewußt einer jüngeren Generation das, wozu er selbst seine Hand nicht mehr bieten wollte. Seine Haltung zu dieser Frage schien im Widerspruch zu seiner früher ausgesprochenen These zu stehen, daß »die Zeit gekommen ist, das Buch populär zu machen, und zwar das Buch unserer Tage, das lebendige, aus unserer Zeit geschöpfte Werk, das zu Hunderttausenden sprechen soll«.

Aber so sehr er für das billige moderne Buch eintrat und es in der Sammlung ›Fischers Romanbibliothek‹ erfolgreich eingeführt hatte, so sehr fürchtete er hier bei diesem tausend Seiten umfassenden Roman, der eine sichere Einnahmequelle für Autor und Verlag darstellte, eine Erschütterung des gesamten Preissystems. Die radikale Herabsetzung des Preises eines Werkes wie ›Buddenbrooks‹ würde zudem, so meinte er, beim Publikum den Eindruck hervorrufen, daß die allgemein üblichen Buchpreise überhöht seien. Daß eine solche Maßnahme sich nur bei Büchern durchführen ließ, die bereits so populär waren, daß derartige Riesenauflagen ohne allzu großes Risiko gedruckt werden konnten, sei dem Publikum nicht leicht zu erklären.

Und er hatte auch so unrecht nicht. Die Beunruhigung griff sogar auf die Autoren über. Ich wurde vom ›Schutzverband der deutschen Schriftsteller‹ aufgefordert, die Prinzipien, die uns bei diesem ungewöhnlichen Unternehmen, ein urheberrechtlich noch geschütztes Werk zu einem so niedrigen Preis herauszubringen, geleitet hätten, und die sich für die Schriftsteller daraus ergebenden Konsequenzen darzulegen. Es war mein erstes öffentliches Auftreten als Verleger.

Wie knapp erscheint mir, von heute aus betrachtet, die Frist jener Jahre, wie gedrängt das Glück.

Es zog nach meiner Hochzeit in die Gneiststraße im Grunewald ein, wo wir uns, nur einen Sprung vom Hause meiner Schwiegereltern, eingemietet hatten. In meiner Erinnerung zieht sich alles zusammen zu einem leuchtenden Sommertag, der mit dem morgendlichen Training auf dem Sportplatz begann und erfüllt war von Arbeit, Plänen, Gesprächen und Musik.

Drei Töchter wurden uns geboren: Gabrielle, Gisela und Annette — es war der Beginn eines bis zum Rande erfüllten neuen Lebens. Wenn ich zurückblicke auf dieses Leben, so sehe ich es wie eine sich in der Ferne verlierende Wegstrecke, an deren Anfang ich, kaum mehr sichtbar dem rückschauenden Auge, friedlich wandere, ahnungslos den Stürmen und Erdbeben entgegenschreitend, die diese friedliche Welt des Jahrhundertbeginns bis in unsere Tage hinein erschüttern würden.

Da war der verlorene Krieg 1914—1918, da waren die Jahre der allgemeinen Armut, der Bettler an den Straßenecken, der Neureichen mit dem falschen Prunk, der Inflation, die den Preis für einen Laib Brot in die Milliarden trieb. Es kam das Wiederaufflackern des Nationalismus, die Rentenmark des Herrn Schacht, es kam jene falsche Prosperität in den Jahren, die heute unter dem Namen der ›Goldenen Zwanziger‹ oder ›Roaring Twenties‹ in die Mythologie eingegangen sind. Und es kam die Weltwirtschaftskrise, in deren Verlauf die Arbeitslosigkeit in Deutschland sechs Millionen um ihre Existenz brachte und die Extreme des Kommunismus und des Nationalsozialismus heraufbeschwor.

Schon bald nach dem Ende des Krieges, als ich mein zweites vorklinisches Semester in Freiburg im Breisgau begonnen hatte, kam es zu Zusammenstößen mit antisemitischen und nationalistischen Kommilitonen. Aus welchen Quellen ihre trübe Hetze floß, wußte ich zunächst nicht. Ich trug noch meine Offiziersuniform, ohne Abzeichen freilich — für einen neuen Anzug hatte es nicht gereicht —, und ich fühlte mich fast noch als Soldat. So stand ich diesen rabiaten Radaubrüdern, mit denen ich eben noch zusammen im Schützengraben gelegen hatte, recht fassungslos gegenüber. Als ich mich in einer ihrer nationalistischen Versammlungen empört gegen ihre antisemitischen Anwürfe wandte, fand ich den Beifall einer großen Mehrheit, insbesondere unter Korpsstudenten und Burschenschaftlern, und die Radaumacher, die ganz offenbar von irgendwoher scharf gemacht worden waren, zogen sich feige zurück. Aber das Bewußtsein, daß unbekannte Kräfte im Dunkeln wirkten, vergiftete damals schon die Atmosphäre. Man mußte auf der Hut sein.

Es stellte sich bald heraus, woher die Hetze kam. Die Freikorps warben um Mitglieder. Äußerer Anlaß war der Kampf an der polnischen Grenze um die Erhaltung der durch die polnische Irredenta gefährdeten Gebiete. Die ideologische Grundlage war schärfster Nationalismus, der sich gegen alles und jedes richtete, was mit dem neuen Staat, mit Weimar, Demokratie, Liberalismus zu tun hatte.

Einer der antisemitischen Drahtzieher war der Professor der Geschichte an der Universität Freiburg, der Geheime Hofrat Georg von Below, einer der führenden Leute des ›Alldeutschen Verbandes‹, der während des Ersten Weltkrieges extreme annexionistische Tendenzen verfochten und den a. o. Professor der Geschichte Veit Valentin wegen seiner liberalen Anschauungen um seine venia legendi gebracht hatte.

Es handelte sich damals – 1919 – um eine Minorität, von der nach Beendigung der Werbeaktion für die Freikorps in unserer kleinen Universitätsstadt bald nichts mehr zu spüren war. Die Rädelsführer hatten ihre Aktivität wohl auf die Grenzgebiete konzentriert; wir bekamen von dort genug über ihre Mordtaten zu hören.

Bald rührten sie sich auch mitten im Reich. 1921 fiel ihnen Minister Erzberger zum Opfer, 1922 Walther Rathenau, der geniale Mann, der als Außenminister Deutschland wieder eine Stimme im Gremium der Nationen verschafft hatte. Schließlich kam es 1923 zum nazistischen Putsch in München, der mit Hitlers Verurteilung zu ›ehrenvoller Festungshaft‹ endete, einem jener zahlreichen Fehlurteile, die den Verfall der deutschen Rechtsprechung unter dem zunehmenden Einfluß rechtsradikaler Kreise in erschreckender Weise zeigte.

Aber wer wollte es sehen? Die Inflation hatte weite Kreise des liberalen Bürgertums in die Opposition getrieben. Die Maßnahmen der Regierung trugen nicht dazu bei, sie zu ermutigen und zu beruhigen. Die Arbeitslosigkeit stieg wie eine unaufhaltsame Flut, mit ihr die Verzweiflung der Massen, die keinen Ausweg mehr sahen.

Als am 14. September 1930, nach der Auflösung des Reichstages wegen der Mißbilligung der Brüning'schen Notverordnung, die neuen Reichstagswahlen der NSDAP 107 Sitze statt der bisherigen 12 einbrachten, und die kommunistische Partei ebenfalls an Abgeordnetenzahl gewann, begann die blutige Auseinandersetzung zwischen den beiden Extremparteien – und gleichzeitig die langsame Unterminierung des Bürgertums.

Als Thomas Mann am 17. Oktober 1930 im Beethovensaal in Berlin seine Rede ›Deutsche Ansprache – ein Appell an die Vernunft‹ hielt, konnte er sie nur mit Mühe zu Ende führen, und wir mußten ihn durch einen Hinterausgang aus dem Saal bringen, um ihn vor den von dem Schriftsteller Arnolt Bronnen angeführten Mordbuben zu schützen, die, überall im Saal verteilt, seine ergreifenden, zur politischen Einsicht aufrufenden Worte zu überschreien versuchten. — Seine Stimme verhallte in der Wüste des um sich greifenden Fanatismus. »Es heißt wohl zu viel verlangen, wenn man von einem wirtschaftlich kranken Volk ein gesundes politisches Denken fordert«, so sagte er damals. Und er hätte hinzufügen können: und wenn die Verantwortung tragenden Kreise, die Politiker, die Intellektuellen, sich in mystisch-romantischen Ideen und in fanatischem Nationalismus verlieren.

›Der Tatkreis‹, eine Gruppe junger Schriftsteller und Journalisten, die sich um die im Eugen Diederichs-Verlag erscheinende Zeitschrift ›Die Tat‹ gesammelt hatte, übte in diesen vornazistischen Jahren großen Einfluß auf die deutsche Jugend aus und hat viel zur Vernebelung der Geister beigetragen. Er lieferte quasi den geistigen Unterbau, der dem Nationalsozialismus fehlte. Ferdinand Fried setzte sich für die Autarkie und für die Nationalisierung der Wirtschaft ein. Obwohl er gegen den historischen Materialismus eiferte, hatten seine Aufsätze stark sozialistische Züge und waren antidemokratisch und antiwestlich geprägt. Giselher Wirsing lief dem Wahn von der Reinheit der Rasse nach, griff die Vereinigten Staaten an, deren negative Erscheinungsformen er herauspräparierte, und eiferte gegen die sogenannte Zivilisationsdekadenz. Hans Zehrer zog, trotz seiner Herkunft aus der liberalen ›Vossischen Zeitung‹, gegen die Intellektuellen zu Felde.

Ich war längst aus meiner Ruhe aufgeschreckt und zum Kämpfen entschlossen. Bald mußte ich jedoch einsehen, wie allein ich war. Die Unterschätzung der Gefahr, die da mit täglich wachsender Gewalt heraufkam, in allen Kreisen des Bürgertums, die Juden nicht ausgenommen, war erschreckend und deprimierte mich tief. Die immer drohender werdenden Reden von Goebbels, inzwischen Gauleiter von Berlin, hielt man für rhetorische Übertreibungen, die Boxheimer Dokumente, die durch eine Indiskretion ans Tageslicht gekommen waren, für leeres Geschwätz, das bis in alle Einzelheiten ausgeführte Mord- und Kriegsprogramm in Hitlers Buch ›Mein Kampf‹ für das Produkt lächerlicher Phantasie — wenn man es überhaupt gelesen hatte.

Anfang 1932 machten sich auch in meinem privaten Leben die ersten Anzeichen der antisemitischen Hetze bemerkbar. Die Geister begannen sich zu scheiden. Die Ungeister formierten sich.

Da waren die Opportunisten, die sich vom Anschluß an die NSDAP eine Karriere versprachen oder um ihre Karriere fürchteten, wenn sie sich nicht anschlossen, da waren die Gutgläubigen, die sich eine Besserung der allgemeinen Verhältnisse von

Hitler erhofften, und da waren die Neidischen und Gehässigen, die nun endlich eine Möglichkeit fanden, ihre Minderwertigkeitskomplexe abzureagieren.

Emil Jannings, der berühmte Schauspieler, war 1932 aus Hollywood nach Deutschland zurückgekehrt. Dort wie hier wurde er gefeiert und fürstlich bezahlt. Wenige Tage nach seiner Ankunft traf ich ihn zusammen mit Curt Goetz im Hause unserer Freunde Wrede, den Inhabern des Bühnenverlags Bloch Erben. Goetz brachte uns mit köstlichen Geschichten aus seinem Schauspielerleben zum Lachen, Jannings erzählte von seinen Erfolgen in Hollywood — es war ein harmonisches Zusammensein —, bis das Gespräch auf die Politik kam.

Jannings hatte niemals über seine jüdischen Regisseure und Theaterdirektoren, von denen es damals viele in Deutschland gab, zu klagen gehabt. Max Reinhardt, Leopold Jessner, Erich Engel und viele kleinere hatten sein gewaltiges Talent gefördert und ihn, wie die vielen anderen unvergeßlichen Größen der Schauspielkunst dieser Jahre, gehegt und gepflegt.

Mit sicherem Instinkt hatte er in den wenigen Tagen, die er wieder in Deutschland war, erkannt, daß der Wind jetzt aus anderer Richtung blies. Man mußte sich umstellen. Schlimm für Reinhardt und die anderen. Aber was blieb einem Mann wie ihm übrig, wenn er weiterspielen wollte? Die naive Unverfrorenheit, mit der er uns das erzählte, war erstaunlich.

Curt Goetz wurde kreidebleich. Wir standen auf und gingen. Als wir unten an der Haustür anlangten, kam Jannings uns keuchend nachgelaufen. Er habe es ja so nicht gemeint, etc. etc. Ganz war er sich seiner Sache wohl noch nicht sicher. Besser, sich mit den alten Freunden noch nicht ganz zu überwerfen.

Als ich ihn ein Jahr später auf der Treppe des Schauspielhauses traf, kannte er mich nicht mehr.

Carl Zuckmayer, der mit Jannings eng befreundet war, hatte von ihm im April 1932 vier Eintrittskarten für eine Massenkundgebung der NSDAP zur Reichspräsidentenwahl im Sportpalast erhalten. Wir hatten beide noch niemals einer solchen Parteidemonstration beigewohnt und beschlossen, mit unseren Frauen hinzugehen. Die Nazis hatten Adolf Hitler als Kandidaten gegen Hindenburg aufgestellt. Wenn wir geahnt hätten, was uns bevorstand, hätten wir wenigstens unsere Frauen zu Hause gelassen.

Am Eingang der Riesenhalle, an der sich Tausende von Menschen stauten, nahmen uns zwei SA-Leute, als sie unsere Karten sahen, in ihre Obhut und geleiteten uns ganz nach vorn, in die sechste Reihe, fast unmittelbar gegenüber der mit Hakenkreuzbannern geschmückten und von Fahnen und Standarten umrahmten Rednertribüne. Wir hatten nicht bemerkt, daß es Ehrenkarten waren, die Jannings an Zuckmayer weitergegeben hatte. Eingeklemmt in die nach vorn drängende und um möglichst günstige Plätze ringende Masse, hineinkomplimentiert auf unsere Ehrenplätze, konnten wir nicht mehr zurück, zumal sich im gleichen Augenblick mit ungeheurem Getöse der Aufmarsch der Ehrengarde durch den Mittelgang und an beiden Außengängen vollzog, und alles mit hochgereckten Händen im Hitlergruß die Standarten grüßte. Wir saßen hilflos mitten in dem Gejohle. Kaum war etwas Ruhe eingetreten, da ertönte aus einem der Ränge eine gröhlende Stimme: »Da sitzt der Zuckmayer von Ullstein!« Immer wieder brüllte sie es, sogar den Lärm im Saal übertönend. Glücklicherweise trat in diesem gefährlichen Augenblick Goebbels ans Rednerpult und wir waren zunächst gerettet. Da es bei den Tausenden von Menschen unmöglich war, unten im Parkett den Platz ausfindig zu machen, wo »der Zuckmayer« saß, den man von oben her rekognosziert hatte, waren wir noch nicht unmittelbar gefährdet. Aber es dauerte nicht lange. Man hätte uns die Hand abschlagen können — wir sprangen nicht mit den andern auf und reckten nicht den Arm zum Hitlergruß, wie es alle um uns herum bei jeder wütenden Attacke von Goebbels taten, der oben auf der Tribüne seine Tiraden gegen Hindenburg und die Juden geiferte. Wir saßen in dem uns umbrandenden Meer mit wildem Haß und wilder Begeisterung, nach einem Fluchtweg suchend.

Als Göring auftrat und das Horst-Wessel-Lied erbrauste, standen wir notgedrungen von unseren Sitzen auf, aber den Arm zu heben brachten wir nicht über uns. Wenn Blicke hätten töten können, hätten wir längst entseelt unter den Stühlen gelegen. Wie aus einem glühenden Stahlblock strömte uns der Haß besonders der umsitzenden Frauen, fast körperlich fühlbar, entgegen. Unsere einzige Hoffnung war, daß man uns für Ausländer hielt. Von Görings Auslassungen über den alten Feldmarschall hörten wir nur Bruchstücke. Allzuviel ließ er nicht von ihm übrig.

Wir dachten nur noch daran, wie wir hinauskommen könnten. Kaum war das letzte Wort verklungen, da drängten die Massen wie in Trance nach vorn. Diesen Augenblick machten wir uns zunutze. Wir ließen uns in den Raum zwischen Tribüne und erster Reihe schieben und entflohen nach links, durch den Notausgang, ins Freie, noch gewahr werdend, wie einige SA-Leute die Treppe von den Rängen herunterpolterten, um uns zu fangen. Es war ein knappes Entkommen. Doch es war unsere eigene Schuld, die uns in diese Gefahr gebracht hatte.

So unmittelbar hatte ich noch niemals den Fanatismus der Massen erlebt. Zum ersten Mal wurde mir klar, was uns bevorstand, wenn Hitler zur Macht kommen würde. In dieser Wahl unterlag er noch dem Ansehen, das der alte Feldmarschall genoß. Daß gerade er so bald demselben Hitler, dessen Partisanen ihn hier beleidigt und geschmäht hatten, Deutschland ausliefern würde, ahnten wir damals noch nicht.

Die kleinen Anzeichen mehrten sich. Es waren nur winzige Geschehnisse, jedes ohne besondere Wichtigkeit, aber sie zeigten den langsamen Verfall des Gewissens oder den Drang zum ›Rette sich wer kann‹.

Richard von Kühlmann, früherer Staatssekretär im Auswärtigen Amt, Sammler und Kenner der Schönen Künste, hatte 1931 S. Fischer persönlich das Manuskript seines Romans ›Der Kettenträger‹ gebracht, ein Buch — nicht ganz schlecht und nicht ganz gut. Wir nahmen es an — ich muß es gestehen —, mehr um dem Mann, der mit vielen unserer Autoren befreundet war, einen Gefallen zu tun, als des Buches wegen. Es erschien 1932. Man kann nicht behaupten, daß es einen Meilenstein in der deutschen Literatur bedeutete. Aber Richard von Kühlmann kann den Ruhm für sich in Anspruch nehmen, der einzige unter den vielen Autoren des S. Fischer Verlages zu sein, der seinen Vertrag kündigte. Seine Begründung: »Unter den neuen Verhältnissen wären wir wohl nicht mehr in der Lage, seine Werke zu vertreten.« Ich mußte laut lachen, als ich seinen kläglichen Brief las.

Für Generaldirektor Killper von der Deutschen Verlagsanstalt in Stuttgart, der mir eben noch vorgeschlagen hatte, ich solle an seiner Stelle den Vorsitz des Deutschen Verlegerverbandes übernehmen (was ich ablehnte), waren es die zu vielen jüdischen Rechtsanwälte, die ihm Grund genug für die antisemitischen Programme der Nazis waren. Und der Maler Leo von König, Freund Gerhart Hauptmanns, Samuel Fischers und seiner Frau und vieler anderer aus den Kreisen der Literatur und der Kunst, beschloß, Hitler statt Hindenburg zu wählen, weil die Weimarer Republik ihn miserabel behandelt habe, wie er unserem gemeinsamen Freund Julius Meier-Graefe gestand, als der ihn auf meine Bitte zur Raison zu rufen versuchte. Als Porträtist von Goebbels ging es ihm sicherlich besser.

Keiner von ihnen war ein Nazi, aber sie gaben nach, machten ihren Frieden mit den Mächtigen, verlegen lächelnd, wenn sie mich trafen, »es würde ja so schlimm nicht werden« — oder wegschauend.

Ich schritt wie in einem Sumpf; wo eben noch fester Boden gewesen war, sank ich ein, und immer schwerer wurde es, die Füße herauszuziehen.

Freilich waren nicht alle so. Aber den Freunden, die mir zur Seite standen, ging es genau wie mir selbst, auch wenn sie nicht Juden waren. Verloren in hoffnungsloser Minorität, trugen sie zusammen mit der Aussichtslosigkeit ihres Widerstandes auch noch die Scham vor so viel Schwäche und Opportunismus der anderen. Oskar Loerke ist daran zugrunde gegangen. Peter Suhrkamp gesundheitlich ruiniert worden. Die stillen Taten von Tausenden, die sich nicht beugten, gehören der besten deutschen Geschichte an.

Die liberale Presse führte einen schwächlichen Kampf gegen die anbrandenden Wogen. Teils verkannte auch sie den Ernst der Situation, teils waren die politischen Redaktionen schon vorsichtig geworden; bei einem Sieg Hitlers wollten sie nicht auf der falschen Seite gefunden werden.

Mir stand als Kampforgan nur unsere ›Neue Rundschau‹ zur Verfügung, die so hoch über den Wassern schwebte, daß von einem politischen Einfluß keine Rede sein konnte. Ihre Leser waren zumeist Intellektuelle, die sich nicht für Politik interessierten und ahnungslos in das kommende Unheil hineinstolpern sollten. Aber ich wollte es dennoch versuchen, sie zur Gegenwirkung gegen ›Die Tat‹ zu aktivieren. Dazu bedurfte es in erster Linie eines Wechsels in der Redaktion. Dr. Rudolf Kayser, der verdiente langjährige Redakteur der ›Neuen Rundschau‹ — er hatte 1924 Oscar Bie abgelöst — war dieser Aufgabe nicht gewachsen. Ein Mann von ungewöhnlicher Bildung und hohen geistigen Qualitäten, war er in ruhigen Zeiten der ideale Leiter einer literarischen Zeitschrift. Eine Kämpfernatur, insbesondere gegenüber der pseudowissenschaftlichen Aggression der ›Tat‹, war er nicht.

Im Sommer 1931 hatte ich im Hause des Chefredakteurs des ›Uhu‹ Peter Suhrkamp kennengelernt. Er war Redakteur bei dieser Ullstein'schen Zeitschrift, die damals etwa die Rolle spielte, die heute den großen illustrierten Zeitschriften wie ›Stern‹ oder ›Quick‹ zufällt. Der vorsichtig urteilende, verschlossene Mann eröffnete sich schon bei unserem ersten Gespräch. Es zeigte sich, daß er von gleichen Sorgen und von ebenso tiefem Pessimismus über die Lage erfüllt war wie ich — und so entstand vom ersten Augenblick der Begegnung an eine gegenseitige Sympathie, die uns beiden eine Fortsetzung der Gespräche wünschenswert erscheinen ließ. Hier hatte ich einen Menschen gefunden, der das Versagen unserer ›Kulturträger‹ und der politischen Funktionäre sowie den brutalen Herrschaftsdrang der Gegenseite, der alles, wofür wir lebten, in seinen Grundfesten bedrohte, erkannt hatte.

Der S. Fischer Verlag war für ihn eine der geistigen Positionen, die gehalten werden mußten. Seine pädagogische Ader — er hatte als Lehrer begonnen und später, nach einer kurzen Tätigkeit als Dramaturg, die freie Schulgemeinde Wickersdorf als Stellvertreter und Nachfolger von Gustav Wyneken geleitet —, die in einem gewissen Gegensatz zu meiner freieren, ungebundeneren Lebensart stand, störte mich weniger als mich seine eindeutig kompromißlose politische Haltung anzog. Anfang 1932 bot ich ihm die Redaktion der ›Neuen Rundschau‹ an, die er zu einer Kampfzeitschrift gegen die demagogischen Theorien der ›Tat‹ und für eine westlich orientierte, liberale, freiheitlich-demokratische Geisteshaltung ausbauen sollte. Seine Tätigkeit sollte im Herbst 1932 beginnen. Bis dahin lief Rudolf Kaysers Vertrag. Seine Kündigung rief einige Aufregung hervor und wurde später als Konzession an das Nazi-Regime dargestellt. In Wahrheit resultierte sie aus meinem Bestreben, aktiven Widerstand zu leisten und dafür eine geeignetere Persönlichkeit an den Platz zu stellen, von dem aus innerhalb des S. Fischer Verlages eine wirksame Auseinandersetzung ausgehen konnte.

Bei den Reichstagswahlen am 6. November hatten die Nazis von ihren 230 Sitzen im Reichstag 34 verloren. Sie waren auf 196 zurückgefallen. Ein Hoffnungsschimmer! Aber es war ein gefährlicher Optimismus, den er zur Folge hatte. Diejenigen schienen recht zu behalten, die uns wegen unserer Kassandra-Rufe immer ausgelacht hatten. Man konnte weiterschlafen. Inzwischen arbeiteten die durch den Rückschlag schwer getroffenen Nazis mit gesteigerter Intensität und Brutalität weiter und gewannen in zunehmendem Maße die Unterstützung der Großindustrie und des Großgrundbesitzes, die sich durch die sozialen Pläne des neuen Reichskanzlers von Schleicher in ihren Interessen bedroht fühlten.

Einige beherzte Männer hatten sich noch zusammengeschlossen, um in Massenversammlungen zum Widerstand gegen den Nazismus aufzurufen. Anfang 1932 kam Professor Hermann Heller, damals Staatsrechtslehrer an der Berliner Universität, zu mir, um mich um meine Mitwirkung bei ihren Bestrebungen zu bitten. Der Gruppe gehörte unter anderen der preußische Finanzminister Otto Klepper an, der preußische Unterstaatssekretär Arnold Brecht und Kapitänleutnant Helmuth von Mücke, der durch seine abenteuerlichen Fahrten während des Ersten Weltkriegs populäre Marineoffizier, der zudem über einige rednerische Begabung verfügte. Mir hatte man die Aufgabe der Kassenverwaltung und der Geldsammlung zugedacht. Ich nahm mit Begeisterung an. Endlich sollte etwas geschehen.

Klepper stellte aus einem Geheimfonds der preußischen Regierung eine beträchtliche Summe zur Verfügung — ich glaube, es waren 250 000 RM —, die auf ein von mir unter meinem Namen bei der Dresdner Bank in Berlin eröffnetes Konto eingezahlt wurde. Geheim- oder Nummernkonten gab es nicht. Dieser Umstand sollte später sehr unangenehme Folgen für mich haben.

Darüber hinaus versuchte ich, bei meinen zahlreichen Bekannten im Industrie- und Bankwesen Geldbeträge aufzubringen. Es wurde ein totaler Mißerfolg. Man lachte mich aus, als ich von der Notwendigkeit einer Aktion sprach. Einer der führenden jüdischen Privatbankiers wollte mit mir wetten, daß Hitler bis spätestens Ende 1932 verschwunden sei. Da half keine Beredsamkeit. Der Wunsch nach Ruhe war stärker; das Gebrüll der Straße, das mir unüberhörbar in den Ohren gellte, wurde gerade dort nicht gehört, wo man die Geschichte vielleicht noch hätte wenden können.

Es kam noch zu einer Kundgebung im Sportpalast, in der Kapitänleutnant von Mücke als Hauptredner völlig versagte, so daß sich am Schluß seiner langen Ausführungen kaum eine Hand rührte. Das liberale Bürgertum hatte nichts Positives mehr vorzubringen und zeigte sich hilflos gegenüber der mächtigen, mit Fanfaren und Standarten vorwärtsstürmenden Propaganda der Gegenseite, die den Massen das Blaue vom Himmel versprach.

Bevor wir noch weitere Pläne verwirklichen konnten, war alles zu Ende. Hindenburg hatte, unter dem verderblichen Einfluß einer mit Blindheit geschlagenen Clique, am 30. Januar 1933 Hitler zum Reichskanzler ernannt.

Schicksalsentscheidung

Eine Welt, die Welt meiner Kindheit, meiner Jugendjahre, die Welt des Rechts, der Moral, der Achtung vor dem Nächsten, war zusammengebrochen. So sicher hatten wir uns in ihr gefühlt, daß auch die schweren Erlebnisse des Ersten Weltkrieges, der Inflation, des Hungers und der Armut, den Glauben an ihre Unzerstörbarkeit nicht hatten erschüttern können. Durch Erziehung, Sprache, Freundschaften, durch Tausende von unzerreißbar scheinenden Fäden war ich mit Deutschland verbunden und war ein Deutscher. Das auch nur zu diskutieren, wäre mir absurd vorgekommen.

Kein Zweifel, daß es in den ersten Jahrzehnten unseres Jahrhunderts viele Juden in Deutschland gab, die sich das Bewußtsein ihres jüdischen Volkstums erhalten hatten und in altüberkommener Frömmigkeit dem jüdischen Religionsgesetz folgten. Sehr viele andere aber, die das jüdische Volkstumsbewußtsein verloren hatten, jedoch noch an ihrer Religion und der Innehaltung der religiösen Gesetze festhielten, und diejenigen, die sich sowohl von dem einen als auch von dem anderen innerlich entfernt hatten, fühlten sich als Deutsche jüdischer Herkunft.

Entscheidend für meine innere Einstellung zu der Frage der Zugehörigkeit war meine Erziehung im Elternhaus und in der Schule, und die Einflüsse des weiten, durch die allgemeinen sozialen Verhältnisse sich ergebenden Umkreises meines Lebens. In meinem Fall — wie gewiß in Tausenden ähnlich gelagerter — ergab sich eine auch durch gelegentliche antisemitische Erfahrungen nicht belastete Selbstverständlichkeit des Deutschseins, das Bewußtsein des Hineingeborenseins in deutsches Fühlen und Denken.

Der Begriff der ›Assimilation‹ paßte auf unsere Generation nicht mehr. Ich hätte nicht sagen können, von welchem Dasein ich mich an welches andere hätte ›assimilieren‹ sollen. Wir waren, wie wir waren, und dies als Deutsche. Daß es Leute gab, die uns das absprechen wollten, konnte nichts an unserem tiefverwurzelten Grundgefühl ändern.

Unsere damalige nationale Einstellung und die sich daraus ergebende Begeisterung, mit der wir in den Ersten Weltkrieg zogen, waren dem Einfluß einer Umwelt zuzuschreiben, die ihre jüdischen Mitglieder genauso zum deutschen Nationalismus erzog wie alle anderen. Von einer Verleugnung der jüdischen Nationalität konnte keine Rede sein, weil sie im Bewußtsein dieser Generation, soweit sie — wie gesagt — nicht noch in der althergebrachten Tradition lebte, nicht mehr existierte.

Die Zugehörigkeit dieser deutschen Juden zu Deutschland anzu-
zweifeln, kam in den ersten Jahren nach dem verlorenen Krieg
selbst den Antisemiten nicht in den Sinn. Die Juden nahmen am
Krieg und an den Leiden der Nachkriegsjahre teil und wirkten
im deutschen Kulturkreis in den Wissenschaften, den Künsten,
in der Industrie und im Handel, und nicht am schlechtesten in
der Politik.

Diese tiefe, echte, durch Generationen hindurch gewachsene
Verbindung zwischen Juden und Deutschen ist unwiderbring-
lich durch die Deutschen zerstört worden. Daß die zur Verantwortung berufenen Kreise, dem Aufruf eines Demagogen folgend, es zuließen, daß die Juden der Vernichtung überantwortet
wurden, kann nicht mehr ausgelöscht werden, niemals kann der
Glaube an Deutschland, der einst die Grundlage unseres Daseins bildete, wiederhergestellt werden.

Golo Mann sagte es in bewegender Weise am Schluß einer Rede
auf dem Jüdischen Weltkongreß in Brüssel im August 1966:
»Wer die dreißiger und vierziger Jahre als Deutscher durchlebt
hat, der kann seiner Nation nie mehr völlig trauen . . . Der wird,
wie sehr er sich auch Mühe geben mag und soll, in tiefster Seele
traurig bleiben, bis er stirbt.«

Traurig, fassungslos stand ich vor dem Ausbruch wilden Terrors, der das Land mit Brutalität überzog. Eine Verhaftungswelle
breitete sich aus, und die Gerüchte über fürchterliche Mißhand-
lungen der Opfer mehrten sich von Tag zu Tag. Überall in meiner nächsten Umgebung verschwanden Menschen in den Kel-
lern der SA-Schergen auf Nimmerwiedersehen. Ich mußte meine
Familie und mich selbst in Sicherheit bringen.

Im Hause meines Freundes Kurt Heuser in Nikolassee, am
Rande Berlins, das er uns zur Verfügung gestellt hatte, fanden
wir Zuflucht. Es war ein kleines Haus, aus schweren Baumstäm-
men gebaut, das meine Frau und meine drei kleinen Töchter zur
Not faßte. Die Kleinste war an Mittelohrentzündung erkrankt
und machte uns zusätzliche Sorgen. Mein Vater — ich hatte
meine alten Eltern schon vor einiger Zeit zu uns nach Berlin genommen — lag schwer krank in einer Privatklinik im Grunewald. Wenigstens meine Schwiegereltern waren in Sicherheit:
sie befanden sich, wie jedes Jahr um diese Zeit, zusammen mit
Gerhart Hauptmann in Rapallo.

Bei den Reichstagswahlen am 5. März 1933 hatte die NSDAP
zusammen mit den Deutschnationalen, die ihr die Steigbügel
hielten — im törichten Glauben, sie könnten Hitler an der Leine
führen —, die absolute Majorität errungen. Die Grundrechte der
Weimarer Verfassung hatte Hindenburg schon eine Woche vor
der Wahl durch Notverordnung aufgehoben. Das ›Ermächti-

gungsgesetz‹ gab Hitler alle Vollmachten zur Beseitigung der Demokratie und zur Errichtung seines Führerstaates.

Wir waren vogelfrei, der Willkür der Straße ausgesetzt. Nacht für Nacht erwarteten wir selbst in unserem abgelegenen Zufluchtsort den Überfall der losgelassenen Horden, die brüllend durch die Straßen zogen.

Davor wenigstens blieben wir bewahrt. Aber was war zu tun? Es begannen jene nächtlichen Beratungen, die zu nichts führten. Sollte, konnte ich alles stehen und liegen lassen und auswandern?

Die Freunde, selbst der Skeptiker Peter Suhrkamp, rieten zum Zuwarten, bis die erste Sturmwelle abgeflaut wäre.

Aber wie konnte ich bleiben! Neben der unmittelbaren Gefährdung als Jude und als Vertreter einer Geistesrichtung, die dem Nazismus diametral entgegengesetzt war, bestand für mich die moralische Verpflichtung, Konsequenzen aus der offiziell proklamierten und systematisch durchgeführten Zerstörung all dessen, was die Grundlagen des S. Fischer Verlages darstellte, zu ziehen. Ich stand vor einem furchtbaren Dilemma.

S. Fischer, dessen Bewußtsein schon seit einiger Zeit getrübt war und dem sich dadurch das Verständnis für die politischen Vorgänge verschlossen hatte, war von dem Ernst der Lage nicht zu überzeugen und weigerte sich entschieden, die Frage der Auswanderung auch nur zu diskutieren. Wie ein Segen Gottes hatte ihn diese Trübung seines Geistes vor der bitteren Erkenntnis der Lage bewahrt. Ohne seine Zustimmung konnte ich die mir notwendig erscheinenden Schritte, um den Verlag nach dem Ausland zu bringen, nicht tun. Konnte ich ihn und seine Frau im Stich lassen und den Verlag einem Schicksal überantworten, das das Ende bedeutet hätte?

Für den 1. April hatten Goebbels und seine Trabanten die ›Nacht der langen Messer‹ und einen Boykott aller jüdischen Geschäfte verkündet. Ich zog es vor, den drohenden Ausschreitungen aus dem Wege zu gehen und fuhr mit meiner Familie nach Rapallo. Da ich nicht sicher war, ob man mir beim Grenzübergang nicht Schwierigkeiten bereiten würde, hatte ich unseren Freund Kurt Heuser gebeten, uns zu begleiten, um meiner Frau beizustehen, falls ich nicht durchkäme. Kurt Heuser hatte sein Schlafwagenabteil in einem anderen Wagen. Als ich im Morgengrauen erwachte — ich meinte, wir müßten bald die Schweizer Grenze passieren —, bemerkte ich zu meinem Schrecken, daß wir gar nicht fuhren. Ich kleidete mich notdürftig an und stieg aus. Unser Wagen stand mutterseelenallein außerhalb des Bahnhofs von Basel — glücklicherweise bereits auf der Schweizer Seite — auf einem Nebengeleise. Von unserem Zug und unserem Freund Kurt Heuser keine Spur. Es stellte sich heraus, daß die deutsche Reichsbahn so viele Schlafwagen für die vor dem Boykott fliehenden Juden eingestellt hatte, daß der Zug für die Steigung zum Gotthardpaß zu schwer war, und so hatte die Schweizer Bundesbahn unseren Wagen einfach abgehängt.

In Rapallo erwarteten uns die Eltern und viele Freunde. Meine Versuche, meinen Schwiegervater zu Entschlüssen zu bewegen, waren wieder vergeblich. Er lächelte ungläubig, wenn ich ihm schilderte, was in Deutschland vor sich ging.

Aber auch unsere Freunde boten keinen Rat. Franz Werfel und seine schöne geistvolle Frau Alma sahen als Österreicher die Dinge, die da in Deutschland passierten, mit einer mich in Erstaunen versetzenden Distanz, völlig ungewahr der auch für sie heraufziehenden Gefahr. Meier-Graefe und Herbert Eulenberg verstanden schon besser, in welcher Lage wir uns befanden. Aber wie sollten sie raten? Und Gerhart Hauptmann ging mir mit seiner Verkennung der Situation völlig auf die Nerven.

Als ich bei einem der allabendlichen Zusammenkünfte auf eine Bemerkung Benvenutos, des jüngsten Sohnes von Gerhart Hauptmann, eine vom Spumante beschwingte Rede auf die Rolle der Juden in Deutschland hielt, sagte Hauptmann in den allgemeinen Beifall hinein: »Ja, mein lieber Bermann, ich bin nun einmal kein Jude.« Es war eine anscheinend zusammenhanglose Bemerkung, aber sie beleuchtete die Verwirrung der Geister. Gerhart Hauptmann war gewiß kein Antisemit im landläufigen Sinn. Diese Bemerkung zu vorgeschrittener Stunde zeigte aber, daß auch er bereits begonnen hatte, Abstand zu nehmen — ein gewissermaßen animalisches Verhalten wie das eines Menschen, der die Not eines anderen scheut wie eine ansteckende Krankheit.

Ich überlegte, ob ich wie Thomas Mann im Ausland bleiben und die Auflösung des Verlages von Rapallo aus betreiben sollte. Aber es konnte kein Zweifel darüber bestehen, daß der Verlag dann beschlagnahmt worden wäre. Wollte ich ihn retten, so mußte ich nochmals in die Höhle des Löwen zurückkehren.

In diesem kritischen Augenblick erhielt ich durch meinen Berliner Anwalt eine Vorladung nach Moabit zu einer Zeugenvernehmung in Sachen Klepper. Die Nazis hatten Anklage gegen den ehemaligen preußischen Finanzminister wegen des Verdachts der Unterschlagung erhoben. Gemeint war natürlich die Verwendung seines Geheimfonds im Kampf gegen sie selber.

Das gab den Ausschlag. Wenn ich mich der Vernehmung entzog, konnten die Folgen für den Verlag vernichtend sein — man hätte eine Handhabe gehabt, ihn zu liquidieren oder, schlimmer noch, in kommissarische Verwaltung zu nehmen. Das durfte nicht sein. Auf der anderen Seite glaubte ich noch, erzogen im preußischen Rechtsdenken, an die Unabhängigkeit der Gerichte. Es konnten doch nicht alle Leute schlagartig ihre Gesinnung gewechselt haben! Tutti, in allen Gefahren meines Lebens wie ein tapferer Soldat an meiner Seite, bestärkte mich in meiner Meinung. Klopfenden Herzens begaben wir uns auf die Heimreise. Mich graust es noch heute, wenn ich im Licht der späteren Erfahrungen darüber nachdenke, wie leichtsinnig wir unser Leben aufs Spiel gesetzt haben.

Als sich die eisernen Tore von Moabit hinter mir schlossen, wußte ich nicht, daß ich in den folgenden Stunden die Tragikomödie des deutschen Beamtentums en miniature erleben würde.

Im Verhandlungszimmer, dessen Einrichtung aus einem langen Tisch, ein paar Stühlen und einem Kanonenöfchen bestand, saßen zwei Herren. Der eine von ihnen, ein älterer Amtsgerichtsrat, behandelte mich wie einen Verbrecher, der Gelder unterschlagen hat, die man ihm anvertraut hatte. In scharfem Ton fragte er mich nach der Verwendung der auf mein Konto eingezahlten Beträge. Es hätte keinen Zweck gehabt, ihm die Auskunft darüber zu verweigern, denn er war offensichtlich im Bilde.

Nach Aufnahme des Protokolls verschwanden die beiden Herren im Nebenzimmer, und ich war darauf gefaßt, im nächsten Augenblick verhaftet und abgeführt zu werden.

Als die beiden zurückgekommen waren und wieder Platz genommen hatten, fragte ich den Vernehmungsrichter, wer der andere Herr sei, der ihn begleitete und bis jetzt nicht den Mund aufgetan hatte. Die Folge meiner Frage war erstaunlich. Beide sprangen auf, verbeugten sich und stellten sich mir vor. Was war in den beiden vorgegangen? Ich konnte es nur vermuten. Wahrscheinlich waren sie von vornherein auf meiner Seite gewesen und wagten es, ihre Maske, die sie als Beamte des neuen Regimes zu tragen genötigt waren, fallen zu lassen, als sie sahen, daß sie mir vertrauen konnten. Der Bann war gebrochen, man wurde höflich.

Die Frage nach dem Aufenthalt von Professor Hermann Heller konnte ich mit gutem Gewissen beantworten, indem ich den Herren mitteilte, daß Heller den Lehrstuhl für Staatsrecht an der Münchner Universität innehatte. Ich wußte bereits, daß er Deutschland verlassen hatte und sich in Madrid aufhielt. Ich wurde gebeten, mich jeglicher Verbindung mit ihm zu enthalten. Dann mußte ich auf dem Korridor warten, konnte meine zitternd zu Hause wartende Frau telefonisch verständigen und wurde schließlich unbehelligt entlassen.

Als ich in meinem Büro eintraf, lag auf meinem Schreibtisch eine offene Postkarte Professor Hellers aus Madrid. Eine polizeiliche Durchsuchung meines Büros hätte furchtbare Folgen für mich haben können.

Inzwischen hatten sich zwei holländische Verlage, Allert de Lange und Emanuel Querido, hochangesehene alte Verlagshäuser in Amsterdam, deutschsprachige Emigrationsverlage angegliedert. Zwei Direktoren des Verlages Gustav Kiepenheuer, Berlin, Dr. Fritz Landshoff und Walter Landauer, hatten Deutschland sofort nach der Machtergreifung verlassen. Viele ihrer Autoren waren schwer gefährdet (Ernst Toller, Joseph Roth, Hermann Kesten, Heinrich Mann, Anna Seghers u. a.), konnten es nicht riskieren, auch nur noch einen Tag ihre Arbeit im Lande fortzusetzen. Die beiden waren wenigstens der Entscheidung enthoben und konnten sofort, Landauer mit Allert de Lange, Fritz Landshoff mit Querido, jeder für sich, ihre Tätigkeit in Holland als Leiter der deutschen Sektionen der beiden holländischen Firmen aufnehmen. Ihre gleichzeitig ausgewanderten Autoren schlossen sich ihnen an.

Meine Situation war anders. Der damaligen Hauptautoren des Verlages — wie Gerhart Hauptmann, Thomas Mann, Hermann Hesse, Jakob Wassermann und viele andere, vor allem die großen Autoren des Auslands wie Bernard Shaw, Eugene O'Neill, Joseph Conrad, Jean Giono etc. — waren zwar unbeliebt, aber keiner von ihnen war verboten. Selbst die ›Neue Rundschau‹ konnte noch unzensiert weitererscheinen. Es klingt heute unglaublich, daß zu dieser Zeit noch Beiträge von Jakob Wassermann, Thomas Mann etc. ungestört gedruckt werden konnten.

Ich zermarterte mir in schlaflosen Nächten den Kopf. Wie konnte dieser in Deutschland verwurzelte Verlag ins Ausland verbracht und dort weitergeführt werden? Welche Autoren würden mir folgen? Mit Ausnahme von Thomas Mann, der bereits die Konsequenzen gezogen hatte, waren damals die meisten, die nicht unmittelbar zur Auswanderung gezwungen waren, keineswegs entschlossen, fortzugehen. Und selbst Thomas Mann, der sich zur endgültigen Trennung von Deutschland entschlossen hatte, wünschte, seine Werke denjenigen Deutschen, auf die man rechnen zu können glaubte, zu erhalten. Er kannte wohl die Gründe, die mir die sofortige Auswanderung unmöglich machten, sah mein Dilemma, ließ mich aber dennoch immer wieder seine Zweifel an meinem Zögern wissen, warnte und freute sich, wenn es wieder einmal gut gegangen war.

Thomas Mann hatte sich im März 1933 auf einer Vortragsreise im Ausland befunden. Im Februar 1933 hatte er im Auditorium Maximum der Münchner Universität seinen Vortrag ›Leiden und Größe Richard Wagners‹ unter großem Beifall gehalten. Nichtsahnend hatte er sich auf diese Reise begeben, die ihn nach Amsterdam, Brüssel und Paris führte. Anfang März traf er mit seiner Frau in Arosa zu kurzer Erholung ein. Die für Anfang April geplante Rückreise nach München wurde nach der Machtergreifung zunächst verschoben und später ganz aufgegeben. Warnungen von Freunden und nicht zuletzt ein am 16. April 1933 in den ›Münchner Neuesten Nachrichten‹ veröffentlichter Artikel bestärkten Thomas Mann in seinem Entschluß, das Deutschland Hitlers nicht mehr zu betreten. Der ›Protest der Wagnerstadt München‹ war ein schwerer Angriff gegen den Dichter, in dem sein Vortrag als Beleidigung Richard Wagners, den Hitler persönlich zum Symbol deutscher Musik erhoben hatte, denunziert wurde. Gleichzeitig wurde dieser Aufsatz über den Rundfunk in ganz Deutschland verbreitet. Ich lasse das Machwerk mit den Unterschriften aller jener Männer, die gestern noch Thomas Manns Gunst gesucht und von ihm, wie besonders Hans Pfitzner, Unterstützung und Freundschaft erfahren hatten, nachstehend folgen:

Protest der Richard-Wagner-Stadt München

Nachdem die nationale Erhebung Deutschlands festes Gefüge angenommen hat, kann es nicht mehr als Ablenkung empfunden werden, wenn wir uns an die Öffentlichkeit wenden, um das Andenken an den großen deutschen Meister Richard Wagner vor Verunglimpfung zu schützen. Wir empfinden Wagner als musikalisch-dramatischen Ausdruck tiefsten deutschen Gefühls, das wir nicht durch ästhetisierenden Snobismus beleidigen lassen wollen, wie das mit so überheblicher Geschwollenheit in Richard-Wagner-Gedenkreden von Herrn Thomas Mann geschieht.
Herr Mann, der das Unglück erlitten hat, seine früher nationale Gesinnung bei der Errichtung der Republik einzubüßen und mit einer kosmo-politisch-demokratischen Auffassung zu vertauschen, hat daraus nicht die Nutzanwendung einer schamhaften Zurückhaltung gezogen, sondern macht im Ausland als Vertreter des deutschen Geistes von sich reden. Er hat in Brüssel und Amsterdam und an anderen Orten Wagners Gestalten als »eine Fundgrube für die Freudsche Psycho-Analyse« und sein Werk als einen »mit höchster Willenskraft ins Monumentale getriebenen Dilettantismus« bezeichnet. Seine Musik sei ebensowenig Musik im reinen Sinn, wie seine Operntexte reine Literatur seien. Es sei die »Musik einer beladenen Seele ohne tänzerischen Schwung«. Im Kern hafte ihm etwas Amusisches an.
Ist das in einer Festrede schon eine verständnislose Anmaßung, so wird diese Kritik noch zur Unerträglichkeit gesteigert durch das fade und süffisante Lob, das der Wagnerschen Musik wegen ihrer »Weltgerechtheit, Weltgenießbarkeit« und wegen dem Zugleich von »Deutschheit und Modernität« erteilt wird.
Wir lassen uns eine solche Herabsetzung unseres großen deutschen Musikgenies von keinem Menschen gefallen, ganz sicher aber nicht von Herrn Thomas Mann, der sich selbst am besten dadurch kritisiert und offenbart hat, daß er die »Gedanken eines Unpolitischen« nach seiner Bekehrung zum republikanischen System umgearbeitet und an den wichtigsten Stellen in ihr Gegenteil verkehrt hat. Wer sich selbst als dermaßen unzuverlässig und unsachverständig in seinen Werken

offenbart, hat kein Recht auf Kritik wertbeständiger deutscher Geistesriesen.

Amann Max, Verlagsdirektor, M. d. R.; Bauckner Arthur, Dr., Staatstheaterdirektor; Bauer Hermann, Professor, Präsident der Vereinigten Vaterländischen Verbände Bayerns; Berrsche Alexander, Dr., Musikschriftsteller; Bestelmeyer German, Geheimrat, Professor, Dr., Präsident der Akademie der bildenden Künste; Bleeker Bernhard, Professor, Bildhauer; Boehm Gottfried, Professor, Dr.; Demoll Reinhard, Geheimrat, Professor, Dr.; Doerner Max, o. Akademieprofessor; Dörnhöffer Friedrich, Geheimrat, Professor, Dr., Generaldirektor der Bayerischen Staatsgemäldesammlung a. D.; Feeser Friedrichfranz, Generalmajor a. D.; Fiehler Karl, Oberbürgermeister; v. Franckenstein Clemens, Generalintendant der Bayerischen Staatstheater; Gerlach Walther, Professor, Dr.; Groeber Hermann, o. Akademieprofessor; Gulbransson Olaf, o. Akademieprofessor; Hahn Hermann, Geheimrat, o. Akademieprofessor; v. Hausegger Siegmund, Geheimrat, Professor, Dr., Präsident der Akademie der Tonkunst; Heß Julius, o. Akademieprofessor; Hoeflmayr Ludwig, Geheimer Sanitätsrat, Dr.; Jank Angelo, Geheimrat, o. Akademieprofessor; Klemmer Franz, o. Akademieprofessor; Knappertsbusch Hans, Professor, Bayerischer Staatsoperndirektor; Küfner Hans, Geheimrat, Dr., rechtsl. Bürgermeister; Langenfaß Friedrich, Dekan; Leupold Wilhelm, Verlagsdirektor der Münchener Zeitung; v. Marr Carl, Geheimrat, Akademiedirektor a. D., Kunstmaler; Matthes Wilhelm, Musikschriftsteller; Miller Karl, o. Akademieprofessor; Musikalische Akademie: der Vorstand: Eduard Niedermayr, Michael Uffinger, Hermann Tuckermann, Emil Wagner; Ottow Fred, Chefredakteur der München-Augsburger-Abendzeitung; Pschorr Josef, Geh. Kommerzienrat, Präsident der Industrie- und Handelskammer; Pfitzner Hans, Professor, Dr., Generalmusikdirektor; Röschlein Christoph, 1. Präsident der Handwerkskammer von Oberbayern; Schemm Hans, bayerischer Staatsminister; Schiedt Adolf, Chefredakteur der Münchener Zeitung; Schinnerer Adolf, o. Akademieprofessor; Schmelzle Hans, Dr., Staatsrat, Präsident des Bayerischen Verwaltungsgerichtshofes; Sittmann Georg, Geheimrat, Dr., Professor; Strauss Richard, Dr., Generalmusikdirektor; Wagner Adolf, bayerischer Staatsminister; Westermann Fritz, 1. Vorsitzender des Bayreuther Bundes.

Es entbehrt nicht einer traurigen Komik, daß vier Tage später noch ein Nachtrag in der gleichen Zeitung erschien:

Gegen Thomas Mann. Von der Generaldirektion der Staatstheater wird uns geschrieben: »Durch einen bedauerlichen Irrtum sind bei der Protest-Liste gegen Thomas Mann einige Namen ausgelassen worden. Es sind nachzutragen: Kurt Barré, Oberregisseur der Bayerischen Staatsoper; Oberst Ritter v. Lenz, Führer des Bayerischen Stahlhelm; das gesamte Solopersonal der Bayerischen Staatsoper; Joseph Stolzing-Cerny, Schriftsteller.«

Diese deutschen Kulturträger, die sich da in Lumpengemeinschaft mit Max Amann, dem berüchtigten Verleger des ›Völkischen Beobachters‹, begaben, haben keinen Finger gerührt, als

die »festgefügte nationale Erhebung« ihre »tiefsten deutschen Gefühle« zusammenwalzte.
Als »wertbeständige deutsche Geistesriesen« haben sie sich gewiß nicht erwiesen, als sie diesen in haarsträubendem Deutsch geschriebenen Unfug unterzeichneten.

Thomas Mann war sich der Rolle, die ihm das Schicksal zugewiesen hatte, bewußt. Er zögerte nicht, alles, was er an wohlerworbenem Besitz in München hatte, aufzugeben: sein Haus in der Poschingerstraße, sein Vermögen, seine Bibliothek, seine Manuskripte. Auf welche Weise er beraubt wurde, ist an anderem Ort geschildert worden: die klägliche Unterschlagung der Manuskripte, die Entwendung seiner Ersparnisse, der Mißbrauch, der mit seinem Hause getrieben wurde.

Der Verlag arbeitete inzwischen nahezu ungestört weiter. Ob man uns in Ruhe ließ, um vor dem Ausland zu demonstrieren, wie ›liberal‹ man war? Aber es war eine unheimliche Ruhe, hinter der Bedrohung lauerte die Ungewißheit über den nächsten Tag, die lähmende Machtlosigkeit gegenüber brutaler Gewalt.
Dabei fehlte es nicht an tragikomischen Zwischenfällen. So kam zum Beispiel eines Tages ein Beamter der Staatspolizei, dem man noch seine sozialdemokratische Vergangenheit anmerkte, zu mir, um mir mitzuteilen, daß Beschwerden wegen der vielen Fotos jüdischer Schriftsteller in unserem Empfangsraum eingelaufen seien. Ob ich denn nicht diese Bilder verschwinden lassen könnte. Als ich das ablehnte und ihm sagte, ich würde dann lieber alle Autorenbilder entfernen, meinte er mit tiefem Bedauern, das sollte ich doch nicht tun. Ich bat ihn dann, mir die anstößigsten Fotos zu bezeichnen und konnte mich eines Lächelns nicht erwehren, als er alle Bärte — von Hermann Bahr, Björnstjerne Björnson und Henrik Ibsen bis zu Bernard Shaw und Lytton Strachey — von mir forderte und auch vor Annette Kolbs Konferfei nicht haltmachte. Der untrügliche Instinkt für die Unterscheidung zwischen ›Ariern‹ und Juden, der laut Hitler jedem echten Germanen innewohnte, war ihm offenbar nicht gegeben.
1935 rückte die Gestapo schließlich doch mit großen Lastwagen an, um die Werke einiger verbotener Autoren wie Alfred Kerr, Arthur Holitscher u. a. bei uns abzuholen. Man zog mit zehn bis zwanzig Exemplaren, die sich auf dem Berliner Auslieferungslager befanden, ab, ohne zu bemerken, daß sich viele Tausende dieser Bücher in unserem großen Hauptlager in Leipzig befanden, die ich dann später nach Wien abtransportieren konnte.

In den Jahren 1933 und 1934 war die Verlagsproduktion besonders reich und bunt. Als hätte nichts sich verändert, arbeiteten wir weiter an der großen Joseph Conrad-Ausgabe, die in ihren gelben Einbänden jedem passionierten Leser bekannt ist; es erschienen die gesammelten Werke des Dänen Herman Bang in einer dreibändigen Neuausgabe; eine dreibändige Ausgabe der Werke Hugo von Hofmannsthals wurde aufgelegt, der zu den tragenden Säulen des Verlags gehörte und auch heute noch gehört. Neue Romane von Jean Giono, den man nicht zu Unrecht den französischen Hamsun genannt hat, erschienen, neue Bücher von Hauptmann, Hausmann, Hermann Hesse, Bernhard Kellermann, Alfred Kerr, Annette Kolb, Otto Flake, Heinrich Hauser und Kurt Heuser. Zu den schon genannten Autoren stießen neue: Mechthilde Lichnowsky, Ernst Penzoldt mit seinem ›Kleinen Erdenwurm‹, Richard Billinger, Friedrich Heydenau, Wolf Zucker und schließlich Carl Zuckmayer. Ich veröffentlichte u. a. die Reden Franklin D. Roosevelts, René Schickeles Roman ›Die Witwe Bosca‹, Jakob Wassermanns ›Selbstbetrachtungen‹, den ›Hahnemann‹ von Martin Gumpert, einem bisher unbekannten jungen Schriftsteller, Arzt in Berlin. Über diesem vielfältigen Programm aber schwebten die beiden ersten Bände von Thomas Manns Tetralogie ›Die Geschichten Jakobs‹, der erste Teil ›Joseph und seine Brüder‹, Herbst 1933, und der zweite ›Der junge Joseph‹, Frühjahr 1934.

Thomas Mann hatte sich mittlerweile in Sanary sur Mer, einem kleinen Ort an der französischen Riviera, nicht sehr weit von Marseille gelegen, niedergelassen, wo auch Schickele und andere emigrierte Schriftsteller ihre Zelte aufgeschlagen hatten. Die Gespräche mit ihm, teils per Korrespondenz, teils bei persönlicher Begegnung, über die Politik des Verlages und die Publikation seiner künftigen Werke hörten niemals auf. Aber er blieb bei seinem Entschluß, vorläufig seine Bücher weiterhin in Deutschland erscheinen zu lassen. Es fehlte deswegen nicht an Angriffen von seiten der Emigrationspresse, die ihm zu große Zurückhaltung im Kampf gegen das Dritte Reich vorwarfen.

Besondere Aufregung wurde durch eine Erklärung Thomas Manns hervorgerufen, daß er sich nicht als Mitarbeiter an der Zeitschrift ›Die Sammlung‹, die sein Sohn Klaus im Querido Verlag, Amsterdam, herausbrachte, beteiligen wolle. Ich war mit dem Mitherausgeber der ›Neuen Rundschau‹, Geheimrat Samuel Saenger, nach Sanary gefahren, um diesen Schritt mit Thomas Mann zu besprechen. Er mußte sich entscheiden, ob er die Publikation seiner Werke in Deutschland wünschte — dann mußte er auf die Mitarbeit an dieser Zeitschrift, die das Dritte Reich in schärfster Weise angriff, verzichten — oder das Verbot seiner Bücher in Deutschland in Kauf nehmen.

Es war eine schwere Entscheidung für ihn, und nicht minder schwer war es für mich, der ich noch auszuharren genötigt war, ihm einen Rat zu erteilen, den ich im Innersten meines Herzens verabscheute und der nach einer eigennützigen Lösung aussehen mußte. Ich begrüßte die Aktivität der ›Sammlung‹ und beneidete sie um ihre Freiheit. Aber mir waren noch die Hände gebunden. In einer in der Wiener Arbeiterzeitung veröffentlichten ›Erwiderung‹ setzte Thomas Mann seine Gründe für seine Haltung auseinander. Die rein positive und produktive Art, dem höheren Deutschland zu dienen, so schrieb er unter anderem, läge in diesem Augenblick seiner Natur näher als die polemische, und damit hänge sein dringlicher Wunsch zusammen, sich, so lange es möglich sei, von seinem innerdeutschen Publikum nicht trennen zu lassen.

Wir waren uns gewiß darüber klar, daß solche Entschlüsse für den Augenblick gefaßt und aus der Beurteilung der augenblicklichen Lage entsprungen, keine dauernde Gültigkeit haben konnten. Ausdruck einer Gesinnungsänderung waren sie bei Thomas Mann gewiß nicht. Bei mir konnten sie es ebensowenig sein.

Nichtsdestoweniger hatte gerade diese Erklärung Thomas Manns, zusammen mit zwei anderen Vorfällen, Angriffe von seiten der Emigration gegen mich zur Folge, die meine Durchhaltekräfte fast zum Erliegen brachten. Heinrich Hauser, mit seinem besonderen Talent, technische Vorgänge zu beschreiben, hatte von mir im Jahre 1932 den Auftrag erhalten, das Fliegen zu erlernen und seine Erfahrungen darüber niederzuschreiben. Das Ergebnis war das Buch ›Ein Mann lernt fliegen‹. Das Manuskript wurde im Januar 1933 abgeliefert und ging sofort in die Setzerei. Das Buch sollte im Mai 1933 erscheinen. Anfang April, kurz nach meiner Ankunft in Rapallo, rief mich Suhrkamp, der mich während meiner Abwesenheit vertrat, alarmiert an und bat um meine Entscheidung: Heinrich Hauser hatte in eingeschriebenem Brief die Aufnahme einer Widmung an Hermann Göring, den damaligen preußischen Ministerpräsidenten, verlangt.

Es war mir sofort klar, was eine Ablehnung dieser Forderung bedeuten mußte: Schließung des Verlages, Maßnahmen gegen S. Fischer und mich, und, da wir nicht da waren, gegen den einzig greifbaren Peter Suhrkamp. Ihre Annahme aber mußte wie ein Kniefall des Verlages wirken und zu meiner Verfemung im Lager der mir weiß Gott nahestehenden Emigration führen.

Ich sah nur eine kleine Rettungschance: ich bat Suhrkamp, Heinrich Hauser mitzuteilen, daß wir als ›jüdischer‹ Verlag ohne ausdrückliche Genehmigung Görings eine solche Widmung nicht bringen könnten. Hauser solle doch, wenn er so großen Wert auf diese Widmung lege, selbst um die Genehmigung nachsuchen. Ich war überzeugt, daß Göring sie ablehnen würde. Dem war aber keineswegs so. Schon wenige Tage später traf ein Schreiben des Ministers beim Verlag ein, in dem er sich für die ihm zugedachte Widmung Hausers herzlich bedankte. Der Brief war direkt an den Verlag gerichtet, obwohl Hauser um die Genehmigung ersucht hatte. Jetzt war nichts mehr zu machen. Mein Schachzug war erfolglos geblieben und hatte die Situation nur noch verschlechtert. Mir blieb nichts anderes mehr übrig, als die Schande auf mich zu nehmen, ein Buch des S. Fischer Verlages einem unserer Erzfeinde und Verfolger gewidmet zu sehen. Niemals habe ich Hauser diesen bösen verräterischen Streich verziehen, und ich trennte mich von ihm. Seine Bücher wurden an einen anderen Verlag abgegeben.

Bei dem zweiten Vorfall handelte es sich um den Roman von Annette Kolb ›Die Schaukel‹. Sie hatte darin eine Fußnote gemacht, die lautete: »Vom Tage an, da die Juden im geistigen Leben zu Einfluß gelangten, machten sich in der gefährlichen Existenz des Künstlers gewisse Chancen fühlbar, daß er nicht mit einer Mühsal wie bisher, die subjektiv gesehen nur zu oft einem Auf-der-Strecke-Bleiben gleichkam, sich durchzuringen hatte; mit anderen Worten und retrospektiv gesehen: daß ein Hölderlin vielleicht davor bewahrt geblieben wäre, den armen Hauslehrer zu spielen, Franz Schubert vielleicht nicht so jung gestorben und als ein derart armer Teufel gestorben wäre. Wie dem auch sei: wir sind heute in Deutschland eine kleine Schar von Christen, die sich ihrer Dankesschuld gegenüber dem Judentum bewußt bleibt.«

Man denke, dies im Jahre 1934. Welcher Mut gehörte dazu, solche Sätze in dieser Zeit zu schreiben, und gewiß war es nicht feige, sie unter dem Zeichen des S. Fischer Verlags zu veröffentlichen. Die Drohungen, die wir und Annette Kolb zu hören bekamen, wurden so gefährlich, daß sie selbst die Streichung der Fußnote in der sechsten Auflage vorschlug.

Jetzt brach der Sturm los. Leopold Schwarzschild schrieb am 19. Januar 1935 in seinem ›Neuen Tagebuch‹:

»Beermanns (sic!) Schaukel

Im letzten N.T.B. wurde von der mutigen Bemerkung berichtet, die Annette Kolb in ihren jüngst bei S. Fischer erschienenen Roman ›Die Schaukel‹ hineingeschmuggelt hatte. Für ›eine kleine Schar von Christen, die sich ihrer Dankesschuld dem Judentum gegenüber bewußt bleibt‹, hatte die Dichterin in einer Fußnote den Tag gepriesen, an dem die Juden im geistigen Leben Deutschlands zu Einfluß gelangten. Herr Beermann, Samuel Fischers Schwiegersohn und Erbe, hatte die kühne Fußnote in Kauf nehmen müssen, weil die Dichterin auf dem unveränderten Abdruck bestand.

Nachträglich erfahren wir, daß die Fußnote, die in der ersten Auflage der ›Schaukel‹ auf Seite 176 veröffentlicht war, in der zweiten Auflage spurlos verschwunden ist. Herr Beermann, der ewig Schaukelnde, hat Annette Kolbs ›Schaukel‹ nach seinem Geiste wieder zurechtgeschaukelt. Vermutlich hatte ihm die Reichskulturkammer zu Bewußtsein geführt, daß er, wenn er einem Autor seines Verlages eine Verteidigung der Juden gestatte, die Parole ›Nieder mit uns!‹ aufs schwerste verletze.

Aber vielleicht wird der kleine Zwischenfall einen Fischer-Autor inspirieren, einen neuen ›Schaukel‹-Roman zu schreiben, mit Herrn Beermann im Mittelpunkt. Denn Herr Beermann hat sehr geschaukelt, ehe er sich entschloß, das schwiegerväterliche Geschäft unter der Aufsicht der Reichskulturkammer weiterzuführen. Daß ihm nie schwindlig wird, zeugt von robusten Nerven.«

Ein ähnlicher Angriff gegen mich erfolgte in der ›Basler Nationalzeitung‹.

Annette Kolb verteidigte mich in einem Brief an Schwarzschild:

»Sehr geehrter Herr Schwarzschild,

Ich kann mir nicht denken, daß es Ihrer Absicht entspricht, in Ihrer Zeitschrift Dinge zu veröffentlichen, die nicht den Tatsachen entsprechen. Aus meinem Buch ›Die Schaukel‹ ist nicht nach der 1. Auflage, sondern erst in der 6. Auflage die Fußnote weggefallen. Es ist leider ein solches Aufsehen damit gemacht worden, daß sich die Geheime Staatspolizei zu guter Letzt einmischte. Es wäre klüger gewesen, die kleine Geste nicht so an die große Glocke zu hängen, es war geschickter, daß die meisten deutschen Blätter sie nicht hervorhoben, sondern sich im stillen darüber freuten. Jetzt wurde sie gestrichen. Aber nicht durch Dr. Bermanns Schuld. Ich habe in der Tat auf die integrale Wiedergabe meines Textes — nach den Kürzungen in der Fr. Z. — bestanden, doch geziemt es sich, der Wahrheit die Ehre zu geben, daß er allen guten Willen in der Angelegenheit zeigte, und mehr Mut — da er dabei etwas riskierte, als die, welche ihn deshalb angreifen.

Annette Kolb.«

Hermann Hesse schrieb mir:

»Caro Amico,

....

Jene Sache mit der N. (National) Zeitung und dem Buch von Annette K. (Kolb) habe ich mir einen langen, ernsthaften Brief kosten lassen. Aus der sofort eingetroffenen, sehr freundlichen Antwort des Feuill. Redakteurs sehe ich, daß er verstanden und so aufgenommen wurde, wie er von mir gemeint war, der Red. hat auch mit dem Verfasser jener Notiz darüber ernstlich gesprochen ...«

Aber die Angriffe hörten nicht auf. Im Januar 1936, als ich bereits über meine Niederlassung in der Schweiz und in Österreich Verhandlungen führte, ließ Schwarzschild eine so schwere Denunziation gegen mich los, daß ich für den Erfolg meiner Bemühungen im Ausland fürchten mußte.

Thomas Mann, Annette Kolb und Hermann Hesse eilten mir zu Hilfe. Gerade noch rechtzeitig erschien in der Neuen Zürcher Zeitung und etwas später im ›Neuen Tagebuch‹ in Paris der nachstehende Protest:

Ein Protest
»Die Unterfertigten fühlen sich verpflichtet, Einspruch gegen einen Artikel zu erheben, der in der Ausgabe vom 11. Januar der Wochenschrift ›Das Neue Tage-Buch‹ erschienen ist und sich mit der Person Dr. Gottfried Bermann Fischers, des Erben und gegenwärtigen Leiters des S. Fischer Verlages, beschäftigt. Dr. Bermann hat sich während dreier Jahre nach besten Kräften und unter den schwierigsten Umständen bemüht, den Verlag an der Stelle, wo er groß geworden ist, im Geiste des Begründers weiterzuführen. Er verzichtet jetzt auf die Fortsetzung dieses Versuches und ist im Begriffe, dem S. Fischer Verlag im deutschsprachigen Ausland eine neue Wirkungsstätte zu schaffen. In diese Bemühungen bricht der erwähnte Artikel ein, indem er sie nicht nur bereits als gescheitert hinstellt, sondern auch, direkt und zwischen den Zeilen, an der Haltung und Gesinnung Bermanns eine sehr bösartige Kritik übt. Die Unterzeichneten, die zu dem Verlage stehen und ihm auch in Zukunft ihre Werke anvertrauen wollen, erklären hiermit, daß nach ihrem besseren Wissen die in dem ›Tage-Buch‹-Artikel ausgesprochenen und angedeuteten Vorwürfe und Unterstellungen durchaus ungerechtfertigt sind und dem Betroffenen schweres Unrecht zufügen.
    Thomas Mann — Hermann Hesse — Annette Kolb.«

Das brachte die Attacken gegen mich endlich zum Schweigen. Mich hatten sie schwer bedrückt. In meiner gefährdeten Situation konnte ich mich selbst nicht verteidigen. Wie konnte ich den Freunden draußen — auch meine Angreifer waren meine Gesinnungsgenossen — meine Beweggründe für mein Ausharren in Deutschland erklären, ohne mich drinnen schwerster Gefahr auszusetzen? Rückblickend kann ich kaum noch verstehen, wie ich diesen Kampf nach zwei Seiten so lange ertragen konnte.

Glücklicherweise gab es auch andere Stimmen aus dem Ausland, die mir das Durchhalten in diesen drei Jahren, die ich noch in Deutschland verbringen mußte, erleichterten:

17. 1. 34
Maison-Lafitte
4. av. Talma

»Lieber Bermann,
Was die Lage des Verlages anlangt, so glaube ich wohl, daß sie
schwer und heikel ist. Sie haben völlig recht, nicht abzubauen,
bevor Sie nicht ganz klar sind — andererseits aber nicht zu spät
zu handeln . . .
Erwägen Sie jedenfalls auch außerdeutsche Möglichkeiten, ich
sagte es Ihnen schon öfter, Sie dürfen da natürlich nicht improvisieren, aber die jetzt bestehenden Verlage draußen sind ja,
scheint mir, nur Adnexe — und vielleicht ist das Umgekehrte
einmal auch nicht schlecht: ein deutscher Verlag schließt sich mit
einem franz. oder holländischen zusammen bzw. hat einen
franz. Adnex . . .
    Meine Frau grüßt Euch, alles Gute Fischers.
                                    Ihr Alfred Döblin.«

René Schickele schrieb am 3. April 1934 aus Sanary:

»Wir können schließlich nicht mehr tun, als uns aufrichtig zu
bemühen, dem andern gerecht zu werden . . . Ich bleibe dabei,
daß das Erscheinen Thomas Manns in Deutschland tausendmal
wichtiger ist als die Wirksamkeit der gesamten Emigration,
und, unter Berücksichtigung der Proportion, gilt das auch für
mich.«

Und an anderer Stelle:

». . . Sie immer und überall verteidigt habe, obwohl mir Dutzende von Stimmen zuriefen: ›Der S. Fischer Verlag ist nicht
mehr der S. Fischer Verlag, er hat sich selbst verraten‹. Dem gegenüber vertrat ich den Standpunkt, daß Sie überzeugt seien,
eine letzte Ecke der Akropolis zu verteidigen und verteidigen zu
müssen, solange es ginge.«

Viele Jahre später, im September 1941, schrieb mir Leopold
Schwarzschild — und ich muß es ihm hoch anrechnen — den folgenden Brief:

Hotel Colonial
51 West Eighty-First Street
New York

»Lieber Dr. Bermann:
In letzter Zeit bin ich mit Landshoff mehrfach auf unseren Streit
aus dem Jahr Ich-weiß-nicht-mehr zu reden gekommen. Ich habe
ihm gesagt, daß die Erinnerung daran nicht zu denen gehört,
auf die ich am stolzesten bin.

Er hat mich gefragt, warum ich Ihnen das nicht auch selbst sage, und ich finde, er hat recht. So bekenne ich in aller Freiwilligkeit, daß ich mir bewußt bin, den ›sens de la mesure‹ damals verloren und über-nervös reagiert zu haben. Mein Gefühl war zu irritiert für den Anlaß, und meine Sprache außerdem noch zu irritiert für mein Gefühl.

Es liegt in unserem Metier, daß so etwas vorkommt und daß es nicht ungeschehen zu machen ist. Aber Sie sollen wenigstens wissen, daß es mir leid tut.

Ich hoffe, daß die Sache begraben sein kann, und begrüße Sie aufrichtig Ihr
Leopold Schwarzschild.«

Thomas Mann hatte im September 1933 seinen Wohnsitz von Sanary nach Küsnacht bei Zürich verlegt. In der Schiedhaldenstraße, hoch über Zürich gelegen, war eine neue Heimstätte für ihn und die große Familie erstanden. Viele Menschen, auch viele aus Deutschland, pilgerten dahin, um von ihm Rat und Ermutigung zu holen und sich an seiner beispielhaften Haltung zu stärken. Er war nicht nur zum Repräsentanten der Emigration geworden, sondern auch Symbol eines besseren Deutschland, des leidenden und unterdrückten.

Der erste Band seines großen Werkes ›Joseph und seine Brüder‹ war vollendet. Sollte er in Deutschland erscheinen? Konnte er wagen, es dem Zugriff des Propagandaministeriums auszusetzen? Ich vertrat damals die Meinung, daß man das Wagnis verantworten könne. Zögernd machte sich Thomas Mann meinen Standpunkt zu eigen:

»Sanary, 19. VIII. 1933
Habent sua fata — ich fürchte die fata dieses Libells werden recht bewegt sein, und manchmal staune ich über die — scheinbare — Ruhe und Zuversicht, mit der Sie ihnen entgegensehen. Ruhe, nun ja. Aber Zuversicht? Zuweilen frage ich mich: Was denkt er sich eigentlich? Aber dann tue ich auch wieder, als ginge alles normal und stelle z. B. Überlegungen an in Sachen der Ausstattung, des Einbandes . . .«

(Kurierbrief)

»Sanary, 25. VIII. 1933
Erst vor ein paar Tagen habe ich Ihnen geschrieben — recht überflüssiger Weise eigentlich, denn die Frage, die ich erörterte, war wohl im Voraus gelöst, für den Fall nämlich, daß die Hauptfrage: Lassen wir den Band jetzt in Deutschland erscheinen oder nicht? ihre positive Lösung findet. Sie scheint sie gefunden zu haben; aber soll es dabei bleiben? Ich will die Gelegenheit benutzen, Sie noch einmal, im letzten Augenblick, mit

allem Ernst auf die Unvernünftigkeit, ja Unsinnigkeit des Unternehmens hinzuweisen.«

»Sanary, den 31. VIII. 33

Lieber Dr. Bermann,
von den beiden Briefen, für die ich Ihnen zu danken habe, hat der erste mich tief gerührt durch die weit über's Geschäftlich-verlegerische hinausgehende, warm verständnisvolle Anteilnahme an meiner Arbeit, die er — unmittelbar und in der Beilage bekundet, und die auch der Ablehnung meiner auf dem Kurierwege vorgebrachten Argumente eine tiefere ideelle Berechtigung verleiht. Gut also, ich werde Ihnen keine Schwierigkeiten mehr machen, werde nichts mehr sagen und die Dinge gehen lassen wie Sie wollen und können. Möchten sie erträglich gehen für alle Beteiligten! Heute gilt das Wort: ›Wie man's macht, ist es falsch.‹ Wenn man nun aber bis dahin ein ›Segensmann‹ und gewohnt war, daß es richtig war, wie man's machte, so ist diese neue Lage anfangs etwas verwirrend. Aber man gewöhnt sich daran.
Nun liegt mir auch die Umschlagzeichnung vor (*), und sie hat meinen vollen Beifall. Ich finde, sie ist sehr feinfühlig dem Geiste des Buches angepaßt, und auch das Dekorativ-Symbolisch-Unbestimmte der Szene zieht mich an: Man weiß nicht, ist es Abraham mit dem kleinen Isaak oder der seine Geschichten erzählende Jakob, — jedenfalls ist allgemeine Stimmung darin.«

»Zürich-Küsnacht, 9. X. 1933
Schiedhaldenstraße 33

Lieber Doktor Bermann,
Heute kam aus Leipzig in zwei Exemplaren das Buch, überraschend stattlich seinem Umfang nach durch das schöne starke Papier; und die Umschlagzeichnung, die ich schon neulich lobte, macht jetzt, da sie eigentlich erst zu ihrer Funktion gelangt ist, einen noch stärkeren Eindruck auf mich; das Monumentale und Geisterhaft-Verwitterte kommt nun noch stärker heraus und wird gewiß eine anziehende Wirkung tun. Ich halte diesen ersten Teil des Werkes, an dem ich so lange trage, nicht ohne eine gewisse Erschütterung in Händen, und meine Neugier, wie er aufgenommen werden wird, ist begreiflicher Weise stärker als wohl in allen früheren Fällen. Möge Ihr relativer Optimismus recht behalten!«

Inzwischen war der erste Band erschienen, und die ersten Verkaufsmeldungen waren günstig, obwohl in einigen Orten Deutschlands die Buchhändler nicht wagten, das Buch auszustellen oder offen zu verkaufen.

---

* Sie war von Karl Walser.

»Küsnacht-Zürich, den 19. x. 1933
Meine Schwiegermutter schreibt, daß sie die Buchhandlung Jaffe, Briennerstraße, aufgesucht und nach meinem Buche gefragt habe. Die Antwort, *daß es nicht verkauft werden dürfe*. Heimlich sei es dennoch ein paar mal geschehen, aber man müsse sehr vorsichtig dabei zu Werke gehen.
Ich teile dies mit, weil Sie schrieben, auch in München sei das Buch immerhin ausgestellt. Könnte man gegen das inoffizielle Verbot nicht etwas tun? Wie ist es diesmal mit dem Annoncenweg? Ist er beschreitbar? Die Tatsache, daß in 7 Tagen an 10 000 Exemplare verkauft waren, würde recht dekorativ wirken. Aber vielleicht würde man des Himmels Blitze damit herausfordern.«

»Küsnacht-Zürich, den 7. XI. 1933
Es freut mich zu hören, daß der Verkauf des Buches gut weitergeht. Der Erfolg des ›Zauberbergs‹ war mir immer ein Wunder. Diesmal wird der fünfte Teil dieses Erfolges ein fast noch größeres Wunder sein.«

»Küsnacht-Zürich, den 4. XII. 1933
Auch aus München höre ich, daß das Buch dort jetzt überall ausliegt, manchmal sogar ›partienweise‹. Man scheint sich also ein Herz gefaßt zu haben.«

Und am 18. Dezember 1933, da die Fata dieses Libells sich entschieden hatten, äußert er sich nur noch ganz kurz:
»Das 25. Tausend freut mich.«

Der Freundeskreis war kleiner geworden. Aber es war eine Schar von Gleichgesinnten, die meine Sorgen teilten, ob sie nun ›Arier‹ oder ›Nichtarier‹ waren. Freilich, einige waren abgefallen, ›umgefallen‹, und kannten mich nicht mehr. Man gewöhnte sich daran.
Die Sommer 1933 und 1934 verbrachte ich mit meiner Frau und den Kindern in Kampen auf Sylt. Damals ging es dort noch still zu. Wir hatten ein kleines Haus gemietet, eine jener schönen Inselkaten, mit tief herabreichendem Reetdach. Wir wanderten über die Insel, weit nach ihrem nördlichen Rand, wo Tausende von Möwen ihre wilden Sturmflüge vollführten und kreischend dicht über unseren Köpfen angriffslustig vorbeischossen, wenn wir uns ihren Nestern zu sehr näherten. Wir ließen uns vom Wind zerzausen, badeten in dem wilden Meer und saßen abends oft in der Halle des Klenderhofs, des schönen Hauses unserer Freunde Baldner, das diese sich dicht am Wattenmeer gebaut hatten. Doch auch in diesen künstlichen, aber darum nicht weniger schönen Frieden, brach eines Tages die seelenzerstörende unreine Flamme, die Deutschland zu verzehren begann, ein.

Ein kleiner Kreis, zu dem auch der Dirigent Erich Kleiber gehörte, hatte sich am Abend des 30. Juni 1934 in dem halbdunklen Raum mit seiner bis unter das Dach des Hauses reichenden Balkendecke zu einer spiritistischen Sitzung zusammengefunden. Niemand nahm den Spuk ganz ernst, und dennoch saßen alle, gespannt auf das, was sich ereignen würde, um den kleinen Tisch herum, der durch Klopfzeichen das Nahen der Geister verkünden sollte. Von einer entfernten Ecke aus versuchte ich, die Gruselgesellschaft zu zeichnen. Da wurde Frau W., die das Geisterunternehmen angeregt hatte und dem Geisterglauben huldigte, ans Telefon gerufen. Wenige Minuten später kam sie bleich und zitternd vor Erregung hereingestürzt: »In Berlin ist Revolution. Roehm ist ermordet.« In heller Aufregung sprang alles auf. Man schrie durcheinander. Das Ende der Nazis ist gekommen — man konnte sich nicht lassen vor freudigen Spekulationen. Und plötzlich die Stimme Kleibers — wie eine kalte Dusche fiel sie in die Begeisterung hinein — ein Loblied auf Hitler, den Retter Deutschlands, und sein inniger Wunsch, es möge ihm nichts geschehen sein. Seine Frau, eine Amerikanerin, lief weinend aus dem Raum. Wir anderen, versteinert vor Schreck, gingen schweigend hinaus. Wir konnten es nicht glauben — mitten unter uns ein Nazi? Ob er Parteimitglied war — man sagte es damals — habe ich nicht erfahren können. Aber es dauerte nicht mehr sehr lange, bis auch er den Entschluß zur Auswanderung faßte, um dann nicht mehr nach Deutschland zurückzukehren. So sah es damals im Beginn der Schreckensjahre aus. Mitten unter uns saß einer, dem wir eben noch getraut hatten, einer jener Mitläufer, die immer bereit waren, die Farbe zu wechseln, wenn es opportun schien.

So war es mit Hauser, so war es mit Hans Rehberg, dem jungen Dramatiker, den ich gefördert hatte und der eines Tages in SA-Uniform bei mir im Verlag erschien, so war es mit Felix Lützkendorf, der der Theaterabteilung des Verlages angehörte, und so war es schließlich auch mit Richard Billinger, den ich Anfang 1933 noch selbst aus der Gefängnishaft herausgeholt hatte — er war wegen seiner Freundschaft mit einem desertierten Reichswehrsoldaten gleich mitverhaftet worden.

Billinger war kein Nazi — aber vor lauter Angst kannte er mich eines Tages nicht mehr, als ich ihm in Venedig begegnete. Welche miserable Feigheit eines Mannes, der Jahre lang im Haus Fischer im Grunewald als Gast gelebt und von Frau Fischer und ihrer Gesellschafterin wie ein Sohn gepflegt worden war.

Aber viele standen zu uns, fest in ihrer Haltung und unerschütterlich in ihrem Glauben, daß das ›Gewitter‹ vorüberziehen würde. Manfred Hausmann begrüßte uns noch 1935 in seinem hoch über der Heide gelegenen neuen Haus mit wehender schwarz-rot-goldener Fahne. Ich traute meinen Augen nicht, als ich sie schon aus einer Entfernung von vielen Kilometern von meinem Wagen aus im Winde flattern sah. Er hat Frau Hedwig Fischer noch bis zu ihrer Auswanderung im Jahre 1939 mit seiner Freundschaft und seinem Rat zur Seite gestanden. Als er die Mitteilung von der Auflösung des S. Fischer Verlages erhielt, schrieb er:

»3. 1. 36   Worpswede
Liebe und verehrte Frau Fischer,
da liegt es nun vor mir, das Dokument! ›Wir haben am 18. Dezember 1935 das Verlagsunternehmen S. Fischer . . .‹
Wie könnte es anders sein, als daß meine Gedanken zu Ihnen gehen und besonders herzlich zu Ihrem verewigten Mann. Niemand weiß, wie sich das Schicksal des Verlages fernerhin gestalten wird. Ich weiß es am allerwenigsten. Aber eines weiß ich, und eins verspreche ich Ihnen und Ihrem Mann: niemals werde ich an den Verlag, der den Namen S. Fischer trägt, eine Zeile geben, von der ich annehmen müßte, sie würde Ihrem Manne mißfallen haben. Oder besser und positiver ausgedrückt: meine Mitarbeit am neuen Verlag soll im Geiste S. Fischers geschehen, nach wie vor.
Es ist nicht viel, was ich Ihnen da sage, weil es eigentlich eine Selbstverständlichkeit ist, aber ich möchte es doch in dieser Stunde ausdrücklich gesagt haben.
Darf ich Ihnen recht herzlich die Hand geben als Ihr getreuer
                                            Manfred Hausmann.«

Joachim Maass besuchte Frau Hedwig Fischer regelmäßig, solange er noch in Deutschland war, Suhrkamp kümmerte sich um ihr Ergehen, und viele andere hielten ihr die Treue.
Ich hatte Suhrkamp allmählich in die Geschäftsführung des Verlages eingeweiht und ihn zu meinem nächsten Berater in allen verlagspolitischen Fragen gemacht, die sich ab Mitte 1934 mehr und mehr in den Vordergrund schoben.
Suhrkamp hatte 1934 geheiratet: Annemarie van Hoboken, die frühere Schauspielerin Annemarie Seidel, der Zuckmayer in seiner Autobiographie ›Als wär's ein Stück von mir‹ so schöne Erinnerungen gewidmet hat. Leider war auch sie von der antisemitischen Welle nicht unberührt geblieben. Ich erwähne das nur, um zu zeigen, wie wir selbst im intimsten Freundeskreis vor den Auswirkungen der Judenhetze nicht bewahrt blieben. Als meine Frau und ich einen Abend bei Suhrkamps, den Neuvermählten, verbrachten und das Gespräch auf die Lage der Juden in Deutschland kam, äußerte sie ganz naiv und ohne das geringste Gefühl für die Konstellation: »Den Juden ist es bisher in Deutschland so gut ergangen, jetzt kann es ihnen ruhig auch mal schlecht gehen.« Wieder diese Distanzierung, dieses gedan-

kenlose sich Abwenden von Menschen, mit denen sie doch eng verbunden lebte. Wie das Gift wirkte! Suhrkamp selbst war dagegen gefeit. Aber er wiederum war sich nicht ganz sicher, ob ich ihm in dieser Beziehung ganz traute.

Ein kleiner, fast komischer Zwischenfall ließ mich dessen bewußt werden. Ich wollte Suhrkamp, der seinen Geburtstag am 28. März in dem Haus seiner Frau auf Kampen verbrachte, etwas Besonderes schenken. Ein alter Schiffskompaß, den ich in einem Berliner Antiquitätengeschäft fand, schien mir für das Sylter Haus ein passender Gegenstand, der ihn freuen würde. Ich erwarb ihn und schickte ihn nach Kampen. Vierzehn Tage lang hörte ich nichts. Als Peter nach seiner Rückkehr nach Berlin mein Büro betrat, sah ich ihm an, daß irgend etwas nicht stimmte. Erst nach langem Herumdrücken kam es schließlich zu meinem grenzenlosen Erstaunen: »Du weißt schon. Natürlich habe ich verstanden, was der Kompaß bedeuten soll. Du wirfst mir Richtungslosigkeit vor.« Parbleu! Es kostete mich viel Überredungskunst, um ihm diese kühne Konklusion auszureden.

Aber so war nun einmal das Leben in diesen schrecklichen drei Jahren. Exponiert bis zum äußersten, von innen her gefährdet, von außen mißverstanden und attackiert, selbst bei den Freunden vor Enttäuschungen nicht sicher, sahen wir uns umgeben von den unbarmherzig ansteigenden Fluten von Haß und Wahnsinn.

Auswanderung

Mit dem Tod Hindenburgs im August 1934 war Hitler als ›Führer und Reichskanzler‹ Oberhaupt des Deutschen Reiches geworden und Oberbefehlshaber der Wehrmacht. Bei der Volksabstimmung am 19. August erhielt er 90 Prozent Ja-Stimmen. Die Hetze gegen die Juden nahm nun ständig zu. Die ersten Gerüchte über ein Gesetz, das die Juden ihrer Rechte als gleichberechtigte Bürger entkleiden würde, sickerten durch.

S. Fischer war im Sommer 1934 schwer erkrankt. Am 15. Oktober starb er in seinem Haus im Grunewald. Wir setzten ihn in dem Familiengrab auf dem Friedhof in Weißensee bei, in dem schon sein Sohn Gerhart im Jahre 1913 begraben worden war.
Meine Erinnerung an diese Stunden ist wie von einem dunklen Tuch bedeckt. Ich sehe mich nur noch, neben meiner Frau stehend, den Trauergästen gegenüber, die mir die Hand drückten. Gerhart Hauptmann war unter ihnen und Bernhard Kellermann; Loerke sprach und Manfred Hausmann.
Wie wenig Mut man im allgemeinen unter dem Druck der Verhältnisse zur Teilnahme oder Berichterstattung hatte, geht aus einem Artikel Otto Flakes in der ›Frankfurter Zeitung‹ hervor, in dem er schrieb:

»Ich sinne der Rede nach, die einem Vertreter der deutschen Verleger angestanden hätte, wenn nämlich der Börsenverein des Deutschen Buchhandels auf den Gedanken gekommen wäre, am 18. Oktober jemand zur Bestattung abzuordnen.«

Aus den Nachrufen, die in dem Band ›In Memoriam S. Fischer‹, den ich zum 100. Geburtstag im Jahre 1959 zusammen mit meiner Frau herausgegeben habe, in extenso abgedruckt sind, möchte ich hier einige der schönsten Sätze zitieren:

Gerhart Hauptmann in der ›Neuen Rundschau‹:

»Er ist nun dort, wo es weder Völker noch Parteien, weder eine innere noch eine äußere babylonische Sprachverwirrung gibt, in einem Reich, in das wir ihm alle, ohne Ausnahme, nachfolgen.«

Thomas Mann in den ›Basler Nachrichten‹:

»Unnötig zu sagen, daß der Ausgang seines Lebens trübe war. Der Untergang seiner Welt, die Zerstörung aller geistigen Bedingungen, unter denen er hatte wirken und schaffen können,

93

die schwere Bedrohung, die stündlich auch über seinem Hause schwebte — es ist ein Glück, daß er das alles so recht wohl nicht mehr realisiert hat; aber in der Tiefe seiner sich schon verdunkelnden Seele muß er schwer darunter gelitten haben, und zweifellos hat es seine Auflösung beschleunigt.

Bei unserem letzten Zusammensein war er sich schon nicht mehr jeden Augenblick ganz klar darüber, in welcher Stadt er sich befand, und äußerte zuweilen Abwegigkeiten. Plötzlich aber begann er, über einen gemeinsamen jungen Bekannten zu urteilen.

›Kein Europäer‹, sagte er kopfschüttelnd.

›Kein Europäer, Herr Fischer, wieso denn nicht?‹

›Von großen humanen Ideen versteht er nichts.‹

Ich kann nicht sagen, wie erschüttert ich war. Da sprach, fast schon aus der Nacht, eine Generation, die größer und besser war als die, die ihr jetzt das Heft aus der Hand nimmt.

Ruhe sanft, alter Sami Fischer! Mögen die Erben Deines Werkes es mit Klugheit und ohne schimpfliche Nachgiebigkeit hinüberretten in Zeiten, die von großen humanen Ideen wieder etwas verstehen werden.«

Oskar Loerke am Grabe:

»Daß er kommende Dinge in der Dichtung vorausspürte, war keine gewitzte und geübte Klugheit, es war das unbefangene Wissen aus verborgenem Ursprung, das auf den Frühlings- und Herbstzügen den Vogel trägt und führt. . . . Er errichtete eine Heimstatt den Heimlosen. . . . Ein Haus für die Verbannten, Domus exulibus, so drückte es der edle, große Helferfreund Fischers einst aus, Moritz Heimann, der ihm vor neun Jahren hierher vorausgegangen ist.«

Obwohl ich schon lange die alleinige Verantwortung für den Verlag getragen hatte, so sank doch erst jetzt die ganze schwere Last der Entscheidungen, die nun zu treffen waren, auf mich herab.

Merkwürdig, wie man sich an einige kleine, unbedeutende Einzelheiten erinnert, die ein lebenswichtiges Ereignis, einen entscheidenden Entschluß umgeben. Es war im März 1935. Ich erwache nach kurzem Nachmittagsschlaf in meinem Arbeitszimmer in der Gneiststraße. Draußen höre ich die Stimmen der Kinder und meiner Frau. Noch im Halbschlaf geht es mir wie ein Alarmruf durch den Kopf: »Jetzt muß es sein. Wirf ihnen in den Rachen, was sie haben wollen, und erkaufe dafür die Freigabe der verfemten Verlagsautoren zur Auswanderung.« Ich sprang auf und fuhr zu meinem Anwalt. »So muß es gemacht werden, und das Propagandaministerium wird darauf eingehen, denn ich bin sicher, sie wollen den SFV für sich selbst. Heute noch wollen sie ihn. Morgen mag es zu spät sein.«

Ich fand ungläubige Ohren. Auch Suhrkamp glaubte nicht daran. Ich aber war von der Idee besessen und ging selbst ins Propagandaministerium, direkt in die Höhle des Löwen. Wie mir zumute war, ist schwer zu beschreiben. Ich mußte mein ganzes Selbstvertrauen zusammennehmen, um dem Erzfeind, der mir und den Meinen und allem, was meinem Leben Sinn gab, den Garaus machen wollte, gegenüberzutreten.

Die Verhandlung, die dann folgte, widersprach allen meinen Vorstellungen. Am Schreibtisch saß ein freundlicher junger Mann, Ministerialrat Dr. Wissmann, offenbar zuständig für Verlagsangelegenheiten, hörte sich meinen Plan an und stimmte ihm zu. So lächerlich einfach war es. Ja, man interessiere sich für den Übergang des in Deutschland erwünschten Verlagsteiles in ›zuverlässige‹ Hände. Ich könnte entsprechende Verhandlungen führen. Die unerwünschten Autoren inclusive des zugehörigen Verlagslagers würde man mir zur Verbringung ins Ausland freigeben. Wegen der offiziellen Freigabe der im Ausland befindlichen Vermögenswerte müsse die Reichsbank entscheiden, er, Wissmann, würde sich jedoch empfehlend bei der zuständigen Stelle dafür einsetzen. »Im übrigen«, so fragte er mich am Schluß, »bei Ihnen ist doch ein Herr Suhrkamp. War der nicht der Leiter der freien Schulgemeinde Wickersdorf? Ach, bitte, sagen Sie ihm doch, er solle mich einmal besuchen. Ich möchte ihn gern kennenlernen; mein Neffe, den ich sehr liebe, war dort sein Schüler und schwärmte sehr von ihm.«

Es schien, daß man sich bereits mit der Liquidierung oder der Übernahme des S. Fischer Verlages beschäftigt und ähnliche Gedanken erwogen hatte. Meine Spekulation, die mir im Schlaf gekommen war, war offenbar richtig gewesen. Man wollte den Verlag als Demonstration nach außen, wie man die ›Frankfurter Zeitung‹ als Prunkschild beibehielt. Immerhin blieb es erstaunlich, daß man mir gestatten wollte, ein Lager von Hunderttausenden von Büchern der ›Asphaltautoren‹, zu denen Thomas Mann, Hugo von Hofmannsthal, Carl Zuckmayer, Alfred Kerr, Alfred Döblin und noch viele andere gehörten, ins Ausland mitzunehmen und mir zudem auch noch sehr beträchtliche Vermögenswerte freigeben wollte. Daß ich nicht zögern würde, in der Schweiz oder in Österreich ein neues Verlagsunternehmen aufzubauen, lag doch auf der Hand. Aber offensichtlich schätzte man in den höheren Kreisen der ›Kulturnazis‹ diese Möglichkeit nicht sehr hoch ein. Die Bekanntschaft zwischen Suhrkamp und Dr. Wissmann, die ich auf dessen Wunsch vermittelt hatte, erwies sich als sehr vorteilhaft für die weiteren Verhandlungen. Sie enthob mich der Notwendigkeit des persönlichen Verkehrs mit den Nazibehörden. Ich konnte hinter den Kulissen die Verhandlungen leiten. Auf Peter Suhrkamps Geschick in der Gesprächsführung konnte ich mich verlassen. So kam es schließlich — es dauerte dann doch noch fast ein ganzes Jahr, bis alle Einzelheiten geklärt waren — zu einer Auswanderungsgenehmigung, nach der die Werke der in Deutschland unerwünschten Autoren zur Verbringung ins Ausland freigegeben wurden, während der verbleibende Verlagsteil an Interessenten zu verkaufen sei, die dem Propagandaministerium genehm wären — genau, wie ich es bei meinem ersten Besuch bei Dr. Wissmann vorgeschlagen hatte. Nur die Reichsbank machte noch einige Schwierigkeiten in Detailfragen, obwohl auch von dort bereits eine prinzipielle Zustimmung zur Freigabe der ausländischen Vermögenswerte vorlag, unter der Bedingung, daß 20 Prozent an sie abgeführt würden.

Damit war *ein* großes Problem gelöst: die Fortführung des Verlages im Ausland — wenn auch um die Hälfte reduziert, aber mit Autoren von Weltrang — war gesichert.

Ein zweites, aber nicht weniger schwieriges, stand noch ungelöst vor mir: der Verkauf des in Deutschland verbleibenden Verlagsteiles, der eine entscheidende Auflage für die Gesamtgenehmigung war.

Wie verkauft man ein Verlagsunternehmen, noch dazu unter diesen Umständen? Ich hatte nicht die geringste Erfahrung in derartigen Geschäften. Aber es gab auch noch eine zusätzliche Schwierigkeit. Während ich als alleiniger Geschäftsführer nach dem Tode S. Fischers die Verhandlungen über die Auswanderung des Verlages mit dem Propagandaministerium führen konnte, bedurfte es für den Verkauf eines 6oprozentigen Verlagsteiles der Zustimmung von Frau S. Fischer, der Erbin und Aktieninhaberin der S. Fischer Verlag A. G. Meinem und meiner Frau festen Entschluß zur Auswanderung konnte Frau Hedwig Fischer sich schließlich nicht länger widersetzen, obwohl es schwer genug war, ihre Überzeugung, daß das alles gar nicht nötig sei, ins Wanken zu bringen. Für sich selbst die Konsequenzen zu ziehen, war sie dennoch nicht bereit und ließ sich bis Anfang 1939 auch nicht dazu überreden. Wir standen hilflos vor ihrem Glauben an Deutschland. Daß Moral, Recht, Humanität in diesem Deutschland nicht mehr existierten, konnte sie nicht begreifen. Sie schüttelte den Kopf über unsere Entschiedenheit, gab aber schließlich ihre Zustimmung zum Verkauf des Verlages, insbesondere als auch Peter Suhrkamp, der bis zum Erlaß der Nürnberger Judengesetze im September 1935 noch keineswegs sicher war, ob mein Entschluß absolut notwendig sei, ihr die unmittelbare Gefahr darstellte, in der wir schwebten.

Eben war der S. Fischer Verlag noch ein vielbewundertes Unternehmen gewesen, das glanzvoll eine ganze literarische Epoche repräsentiert hatte — nun hieß es »der Verlag hat in der deutschen Literatur eine zwiespältige Rolle gespielt« — wie Meyers Konversationslexikon des Bibliographischen Instituts unter dem Buchstaben ›F‹ — Fischer — feststellte — desselben Bibliographischen Instituts, das in den letzten Jahrzehnten fast 80 Prozent unserer Bücher gedruckt und an seinen großen Erfolgen geschäftlich teilgenommen hatte. In der Ausgabe von 1926 hatte man an gleicher Stelle noch gelesen: »Fischer, Samuel ... gründete 1886 den für die Entwicklung der modernen Literatur bedeutsamen S. Fischer Verlag.«

Wie es um die Verkaufsmöglichkeiten stand, zeigte sich sehr bald. Es erschien bei mir in der Bülowstraße ein würdiger alter Herr mit dem goldenen Parteiabzeichen im Knopfloch, Herr Hugo Bruckmann, der bekannte Münchner Kunstverleger, einer jener Männer, die in Hitler den Retter Deutschlands sahen und seine ersten Umtriebe mitfinanziert hatte. Seine Frau gehörte von Anbeginn zu den großen Gönnerinnen des künftigen ›Führers‹, neben Frau Winifred Wagner, die in ihm den Siegfried des neuen Deutschlands anbetete.
Ein Verkauf des S. Fischer Verlages an diesen Mann sollte nun doch nicht sein. Ich verhielt mich sehr kühl. Seine Vorschläge waren allerdings der Situation ganz angepaßt und für mich so indiskutabel, daß er mich bald wieder verließ. Damit war es indessen noch nicht getan. Zwei Tage später meldete er sich wieder — zu meinem Erstaunen trug er sein Hakenkreuz dieses Mal nicht — und malte mir mit bewegenden Worten aus, was geschehen würde, wenn sich einer der Aufkäufer Hitlers, von deren rücksichtsloser Tätigkeit ich schon wußte, statt seiner, dessen Bemühungen von wahrer Hochachtung für den S. Fischer Verlag bestimmt seien, einschalten würde. Es war eine klare Drohung. Aber ich sagte dennoch nein. Ich sah noch, wie er beim Verlassen des Hauses sein goldenes Abzeichen wieder an seine Rockfront plazierte.
Es folgten viele Verhandlungen. Mit Koehler-Volckmar, dem großen Barsortiment in Leipzig — es war, wie sich später herausstellte, selbst gefährdet — bis zum Atlantis Verlag Martin Hürlimanns, die gern helfen wollten, aber nicht konnten; bis schließlich die Entscheidung in einer Richtung fiel, an die ich bisher nicht gedacht hatte. Peter Suhrkamp machte mir den Vorschlag, er wolle mit Hilfe von Finanzleuten, die noch zu finden seien, den in Deutschland verbleibenden Teil des Verlages erwerben und unter dem alten Namen weiterführen. Ich war zunächst zutiefst erschrocken. Suhrkamp mußte meiner Meinung nach bei seiner Gesinnung und seiner störrischen Wesensart

97

Schiffbruch erleiden, wenn er den Verlag in der bisherigen Richtung weiterführen würde, oder er mußte Kompromisse schließen, die mir in der Verbindung seiner Person mit dem S. Fischer Verlag unerträglich erschienen. Zudem stand er mir bereits zu nahe und war durch die fast dreijährige Zusammenarbeit so sehr mit mir identifiziert, daß ich zweifelte, ob das Propaganda-Ministerium zu diesem Vorschlag seine Zustimmung erteilen würde. Es war aber dennoch so. Suhrkamp hatte mit Ministerialrat Wissmann weiterverhandelt und mich überzeugt, daß es eine bessere Lösung nicht geben könne. Ich mußte einsehen, daß eine Nazifizierung des Verlages dadurch abgewendet wurde. Meine Besorgnisse wegen seiner persönlichen Gefährdung versuchte er mir auszureden.

Daß er auf meine dringliche Bitte, dann wenigstens die Weiterführung der ›Neuen Rundschau‹ aufzugeben, nicht einging, war ein schwerer Fehler von ihm, und es war mein Fehler, daß ich nicht darauf bestand und es zu einem Vertragspunkt machte. Damals hätte ich es noch durchsetzen können. Es war vorauszusehen, daß in einem Land, in dem es keine Pressefreiheit mehr gab, eine Zeitschrift wie die ›Neue Rundschau‹, deren Existenz auf freier Meinungsäußerung gegründet war, ohne Kompromisse gegenüber dem herrschenden System nicht weitergeführt werden konnte. Von der schmalen Plattform einer literarisch-kulturpolitischen Zeitschrift aus einen Kampf zu führen, mußte selbstmörderisch und zudem auch ganz wirkungslos sein. Suhrkamp wollte es nicht einsehen. Gestützt auf einen kleinen Kreis Gleichgesinnter, glaubte er, diese winzige Bastion halten und als Organ für freie Meinungsäußerung bewahren zu können.

Es war eine Illusion, ein ehrenwertes, aber von vornherein zum Mißerfolg verurteiltes Unterfangen. Der Versuch, in verschlüsselter Sprache und komplizierten Wendungen und Drehungen Kritik zu üben, war nur einem sehr kleinen Kreis von ›Eingeweihten‹ verständlich und wog nicht das bittere Opfer auf, das mit essayistischen Arbeiten gebracht werden mußte, die dem Nazismus huldigten. Mit tiefem Schmerz sah ich später vom Ausland her den Verfall unserer Zeitschrift, die einst ein freiheitlich gesinntes, fortschrittliches Deutschland repräsentiert hatte.

Für Peter Suhrkamp wurde seine entschlossene Haltung zum Anlaß für furchtbare Leiden. Die Gestapo beschloß, sich des unbequemen Verlegers, der aus seiner antinazistischen Gesinnung niemals ein Hehl gemacht hatte, auf möglichst unauffällige Weise zu entledigen. Im April 1944 schickte man ihm einen Mann namens Reckzeh, der sich lange Zeit unerkannt als Nazispion in Widerstandskreisen bewegen konnte, ins Haus. Er gab sich als Beauftragter des in der Schweiz lebenden ehemaligen Reichskanzlers Wirth aus und fragte Suhrkamp, ob er bereit wäre, einen Regierungsposten nach dem Sturz des Hitler-Regimes zu übernehmen. Obwohl Suhrkamp Unrat witterte und den Mann hinauskomplimentierte, ohne seinen Vorschlag zu erörtern, wurde er kurz darauf verhaftet — mit der Begründung, er habe sich eines schweren Vergehens schuldig gemacht, indem er seinen Besucher, der angeblich inzwischen festgenommen worden sei, nicht unverzüglich der Gestapo anzeige. Die vielen Monate im KZ hat Suhrkamp wie durch ein Wunder überstanden. Im Februar 1945 wurde er, schwer erkrankt, entlassen und schleppte sich zu Freunden, die ihn langsam zum Leben zurückbrachten.

Damals, Ende 1935, wandten wir uns gemeinsam an Hermann J. Abs, der zu dieser Zeit dem Bankhaus Delbrück-Schickler vorstand, um Rat. Als Bankier mit weltweiten Beziehungen, der den neuen Herrschern ablehnend gegenüberstand, konnte er uns vielleicht den Weg weisen, wie der für den Verbleib in Deutschland bestimmte Verlagsteil unter Leitung Suhrkamps finanziert und in welcher Form er weitergeführt werden konnte. Wir hatten uns nicht getäuscht. Abs hatte sehr schnell eine Lösung des Problems. Er fand drei Interessenten, die Herren Philipp Reemtsma, Christoph Rathjen und Clemens Abs, seinen Bruder, die bereit waren, eine Kommanditgesellschaft unter dem Namen S. Fischer Verlag KG zu gründen, die jene nicht zur Auswanderung bestimmten Werte und Rechte aus der alten S. Fischer AG erwerben sollte. Suhrkamp sollte als persönlich haftender Gesellschafter dieses Unternehmen leiten. Frau Fischer erhielt für diese Werte einen Betrag von RM 200 000. Die von der neuen Gesellschaft nicht übernommenen Verlagsvorräte und Rechte fielen an mich.*
Der Betrag, den Frau Fischer für ca. 60 Prozent des Verlages erhielt, war erschütternd niedrig. Aber wir hatten keine Wahl — und vor allem keine Zeit. Jeder Tag, den wir noch in Deutschland verblieben, konnte uns zum Schicksal werden. Während noch über den in Deutschland zurückbleibenden Verlagsteil verhandelt wurde, begann ich meine Vorbereitungen für die Gründung des Exilverlages. Der erste Schritt, der später von entscheidender Bedeutung werden sollte, war die Gründung einer Schweizer Holdinggesellschaft, in die ich mit Zustimmung der Autoren ihre Verlagsverträge einbrachte und sie damit ein für allemal dem Zugriff der Nazibehörden entzog. Wie wichtig das war, zeigte sich später nach der Flucht aus Österreich im Falle der Rechte an dem Erfolgsbuch ›Madame Curie‹, die ich erst 1937 erworben und in diese Gesellschaft einzubringen versäumt hatte.

* Die Liste findet sich in der Gründungsanzeige des Wiener Verlags.

Es war im März 1935, daß ich einen verwunderlichen Anruf aus London erhielt. Der dort lebende Baron Ulrich von Hutten, den ich als Übersetzer flüchtig kannte, rief mich im Auftrag des englischen Verlagshauses William Heinemann an, ob ich prinzipiell bereit sei, über eine Kombination mit Heinemann zu verhandeln. Ich war so überrascht und so außerstande, mir in diesem Augenblick die Fortführung eines deutschen Verlages in England vorzustellen, daß ich ablehnte. Aber schon am nächsten Tag kam ein zweiter Anruf. Mr. Charles Evans, der Chef des Hauses, sei sehr gekränkt, und ob ich nicht einen der Verlagsdirektoren in Berlin empfangen würde. Wenige Tage später erschienen drei Herren mit ihren Frauen im Grunewald; ich ließ mich schließlich zu weiteren Besprechungen in London überreden, sobald meine Verhandlungen in Berlin etwas weiter gediehen sein würden. Ich wollte wenigstens die prinzipielle Entscheidung des Propaganda-Ministeriums und der Reichsbank als Dokument besitzen, um in London nicht mit leeren Händen zu erscheinen.

So wurde es Juli. Wir hatten noch einen letzten Besuch in unserem geliebten Kampen gemacht. Von Hamburg aus flogen wir, meine Frau und mein Berliner Anwalt, zu dieser Verhandlung, die vielleicht über unser künftiges Schicksal entscheiden würde.

Mit unserem, kleinen, zweimotorigen Flugzeug gerieten wir in einen orkanartigen Sturm, der — wie ich später erfuhr — in Frankfurt Dächer abgedeckt hatte. Das Flugzeug wurde so geschüttelt, daß wir uns kaum auf unseren Sitzen halten konnten und unsere englischen Freunde uns angstbefreit begrüßten, als wir schließlich doch wohlbehalten in London landeten. Symbolhafter konnte nicht beginnen, was nun in unserem Leben, das so ruhig und beschaulich begonnen hatte, folgte.

Mr. Evans war ein freundlicher, sympathischer Mann, der wußte, was der S. Fischer Verlag repräsentierte. Mr. William Heinemann, der Gründer des Verlages, der S. Fischer noch persönlich gekannt hatte, war ein Verleger ähnlichen Formats wie S. Fischer gewesen, und Mr. Evans hatte als sein Nachfolger das Unternehmen im Sinne des Gründers weitergeführt. Es gehört zu den führenden und erfolgreichsten literarischen Verlagen Englands. Schon damals aber war es, was ich erst im Verlaufe der Verhandlungen erfahren sollte, von Geschäftsleuten finanziert, die mit Literatur nichts zu tun hatten. So saß ich plötzlich, nachdem die freundschaftlich-feierlichen lunch- und dinner-Präliminarien vorbeigerauscht waren, einigen kalt-rechnenden Herren aus Manchester gegenüber, die von mir Umsatz- und Ertragsziffern des geplanten Unternehmens wissen wollten, die ich selbst gern gewußt hätte, aber beim besten Willen nicht voraussagen konnte. Mein einziges Glück war es, daß ich damals kein Wort Englisch sprach und so mein englisch-sprechender Anwalt geschickt meine Blöße mit eigenen Improvisationen zudecken konnte. Ich mußte viele Baldriantropfen schlucken, um diese nervenaufreibenden Gespräche, denen ich in keiner Weise gewachsen war, zu überstehen. Der smarte Geschäftsmann, der solche Transaktionen elegant durchführen konnte, war ich nun einmal nicht.

Aber es kam dennoch zum Vertragsabschluß. Voraussetzung war die Niederlassung in der Schweiz, zu der ich die Genehmigung der Schweizer Behörden brauchte und meine finanzielle Beteiligung. Außerdem war vorgesehen, daß es einer besonderen Zustimmung der englischen Vertragspartner bedürfe, wenn wider Erwarten die Niederlassung in der Schweiz nicht erteilt würde und der Verlag seine Zuflucht nach Österreich nehmen müßte.

Ich reiste ab, angeschlagen wie ein Boxer, der mit Not über die zwölf Runden gekommen war. Meine erste Begegnung mit der harten Welt des Geschäftslebens hatte mich tief erregt und deprimiert. Bis dahin war der Name S. Fischer ein ›Sesam, öffne dich‹ gewesen. Ein Scheck mit dieser Unterschrift war bares Geld. Der Nimbus, der ihn umgab, war auch jetzt noch vorhanden, und ich konnte mich nicht über Mangel an Respekt und Vertrauen beklagen. Aber ich hatte nun meine eigene Leistung, meine Energie und mein Können, das ich selbst noch nicht erprobt hatte, unter Beweis zu stellen. Wenn ich damals geahnt hätte, welche Felsblöcke von Mißhelligkeiten man mir noch über den Weg rollen würde, hätte ich wohl verzweifeln können.

Unverzüglich fuhr ich nach Zürich und stellte meinen Niederlassungsantrag. Ich war meiner Sache sicher. Den berühmten Verlag mit den Werken seiner großen Autoren, finanziell gesichert, als Schweizer Unternehmen zu etablieren, konnte doch wohl auf keine Schwierigkeiten stoßen. Aber ich hatte mich geirrt. Wohl hätte es den einen oder anderen schweizerischen Verlag gegeben, der den Komplex der Autorenrechte und Buchvorräte sich einzuverleiben bereit war — es fehlte nicht an freundlichen Winken dieser Art. Dafür hätte ich vielleicht noch die persönliche Domizil- und Arbeitserlaubnis — zeitlich begrenzt, wohlverstanden — erhalten. Gegen ein selbständiges Unternehmen aber, wie ich es wollte, erhob sich der schweizerische Verlagsbuchhandel, unterstützt von dem damaligen Feuilletonredakteur der Neuen Zürcher Zeitung, Eduard Korrodi, mit der Begründung, die Niederlassung eines so potenten ausländischen Verlages in Zürich würde die Interessen des schweizerischen Verlagswesens schwer gefährden. Die Einfuhr meines ca. 780 000 Bände umfassenden, von den Nazis freigelassenen Buchlagers wurde von der Behörde verweigert, das Niederlassungsgesuch von der Fremdenpolizei abgelehnt. Polizeipräsident war damals der berüchtigte Herr Heinrich Rothmund, der Erfinder des ›J‹, das in alle Pässe jüdischer Deutscher eingestempelt wurde, um sie sofort als jüdische Emigranten kenntlich zu machen.

Hermann Hesse berichtete damals über meine traurigen Erfahrungen in der Schweiz an Herbert Steiner, Herausgeber der Zeitschrift ›Corona‹:

»... Soeben hat man, wie es scheint, nach langen sorgfältigen Intrigen meinen Verleger Bermann in Zürich unmöglich gemacht. Wegen Gefahr der ›Überfremdung‹. Vielmehr weil er Jude ist. Einen Mann, der die beste deutsche Verlagsproduktion der letzten Jahrzehnte mitbringt, und nicht bloß das, sondern die Rechte auf einige gute und wohlbekannte Autoren, schmeißt man hinaus, während man beständig über Krise, Mangel an Arbeit etc. klagt. Auch wenn Bermann nichts mit in die Schweiz gebracht hätte als die Verlagsrechte auf das Werk von Thomas Mann, hätte man sich freuen sollen, einen solchen Wert in die Schweiz zu bekommen, einerlei, ob man an den wirtschaftlichen oder den moralischen Wert denkt ... Es ist heute keine Ehre, zur deutschen Literatur zu gehören. Selten trifft man einen Kollegen, sei es Freund oder Feind, dem man die Hand geben könnte ohne Ekel etc. .... (noch radikaler)«.

Immer von der Idee besessen, ich müsse in ein deutschsprachiges Land, wandte ich mich nach Wien. Die Verhandlungen dort waren für mich sehr erschwert, weil die politische Spannung zwischen dem Österreich Schuschniggs und Deutschland zu einer Reisesperre geführt hatte. Man konnte nur gegen Zahlung von RM 1000 eine Reisegenehmigung nach Österreich erhalten. Sie wurde in den Reisepaß eingetragen und strengstens kontrolliert. Aber ich hatte keine Zeit mehr, langwierige Anträge zu stellen. Wiener Freunde sandten mir Alarmtelegramme nach Zürich. Sie hatten mir für kurze Zeit eine auch in Österreich notwendige Niederlassungsgenehmigung verschafft, die ich sofort persönlich in Empfang zu nehmen hatte, wenn ich nicht riskieren wollte, auch dieses Tor verschlossen zu sehen. Nach Deutschland zurückzufahren und dort vielleicht auf diese Reisegenehmigung warten zu müssen, war unmöglich. So fuhren wir, ich hatte meine Frau bei mir, ohne die Genehmigung, mit dem Risiko, an der Grenze angehalten zu werden, mit unabsehbaren Konsequenzen vor Augen. Um uns der Paßkontrolle und dem damit verbundenen Grenzstempel zu entziehen, schlossen wir uns wie blinde Passagiere in den Toilettenräumen am Anfang und Ende des Wagens ein und gelangten so, ohne den ominösen Stempel, nach Österreich. Man nahm uns mit offenen Armen auf. Aber noch stand uns der Abschied von Deutschland bevor. Wir mußten noch einmal zurück.

Wien 1936—1938

Wie kann ich den Abschied von Deutschland schildern? Wie kann ich sagen, was ich empfand, als ich meinen Mitarbeitern im Verlag zum letzten Mal gegenübertrat? Zum letzten Mal! Daß es ein letztes Mal, ein Ende gab! Es war wie ein Tod, den ich lebend erlebte.

Sie hatten sich alle im Verlag versammelt. Oskar Loerke, Peter Suhrkamp und Otto Flake, der zufällig anwesend war, sprachen Abschiedsworte. Ich hörte sie wie im Traum. Ich sah die vertrauten Gesichter, fühlte den Händedruck, empfing die rote Rose, die ein jeder mir reichte — und ging. Fuhr hinaus ins Unbekannte.

Was scheinbar unauflöslich verbunden gewesen war, war durchschnitten, das Vertraute fremd geworden, das Nahe in bleiche Ferne gerückt. Erst in Wien erwachte ich wieder aus meiner Lähmung.

Man muß das Schicksal gestalten, das Unabänderliche hinnehmen und zu Neuem, Fruchtbarem formen.

Bei meiner Ankunft erwartete mich die Absage Heinemanns. Sie hielten die Niederlassung in Wien für ein zu großes Risiko. Was mir als schwerer Schlag erschien, war in Wahrheit der Ursprung einer gesunden Zukunft. Möglich, daß die Niederlassung in der Schweiz uns ein geruhsameres Leben gebracht, möglich auch, daß die Verbindung mit dem Londoner Haus Heinemann uns viele Sorgen erspart hätte. Gewiß ist, daß ich unter den engen Verhältnissen in Europa, die der Krieg heraufbeschwor, den unabhängigen, weltweiten Verlag, zu dem sich der S. Fischer Verlag entwickelt hat, nicht hätte aufbauen können. So führten die Wanderungen und Umwege, welche die turbulenten Verhältnisse uns aufzwangen, zwar zu immer neuen Komplikationen und forderten immer wieder neue Entscheidungen von uns, aber sie ließen mir meine Freiheit und Unabhängigkeit.

Meine Frau hatte, während ich die Verhandlungen in der Schweiz, in England und Österreich führte, unseren Umzug nach Wien vorbereitet. Während eines kurzen früheren Aufenthaltes dort hatten wir ein hübsches, kleines Haus im XIII. Bezirk, in Hietzing, nicht weit vom Schönbrunner Schloß, gefunden, eines jener gelbgestrichenen einstöckigen Häuser, die wohl früher, zu k.u.k.-Zeiten die Bediensteten des kaiserlichen Hofstalls beherbergt hatten.

Von Freunden umgeben, inmitten einer alten deutschen Kultur, fühlten wir uns wieder frei und genossen den ungewohnten

Frieden. Daß es ein gefährdeter, trügerischer Friede war, entschwand niemals ganz unserem Bewußtsein. Aber wir waren berauscht von unserer neu gewonnenen Freiheit und vom Tatendrang eines neuen Lebensbeginns.

Der ahnungslose Optimismus unserer österreichischen Freunde war freilich beunruhigend. Man glaubte — und wir taten es schließlich auch —, daß England und vor allem Mussolini das Land vor den bedrohlichen Anschlußwünschen Hitlers und seiner österreichischen Gefolgschaft schützen würden. Schuschnigg, der damalige Kanzler mit seinen Freunden Starhemberg und Guido Zernatto, den Leitern der österreichischen Heimwehr, schienen ihrer Sache sicher zu sein.

Obwohl dem Verlag nur zwei Jahre in Wien vergönnt waren, an deren Ende die neuerliche Flucht stand, habe ich meinen nicht ganz freiwilligen Entschluß, den Exilverlag dort zu eröffnen, niemals bereut. Sie gehören, trotz aller Ängste und Bedrängnisse, zu den schönen und erfolgreichen meines Lebens.

Die Wattmanngasse 11 besaß einen kleinen, gepflasterten, efeuumrankten Hof, an den sich ein verwilderter Garten anschloß. Unsere Möbel, unsere Bilder und meine Bibliothek mit vielen Erstausgaben und Widmungsexemplaren unserer Autoren machten uns die Räume des Hauses vom ersten Tag an vertraut.

Zu den alten Wiener Freunden gesellten sich bald neue, und es entwickelte sich ein geselliges Treiben, das uns fast vergessen ließ, unter welchen Umständen wir gekommen waren.

Da waren Franz Werfel und Alma, seine Frau, deren Haus einen Mittelpunkt des literarischen und politischen Lebens in Wien bildete, Richard Beer-Hofmann residierte in ›Splendid isolation‹ in seiner mit erlesenem Geschmack eingerichteten Villa, Arthur Schnitzlers Sohn Heinrich Schnitzler mit seiner jungen Frau und Alexander Lernet-Holenia, gehörten dazu, Robert Musil kam zu uns, aus der Einsamkeit seiner Arbeit am dritten Band des ›Mann ohne Eigenschaften‹, den er nie vollendete; Sigmund Freud empfing uns in seinem Haus; Siegfried Trebitsch, der Übersetzer Bernard Shaws, lebte in nächster Nachbarschaft, Paul Zsolnay's kleines Barockschlößchen grenzte an unseren Garten: Gerty von Hofmannsthal, des Dichters Witwe, war da und Carl Zuckmayer mit seiner Jobs lebten nicht fern, in Henndorf bei Salzburg, in ihrer schönen alten Mühle.

Aber auch an Besuchern aus dem Ausland fehlte es nicht: Jean Giraudoux, dessen Stück ›Kein Krieg in Troja‹ in der schönen Übersetzung von Annette Kolb im ›Theater in der Josephstadt‹ seine deutschsprachige Premiere erlebte, besuchte uns, Otto Flake kam, verzweifelt über Deutschland, Bruno Walter kam, dessen herrlichen Opernaufführungen wir in seiner Loge beiwohnen durften, und es waren Festtage besonderer Art, wenn Thomas

Mann mit seiner Frau Katia uns besuchte. Es war Anfang 1937, daß er uns, noch vor der Veröffentlichung, seinen Brief ›An den Herrn Dekan der Philosophischen Fakultät der Universität Bonn‹ vorlas, jenes einzigartige Dokument, in dem er sein Schweigen, »das es mir ermöglichen würde . . ., den Kontakt mit meinem innerdeutschen Publikum aufrechtzuerhalten«, bricht und in tief eindrucksvollem Ernst »aus einer Sorge und Qual, von welcher ihre Machtergreifer mich nicht entbinden konnten, als sie verfügten, ich sei kein Deutscher mehr«, Deutschland den Spiegel vorhält, der ihm sein verzerrtes, entstelltes Antlitz zurückwirft.

Eines Mannes muß ich hier besonders gedenken, des damaligen Justizministers Hans von Hammerstein-Equort, der mich und meine Frau mit Herzlichkeit und Güte als Freunde aufnahm. Er war ein Mann von großer Weltkenntnis und offenem Geiste. In dem eher konservativen Kabinett Schuschniggs vertrat er eine liberale demokratische Gesinnung, die mich bei einem Mann seiner Herkunft sehr berührte. Sie kam in seinen Romanen ›Die gelbe Mauer‹ (1936) und ›Wald‹ (1937), insbesondere aber in seinem Essayband ›Wiedergeburt der Menschlichkeit‹ (Schriftenreihe Ausblicke 1937) so stark zum Ausdruck, daß ich diese Bücher mit Freude veröffentlichte.

Durch ihn lernte ich Guido Zernatto kennen, der mit Fürst Starhemberg der nächste Mitkämpfer Schuschniggs für die Unabhängigkeit Österreichs war. Während Herr von Papen, damals deutscher Botschafter in Wien, alles tat, um die österreichische Demokratie von innen auszuhöhlen und in enger Zusammenarbeit mit Seyss-Inquart und seinen österreichischen Gefolgsleuten Schuschnigg alle nur möglichen Schwierigkeiten bereitete, leistete Zernattos ›Vaterländische Front‹ erbitterten Widerstand. Ich bewunderte den Mut und die Unerschrockenheit dieses noch jungen Mannes, der sein Leben für den Kampf gegen die Barbarei einsetzte. Ich schloß bald Freundschaft mit ihm und versuchte, so gut ich konnte, ihm bei seiner Arbeit zu helfen.

Wie kläglich wirkte daneben die Haltung des deutschen ›Dichterfürsten‹, dem offenbar jeder Sinn für seine persönliche Würde abhanden gekommen war. Gerhart Hauptmann kündigte uns seinen Besuch anläßlich einer Aufführung der ›Ratten‹ im Burgtheater für den Herbst 1937 an und bat uns, die Prominenten des Geisteslebens zu einem Empfang in unserem Haus einzuladen. Gern kamen wir dieser Bitte nach. Etwa achtzig Einladungen an die bedeutendsten Schauspieler und Künstler Wiens, die Hauptmann nahestanden, waren versandt und größtenteils mit Zusagen beantwortet, als drei Tage vor dem Fest ein gewundenes Schreiben Hauptmanns eintraf, in dem er mich bat, die von ihm selbst veranlaßte Veranstaltung abzusagen, da er Schwierigkeiten für sich befürchten müsse, wenn er bei einem so im öffentlichen Licht stehenden Anlaß das Haus eines Emigranten besuchte. Erkannte er nicht, welche Blamage es für ihn bedeutete, wenn unsere, wie auch immer verklausulierte Absage seine Feigheit enthüllte, die freiwillige Aufgabe seiner Unabhängigkeit zu einer Zeit, da ihm wahrlich kein Haar gekrümmt worden wäre, wenn seine Wiener Freunde ihn im Hause seines früheren Verlegers begrüßt hätten? Er fand nichts dabei, in der Kaiserloge der ›Burg‹ die Huldigungen des Publikums und der Regierung Hand in Hand mit Herrn von Papen in Empfang zu nehmen, der die Österreicher wenige Monate später ans Messer lieferte.

Am nächsten Abend erschien Hauptmann mit seiner Frau — heimlich und sozusagen incognito — zum Abendessen in unserem Haus, mit tausend Entschuldigungen und lahmen Begründungen. Ich war traurig über ihn, der sich so verloren hatte, den einstmals so bewunderten Vorkämpfer für eine neue Freiheit.

Der Verlag hatte sich inzwischen als Bermann-Fischer Verlag Ges.m.b.H. mit mir als einzigem Gesellschafter etabliert. Das Verlagsbüro lag in der ersten Etage eines Hauses am Esteplatz und umfaßte sechs Räume, ausreichend für die wenigen Angestellten, mit denen ich begann, und für die kleine Schar von Autoren, die ich mitgebracht hatte.

Buchhaltung und Honorarabrechnung waren in zuverlässigen und erfahrenen Händen; die Theaterabteilung übernahm Dr. Konrad Maril, der mir aus Berlin gefolgt war; das Lektorat übertrug ich meinem Freund Dr. Victor Zuckerkandl, bis dahin Musikkritiker an der Vossischen Zeitung, einem eminenten Literaturkenner. Für die Leitung der Buchherstellung fand sich ein erfahrener Spezialist, der bis dahin Direktor einer Wiener Druckerei gewesen war, Dr. Justinian Frisch, der mir mit seinen umfassenden Kenntnissen auf technischem und kaufmännischem Gebiet von großer Hilfe war.

Das Verlagssignet, die beiden Rappenköpfe, die jetzt das Zeichen des Verlages G. B. Fischer sind, hatte ich mir noch vor meinem Abschied in Berlin von E. R. Weiss, der so viele Bücher des S. Fischer Verlages ausgestattet hatte, zeichnen lassen, die Köpfe jener Rappen, die den Jagdwagen meines Großvaters gezogen hatten.

Die Voraussetzungen für das neue Verlagsunternehmen waren günstig. Das umfangreiche Buchlager, das aus den Werken der großen Autoren des S. Fischer Verlages bestand, war in Wien unversehrt eingetroffen und bei einer der Großbindereien eingelagert worden.

So war die Grundlage für eine gesunde Weiterentwicklung, das, was man in Amerika die ›back list‹ nennt, vorhanden und dazu ein Absatzgebiet, auf dem sich — selbst ohne den reichsdeutschen Buchmarkt — mit den bedeutenden Büchern des neuen

Unternehmens ausreichende Verkäufe erzielen lassen sollten. Aber — so unglaublich das heute klingen mag — im Jahre 1936 konnten meine Bücher sogar noch nach Deutschland eingeführt werden, sofern sie dort nicht ausdrücklich verboten waren. Rückblickend — die zur letzten Perfektion durchgebildete Brutalität des späteren Nazisystems vor Augen —, kann man sich dieser Reste von Liberalität nur noch mit ungläubigem Kopfschütteln erinnern.

In Wien wurde die Auslieferung der Verlagsproduktion der Firma Lechner & Sohn übertragen, mit der der Berliner Verlag seit vielen Jahrzehnten gearbeitet hatte. Oskar Wilhelm Lechner, der Leiter der Firma, setzte sich mit großem Enthusiasmus und freundschaftlichem Rat für seine Aufgabe ein. In Deutschland übernahm nicht ohne politisches Risiko die mutige Firma Fleischer in Leipzig die Belieferung des deutschen Buchhandels und tat alles, um den Verkauf der ›gefährlichen‹ Geistesware nach Kräften zu fördern. Der deutsche Sortimentsbuchhandel spielte noch mit, stellte die Bermann-Fischer Bücher sogar noch aus, bis sie langsam *unter* den Ladentisch und später ganz verschwanden. Aber damit hatte es noch einige Weile.

Noch heute sträuben sich mir die Haare, wenn ich mich des selbstmörderischen Leichtsinns erinnere, mit dem ich im Jahre 1937 noch zweimal, einmal allein, einmal in Begleitung meiner Frau, nach Deutschland reiste, um meine Schwiegermutter zu besuchen und — wieder eine schier unglaubliche Tatsache — Papiereinkäufe für den Wiener Verlag zu tätigen. Es ist mir heute fast unmöglich, mich in die damalige Geistesverfassung zurückzuversetzen oder mir ins Gedächtnis zurückzurufen, mit welcher ›Milde‹ das Nazisystem der Anfangsjahre noch herrschte.

Zehn Jahre lang hatte ich das Verlagshandwerk gelernt und ausgeübt. Nur während der letzten vier Jahre, 1932–1935, hatte ich die Verlagsleitung des S. Fischer Verlages allein in meinen Händen. Ein alter, erfahrener Verleger war ich nicht, und ich spürte meine Mängel und Lücken, die bisher von dem Stab von Spezialisten des Berliner Hauses, wie es in einem so wohlorganisierten Betrieb selbstverständlich war, ausgefüllt worden waren. Ich hatte zwar auch hier in Wien Mitarbeiter mit Erfahrung und Wissen, aber sie waren Neulinge auf verlegerischem Gebiet.

Das Vertrauen, das meine Autoren in mich setzten, machte mir die Last nicht leichter. Schwer ruhte sie auf mir und preßte mir die Brust in vielen schlaflosen Nächten. Aber das Fundament, auf dem ich aufbauen konnte, war stark, und der von Zuversicht erfüllte Einsatz meiner Mitarbeiter ermöglichte es, daß schon nach wenigen Monaten eine neue Verlagsproduktion in

BERMANN-FISCHER VERLAG

GES. M. B. H.

WIEN III. ESTEPLATZ 5

TELEFON: U-17-4-74

TELEGRAMM-ADRESSE: BERMANNFISCHER

BANKKONTO: ÖST. CREDITINSTITUT FÜR ÖFFENTL. UNTERNEHMUNGEN U. ARBEITEN

POSTSPARKASSEN-KONTI: WIEN 58.250, ZÜRICH VIII. 15056, PRAG 501424.

Dem geehrten Buchhandel zeigen wir hierdurch die Begründung eines neuen Verlagsunternehmens an, dessen Leitung Herr Dr. GOTTFRIED BERMANN-FISCHER, bisher Vorstandsmitglied der S. FISCHER VERLAG A. G., BERLIN, innehat. Wir übernehmen aus dem Verlag S. Fischer, Berlin, die bisher dort erschienenen Werke nachverzeichneter Autoren. Die Neuerscheinungen für den Herbst sind in Vorbereitung und werden demnächst dem Buchhandel durch unsere Reisenden und durch Anzeigen und Prospekte bekanntgegeben werden.

Die Auslieferung der in unseren Verlag übergehenden Werke sowie der Neuerscheinungen erfolgt durch die Firma Rudolf Lechner & Sohn, Wien I. Seilerstätte 5 (für Holland und Kolonien, Belgien und Luxemburg durch die Firma van Dittmar, Amsterdam, Singel 95).

Wir bitten den verehrlichen Sortimentsbuchhandel um tätige Verwendung für unsere Verlagswerke.

Mit vorzüglicher Hochachtung

BERMANN-FISCHER VERLAG

Wien, den 15. Juli 1936

*Wir übernahmen mit allen Rechten die bisher im Verlag S. Fischer, Berlin, erschienenen
Werke nachstehender Autoren:*

PETER ALTENBERG

RICHARD BEER-HOFMANN

ALICE BEREND

ALFRED DÖBLIN

MARTIN GUMPERT

MORITZ HEIMANN

FRIEDRICH HEYDENAU

HUGO VON HOFMANNSTHAL

ARTHUR HOLITSCHER

MARTA KARLWEIS

ALFRED KERR

GRAF HARRY KESSLER

ANNETTE KOLB

MECHTILDE LICHNOWSKY

THOMAS MANN

ANDRE MAUROIS

CARL ROSSLER

ARTHUR SCHNITZLER

BERNARD SHAW

SIEGFRIED TREBITSCH

JAKOB WASSERMANN

CARL ZUCKMAYER

Kataloge und Werbematerial werden in Kürze zur Verfügung stehen.

Gang kam und rechtzeitig im Herbst 1936 zur Auslieferung gelangen konnte.
Es war ein kleines Programm, das nur zehn Titel umfaßte. Aber es war von hoher Qualität und ließ keine Zweifel über meine verlegerischen Absichten im Exil aufkommen. Neben der Buchausgabe von Jean Giraudoux' Stück ›Kein Krieg in Troja‹ enthielt es von neu hinzugekommenen Autoren die Romane von Hans von Hammerstein ›Die gelbe Mauer‹, von Julian Green ›Mitternacht‹ und eine Biographie ›Savonarola‹ von Ralph Roeder. Freund Hesse, der bei dem deutschen Verlagsteil verblieben war, hatte mir — quasi als Abschiedsgeschenk — seine Idylle ›Stunden im Garten‹ überlassen. Johannes V. Jensen war mit seinem Roman ›Dr. Renaults Versuchung‹ vertreten, Mechthilde Lichnowsky mit ihrem Roman ›Der Lauf des Asdur‹, Bernard Shaw mit der Buchausgabe seiner Komödie ›Die Millionärin‹, und schließlich Thomas Mann mit dem Essay ›Freud und die Zukunft‹, seiner Rede zu Sigmund Freuds 80. Geburtstag, den wir in Wien am 8. Mai 1936 feierlich begingen. Gekrönt aber wurde das Programm vom dritten Band von Thomas Manns Romantetralogie ›Joseph und seine Brüder‹, der unter dem Titel ›Joseph in Ägypten‹ erschien.
Thomas Manns Briefe aus dieser Zeit werfen ein Licht auf die merkwürdige Situation, in der wir uns befanden.

»Küsnacht-Zürich, 18. VII. 1936
Vielen Dank für das erste Exemplar des ›Freud‹! Es ist ein schmuckes, nobles Produkt, dieses Ihr erstes; ich denke, Sie werden Ehre damit einlegen. Persönlich habe ich aufrichtige Freude an der Schrift in ihrem kleidsamen Gewande. Ich hänge gewissermaßen an der Arbeit und darf hoffen, daß sie sich in der anziehenden Gestalt, die Sie ihr gegeben haben, über den Hörerkreis von damals hinaus Freunde gewinnen wird . . .
Ihr Optimismus, was die Entwicklung der Dinge in Österreich betrifft, ist wohltuend — aber. Ich bin viel zu überzeugt, daß vom Dritten Reich und seinem elenden Papen — nun gar im Zusammenspiel mit Italien — nichts Gutes kommen kann, als daß ich nicht dem Kommenden höchst mißtrauisch entgegensehen müßte. Natürlich ist Fahrlässigkeit und Inaktivität der anderen schuld, daß es so kommen mußte — aber nun gibt es in Österreich vollständige wirtschaftliche Abhängigkeit von Deutschland, militärische Zusammengehörigkeit, Eingliederung in den Anti-Völkerbundblock, zunehmende Gleichschaltung — wie könnte es anders sein? Werden die Katholiken und die Nationalen, die bloß deutsch aber nicht nazistisch sein möchten, sich nicht ebenso täuschen, wie die im Reich es getan haben, die auch schon von dem idiotischen Papen ans Messer geliefert wurden? Qui mange du Pape en meurt . . . Mögen wenigstens Sie unge-

stört Ihre Arbeit tun können. Es ist ja gut, daß Sie an Ort und Stelle sind, so bleibe ich auf dem Laufenden.«

»Küsnacht, 24. x. 1936
. . . Das Buch* ist ein besonderer Fall, ein Kuriosum, vielleicht ein Unicum, — diese Ausdrücke in einem durchaus kritischen Sinn gemeint. Es ist möglich, daß sie an positivem Sinn noch gewinnen, wenn das Gebäude einmal ganz fertig ist. Dann und später wird man, glaube ich, doch gewissermaßen staunen, wenn auch nur über die fast verrückte Unstimmigkeit zwischen Werk und Zeit. Wäre es nur erst fertig! Aber jetzt kommt wohl erst die Goethe-Novelle**, an die ich mich bei wiederkehrenden Kräften langsam heranpirsche.«

»Küsnacht-Zürich, 31. x. 1936
. . . Ich freue mich Ihres Erfolges, der auch der meine ist; denn was ich auch gelegentlich scheinbar dagegen tue, so wünsche ich doch im Grunde immer, daß meine Bücher nach Deutschland gelangen, wünsche es nicht nur aus materiellen Gründen. Auf den Augenblick, wo es nicht mehr geht, müssen wir gefaßt sein; für jetzt bin ich froh und dankbar, daß es noch wirklich zu gehen scheint — so gut es eben gehen kann . . .
Sie müssen anstrengende, aufregende Wochen hinter sich haben. Aber offenbar haben Sie mit Umsicht und Energie gehandelt und dabei noch der Allgemeinheit genützt . . . Die Wiener, Prager und Budapester Stimmen waren ja entschieden wohllautend . . . Solche Stimmen bewirken, wenn sonst nichts, jedenfalls, daß sie mich in dem Vorsatz bestärken, das Unternehmen zu Ende zu führen, wobei ich hoffen darf, daß der Vierte Band den Dritten an menschlicher Wärme (die Wiedersehensszene) übertreffen wird. Das Ganze, einmal fertig, wird dann mindestens, wenn nicht mehr, so doch ein merkwürdiges Kuriosum bleiben, — schon im Sinne der Verwunderung darüber, daß dergleichen in dieser Zeit überhaupt durchgeführt werden konnte, aber auch in dem, daß das charakteristischste Inkommensurabel-Deutsche im Exil geschrieben werden mußte.
Vorerst will ich ja versuchen, zur Abwechslung etwas anderes einzulegen: die Goethe-Geschichte ›Lotte in Weimar‹, an die ich mich jetzt vormittags, aber eigentlich Tag und Nacht, heranpirsche, ohne mir über die Form schon ganz klar geworden zu sein. Etwas Besonderes wird jedenfalls auch dies. Soviel fühle ich schon, und wird ein hübsches Bändchen geben.
Ein Stuttgarter Buchhändler soll erklärt haben, wenn der ›Joseph‹ einträfe, wolle er ihn flugs und eilends an die Besteller versenden, denn er sei überzeugt, daß er alsbald verboten

* ›Joseph in Ägypten‹
** ›Lotte in Weimar‹

werde. Hoffen wir, daß der Mann schwarz sieht. Aber wie gesagt: gefaßt sein müssen wir auf alles.«

Bald zeigte sich das große Interesse, das der Buchhandel in der ganzen Welt, der deutschsprachige Bücher führte und ein deutschsprechendes Publikum in allen europäischen Ländern und in den Vereinigten Staaten und Canada, wie in Südamerika, der Produktion des neuen Verlages entgegenbrachte. Ein ›Buchmarkt‹, den der S. Fischer Verlag bisher ganz vernachlässigt hatte, eröffnete sich uns, wurde nun sorgfältig bearbeitet und mehr und mehr erschlossen.

Solange der Buchverkauf in Deutschland noch möglich war, stand dieser ganz im Vordergrund. Aber es war erstaunlich, welche Verkaufsziffern in England, in der Tschechoslowakei, in Ungarn und Polen erzielt werden konnten. Es lohnte sich, dort, wo wir mit den anderen Exilverlagen eine Monopolstellung für das deutsche Buch innehatten, die Beziehungen zum Buchhandel auszugestalten.

So schufen wir uns ein neues Absatzgebiet, das in den späteren Exiljahren noch von Bedeutung werden sollte.

Der große Erfolg für das junge Unternehmen kam mit der Produktion des Jahres 1937. Da ich die ›Neue Rundschau‹ in meinem kleinen Verlag nicht weiterführen und mir eine eigene Zeitschrift, die die politische und kulturpolitische Gesinnung des Verlages zum Ausdruck bringen sollte, nicht leisten konnte, begründete ich die Schriftenreihe ›Ausblicke‹, die in unregelmäßigen Abständen Aufsätze zur geistigen Situation der Zeit brachte.

Nach dem schon 1936 veröffentlichten Aufsatz Thomas Manns über Freud kamen jetzt fünf weitere: Nikolai Berdiaeff ›Die menschliche Persönlichkeit und die überpersönlichen Werte‹, Paul Claudel ›Vom Wesen der holländischen Malerei‹ — hinter dem unbefangenen Titel verbarg sich ein scharfer Angriff gegen den Nazismus —, Johannes Hollnsteiner ›Christentum und Abendland‹, Robert Musil ›Über die Dummheit‹ und Paul Valery ›Die Politik des Geistes‹.

Ich will nicht alle 29 Titel dieser Jahrsproduktion hier aufzählen. Sie sind aus dem ›Vollständigen Verzeichnis aller Werke‹ des S. Fischer Verlages 1886–1956 ersichtlich. Nur die wichtigsten, die das Gewicht dieser Verlagstätigkeit zeigen, seien hier erwähnt: zwei Bücher von Jean Giono, ein Briefband unbekannter Briefe Vincent van Goghs, ein Briefband Hugo von Hofmannsthals, Annette Kolbs ›Mozart‹, eine ganze Reihe neuer junger Autoren des In- und Auslandes, die Neuauflagen der ersten zwei Bände von Robert Musils ›Mann ohne Eigenschaften‹, die in Deutschland verboten waren und deren Rechte ich von Ernst Rowohlt übernahm, und die Biographie ›Madame Curie‹ von Eve Curie, die zum Bestseller des Jahres 1937 wurde und mit einem Schlag den noch auf schwachen Füßen stehenden Verlag aller finanziellen Sorgen enthob. Daß dieses Buch die Brücke zum späteren zweiten Exilverlag in Stockholm bilden sollte, ahnte ich damals noch nicht.

Nach all den Sorgen, Ungewißheiten, Zweifeln, kamen jetzt Monate des Glücks und der Unbeschwertheit — Monate, denn bald verdüsterte sich der politische Horizont bis zum Hereinbrechen des Taifuns, der alles hinwegfegte, was mit so viel Liebe und Mühe aufgebaut worden war.

Jetzt aber noch, in diesem Sommer 1937, gab es die herrlichen, von Festen erfüllten Tage in Salzburg — mit Toscaninis und Bruno Walters Opernaufführungen, Besuche bei Zuckmayer in der Wiesmühle in Henndorf, Ferienwochen in Altaussee, Heurigenabende in unserem eigenen Garten mit unseren zahlreichen Freunden, die von überall her das Haus in der Wattmann-Gasse aufsuchten, und im Winter die Skitouren in den österreichischen und Schweizer Bergen.

Zustimmung zur Arbeit des Verlages kam aus aller Welt. Besonders freuten mich Briefe eines so kritischen Geistes wie Alfred Döblin, der nach Paris ausgewandert war.

»5, square Henri Delormel
Paris xiv

Lieber Bermann, da ich gerade beim Briefeschreiben bin, wozu ich mich ungern verstehe, lasse ich auch an Sie ein paar mich betreffende Zeilen los. Nämlich ich wollte Ihnen schon lange sagen, daß unter Ihren Büchern sich einige befinden à mon avis: da ist zuerst der von mir hoch in Ehren gehaltene ›Mozart‹ von Annette Kolb (es würde mich à propos interessieren, was der musikalisch so versierte Zuckerkandl, der gegen mich in Schweigsamkeit versunken, zu der Biographie meint), dann die Madame Curie, das Buch, beziehungsweise das in ihm dargestellte Leben, ist unvergeßlich und geht mir sehr nahe, die Fotos sind sehr wichtig, daß Gesicht ersetzt Kapitel. Der O'Donnell (›Das große Delta‹), das Buch hat Schwung und Zug, ich betrachte den Autor nicht als große Marke, aber für mich ist es ein plastisches amerikanisches Bild; interessant dieser naturburschenhafte Realismus, ganz verschieden von dem wissenschaftlichen Europas. Ach, ich vergaß ›Der kranke Nietzsche‹ (Die Briefe der Mutter Nietzsches an Franz Overbeck). Die Art Bücher, real, echt, Stücke vom Leben, sind besser als sogar gute Romane; Lebensrecht haben Romane heute nur, wenn sie wirklich Fakten *sind* (nicht darstellen; Darstellung nützt mir fast gar nichts); es gibt wenig Autoren, deren Gesten solche Bedeutung haben. (Daneben hat natürlich das Lesefutter Existenzberechtigung als Marktware). Ich versage neuerdings bei Giono; wird es nicht etwas laufendes Band mit dem ›Pan‹gefühl? In die

Reihe der guten Bücher gehört natürlich auch van Gogh, und eine Entdeckung war für uns der Briefwechsel (einseitig) des jungen Hoffmannsthal (sic!): ich habe ja ein — sagen wir mal neutrales Verhältnis zu ihm: ich komme mit dem ästhetischen Herrn nicht ins Reine, aber in seinen jungen Briefen schien mir dieser Mensch interessanter als in seinen Gedichten oder sonstigen opera. (Auch Wassermanns persönliche mündliche Schwärmereien von Hoffmannsthal haben mich nicht von ihm literarisch überzeugt). Aber er hat wohl in Österreich seine Gemeinde. — Natürlich verfolge ich Ihre ›Ausblicke‹reihe: sie hat ein sehr deutliches Gesicht, es ist im Hinblick auf manche Dinge eine nützliche Sache, und Sie sollten sie fortsetzen: denken Sie besonders an Franzosen (Claudel, Marke eins a Die holländische Malerei!) C'est ça. Die Zeit vergeht, im Sauseschritt, weiß der Himmel. Man wird alt und es ist kein Schade . . .

Schöne Grüße an Sie und Ihre Familie.

Ihr Alfred Döblin«

Am 26. Januar 1936 war in der Neuen Zürcher Zeitung ein Artikel von Eduard Korrodi, ihrem Feuilletonchef, unter dem Titel ›Deutsche Literatur im Emigrantenspiegel‹ erschienen:

E. K. Es ist Herrn Leopold Schwarzschild in Paris vorbehalten, in seinem »Neuen Tagebuch« zu entdecken, daß das gesamte Vermögen der deutschen Literatur rechtzeitig ins Ausland verschoben worden ist. Der Verfasser, dem Literatur Ware ist, schreibt in dem angemessen merkantilen Stile wörtlich:
»Im Hintergrund steht das einzige deutsche Vermögen, das — merkwürdigerweise — aus der Falle des Dritten Reichs fast komplett nach draußen gerettet werden konnte: die Literatur. Man mag es für mehr oder weniger erheblich halten: Tatsache ist jedenfalls, daß dies Vermögen nahezu komplett ins Ausland ›transferiert‹ werden konnte, nahezu nichts von Bedeutung ist drüben geblieben; Tatsache ist ferner, daß von allen ins Ausland geretteten Werten nur eben die Literatur komplett geblieben ist. Als einziger aller materiellen und kulturellen Werte kann also die deutsche Literatur in ihrer Gänze, nicht nur in Splittern und Partikeln, außerhalb des Reiches und außerhalb seines zerrüttenden Einflusses erhalten und für einen besseren Tag ›einsatzbereit‹ überwintert werden. Ich glaube nicht, daß das geschichtlich ein Beispiel hat. Ich glaube nicht, daß schon einmal fast die ganze Literatur eines Landes, en gros und total, dem Zugriff eines Regimes, das sie teils zu vernichten, teils zu deformieren drohte, entwichen und ins Ausland abgewandert ist.«
Wem trägt Herr Schwarzschild solchen Aberwitz vor? Ausgerechnet Herrn Thomas Mann, weil seine Werke bisher noch in Deutschland erscheinen konnten und der Dichter der »Buddenbrooks« doch wohl diese Emigrantensprache als eine Unverschämtheit empfindet. Ein feiner deutscher Literaturkenner, den das Schicksal ebenfalls ins Ausland verschlagen hat, hat wohl das Recht, solche Äußerungen »Ghetto-Wahnsinn« zu nennen. Hier hat man es schwarz auf weiß, daß ein

Teil der Emigranten — wir hüten uns zu verallgemeinern — die deutsche Literatur mit derjenigen jüdischer Autoren identifiziert. Es gibt für sie keinen Gerhart Hauptmann, der ein Dichter war, keinen Hans Carossa, keinen Rud. Alexander Schröder, keinen Max Mell, keinen Waggerl, keinen Jakob Schaffner, keinen Emil Strauß, keinen Ernst Wiechert, keinen Fr. G. Jünger, keinen Ernst Jünger, keine Ricarda Huch, keine Gertrud Le Fort — um nur auf gut Glück ein paar Namen zu nennen. Es gibt für sie keine Schweiz und kein Österreich — es gibt für sie nur den Querido-Verlag und De Lange-Verlag in Amsterdam. Nun werden die Nationalsozialisten triumphieren: Seht, wenn wir behaupten, die Juden hätten vor 1933 die deutsche Literatur gepachtet und alles, was nicht ihres Stammes war, als nicht existent betrachtet — so wurden wir der Lüge bezichtigt. Heute bestätigt uns Herr Schwarzschild, daß die komplette deutsche Literatur ins Ausland transferiert worden ist. — Was ist denn ins Ausland transferiert worden? Etwa die deutsche Lyrik, die Herrlichkeiten der Gedichte Rud. A. Schröders? Wir wüßten nicht einen Dichter zu nennen. Ausgewandert ist doch vor allem die Romanindustrie und ein paar wirkliche Könner und Gestalter von Romanen. Betrachten sich diese als das Nationalvermögen der deutschen Literatur, dann ist es allerdings erschreckend zusammengeschrumpft.

Wir begreifen, wenn in Frankreich die Zahl derer wächst, die der Emigranten-Literatur eine ausgesprochene Skepsis entgegenbringen, und wir begreifen vor allem, daß es angesehene Schriftsteller in der Emigration gibt, die lieber nicht zu dieser deutschen Literatur gehören möchten, der der Haß lieber ist als das Streben nach Wahrheit und Gerechtigkeit.

* * *

Diese Bemerkungen lagen schon im Druck, als uns die folgende Erklärung zuging, die sich jedoch auf das »Pariser Tageblatt« bezieht.

Erklärung:

Die Presse der deutschen Emigranten im Ausland hat bei Gelegenheit eines Feldzugs, den sie gegen den alten, verdienstvollen Verlag S. Fischer führt, auch meine Person mit hereingezogen, vor allem in einem Artikel G. Bernhards im Pariser Tageblatt. Da leider dieser Kampf unter anderm auch mit dem Mittel der Verleumdung geführt wird, sehe ich mich genötigt, gegenüber den Behauptungen jenes Artikels das Folgende festzustellen:
1. Ich bin nicht, wie die Emigrantenpresse es darstellt, deutscher Emigrant, sondern bin Schweizer, und lebe seit vollen vierundzwanzig Jahren ununterbrochen in der Schweiz.
2. Ich bin nicht, wie Herr Bernhard behauptet, Mitarbeiter der Frankfurter Zeitung.

Hermann Hesse

Thomas Mann antwortete auf Korrodi's Artikel am 3. Februar 1936 an gleicher Stelle:

Lieber Herr Dr. Korrodi,
Ihr Artikel ›Deutsche Literatur im Emigrantenspiegel‹, erschienen in der Zweiten Sonntagsausgabe der ›Neuen Zürcher Zeitung‹ vom

26. Januar, ist viel beachtet, viel diskutiert, von der Presse verschiedener Richtungen zitiert, um nicht zu sagen: ausgebeutet worden. Er stand überdies in einem gewissen, wenn auch lockeren, Zusammenhange mit der Erklärung, die ich im Verein mit ein paar Freunden zugunsten unserer alten literarischen Heimstätte, des S. Fischer Verlages, glaubte abgeben zu sollen. Darf ich also noch heute ein paar Bemerkungen daran knüpfen, vielleicht sogar ein paar Bedenken dagegen erheben?

Sie haben recht: Es war ein ausgemachter polemischer Mißgriff des Herausgebers des ›Neuen Tage-Buchs‹, zu behaupten, die ganze zeitgenössische Literatur, oder so gut wie die ganze, habe Deutschland verlassen, sei, wie er sich ausdrückt, »ins Ausland transferiert« worden. Ich verstehe vollkommen, daß eine solche unhaltbare Übertreibung einen Neutralen wie Sie in Harnisch jagen mußte. Herr Leopold Schwarzschild ist ein sehr glänzender Publizist, ein guter Hasser, ein schlagkräftiger Stilist; die Literatur aber ist nicht sein Feld, und ich vermute, daß er — vielleicht mit Recht — den politischen Kampf unter den heutigen Umständen für viel wichtiger, verdienstlicher und entscheidender hält als all' Poesie. Auf jeden Fall mußte der Mangel an Überblick und künstlerischer Gerechtigkeit, den er mit seiner Behauptung bewiesen hat, einen Literaturkritiker wie Sie zum Widerspruch aufrufen, und einige der innerdeutschen Autorennamen, die Sie ihm entgegenhalten, widerlegen ihn unbedingt.

Zu fragen bleibt freilich, ob nicht einer oder der andere von den Trägern dieser Namen auch lieber draußen wäre, wenn es sich machen ließe. Ich will auf niemanden die Aufmerksamkeit der Gestapo lenken, aber in vielen Fällen mögen weniger geistige als recht mechanische Gründe da ausschlaggebend sein, und so ist die Grenze zwischen emigrierter und nicht emigrierter deutscher Literatur nicht leicht zu ziehen: sie fällt, geistig gemeint, nicht schlechthin mit der Reichsgrenze zusammen. Die außerhalb dieser Grenze lebenden deutschen Schriftsteller sollten, so meine ich, nicht mit allzu wahlloser Verachtung auf diejenigen herabblicken, die zu Hause bleiben wollten oder mußten, und nicht ihr künstlerisches Werturteil ans Drinnen oder Draußen binden. Sie leiden; aber gelitten wird auch im Inneren, und sie sollten sich vor der Selbstgerechtigkeit hüten, die so oft ein Erzeugnis des Leidens ist. Sie sollten zum Beispiel Berufsgenossen, die zwar um ihrer europäischen Gesinnung und um der Vorstellung willen, die sie vom Deutschtum hegen, auf Heim und Heimat, Ehrenstand und Vermögen verzichteten; die zwar sich keinem Wink mit dem Zaunpfahl zugänglich zeigten, man könne sie im Grunde ganz gut brauchen und werde ihres ungebrochenen, aber nun einmal vorhandenen Weltansehens wegen ein Auge zudrücken, sondern blieben, wo sie waren, und es vorzogen, Blüte und Verfall des Dritten Reiches in der Freiheit abzuwarten, aber auf keinen Fall, weder für den, daß die gegenwärtige deutsche Herrschaft besteht, noch für den, daß sie vergeht, alle Brücken zu ihrem Lande abzubrechen und sich jeder Wirkungsmöglichkeiten dort zu begeben wünschten: — die Schriftsteller der Emigration, sage ich, sollten gegen einen solchen nicht sofort den Vorwurf der Felonie und der Abtrünnigkeit vom gemeinsamen Schicksal erheben, sobald er in Fragen der Neuansiedlung deutschen Geistes, vielleicht aus guten und ihnen nicht ganz übersehbaren Gründen, anderer Meinung ist als sie.

Lassen wir das. Die Gleichsetzung der Emigrantenliteratur mit der deutschen ist schon darum unmöglich, weil ja zur deutschen Literatur auch die österreichische, die schweizerische gehören. Mir persönlich sind von lebenden Autoren deutscher Sprache zwei besonders lieb und wert: Hermann Hesse und Franz Werfel — Romandichter beide und bewunderungswürdige Lyriker zugleich. Emigranten sind sie nicht, denn der eine ist Schweizer, der andere böhmischer Jude. — Eine wie schwere Kunst aber bleibt die Neutralität selbst bei so langer historischer Übung, wie ihr Schweizer darin besitzt! Wie leicht verfällt der Neutrale bei der Abwehr einer Ungerechtigkeit in eine andere! In dem Augenblick, da Sie Einspruch erheben gegen die Identifikation der Emigrantenliteratur mit der deutschen, nehmen Sie selbst eine ebenso unhaltbare Gleichsetzung vor; denn merkwürdig, nicht der Irrtum selbst ist es, der Sie erzürnt, sondern die Tatsache, daß ein jüdischer Schriftsteller ihn begeht; und indem Sie daraus schließen, hier werde wieder einmal, in Bestätigung eines alten vaterländischen Vorwurfs, die Literatur jüdischer Provenienz mit der deutschen verwechselt, verwechseln Sie selber die Emigrantenliteratur mit der jüdischen.

Muß ich sagen, daß das nicht angeht? Mein Bruder Heinrich und ich sind keine Juden. Leonhard Frank, René Schickele, der Soldat Fritz von Unruh, der bayrisch bodenständige Oskar Maria Graf, Annette Kolb, A. M. Frey, von jüngeren Talenten etwa Gustav Regler, Bernard v. Brentano und Ernst Gläser sind es auch nicht. Daß in der Gesamt-Emigration der jüdische Einschlag zahlenmäßig stark ist, liegt in der Natur der Dinge: es ergibt sich aus der erhabenen Härte der nationalsozialistischen Rassenphilosophie und, von der andern Seite, aus einem besonderen Grauen der jüdischen Geistigkeit und Sittlichkeit vor gewissen Staatsveranstaltungen unserer Tage. Aber meine Liste, die auf Vollständigkeit sowenig Anspruch erhebt wie Ihre innerdeutsche und auf deren Herstellung ich von mir aus nicht verfallen wäre, zeigt, daß von einem durchaus oder auch nur vorwiegend jüdischen Gepräge der literarischen Emigration nicht gesprochen werden kann.

Ich füge ihr die Namen Bert Brechts und Johannes R. Bechers hinzu, die Lyriker sind — weil Sie nämlich sagen, Sie wüßten nicht einen ausgewanderten Dichter zu nennen. Wie können Sie das, da ich doch weiß, daß Sie in Else Lasker-Schüler eine wirkliche Dichterin ehren? Ausgewandert, sagen Sie, sei doch vor allem die Romanindustrie »und ein paar wirkliche Könner und Gestalter von Romanen«. Nun, Industrie heißt Fleiß, und fleißig müssen die entwurzelten und von einer wirtschaftlich geängstigten, in ihrer Hochherzigkeit beeinträchtigten Welt überall nur knapp geduldeten Menschen wohl sein, wenn sie ihr Leben gewinnen wollen; es wäre recht hart, ihnen daraus einen Vorwurf zu machen. Es ist aber auch schon hart, sie zu fragen, ob sie sich etwa einbildeten, das Nationalvermögen der deutschen Literatur auszumachen. Nein, darauf verfällt niemand von uns, weder Industrielle noch Gestalter. Aber es ist ja ein Unterschied zwischen dem uns allen teuren historischen Schatz der deutschen Nationalliteratur, den zu mehren nur weniges von dem, was heute entsteht, gewürdigt sein wird — und eben dieser gegenwärtigen, von lebenden Menschen geübten Produktion, die im Ganzen und im Vergleich mit früheren Epochen, wie überall, kein gerade sehr mächtiges Format aufweist, in der aber, wiederum wie in der ganzen Welt, der *Roman* eine besondere, ja beherrschende Rolle spielt — eine Rolle, der Sie nicht ganz gerecht werden, wenn Sie sagen, nicht die Dichtung, nur allenfalls die Prosa, der Roman sei ausgewandert. Das wäre an sich kein Wunder. Das reine Gedicht — rein, insofern es sich von gesellschaftlichen und politischen Problemen hübsch fernhält, was nicht alle Lyrik immer getan hat — steht unter andern Lebensgesetzen als die moderne Prosa-Epopöe, der Roman, der in seiner analytischen Geistigkeit, seiner Bewußtheit, seinem eingeborenen Kritizismus soziale und staatliche Verhältnisse zu fliehen gezwungen ist, in denen jenes, still am Rande, ungestört und in holder Weltvergessenheit blühen mag. Eben diese seine prosaistischen Eigenschaften aber, Bewußtsein und Kritizismus, dazu der Reichtum seiner Mittel, sein freies und bewegliches Schalten mit Gestaltung und Untersuchung, Musik und Erkenntnis, Mythos und Wissenschaft, seine menschliche Breite, seine Objektivität und Ironie machen den Roman zu dem, was er auf unserer Zeitstufe ist: zum repräsentativen und vorherrschenden literarischen Kunstwerk. Drama und Lyrik sind im Vergleich mit ihm archaische Formen. Er führt überall, in Europa und Amerika. Er tut es seit einigem auch in Deutschland — und darum, lieber Doktor, war Ihre Aufstellung nicht eben vorsichtig, der deutsche Roman sei ausgewandert. Wäre es so — nicht ich bin es, der es behauptet, — dann würde erstaunlicherweise der Politiker Schwarzschild recht behalten gegen Sie, den Literarhistoriker, dann wäre in der Tat das Schwergewicht deutschen literarischen Lebens aus dem Lande weg ins Ausland verlagert.

Sie haben noch vor kurzem, gelegentlich der Karlweis'schen Wassermann-Biographie, von dem Prozeß der Europäisierung des deutschen Romans mit gewohnter Divination und Feinheit gehandelt. Sie sprachen von der *Veränderung* im Typus des deutschen Romanciers, die durch eine Begabung, wie die Jakob Wassermanns, gezeitigt worden sei, und bemerkten: kraft der internationalen Komponente des Juden sei der deutsche Roman international geworden. Aber sehen Sie: an dieser »Veränderung«, dieser »Internationalisierung«, haben mein Bruder und ich nicht weniger Anteil gehabt als Wassermann, und wir waren keine Juden. Vielleicht war es der Tropfen Latinität (und Schweizertum, von unserer Großmutter her) in unserem Blut, der uns dazu befähigte. Die »internationale« Komponente des Juden, das ist seine mittelländisch-europäische Komponente — und diese ist zugleich *deutsch*; ohne sie wäre Deutschtum nicht Deutschtum, sondern eine weltunbrauchbare Bärenhäuterei. Das ist es ja, was heute die katholische Kirche, in einer Bedrängnis, die sie auch dem Zögling protestantischer Kultur wieder ehrwürdig macht, in Deutschland verteidigt, wenn sie erklärt, erst mit der Annahme des Christentums seien die Deutschen in die Reihe der führenden Kulturvölker eingetreten. Man ist nicht deutsch, indem man völkisch ist. Der deutsche Judenhaß aber, oder derjenige der deutschen Machthaber, gilt, geistig gesehen, gar nicht den Juden oder nicht ihnen allein: er gilt Europa und jedem höheren Deutschtum selbst; er gilt, wie sich immer deutlicher erweist, den christlich-antiken Fundamenten der abendländischen Gesittung: er ist der (im Austritt aus dem Völkerbund symbolisierte) Versuch einer Abschüttelung zivilisatorischer Bindungen, der eine furchtbare, eine unheilschwangere Entfremdung zwischen dem Lande Goethe's und der übrigen Welt zu bewirken droht.

Die tiefe, von tausend menschlichen, moralischen und ästhetischen Einzelbeobachtungen und -eindrücken täglich gestützte und genährte

Überzeugung, daß aus der gegenwärtigen deutschen Herrschaft nichts Gutes kommen *kann*, für Deutschland nicht und für die Welt nicht, — diese Überzeugung hat mich das Land meiden lassen, in dessen geistiger Überlieferung ich tiefer wurzelte als diejenigen, die seit drei Jahren schwanken, ob sie es wagen sollen, mir vor aller Welt mein Deutschtum abzusprechen. Und bis zum Grunde meines Wissens bin ich dessen sicher, daß ich vor Mit- und Nachwelt recht getan, mich zu denen zu stellen, für welche die Worte eines wahrhaft adeligen deutschen Dichters gelten:

Doch wer aus voller Seele haßt das Schlechte,
Auch aus der Heimat wird es ihn verjagen,
Wenn dort verehrt es wird vom Volk der Knechte.
Weit klüger ist's, dem Vaterland entsagen,
Als unter einem kindischen Geschlechte
Das Joch des blinden Pöbelhasses tragen.

Thomas Manns Absage an das Dritte Reich war eindeutig. Die Verse Platens setzten den Schlußpunkt hinter seine bisherige politische Zurückhaltung. Merkwürdigerweise dauerte es noch ganze acht Monate, bis die Herren Deutschlands ihrerseits die Konsequenzen zogen und Thomas Mann die Ehre der Ausbürgerung zukommen ließen. Es war am 5. Dezember 1936, daß ich die Nachricht telefonisch aus Deutschland erhielt und sie sogleich an Thomas Mann nach Zürich weitergab. Er schrieb mir noch am gleichen Tage die folgende Briefkarte:

»Küsnacht, den 5. XII. 1936
Lieber Dr. Bermann,
Dank für Ihr Telegramm. Die Anteilnahme ist groß, es geht fast zu wie nach dem Nobel-Preis, und für mein Teil ist die Klärung der Situation mir*. Schade ist es ja, daß die Menschen dort mir mit der Veröffentlichung um einen Tag zuvorgekommen ist (sic). In der Schweizer Presse habe ich feststellen lassen, daß die Exkommunikation keine rechtliche Bedeutung mehr hat** und werde wegen des Eigentums immerhin einen diplomatischen Schritt versuchen lassen. Im übrigen — ein anderes Deutschland wird es mir nicht nachtragen, daß ich von diesem schied, und schon dieses, glaube ich, wird das großenteils nicht tun.

Ihr T. M.«

Am 8. Dezember schrieb er mir noch ein paar Zeilen zu dem Ereignis, und dann war es für ihn erledigt:

». . . Nutzen wird dem dummen Gesindel auch diese Heldentat nicht, und das ist die Hauptsache. Ich kann nur hoffen, daß Sie keine ernstlichen geschäftlichen Schwierigkeiten von der Sache

* Hier hat Thomas Mann offenbar das Wort ›lieb‹ ausgelassen.
** Thomas Mann war seit November 1936 tschechischer Staatsbürger.

haben. Haben die deutschen Sortimenter denn nicht auf eigenes Risiko bestellt? Sie mußten mit der Maßnahme doch rechnen.«

Es ist charakteristisch für Thomas Mann, daß er seine Bedeutung als Repräsentant antinazistischer Gesinnung so unterschätzte und nicht sah, daß mit seiner offiziellen Trennung auch meine noch bestehenden losen Verbindungen mit Deutschland gelöst waren. Der Vorhang war definitiv gefallen. Thomas Manns Schicksal war so eng mit dem des Exilverlages und mit unserem persönlichen verknüpft, daß es keine Brücken hinüber mehr geben konnte. Die Klärung war gut und schaffte eine klare Atmosphäre.
Der Weg bis dahin war lang gewesen. Die endgültige Loslösung vom Lande meiner Geburt, meiner Jugend, meiner Kriegs- und Studienjahre, war schwer und mühsam. Von dem Nicht-glauben-Können bis zum Schock der Erkenntnis war mir vieles geschehen, was ein rascher Schnitt mir erspart hätte. Aber die Entwicklung bis dahin, wo ich jetzt stand, hatte ihre Logik gehabt und mir die inneren und äußeren Grundlagen dafür geschaffen, was mir als Lebensaufgabe vorschwebte.

Die österreichische Idylle sollte bald ein Ende haben.
10. Januar 1938. Die österreichische Regierung hatte zu einem Ball in der Hofburg eingeladen. Die Säle waren ein einziger Blumengarten. In dem großen Marmorsaal spielten auf erhöhtem Podium zwei Militärkapellen abwechselnd in unnachahmlichem Rhythmus Wiener Walzer. Eine Tausende von fröhlichen Menschen zählende Menge erfüllte die Räume, die Frauen in langen, tief dekolletierten Abendkleidern, die Männer teils im Frack, teils in den bunten, eben wieder eingeführten Uniformen der k.u.k. Armee, dazwischen die hohe Geistlichkeit, von Kardinal Innitzer in roter Soutane geführt. Es war ein herrlicher Anblick, diese geschmückten Säle unter blitzenden Kristalleuchtern, erfüllt von den im Tanze sich schwingenden Paaren, die nicht ahnten, daß sie buchstäblich auf dem Vulkan tanzten.
Ein herrliches Fest, mit makabrem Hintergrund. Sah man genauer hin, so bemerkte man an den Türpfosten der ineinander übergehenden Säle in schwarze Uniformen gekleidete Männer der österreichischen Heimwehr, die in peinlicher Weise an die SS erinnerten. Wilde Gerüchte schwirrten von Mund zu Mund. »Der deutsche Kronprinz hat mit mehreren Generälen Deutschland verlassen — Antonescu* ist zurückgetreten.«
In einer Ecke eines der kleinen Säle stand Schuschnigg, umgeben von seinen Ministern, in leisem Gespräch. Ich suchte Zer-

---

* Rumänischer Ministerpräsident, Führer der Eisernen Garde, einer gefürchteten naziähnlichen Organisation.

natto. Aber er war in dem Getümmel nicht zu finden. Es war mir unheimlich zumute. Irgend etwas ging vor. Zu allem verlöschte plötzlich das Licht. Ein Attentat? Oder nur ein Kurzschluß? Die Musik spielte im Dunkeln weiter. Es war nichts. Eine Störung in der elektrischen Leitung. — Endlich, um 3 Uhr morgens — die Festräume begannen sich zu leeren — fand ich Zernatto. Er nahm mich beiseite und flüsterte mir zu: »Ich kann Ihnen noch nichts Genaues sagen. Aber morgen ist für Österrreich alles positiv und glücklich entschieden.«

Am nächsten Morgen war es in Riesenlettern am Kopf aller Zeitungen zu lesen:

SCHUSCHNIGG NACH BERCHTESGADEN!

Ich wußte, daß das nur das Ende sein konnte. Was sich dort ereignet hat, gehört der Geschichte an.

Unsere Freunde begannen, sich Sorgen um uns zu machen. Am 7. März schickte uns Otto Flake aus Baden-Baden eine verschlüsselte Aufforderung abzureisen:

»Liebe Bermanns, ich gedenke, am 1. April nach Ragusa zu fahren und zumindesten auf der Rückfahrt, Anfang Mai, durch Wien zu kommen. Bestünde nicht die Möglichkeit, daß Ihr mit nach Ragusa fahrt? In diesem Falle würde ich auf der Hinreise nach Wien kommen. Die Osterzeit ist der richtige Augenblick für diese Reise. Ostern im Dom von Ragusa steht auf dem Programm. Bitte laßt mich wissen, ob gemeinsame Fahrt in Betracht kommt, weil ich die Fahrscheine zus. stellen muß. Wie geht es? Ich hoffe gut? Und grüße alle herzlich. Flake.«

Eine noch deutlichere Warnung kam von unserem Freund Pierre Bertaux aus Paris.

Aber es war bereits zu spät. Die Ereignisse rollten schneller ab, als wir alle geglaubt hatten.

Am 9. März erließ Schuschnigg seinen Aufruf zur allgemeinen Volksabstimmung über die Frage Anschluß oder unabhängiges Österreich. Ein Schritt der Verzweiflung, ein Schlag ins Gesicht Hitlers.

Donnerstag, den 11. März 1938. Ich hatte mich am Nachmittag einen Augenblick niedergelegt. Das Telefon schreckte mich auf. Unser Freund Johannes Hollnsteiner, Professor für kanonisches Recht an der Universität Wien, teile uns mit, daß deutsche Truppen soeben in Österreich einmarschierten, Schuschnigg würde in wenigen Minuten im Radio die Lage bekanntgeben und seinen Rücktritt verkünden.

Meine Frau stand neben mir. Es bedurfte keines Wortes. Ich leerte den Inhalt meiner Schreibtischschubladen in einen Koffer, meine Frau packte das Notwendigste, die Kinderschwester kleidete die drei kleinen Mädchen zur Abreise an, als mir im letzten

Moment Bedenken kamen, im Auto über die ungarische Grenze zu fliehen. Ich sah die Massen von Flüchtlingen vor mir, die die Straßen versperrten, und gab den Plan auf.

Meine Frau kannte den Leiter des Österreichischen Reisebüros am Ring. Die italienische Grenze schien uns am wenigsten gefährlich zu sein. Man hatte tatsächlich noch zwei Schlafwagenabteile mit vier Betten für Samstag, den 13. März, für uns frei, nach Rapallo, wo Frau Fischer sich gerade wieder aufhielt. Wie weit war es plötzlich fortgerückt!

Aber noch einen Tag und noch eine Nacht mußten wir in Wien verbringen. Es war zu einem Hexenkessel geworden. Johlende Massen, weißbestrumpft, mit Hakenkreuz im Knopfloch, zogen durch die Straßen. Die Hakenkreuzfahnen wehten aus allen Fenstern. Wo kamen sie nur alle her? Hunderte von deutschen Kampf- und Bombenflugzeugen dröhnten am Himmel. In dieser letzten Nacht hörten wir blutrünstiges Gebrüll, sogar in den sonst so stillen Straßen Hietzings: »Juden raus ... wenn Judenblut vom Messer spritzt.«

Ich ging noch einmal in mein Büro. Wieder ein Abschied. Niemand wollte mir glauben, daß ich fort mußte. »Aber Herr Doktor — wir sind doch in Österreich. Hier wird es doch nicht so schlimm wie in Deutschland.« Die armen Optimisten. Was in Deutschland Jahre gebraucht hatte, wurde in Österreich innerhalb von 24 Stunden grausame Wirklichkeit.

Am Morgen unseres Abreisetages machte ich mit einem befreundeten Chauffeur in meinem Wagen eine Probefahrt zum Südbahnhof. In weitem Umweg, um die in Erwartung Hitlers immer wilder werdenden Massen in den Hauptstraßen Wiens zu vermeiden, erkundete ich die besten Straßen dorthin. Vorher noch galt mein letzter Besuch dem Freunde Hans von Hammerstein. Wir umarmten uns mit Tränen in den Augen. Ich habe ihn nicht mehr wiedergesehen. Er starb in einem Konzentrationslager.

Am Abend packte ich die Familie mit leichtem Gepäck und einigen wenigen kostbaren Gegenständen, die uns besonders am Herzen lagen, — meiner Stradivarius und einigen Autographen Mozarts und Bachs — in den Wagen und fuhr sie unbehelligt zum Bahnhof.

Der Gepäckträger fragte mich, was für einen Paß ich hätte. »Einen deutschen«, sagte ich. — »Dann ist es ja gut«, meinte er, »mit einem österreichischen kämen Sie nicht mehr raus.« Daran hatte ich überhaupt nicht gedacht, daß mein noch gültiger deutscher Reisepaß mir die Flucht vor den Nazis ermöglichen würde. Aber es war wirklich so. Wir gelangten anstandslos durch die Kontrolle an der Billettsperre und sahen noch, wie andere angehalten und arretiert wurden. Die zwei Schlafwagenabteile nahmen uns auf, der Zug fuhr ab.

Was würde uns an der Grenze erwarten? Jede Station auf der langen Fahrt, der Semmering, Bruck an der Mur, Klagenfurt, konnte eine Kontrolle und damit die Entdeckung bringen. Zitternd lagen wir auf unseren Betten und lauschten den Geräuschen, den Stimmen, den Pfeifsignalen — aufatmend, wenn es weiterging und die Räder wieder rollten. Als wir bei Tarvis die italienische Grenze erreichten, wagten wir kaum zu atmen. Schlagen von Türen, lang hingezogene Signale, knirschende Schritte auf dem Schotter, dann auf dem Gang draußen vor dem Abteil — jeden Augenblick warteten wir darauf, das Schicksal würde an die Tür klopfen. Aber nichts geschah. Die Schritte entfernten sich. Ich lugte durch den Vorhang und sah auf dem leeren dunklen Bahnsteig zwei Zollbeamtenmäntel um die Ecke des Bahnhofsgebäudes verschwinden. Dann setzte sich der Zug wieder in Bewegung und rollte langsam in die italienische Station. — Die Tür ging auf. Der italienische Zollbeamte knipste das Licht an, schaute sich um, sah den Geigenkasten im Gepäcknetz, fragte: »Ist die alt oder neu?« — »Oh«, antwortete ich, »die ist sehr alt. Italienisch. Stradivarius.« — »Va bene«, sagte er und schloß die Tür.

Wir sanken uns in die Arme. Gerettet.

In Rapallo im Hotel Excelsior kam uns auf dem Weg zu unserem Zimmer Gerhart Hauptmann entgegen. Wir eilten auf ihn zu, er aber, strahlend, beide Arme erhoben, rief uns entgegen: »Der Traum von Heinrich Heine ist in Erfüllung gegangen.« Er hätte uns genauso gut einen Eimer kalten Wassers über den Kopf gießen können — die Wirkung wäre nicht viel anders gewesen. In seinem patriotischen Hochgefühl war ihm wohl nicht bewußt, woher wir gerade mit Mühe und Not entkommen waren. Aber wie kam er nur auf die vertrackte Idee, gerade in diesem Augenblick den Juden Heinrich Heine zu zitieren und ihm Anschlußträume zu unterschieben? Er war jedenfalls sehr glücklich über die neueste politische Tat Hitlers, und als wir uns wenige Tage später von ihm verabschiedeten — ich hatte eine neuerliche Begegnung vermieden — sprach er die unvergeßlichen und von tiefer Erkenntnis der Lage zeugenden prophetischen Worte: »Mein liiiiiieber Bermann — Sie werden sehen . . ., Wien wird die Hauptstadt Europas.« Danach habe ich ihn nicht mehr wiedergesehen.

Wir ließen unsere Kinder in der Obhut von Frau Hedwig Fischer, die glücklich war, uns gerettet zu wissen, und fuhren nach Zürich.

Vor neuen Entschlüssen

Zürich war damals das Hauptquartier, die erste Zuflucht der österreichischen Intellektuellen. Wissenschaftler, Schriftsteller, Schauspieler bevölkerten die Cafés. Immer neue Schreckensnachrichten trafen aus Wien ein. Eine brutale Terrorherrschaft hatte sich des Landes bemächtigt. Alle, die sich dem Nazismus in Österreich entgegengestellt hatten, wurden verhaftet und verschwanden in Gefängnissen. Von Schuschnigg bis zu den kleinsten Funktionären, die ihm die Treue gehalten hatten, wurde keiner verschont. Daß man die Juden aus ihren Häusern holte, sie öffentlich demütigte und grausam mißhandelte, verstand sich von selbst.

Zuckmayer hatte sich auf abenteuerliche, fast köpenickiadische Weise gerettet. Guido Zernatto, immer mit dunkler Brille, Fürst Starhemberg, Franz Werfel und Alma, Heinrich Schnitzler, Albert Bassermann, Max Reinhardts Dramaturg Franz Horch, Alfred Polgar — von der Flutwelle hier an Land gespült, versuchten sie alle, ins Leben zurückzufinden und Entschlüsse für die Zukunft zu fassen. Meine Lage war alles andere als schön. Bis auf das kleine Barvermögen, das ich aus Deutschland gerettet hatte — ein Teil davon war zudem im Wiener Verlag investiert — und die paar Gegenstände, die wir in der Eile mitnehmen konnten, war alles verloren. Unsere kostbaren Bilder, die Bibliothek, die Kleider und Möbel und die gesamten Buchvorräte — mehr als 700 000 Bände, die ich vor zwei Jahren aus Deutschland abtransportiert hatte.

Was sich in unserem Wiener Haus in diesen Tagen abspielte, erfuhren wir bald von unserer Kinderschwester, die wir zurückgelassen hatten. Schon am Montag, dem 15. März, 36 Stunden nach unserer Abreise, standen drei SS-Leute vor der Tür: »Wo ist Dr. Bermann?« — »Abgereist.« — »Hat der ein Schwein«, die vielsagende Antwort. Sie versiegelten die Bibliothek, bewunderten einen von vielen Granatsplittern durchlöcherten Stahlhelm, den ich bei einem Besuch der Schlachtfelder des Ersten Weltkrieges in meiner Artilleriestellung bei Montdidier gefunden hatte, und verschwanden, um ihren Kopfpreis gebracht.

Wenige Tage später ließ sich ein Herr Fischer — ich habe seinen Vornamen vergessen — in der Wattmanngasse 11 häuslich nieder. Er führte sich bei der Kinderschwester als Beauftragter des Propagandaministeriums ein — was ein Schwindel war —, brachte ein entsprechendes Schild am Eingang des Hauses an, ließ sich eine Klingelleitung an mein Bett legen — ich selbst hatte der etwas komplizierten Anlage wegen immer davon Abstand genommen — und spielte den Hausherrn. Es war die reinste Komödie. Ich kannte Herrn Fischer dem Namen nach aus Berlin. Er hatte dort einen kleinen Verlag, der u. a. Publikationen für die jüdische Loge Bnei Brith herausgab; ab und zu wurden an ihn gerichtete Briefe zu uns — oder umgekehrt — von der Post fehlgeleitet. Darin hatte die einzige Beziehung zwischen den beiden Fischer-Verlagen in Berlin bestanden. Die Namensgleichheit hatte ihn auf die glänzende Idee gebracht, den Fischer Verlag mit dem Zsolnay Verlag zu kombinieren und unter seinem Namen weiterzuführen. Zu seinem Pech teilte das Propagandaministerium seine Absichten nicht.

Der Verlag war sofort unter kommissarische Verwaltung gestellt worden, wobei man zunächst meine Angestellten beibehielt. Von ihnen und von unserer getreuen ›Dedda‹, die seit der Geburt meiner ältesten Tochter zu unserer Familie gehörte, wurde ich in Zürich über die Vorgänge auf dem laufenden gehalten. Auch Herr Fischer unterrichtete mich treuherzig über seine Pläne und bot mir die Zusendung meiner in Wien zurückgebliebenen Briefe und Filmaufnahmen an, wobei er durchblicken ließ, daß er für gewisse Gegenleistungen von mir nicht unempfänglich wäre. Obwohl ich schließlich darauf einging und ihm eine nicht unbeträchtliche Summe überwies, erhielt ich sie nie. Besonders schmerzlich war mir der Verlust der Filme, die ich im Hause meiner Schwiegereltern im Grunewald aufgenommen hatte, unersetzliche Aufnahmen von S. Fischer, Arthur Schnitzler, Bruno Walter, Thomas Mann, Gerhart Hauptmann und vielen anderen Verlagsautoren, von großem Archivwert.

Unser Schweizer Freund Christoph Bernoulli, Kunsthistoriker und Kunsthändler in Basel, erbot sich, unsere Interessen in Wien wahrzunehmen. Wie ein moderner Scarlet Pimpernel reiste er nach Wien, um dem Verbleib unserer Bilder nachzuforschen und — direkt im Rachen des Löwen — mit der Gestapo über mein Buchlager zu verhandeln, bis er schließlich selbst in Gefahr geriet und seine Bemühungen einstellen mußte. Durch ihn erfuhren wir aber, daß unsere Bilder, darunter ein Greco (›Schweißtuch der heiligen Veronica‹), ein Pissarro, ein Gauguin und unser gesamter Hausrat, dem Dorotheum, dem staatlichen Auktionshaus, zur Versteigerung übergeben worden waren.

Gewalt ging vor Recht. Ich war geflohen; damit verfielen die Verlagsgesellschaft und meine sonstigen Besitztümer dem Staat. Punctum.

Der kühne Herr Fischer verschwand von der Bildfläche, so schnell wie er gekommen war. Übrig blieb ›Dedda‹, die Kinderschwester, die alles an Kleidern und Wäsche zusammenraffte, was sie einpacken konnte, um es uns später von Berlin aus nach Schweden nachzuschicken. Sogar meinen Frack, dieses überflüssigste Kleidungsstück, das ich in den friedlichen Zeiten Wiens noch ab und zu gebraucht hatte, vergaß sie nicht, vom Schneider, dem ich ihn zur Änderung übergeben hatte, abzuholen und mir zuzusenden. Wir ließen sie später zu uns nach Stockholm kommen, wo sie noch einige Zeit bei uns lebte.

Inzwischen war es Ende März geworden. Es mußte ein Entschluß gefaßt werden, wenn ich meine Autorenverträge nicht verlieren wollte. Sie waren eine verlockende Beute.

Eines Morgens ließ sich bei mir in meinem Züricher Hotel ein Herr melden, der sich als junger Verleger vorstellte. Ohne weiteren Übergang fragte er mich, ob ich ihm die Verlagsrechte an Thomas Mann überlassen würde. »Ja, wie kommen Sie denn auf die Idee?« fragte ich ihn. »Nun«, meinte er treuherzig, »Sie können ja doch nicht weitermachen.« Hatte er vielleicht recht? Mußte ich die Waffen strecken?

Aber ich gab noch nicht auf. Ein merkwürdiger Zufall war es, der unser weiteres Schicksal entschied.

Wir saßen am 28. März mit einigen Freunden in der Halle unseres Hotels, Erinnerungen tauschend und über unsere Zukunft spekulierend, als Franz Horch, der Dramaturg, uns von seinen früheren Reisen in Schweden zu erzählen begann. Der eher trockene ›matter-of-fact-man‹ verfiel in eine solche Schwärmerei über Stockholm, daß ich meinte, er müßte dort sein schönstes Liebesabenteuer erlebt haben. Da fiel mir der Name Albert Bonnier ein, des größten schwedischen Verlegers. Mit ihm hatte der S. Fischer Verlag seit Jahrzehnten in geschäftlicher Verbindung gestanden. Eine phantastische Idee, mit dem Verlag nach Schweden zu gehen. Aber warum sollte ich nicht anfragen, ob man dort bereit wäre, dem Verlag, der sich für die Einführung der skandinavischen Literatur in Deutschland so große Verdienste erworben hatte, die Niederlassung zu ermöglichen? Da ich die Inhaber des Verlages Bonnier nicht persönlich kannte und nicht wußte, an wen ich meinen Brief zu richten hatte, schrieb ich auf gut Glück an Herrn Albert Bonnier, ohne zu wissen, ob es diesen Herrn auch wirklich gab.

Ich hatte meinen Versuchsballon fast schon vergessen, als am 8. April aus Menton die Antwort kam. Karl Otto Bonnier, dies war der Name des Chefs des Hauses, wie sich herausstellte, hatte meinen Brief dort erhalten; man hatte ihn aus Stockholm nachgesandt. Aber er hatte sich, wie er schrieb »altershalber vom Geschäft zurückgezogen« und »mein älterer Son, Tor Bonnier, seit Anfang dieses Jahres Haupt des Verlages, befindet sich seit einigen Tagen in der Schweiz. Ich habe mit ihm briefwechselt (sic) und ihm Ihren Brief und Catalog zugesandt. Möglicherweise wird er Ihnen einen Besuch in Zürich abstatten, um mit Ihnen die Angelegenheit zu besprechen. — Jedenfalls erhalten Sie in den nächsten Tagen, wahrscheinlich von Genf, einige

Zeilen von ihm wegen Zusammentreffen. Hochachtungsvoll ergebens

K. O. Bonnier«.

Schon zwei Tage später traf das angekündigte Schreiben Tor Bonniers ein:

»Le Cottage, Talloires
(Lac d'Annecy), d. 10. IV. 38

Sehr geehrter Herr Doktor Bermann-Fischer,

hierher habe ich Ihren werten Schreiben von d. 28. III. von meinem Vater nachgesandt bekomen. Wir haben uns in diesen letzten Jahren öfters gefragt, wie es mit den alten deutschen Verlagshäusern gehen würde. Es war uns ja auch klar, daß Ihre Situation und die mancher Ihrer Kollegen, nach alledem was Österreich in den letzten wochen übergangen ist, dort unhaltbar geworden sei. Um so viel mehr freut es uns zu hören, daß Sie beschlossen sind Ihr Verlagshaus weiter zu führen. Für die bedeutende, aus Deutschland vertriebene Literatur wird es selbstverständlich eine Lebensbedingung sein sich auf einem erstklassigen Verlagshause stützen zu können.

Ich sehe vollkommen klar ein wie schwierig es sein wird, einen deutschen Verlag, mit dem deutsch-österreichischen Absatzgebiet verschlossen, weiter zu leiten. Das Interesse an eine gute deutsche Literatur wird man wohl doch nicht auslöschen können. So wird man wohl auch Wege finden diese Literatur zu verbreiten.

Soviel ich verstehe wird die Schweiz das einzige Land sein, wo ein solches Unternehmen existieren könnte. Die skandinavischen Länder sind ganz bestimmt von dem deutschlesenden Publikum zu entfernt um hier in Frage kommen zu können.

Obwohl ich für Ihre Pläne große Interesse hege, verstehe ich deshalb nicht womit ich Ihnen in Schweden behilflich sein könnte. Die Gedanke einer Zusammenarbeit in der Schweiz war mir bei ersten Durchlesen Ihres Briefes fern. Wenn Sie aber eine solche Zusammenarbeit gedacht haben, scheint es mir jetzt nicht mehr vollkommen ausgeschlossen.

Ich hätte die Absicht noch ein paar Tage hier zu bleiben. Es würde mir aber nicht unmöglich sein nach Genf zu gehen, wenn es Ihnen erwünscht wäre mit mir dort zusammen zu treffen um über Ihre Pläne weitere Auskünfte zu bekommen. Doch scheint mir, das muß ich Ihnen aufrichtig sagen, die Schwierigkeiten einen Abkommen einer verlegerischen Zusammenarbeit im Stande zu bringen, so groß, daß ich gar nicht weiß ob eine Reise Zürich—Genf für Sie lohnend sein könnte.

Wie eben gesagt wäre ich aber bereit hinzufahren und sehe gern Ihre umgehende, am liebsten telegrafische, Mitteilung entgegen.

Mit vorzüglicher Hochachtung
Tor Bonnier.«

Am Ostersonntag, dem 15. April 38, trafen wir uns in Genf. Tor Bonnier und seine Frau Tora empfingen mich in ihrem Hotelzimmer. Tor, ein respekteinflößender, etwas düster blickender Mann um die Fünfzig, Tora, freundlich und voller Wärme und Herzlichkeit, beide bemüht um die Lösung meiner Probleme. Ich war tief beeindruckt von dem Verantwortungsgefühl für eine höhere Sache, die die Erhaltung des vertriebenen Verlages ganz offenbar für sie darstellte. Sie konnten schließlich auch leben, ohne hier einzugreifen und sich mit Problemen zu belasten, die im Augenblick gar nicht zu übersehen waren.

Die Zweifel an der Durchführbarkeit und an den praktischen Möglichkeiten des Planes, die Tor in seinem Brief geäußert hatte, und die ich selbst teilte, wichen bald. Die großen Autorenrechte, zusammen mit den nicht unbeträchtlichen Vorauszahlungen auf künftige Honorareinnahmen, die ich in Wien schon geleistet hatte, und die einzigartige Position, die der Verlag nach dem Ausscheiden der Wiener Konkurrenzverlage haben würde, ließen die Aussichten trotz des reduzierten Absatzgebietes günstiger erscheinen, als Tor gedacht hatte. Sein Verständnis und seine Hilfsbereitschaft zur Überwindung der Schwierigkeiten, die im fremdsprachigen Land natürlicherweise entstehen mußten, beschwichtigten wiederum meine Sorgen, ob ich mich mit diesem ganz auf der deutschen Sprache beruhenden Unternehmen in so durchaus fremder Umgebung würde zurechtfinden können.

Die Grundlagen eines Vertrages waren in wenigen Minuten besprochen, über die finanziellen Fragen war Einigkeit herbeigeführt, und ich hatte nur noch auf die formelle Zustimmung der zwei Brüder Kai und Åke zu warten, an der jedoch kein Zweifel bestand.

Es war ein schneller Entschluß, in jeder Beziehung fern von allen Lösungen, die man sich vorgestellt hätte. Ein deutscher Verlag in Schweden, hoch im Norden, weit entfernt von seinem geistigen Zentrum. Eine anormale Lösung. Aber was war noch normal? Mit welchen Sicherheiten war in Mitteleuropa angesichts der brutalen Machtansprüche Deutschlands noch zu rechnen? Würde nicht gerade das so weit im Norden gelegene neutrale Schweden ein sicherer Zufluchtsort für den gefährdeten Verlag auch für den Fall weiterer politischer Verwicklungen und Aggressionen sein? Und welche anderen Möglichkeiten gab es, die mir die äußere Sicherheit und meine Selbständigkeit garantieren konnten?

Ich sah mit neugefaßtem Mut in die Zukunft und bereitete mich auf die Reise nach dem unbekannten Stockholm vor, als am 25. April ein Brief von Thomas Mann eintraf, der auch eine kräftigere Konstitution, als ich sie nach den Erlebnissen der letzten Wochen noch aufwies, hätte erschüttern können.

Thomas Mann, der sich seit Mitte Februar in den Vereinigten Staaten befand, wollte mir den Laufpaß geben. Das war das letzte, was ich erwartet hätte. Die zwei Wiener Jahre waren in freundschaftlicher Harmonie verlaufen. Ich hatte viele Zeichen seiner Zustimmung zur Führung des Verlages und seiner Aktivität erhalten. Noch am 14. November 1937 hatte er mir geschrieben:

»Nun also meinen Glückwunsch zu Ihrer Produktion, die äußerlich auf der vornehmsten Höhe des heutigen Geschmacks und geistig sehr würdig ist... Ihre Nachrichten aus dem Lande stimmen mit den unseren genau überein. Aber was nützt das alles? Die Epoche ist dem Regime nun einmal günstig, mehr und mehr gibt sich die Welt der faszistischen Ausflucht aus ihren Schwierigkeiten anheim, und es sieht so aus, als ob es bald für unsereinen keinen Fleck mehr auf der Erde geben wird, seinen Fuß hinzusetzen, sodaß man sich wird unter ihr bergen müssen. Nun, so schnell wird das nicht gehen, und man muß hoffen, daß einem Frist gewährt wird, sein Tagewerk zu beenden.
Grüßen Sie Tutti vielmals und lassen Sie sich für Ihr Wohl und das der Ihren wie auch für Ihr negotium das Beste wünschen!
Ihr Thomas Mann.«

Am 1. Februar 1938, sechs Wochen vor der österreichischen Katastrophe, kündigte er mir noch das Manuskript seines ›Schopenhauer‹ an, vorausgesetzt, daß er mit der Arbeit fertig würde.

». . . diese zwei Wochen sind so voll von Vorbereitungen und englischen Studien . . ., daß ich nicht weiß, wie weit ich komme. Ich beklage Sie, daß Sie es mit einem Autor zu tun haben, der nie zur rechten Zeit zur Stelle ist und immer endlos warten läßt, — wenn ich an die ›Lotte‹ denke und gar an den Joseph IV, so wird mir schwach. Aber was soll man machen? So bin ich nun einmal. Die Sachen müßten dafür wohl noch besser sein. Aber eben daß ich sie so gut mache, wie ich kann, ist die Ursache des Leidens. Schopenhauer definierte die Tapferkeit als Geduld. Seien wir tapfer!
Ihr Thomas Mann.«

Und nun, mitten in meine Verhandlungen über die Gründung des neuen Verlages in Stockholm, diese Briefe, in denen Thomas Mann sich plötzlich auf die Seite derer stellte, gegen die er mich eben noch verteidigt hatte. Ich lasse den dramatischen Briefwechsel hier folgen.

Lieber Doktor Bermann: —

Die Nachricht, daß Sie mit den Ihren sain et sauf sind, war eine rechte Wohltat für mich . . .

Aus Ihrem Telegramm geht hervor, daß auch Sie an Amerika denken, das ja wirklich für alle, denen der Boden in Europa mehr und mehr schwindet, das letzte Refugium bildet. Ich weiß nicht, was für Pläne Sie mit Ihrem Kommen verbinden, ob es etwa Ihre Absicht ist, hier Ihre verlegerische Tätigkeit fortzusetzen, aber es ist mein dringender Wunsch, mich Ihnen gegenüber auszusprechen, bevor Sie feste Entschlüsse dieser Art gefaßt haben. Lassen Sie mich offen sein: nach reiflichem Nachdenken halte ich es für meine Pflicht, Ihnen von einem solchen Entschluß abzuraten. Ich möchte Ihnen gewiß nicht wehe tun, aber ich habe das deutliche Gefühl und muß es aussprechen, daß Ihre durch alle diese Jahre verfolgte Politik, Ihr bis zum erzwungenen Bruch aufrechterhaltenes Verhältnis zu Deutschland und selbst noch der Charakter Ihres Wiener Unternehmens, das ja immer noch auf den deutschen Markt abgestellt war, Ihnen hier auf sehr negative Weise den Boden bereitet hat. Denn dies ist im Gegensatz zu allen europäischen Ländern das einzige, wo eine wirkliche tiefe Antipathie gegen den Charakter des heutigen Deutschland dominiert und wo es an jeder Connivenz gegen eine nicht absolut eindeutige Haltung in diesen Dingen fehlt. An und für sich wäre es ein sehr gewagtes, genaue Kenntnis der Verhältnisse und bedeutende Investierungen verlangendes Unternehmen, hier einen deutschen Verlag zu starten, und in Ihrem Fall muß ich mit Bestimmtheit befürchten, daß die Schwierigkeiten sich bis zur Unausführbarkeit steigern würden. Den großen deutschen Emigrationsverlag hier zu begründen, ist gewiß ein naheliegender Gedanke und ich weiß, daß mehrere amerikanische Verlage sich mit diesem Gedanken beschäftigen. Selbstverständlich ist es ja auch, daß ich im höchsten Grade interessiert daran bin, denn das Schicksal der Originalform meiner Arbeiten muß mir am Herzen liegen und hat mir schon manche Sorge bereitet, daß, praktisch genommen, schon längst die englischen Übersetzungen weit stärker ins Gewicht fallen und das Original gewissermaßen abhanden zu kommen droht. Ich habe mich aber überzeugen müssen, daß nur ein eingeführter amerikanischer Verlag, der über große Verbreitungsmöglichkeiten und Mittel verfügt, der richtige Unternehmer sein könnte, und selbstverständlich denke ich dabei in erster Linie an meinen Freund Alfred Knopf, der sich in einer außergewöhnlichen, man kann sagen enthusiastischen Weise für meine Bücher einsetzt und dem, wie ich weiß, solche Erwägungen heute keineswegs mehr fremd sind.

Dies alles Ihnen so trocken zu sagen, lieber Doktor Bermann, wird mir gewiß nicht leicht. Ich kann das Maß an Passion schwer abschätzen, das Sie dem verlegerischen Beruf entgegenbringen, aber ich weiß, daß es Ihnen seinerzeit keineswegs leicht geworden ist, den medizinischen aufzugeben und daß man Sie ungern hat aus ihm scheiden lassen. Wenn ich mir unter den heutigen Umständen Ihren Lebensweg vor Augen halte und mir Ihre Zukunft überlege, so kann ich mich nicht dem Gefühl entziehen, daß es für Sie als einem der Tätigkeit bedürftigen, noch jungen Mann weitaus das Richtigste wäre, wenn Sie zu jenem damals mit so viel innerer Notwendigkeit verlassenen Beruf zurückkehrten und sich in diesem Erdteil, der solche Spezialisten dringend braucht, als Arzt niederließen. Ich bin überzeugt, daß Sie in dieser Eigenschaft mehr Erfolg und Befriedigung hier finden würden, als wenn Sie darauf bestünden, Ihren zweiten Beruf hier fortzusetzen. Es wäre mir eine wahre Freude, von Ihnen zu hören, daß ich offene Türen einrenne, und daß das, was ich Ihnen hier sage, Ihren eigenen Gedanken längst nicht mehr fremd ist. Jedenfalls hielt ich es für notwendig, es auszusprechen, und ich hoffe, Sie werden in diesem Brief das freundschaftliche Interesse nicht verkennen, das ich immer für Sie und Tutti gehegt habe. Es würde mich freuen, bald von Ihrer Stimmung und Ihren Entschlüssen zu hören. Mit herzlichen Grüßen und Wünschen für Sie und die Ihren

Ihr Thomas Mann.«

»Zürich, den 26. IV. 38
c/o Dr. Georg Gautschi
Zürich, Löwenstr. 2

GBF an Prof. Dr. Thomas Mann
Bedford Hotel
118 East 40th Street
New York

Lieber Herr Doktor,
ich danke Ihnen bestens für Ihren Brief vom 8. IV. den ich gestern erhielt. Sie werden inzwischen wohl meinen Brief bekommen haben, aus dem Sie einiges über meine Pläne entnehmen konnten. Ich beabsichtige nicht, in Amerika einen deutschen Verlag zu eröffnen. Das wäre wohl, jedenfalls in der bisher üblichen Form, ein aussichtsloses Unternehmen, denn Amerika als Absatzgebiet für deutsche Bücher muß erst erschlossen werden . . .
Ich stehe hier mit einem Verlagskonzern in Unterhandlungen, der sich für die Aufnahme meines Verlages interessiert und in Zusammenarbeit mit meiner Schweizer Gesellschaft, der A. G. für Verlagsrechte, die Auswertung der dieser gehörenden Rechte

übernehmen will. Nach Ihren neuen Nachrichten wäre es aber für mich interessant zu hören, ob Knopf sich an einer solchen Kombination beteiligen würde, da auf diese Weise auch gleich die Verbindung mit Amerika hergestellt wäre. Ich habe in der Schweizer Gesellschaft einen recht großen Komplex von wertvollen Verlagsrechten, die für den Herbst ein interessantes Programm, das ich beifüge, liefern. Die finanzielle Beteiligung brauchte nicht sehr erheblich zu sein. — Daß ein solcher Verlag seine Vertriebszentrale in Europa haben muß, ist im Augenblick unumgänglich. Amerika ist für einen geregelten Vertrieb zu weit ...

Falls Knopf interessiert ist, bitte ich ihn um ein Kabel, um meine hiesigen Verhandlungen eventuell noch so lange hinauszuzögern, bis ich ihn gesprochen oder mich mit ihm verständigt habe. Übrigens hat sich auch ein großes schwedisches und ein amerikanisches Verlagsunternehmen mit ähnlichen Plänen mit mir in Verbindung gesetzt. Ich würde aber gern bei diesen verschiedenen Verhandlungen in einer Richtung gehen, die auch Ihren Intentionen entspricht.

Da ich annehme, daß ich in wenigen Tagen mein amerikanisches Visum haben werde, könnte ich Mitte bis Ende Mai in New York sein.

Daß der Bermann-Fischer Verlag, Wien, sich in anderthalb Jahren zu einem führenden literarischen Verlag im Exil entwickeln konnte, widerlegt am besten alle Angriffe gegen meine Haltung oder die des Verlages. In Deutschland gelte ich heute als staatsfeindlicher Verlag. Mein Wiener Büro ist von der Gestapo geschlossen, und von meinem Lager werde ich wohl nichts mehr wiedersehen ... Die Beschlagnahme des Verlages und meines österreichischen Besitzes sollte doch diejenigen, die meine Haltung anzweifeln, endlich darüber belehren, in welcher Weise ich den Herrschaften in Deutschland unangenehm geworden war und wie wirksam im antinazistischen Sinne meine Tätigkeit empfunden wurde, vielleicht viel wirksamer als die der in Deutschland verbotenen Emigrationsverlage, die innerhalb Deutschlands überhaupt nicht wirken konnten. Aber ich habe es aufgegeben, mich gegen solche Angriffe zu verteidigen. Ich habe einen Verlag aufgebaut, der sie unzweideutig widerlegt, wenn man nicht bösen Willens ist. Leider ist man es immer in dem gleichen kleinen Kreis, der nicht zugeben will, daß er mit seinen bösartigen Angriffen gegen mich von 1936 unrecht gehabt hat. Gegen ihn kann ich heute die Stimmen der Weltpresse anführen, die sich über den Verlag unzweideutig zustimmend geäußert haben, oder nur ein Zitat aus einem Brief von Mr. Messersmith vom Department of State aus Washington: »I am glad to know of your decision which may involve your making your permanent home in this country and I am hopeful that you and your family may be able to establish yourselves here and to have that happy and assured existence which you so richly deserve.« Messersmith kennt meinen Verlag als ehemaliger amerikanischer Gesandter in Wien.

Der Erfolg meines Verlages war kein Zufall, sondern das Ergebnis systematischer, von ernsthafter und ganz sauberen Prinzipien getragener Arbeit, für die geistige und künstlerische Qualität das Höchste ist. Diese befindet sich heute im Zustand der Gefährdung von links und rechts, und es ist tief bedauerlich, daß der Totalitätsanspruch, den das Dritte Reich erhebt, auch von einem zwar kleinen, aber um so lauteren Teil der Emigration aufgenommen wird. Denn was ist schließlich die Verfemung eines Jeden, der eine bestimmte Art des politischen Kampfes ablehnt und andere Methoden für richtiger hält, anderes? Ich stimme in dieser Ansicht mit *sehr* Vielen überein und kann mit dem Zustrom immer neuer Kräfte aus Deutschland und von außerhalb Deutschlands rechnen, der um so größer sein wird, als die geplante neue Vertriebsorganisation* in der Lage sein wird, denjenigen Autoren, die von dem eingeschränkten außerdeutschen Absatz allein nicht existieren können, eine Existenzgrundlage zu bieten.

Mein in seinem ersten Teil bereits ziemlich fortgeschrittener Plan geht also, um zusammenzufassen, dahin, den Verlagskomplex hier erneut zu aktivieren und von da aus dann die neue Vertriebsorganisation unter Anlehnung an ein amerikanisches Unternehmen zu entwickeln . . .

Für Ihre persönlichen Worte danke ich Ihnen sehr. Der Gedanke einer Rückkehr zur Chirurgie liegt natürlich nach den letzten Schlägen nicht fern, aber es widerstrebt mir, eine Aufgabe, die ich nun 13 Jahre lang mit Leidenschaft verfolgt habe, in einem Augenblick aufzugeben, in dem sie wichtiger denn je ist. Unterschätzen Sie bitte nicht, wie sehr ich von der Notwendigkeit des von mir eingeschlagenen Weges überzeugt bin. Es waren keineswegs materielle Interessen, die mich dazu führten, einen anderen Weg zu gehen als andere Verlage. Ich kann das alles nicht einfach hinwerfen und fühle eine Verantwortung, meinen Posten solange zu halten, wie es geht . . .

Ich hoffe, noch vor meiner Abreise von Ihnen und von Knopf zu hören und grüße Sie mit den besten Wünschen für Sie und Ihre Frau, zugleich mit Tutti

als Ihr Bermann Fischer«

---

* Ich plante damals eine Buchgemeinschaft.

»Thomas Mann

Beverly Hills, California
15. IV. 38
(eingegangen 28. IV.)

Lieber Doktor Bermann:

Unsere Briefe* haben sich gekreuzt, schmerzlicher Weise für mich, denn Sie können sich denken, daß gerade beim Lesen des Ihren der meine mir brutal vorkam, wie gewissermaßen übrigens schon vorher. Aber was sollte ich machen? Ich mußte Ihnen meine Überzeugung und mein Gefühl für die Dinge zum Ausdruck bringen, und das war mit anderen Worten kaum zu machen. Der eigentliche Fehler meines Briefes war vielleicht der, daß er nicht deutlich, das heißt nicht ausführlich *genug* war. Es scheint mir also, nachdem ich Ihre Zeilen gelesen habe, nicht nur nicht geboten, meine Äußerungen abzuschwächen, sondern vielmehr sie zu ergänzen und zu erläutern.

Ich kann zunächst nur wiederholen, daß hier eine so entschiedene Verabscheuung des nationalsozialistischen Deutschlands, jedenfalls in der geistig maßgebenden Sphäre, in der Luft liegt, daß die bereitwillige Aufnahme eines Verlages, der nicht vom ersten Augenblick an eine vollkommen eindeutige Haltung eingenommen, also wenigstens scheinbar auf irgendeine Weise mit den neuen Mächten paktiert und mit ihnen gearbeitet hat, im höchsten Grade unwahrscheinlich ist ... Es ist nicht leicht, denen zu widersprechen, die erklären, daß Sie das moralische Recht verscherzt haben, jetzt, wo es gar nicht mehr anders geht, *den* deutschen Emigrations-Verlag in Amerika aufzutun. Sie hatten nicht die Entschlußkraft und Weitsicht zu tun, was Querido unter Opfern getan hat, diesen Emigrationsverlag, und sogar die Zeitschrift dazu, draußen im Freien zu schaffen, sondern haben sich an Deutschland festgeklammert und es erst in dem Augenblick verlassen, wo es mit jüdischen Verlegern dort endgültig zu Ende war. Welche Möglichkeiten hätte der S. Fischer Verlag gehabt, wenn er im Jahre 33 oder 34 in die Schweiz gegangen wäre! Sie versuchten es dort erst, als es zu spät war, und man Sie dort trotz aller Bemühungen, die auch ich gemacht habe, ablehnte. Dann kam nicht der freie weltweite Verlag mit Heinemann in London, wie Sie ihn mir in Aussicht gestellt hatten, sondern es kam Wien, eine von vorneherein beengte und wenig aussichtsreiche Sache, die nun also ihr vorbestimmtes Ende gefunden hat ...

Ich habe Ihnen das auseinandergesetzt, nicht, um Recht zu haben, noch weniger, um Sie zu kränken. Muß ich nicht versuchen, Sie objektiv die Situation sehen zu lassen, wie ich sie, mit Recht, glaube ich, sehe? Ich verurteile Sie auch nicht: Ihre Haltung und

---

* Bezugnahme auf einen in Abschrift nicht mehr vorhandenen Brief, in dem ich Thomas Mann über erste neue Verlagspläne unterrichtete.

Politik hatte vielleicht manches für sich oder schien etwas für sich zu haben, aber bewährt hat sie sich nicht, und Sie sollten das jetzt zu Tuende denen überlassen, denen ein besseres Recht darauf zusteht. Ich kann nur wiederholen, was ich neulich sagte: das deutschsprachige Verlagswesen ist, wie die Dinge liegen, auf ein Minimum von Lebensmöglichkeiten zusammengeschwunden, und Sie sollten nicht eigensinnig darauf bestehen, gerade diesen Weg weiter zu verfolgen. Sie haben andere Fähigkeiten und Möglichkeiten, haben Anderes gelernt und haben Jugendkraft genug, etwas Neues und gleichzeitig Altgewohntes zu ergreifen. Schwer haben wir es alle. Mein ganzer Zustand ist auch wieder durch die Ereignisse umgestürzt, und ich habe mich in meinen so viel höheren Jahren abermals in Fremdes und Neues hineinzufinden, immer unter möglichster Aufrechterhaltung meiner geistigen Tätigkeit. Gott weiß, wie das alles weiter gehen und enden wird, aber ich bin durchaus nicht in der Stimmung, daß ich den Wunsch haben könnte, mich mit einem alten Freund wie Sie persönlich zu überwerfen; ich gönne den infamen Ereignissen einen solchen Erfolg keineswegs. Ich werde mir meine freundschaftlichen Gefühle für Sie um der alten Zeiten willen immer bewahren und kann nur hoffen, daß auch Sie trotz der sachlichen Trennung, die ich für notwendig halte, an diesen Empfindungen festhalten.

Ihr Thomas Mann.«

»Zürich, den 29. IV. 38
c/o Dr. Georg Gautschi
Zürich, Löwenstraße 2

GBF an Prof. Dr. Thomas Mann
Bedford Hotel
118 East 40th Street
New York

Lieber Herr Doktor,
ich habe Ihnen gestern folgendes Telegramm an Bedfordhotel New York gesandt: Bin über letzten Brief tief bestürzt. Stehe unmittelbar vor Abschluß mit Verlag ebenso großer literarischer wie geschäftlicher Bedeutung der Ihre Billigung finden wird. Verlag von Weltruf Europa und Amerika, Ihrer politischen Einstellung voll entsprechend. Abreise heute wegen Abschluß, schreibe unterwegs ausführlich. Bitte dringendst Entscheidung zurückstellen und persönliche Aussprache abwarten. Bin spätestens Ende Mai New York, um alles in Ruhe zu besprechen.
Ihr Brief war für mich niederschmetternd. Alles hätte ich erwartet, nur nicht dies, daß gerade Sie mich in diesem Augenblick,

der weiß Gott schwer genug ist, im Stich lassen würden. Daß gewisse Kreise gegen mich Stimmung machen und diesen Moment nicht vorüber lassen würden, kommt mir nicht unerwartet. Völlig unerwartet ist es aber für mich, daß Sie sich diesen Gegnern anschließen. Ich habe niemals einen Zweifel darüber gelassen, daß ich und mein Verlag sich mit Ihrem Werk untrennbar verbunden fühlen. Als im Dezember 1936 damit gerechnet werden mußte, daß der Verlag durch die Verbindung und Identifizierung mit Ihnen in Deutschland verboten würde, gab es für mich kein Schwanken. Ich habe das Verbot und den damit verbundenen Verlust zahlreicher Autoren in Kauf genommen und Ihnen und Ihrem Werk die Treue gehalten. Das habe ich Ihnen damals unverzüglich zum Ausdruck gebracht. Am schwersten trifft es mich, daß Sie sich heute nach so vielen freundschaftlichen und in vollem Einverständnis geführten Besprechungen über den Zeitpunkt und die Art meiner Auswanderung die Argumente derer zu eigen machen, die mich wegen meines Verbleibens in Deutschland bis 1936 mit völlig unbegründeter Unterschiebung unlauterer Motive angreifen und verdächtigen. Muß ich Ihnen wirklich noch einmal erklären, daß 1933 und 34 nicht ein einziges Buch und kein Verlagsrecht hätte herausgebracht werden können, haben Sie vergessen, daß ich ohne die Zustimmung S. Fischers, die wegen seiner Erkrankung nicht zu erreichen war, den Verlag nicht herausführen konnte, daß Ihr Erscheinen in Deutschland bis Ende 1936 ihrem eigenen Wunsch entsprach und von allergrößter Bedeutung war und daß schließlich nur durch Zuwarten der nötige Überblick für die Durchführung der Auswanderung, Transferierung und der Neugründung zu gewinnen war. Querido, den Sie als Gegenbeispiel anführen, war in einer vollständig anderen Situation, in der er innerhalb Deutschlands nichts zu verantworten und zu verlieren hatte... Daß meine Niederlassung in der Schweiz dann nicht glückte, beruhte abgesehen von der Konkurrenzangst der schweizerischen Verlage nicht etwa darauf, daß man mir eine zu neutrale Haltung zum Vorwurf machte, sondern im Gegenteil auf der Besorgnis der Fremdenpolizei, ich könnte einen zu aggressiven politischen Verlag betreiben und nicht zum wenigsten auf der Intrige von Herrn Korrodi. Über all diese Dinge haben Sie früher anders gedacht.

Wenn Sie im Laufe der letzten Jahre Ihre Einstellung zu einer Aufrechterhaltung Ihrer Verbindung mit dem deutschen Lesepublikum geändert haben und Ihr politisches Wirken verstärkten, so war ich in engster Verbindung mit Ihrem Schicksal und Ihrer Entwicklung immer bereit und entschlossen, es ebenfalls zu tun. Die Entwicklung meines Verlages tendierte durchaus zu immer weiterer Ablösung vom deutschen Büchermarkt, die in absehbarer Zeit zur völligen Loslösung geführt hat. Ich vertraue auf Ihre Gerechtigkeit, die über diese unbestreitbaren Tatsachen unmöglich hinweggehen kann. Sie sind sich offenbar nicht darüber im klaren, daß eine Trennung von mir nach außen hin als ein Votum erscheinen muß, das in diesem entscheidenden Augenblick für mich und meine Familie einfach ruinös ist. Wie könnte man es Ihnen verübeln, wenn Sie Ihrem durch so lange Tradition und gemeinsame Kämpfe verbundenen Verlag die Treue halten? Wäre nicht im Gegenteil ein Bruch in dem Augenblick, in dem der Verlag durch brutale Gewalt dem Nationalsozialismus, gegen den er Ihr Werk so lange verteidigt hat, in die Hände gefallen ist, weitaus mißverständlicher?

Die Verbindung, die sich mir verlegerisch bietet, gibt die Möglichkeit zu einem europäischen Sammelpunkt. Ich werde bald Gelegenheit haben, Ihnen in New York darüber zu berichten und vertraue darauf, daß Sie die freundschaftlichen Bindungen zwischen uns nicht zerstören und die vertragliche Bindung inne halten.

Ihr Gottfried Bermann Fischer«

Thomas Mann lenkte ein. Er schlug eine Zusammenarbeit mit den beiden Emigrationsverlagen in Amsterdam vor, ein Vorschlag, der sich mit meinen Plänen traf. Die deutschsprachigen Abteilungen der holländischen Verlage waren durch den Fortfall des österreichischen Absatzgebietes in keiner leichten Lage. Für sie war eine Kosteneinsparung genau so wichtig, wie sie es für meinen Stockholmer Verlag war. Eine Zusammenlegung unserer Auslieferungs- und Herstellungsabteilungen war eine gesunde Maßnahme. Außerdem bot eine Buchproduktion in Holland leichtere Transportmöglichkeiten in die für unsere Bücher zugänglichen Länder, da uns von Schweden aus der direkte Weg durch Deutschland versperrt war. (Später, nach der Besetzung Hollands, konnten wir aufgrund eines deutsch-schwedischen Abkommens für unsere Stockholmer Produktion plombierte Waggons zum Transport nach der Schweiz benutzen.)

Thomas Manns Haltung unmittelbar nach der Besetzung Österreichs entsprang einer verständlichen Besorgnis um das Schicksal seines Werkes. Von dem Wiener Exilverlag war nichts übrig geblieben. Die gesamten Buchvorräte waren verloren. Und meine zunächst nur vagen Hoffnungen und Pläne boten keine sehr überzeugenden Aussichten für die Zukunft. Auf der anderen Seite gab es Verlagsmöglichkeiten, auch für sein Originalwerk in deutscher Sprache, bei seinem amerikanischen Verleger Alfred Knopf. Oder es schien ihm jedenfalls so. Und schließlich gab es die beiden Exilverlage in Holland, die in der Lage waren, sofort einzuspringen.

Daß ich so schnell und auf so sicherer Grundlage ein neues Verlagsunternehmen aus dem Boden stampfen würde, konnte er nicht erwarten, als er seine Briefe an mich schrieb, ebensowenig wie er und wir alle in dieser Zeit ahnen konnten, daß der schwedische Bermann-Fischer Verlag als einziger der drei großen deutschen Exilverlage überleben würde.

Der Brief Thomas Manns, der die für mich so tief deprimierende Episode abschloß, war wieder im alten freundschaftlichen Ton gehalten:

»24. VI. 38

The Bedford
118 East 40th Street
New York

Lieber Dr. Bermann,
Vielen Dank für Ihren erfreulichen Brief vom 8. ds. Mts. Die Dinge scheinen sich nun ganz so zu ordnen, wie ich es mir und uns allen wünschte.

Wir segeln am 29. mit ›Washington‹ noch einmal nach Europa zurück, um den Rest des Sommers in der Schweiz zu verbringen, bevor wir uns im Herbst in Princeton niederlassen, wo ich ein festes Verhältnis mit der Universität eingegangen bin.

Es wird uns wohltun, die Züricher Freunde in Küsnacht noch einmal um uns zu versammeln, und ein bißchen rechnen wir darauf, daß auch Sie und Tutti einmal vorsprechen — oder etwa in Leukerbad, wo ich im August Kur machen möchte.

In den letzten Wochen habe ich wieder an ›Lotte‹ gearbeitet: in Jamestown am Meer.

Heute haben wir in Princeton ein schönes Haus gemietet. Ehrendoktor bin ich von Yale und Columbia geworden. In Princeton aber bin ich ›Lecturer in the Humanities‹. So bitte mich in Zukunft anzusprechen.

Ihr T. M.«

Ich freute mich seiner guten Laune, die aus dem letzten Satz spricht.

Stockholm 1938

Am 3. Mai begab ich mich auf den Weg nach Stockholm, um dort die Verträge zu unterzeichnen.

Es war eine fremde, neue, mich tief erregende Welt. Die Schönheit der Stadt, die noch in ungewohntes Dunkel gehüllt war, zwischen dem Mälarsee und dem Meer gelegen, mit ihren an London erinnernden schwarz verfärbten Häuserfassaden, den tief einschneidenden Buchten, ihren Dächern und Türmen, bezauberte mich. Von der ruhigen Gelassenheit ihrer Menschen strahlte eine Sicherheit aus, die ich lange vermißt hatte.

Tor Bonniers Chauffeur, der mich am Bahnhof erwartete, brachte mich auf das in der Nähe gelegene Landgut Tors. Das langgestreckte Herrenhaus lag auf weiter, von Felsblöcken durchsetzter und von Grasnarbe bedeckter Fläche, von mächtigen roten Stallgebäuden umgeben. Innen empfingen den Gast die mit hellen Möbeln, Kaminen und Bildern meist schwedischer Maler ausgestatteten Räume, wie sie der Fremde, der Lagerlöf, Strindberg und Hamsun gelesen hat, erwartet. Sie zeigten die Kultur und den Geschmack ihrer Bewohner.

Die noch notwendigen geschäftlichen Einzelheiten, die Bestandteil unseres Vertrages werden mußten, waren bald besprochen. Die Brüder Åke und Kai erklärten ihr Einverständnis zu dem Abkommen.

Man brachte mich nun zum Seniorchef Karl Otto Bonnier und seiner Gattin Lisen, die in Djurgården, dem großen, an der Stadtgrenze gelegenen Park residierten. Es war wirklich eine Residenz. Das Haus repräsentierte die große Weltliteratur und nahezu alles, was Skandinavien in den letzten Jahrhundert an großen Dichtern hervorgebracht hatte. Der alte Mann, ein Patriarch von imponierender Gestalt, empfing mich mit gewinnender Freundlichkeit. Er hatte seinen Verlag zu einem der führenden Unternehmen Schwedens entwickelt, zu dem neben den Großdruckereien und Zeitschriften wesentliche Bank- und Industrieinteressen und die große Zeitung ›Dagens Nyheter‹ gehören.

Soviel Herzlichkeit und Verbundenheit hatte ich nicht erwartet. Ich war glücklich, daß ich in solcher Umgebung neu beginnen und meiner Frau und den Kindern eine neue Heimstatt in einem Lande schaffen konnte, in dem die Achtung vor der Würde des Menschen noch zu den Grundlagen des Lebens gehörte.

Mit Ungeduld erwartete ich den Augenblick, da ich Tutti dem alten Herrn und seiner Frau, die sich besorgt nach dem Ergehen der Familie erkundigten und ihre Hilfe für unsere Niederlassung anboten, zuführen würde.

Meine Frau hatte unsere Kinder inzwischen in ein Internat auf der Insel Whight gebracht. Wir trafen uns in London, wo ich Abschied von den Kleinen nahm, von denen wir uns für kurze Zeit trennen mußten. Sie mit uns nach Stockholm zu nehmen, wo wir noch keine Wohnung hatten und eine Arbeit uns erwartete, die uns keine Zeit für die Kinder gelassen hätte, war zunächst nicht möglich.

Bei meinem Rückflug nach Stockholm trug ich einen gewichtigen Vertrag in meinem Gepäck. Franz Werfel, der sich in London aufhielt, bevor er sich endgültig in Südfrankreich niederließ, hatte mit mir abgeschlossen. Ich war dankbar für sein Vertrauen.

Ich mußte jetzt schnell handeln, der Verlag mußte sofort wieder in Erscheinung treten, denn einige Autoren begannen unsicher zu werden. Christiane von Hofmannsthal, die noch in Heidelberg war, verheiratet mit dem Indologen Professor Heinrich Zimmer, wollte wissen, was mit dem Werk ihres Vaters geschehen sollte, »denn wir sind uns klar darüber, daß wir mit unseren Verlagsrechten in Händen eines Verlages sind, der durchaus nicht in der Lage ist, seine Pflichten als Verleger uns gegenüber zu erfüllen und uns seit Mitte März nicht vertrieben kann«, schrieb sie Anfang Mai an meinen Züricher Anwalt.

Es gab aber noch eine andere Komplikation, wie aus einem Brief vom 19. September 1938 hervorgeht:

»Wien, am 19. September 38
III. Schwarzenbergplatz 7

Reichsschrifttumskammer
Landesleitung Österreich
Gruppe Buchhandel

An den Kommissarischen Leiter
des Bermann-Fischer Verlages
Wien III, Esteplatz 5

Es wird uns mitgeteilt, daß Sie die Werke von Hofmannsthal unter dem Hinweis darauf nicht mehr ausliefern, daß es sich um die Werke eines Juden handle. Ich mache Sie darauf aufmerksam, daß Hofmannsthal drei arische und lediglich einen jüdischen Großelternteil hatte und daß nach einer Entscheidung des Reichsministers für Volksaufklärung und Propaganda die Werke von Hofmannsthal nicht zu dem jüdischen Schrifttum zählen, also zu dem Schrifttum, das in den sogenannten jüdischen Buchvertrieben verkauft werden darf. Mit dieser Entscheidung ist eine unmittelbare Förderung des Werkes von Hofmannsthal natürlich nicht verbunden, sie legt aber klar, daß es sich bei diesen Werken nicht um jüdisches Schrifttum handelt.

Außerdem sollen Sie sich mit dem Gedanken tragen, einen großen Teil der Bestände des Verlages ins Ausland zu exportieren. Im Auftrage des Präsidenten der Reichsschrifttumskammer teile ich Ihnen mit, daß er einer solchen Ausfuhr, ohne nicht genau vorher unterrichtet worden zu sein, seine Zustimmung niemals geben wird. Ich ersuche Sie, dies zur Kenntnis zu nehmen und um Stellungnahme.

Heil Hitler!
i. A. Der Geschäftsführer
gez. Dr. Karö Zartmann.

Es war mir schon lange bekannt, was wir hier schwarz auf weiß vor uns hatten, daß die Nazis erwogen, Hugo von Hofmannsthal als ›arischen‹ Dichter zu akzeptieren, sein Werk jedoch gleichzeitig zu unterdrücken. Die groteske Situation wurde von der Familie Hofmannsthal bald durch ihre Auswanderung gelöst. Der ›arische‹ Professor Zimmer zog die Konsequenzen und verließ Deutschland, während Frau Gerty von Hofmannsthal, des Dichters Witwe, nach England übersiedelte. Ihr Sohn, Raimund von Hofmannsthal, lebte längst in den Vereinigten Staaten.

Ich traf Professor Zimmer und Christiane im Juni 1938 in London und schloß einen neuen Verlagsvertrag mit ihnen ab, der die Grundlage für die große Gesamtausgabe bildete.

Der Einspruch des Propagandaministeriums gegen den Verkauf der Wiener Verlagsvorräte im Ausland kam ein wenig spät. Tatsächlich hatte der geschäftstüchtige kommissarische Verwalter meine Wiener Bücher dem Schweizerischen Vereinssortiment in Olten, der Gesamtvertretung des Schweizer Buchhandels, gegen Zahlung in guten Schweizer Franken angeboten. Nur hatte der rechtzeitig von mir unterrichtete Direktor Hess die Erwerbung des gestohlenen Gutes abgelehnt. Für meinen Verlag in Stockholm wäre der Ausverkauf des großen Lagers in Wien eine Katastrophe gewesen. Das relativ kleine Absatzgebiet, das mir noch geblieben war, wäre völlig verstopft worden, zumal das Angebot zu Dumpingpreisen erfolgte.

Von meinem zweiten Besuch in London im Juni 1938 brachte ich neben dem uns so sehr am Herzen gelegenen Hofmannsthalvertrag ein weiteres Verlagswerk in den neuen Exilverlag ein, das Werk von Stefan Zweig. Er hatte mich zu sich nach London gebeten und empfing mich in seiner kleinen Wohnung in der Half Moon Street. Ich war ihm bis dahin nur einmal ganz flüchtig begegnet. Aber ich wußte von seiner uneigennützigen Bereitschaft, seinen jungen Schriftstellerkollegen zu helfen und sie mit Rat und Tat zu unterstützen. Ich hatte mir schon lange gewünscht, diesen Mann kennenzulernen, der bei seiner eigenen umfangreichen Arbeit immer Zeit für andere hatte und seinen ererbten Reichtum zur Unterstützung weniger Begünstigter benutzte.

Er war ein Grandseigneur: mit peinlicher Sorgfalt gekleidet, von unauffälliger Eleganz, wie sie zu seiner eher zarten Konstitution paßte, und von hoher Intelligenz. Schon lange vor der Okkupation hatte er Österreich verlassen, sein Haus in Salzburg aufgegeben, tief enttäuscht und verzweifelt über die politische Entwicklung, die er vorausahnte. Als ich ihn traf, hatte man ihm gerade die britische Staatsbürgerschaft zugesagt. Mit seiner Sekretärin, die er nach der Scheidung von seiner ersten Frau heiratete, setzte ich den Verlagsvertrag über seine früheren und zukünftigen Bücher auf, die nun zusammen mit dem Werk von Thomas Mann, Hugo von Hofmannsthal, Franz Werfel und Carl Zuckmayer die Grundlage für die Weiterentwicklung des neuen Verlages bildeten.

Ein besonderer Umstand kam mir bei der schnellen Eröffnung der Verlagstätigkeit zu Hilfe. Der Leiter der Büchergilde Gutenberg in Zürich, Bruno Dressler, hatte mich während meines ersten Züricher Aufenthaltes um eine Nachdruckslizenz der ›Madame Curie‹ für seine Schweizer Buchgemeinschaft gebeten. In dem Lizenzvertrag, den ich damals mit ihm abschloß, hatte ich den Mitdruck von 4000 Exemplaren für meinen damals noch im Nebel der Zukunft liegenden Verlag zur Bedingung gemacht. Ich konnte das guten Gewissens tun, da ich wohlweislich bald nach meiner Flucht aus Österreich Mademoiselle Eve Curie gebeten hatte, ihren Vertrag mit dem Bermann-Fischer Verlag Wien wegen Unerfüllbarkeit zu kündigen und mir die Rechte an ihrem Buch für alle Länder außerhalb Deutschlands und Österreichs neu zu übertragen, was sie sofort getan hatte.

So kam es, daß ich schon im Juli 1938 mit der Lieferung der von der Büchergilde gedruckten Exemplare beginnen konnte. Es waren knapp vier Monate nach der Flucht aus Österreich vergangen, als der Bermann-Fischer Verlag Aktiebolag, Stockholm, mit seinem ersten ›Bestseller‹ in den Buchhandlungen der freien Welt in Erscheinung trat.

Wir hatten uns zunächst in einer kleinen Pension eingemietet. Am ersten Morgen, ich war gerade im Begriff, mich in der Stadt nach Büroräumen umzusehen, ließ sich ein Herr bei uns melden — mit steifem schwarzem Hut auf dem Kopf und goldenem Zwicker auf der Nase. Er erklärte mir ohne weitere Umstände, nachdem er sich als Walter Singer vorgestellt hatte, daß er die Buchhaltung und geschäftliche Leitung meines neuen Verlages übernehmen wolle. Er sei Bankangestellter in Moskau gewesen und habe gleichzeitig als Korrespondent für das Berliner Tageblatt gearbeitet. 1917 sei er nach Schweden geflohen und inzwischen schwedischer Staatsbürger geworden. Mit seiner Beherrschung der schwedischen und deutschen Sprache, mit seinen kaufmännischen und literarischen Kenntnissen und seinen guten Beziehungen in Stockholm sei er der richtige Mann für mich und wolle sogleich damit beginnen, mir ein Büro und eine schwedisch und deutsch sprechende Sekretärin zu besorgen. Meine Beteuerungen, daß ich ja eben erst angekommen sei und mich selbst noch gar nicht umgesehen hätte, nutzten gar nichts und waren für ihn nur eine Bestätigung dafür, wie sehr ich ihn brauchte. Um es gleich zu sagen: Walter Singer wurde Geschäftsführer des Stockholmer Verlages. An seiner unerschütterlichen Gelassenheit brachen sich die Stürme, die uns noch bevorstanden. Zehn Jahre lang hielt er während meiner Abwesenheit die Position in Stockholm, bis ich ihn bei unserer Rückkehr nach Deutschland wegen seines hohen Alters pensionierte. An der Wiedererstehung des Hauses in Deutschland hat er sich noch herzlich gefreut. Er starb 1953.

Sein Versprechen, für alles zu sorgen, hielt er vom ersten Augenblick ein. Schon 24 Stunden später kam er mit der Nachricht, er habe das Büro bereits gefunden. Mitten in der Stadt, am Stureplan 19, in einem eben umgebauten modernen Bürohaus, war es gelegen. Genau das Richtige für uns. Auch die Sekretärin, eine schwedisch sprechende deutsche Emigrantin, fand er bald. Ein paar Tage später saß er an seinem Schreibtisch, mit dem steifen Hut auf dem Kopf, dem Zwicker auf der Nase, und legte die Buchhaltung und die für die Administration und den Vertrieb notwendigen Bücher und Formulare an, telefonierte mit Druckereien und Bindereien, und der Verlagsbetrieb begann, als wären wir gerade nur aus einem anderen Stadtteil in ein neues Büro umgezogen.

Die Notrufe aus Wien mehrten sich inzwischen. Dr. Justinian Frisch war in ein Konzentrationslager gebracht worden. Dr. Victor Zuckerkandl stand dem Nichts gegenüber. Mit Hilfe von Bonniers, die die schwedischen Behörden mobilisierten, gelang es mir, beide mit ihren Frauen aus Österreich herüberzuholen. Im September trafen sie in Stockholm ein und nahmen die Arbeit im Verlag auf.

Es wurde mit Hochdruck in unserem kleinen Betrieb gearbeitet. Ende August mußten die Herbstbücher auf dem Markt sein. Vier Romane lagen im Manuskript vor. Von Franz Körmendi ›Der Irrtum‹, dessen erster Roman ›Versuchung in Budapest‹ seinerzeit in Deutschland Erfolg gehabt hatte; von Karl Otten, der nach England emigriert war, ›Torquemadas Schatten‹, von Carl Zuckmayer ›Herr über Leben und Tod‹, und der erste und einzige Roman von Stefan Zweig ›Ungeduld des Herzens‹, die

Biographie ›Dunant, Roman des Roten Kreuzes‹ von Martin Gumpert, der nach den USA geflüchtet war und sich dort als Arzt niedergelassen hatte, der Essayband ›Achtung, Europa‹ von Thomas Mann und die schon vorher genannte Biographie ›Madame Curie‹ von Eve Curie. Daneben setzte ich die Schriftenreihe ›Ausblicke‹, die ich in Wien begonnen hatte, fort — mit Essays von Johan Huizinga ›Der Mensch und die Kultur‹, Thomas Mann ›Schopenhauer‹, Franz Werfel ›Von der reinsten Glückseligkeit des Menschen‹ und Carl Zuckmayer ›Pro Domo‹. Es war ein gewagtes Unternehmen. Ohne die Rückendeckung durch das Haus Bonnier hätte ich es nicht riskieren können. Die günstigen Voraussetzungen, die der Wiener Verlag noch bei seinem Start gehabt hatte, fehlten hier: das Absatzgebiet war zusammengeschrumpft, mein Eigenkapital wesentlich verringert und das große Wiener Buchlager, das eine einträgliche Einnahme garantiert hatte, war in den Händen der Nazis. Es gab kein einziges Buch unserer großen Autoren mehr. Alles mußte neu geschaffen, alles von vorn begonnen werden.

Da waren der gute Name, die Treue der Autoren und unser unerschütterlicher Mut, weiterzumachen und durchzuhalten. Der S. Fischer Verlag durfte nicht untergehen.

Von den Autoren kamen ermutigende und anerkennende Briefe. Franz Werfel, der damals noch in Paris lebte, schrieb mir:

»Royal-Madeleine Hotel

Paris, 26. 12. 38

Lieber Freund.

. . . Ich danke Dir innig für Deinen Bericht und die zugesandten Zeitungsausschnitte. Auch gratuliere ich Dir von Herzen zu den großen und sehr realen Erfolgen, die Du gleich im ersten Sturm an Deine Fahnen heftest. Das ist wunderbar! Landauer erzählt mir, daß der Zweig-Roman einen erstaunlichen Absatz hat. Auch das freut mich sehr . . .

Das neue Jahr steht vor uns. Sehr sphynxhaft. Kann's noch schlimmer werden als 38?? Möglicherweise! Dennoch bin ich ohne jeden vernünftigen Grund merkwürdig optimistisch in meinem Ahnen. Euch wünsche ich weiteren Aufstieg und Glück und die vollkommene Bergung all Eurer Lieben und jegliches Gelingen.

Euer Franz Werfel.«

Unsere Lieben: Frau Hedwig Fischer war immer noch in Berlin. Erst Anfang 1939 gab sie endlich unserem Drängen und dem Rat unserer Freunde nach und entschloß sich zur Auswanderung. Die Schwierigkeiten waren jetzt fast unüberwindlich, und es kostete ihr ganzes noch übriggebliebenes Vermögen, um die Bewilligung zur Auswanderung, zur Mitnahme einiger Möbel und ihrer Privatkorrespondenz mit den Verlagsautoren und einen Reisepaß zu erhalten. Das Haus im Grunewald mußte verkauft werden, um die unersättlichen Behörden befriedigen zu können. Aber sie selbst kam noch unbehelligt heraus. Es war der letzte Moment gewesen. Wenige Wochen später war der Fluchtweg endgültig geschlossen. Wir hatten meine Mutter aus Berlin zu uns geholt und den kleinen Sohn meiner Schwester bei uns aufgenommen.

Mein Schwager, Offizier im Ersten Weltkrieg und Anwalt in Chemnitz, gehörte zu den deutschen Juden, die noch bis zum Jahre 1939 nicht glauben wollten, daß Hitlers Judenhetze und die Drohungen in ›Mein Kampf‹ ernst gemeint waren. Mit Mühe war er aus dem Konzentrationslager befreit worden und konnte nach Norwegen entfliehen, wo ihn und meine Schwester dann doch noch das furchtbare Schicksal ereilte: Sie endeten in Auschwitz.

Meine Frau hatte vier Kinder von Freunden aus Österreich nach Schweden holen können und sie teils bei den hilfsbereiten Bonniers, teils bei anderen schwedischen Familien untergebracht. Sie alle, wie auch mein Neffe, sind erfolgreiche schwedische Bürger geworden.

Unser eigenes Leben gestaltete sich in glücklicher Weise. Tor Bonniers hatten uns ihr Sommerhaus in Dalarö, einer weit in den Skärgården vorspringenden Halbinsel, nur 25 km von Stockholm entfernt, zur Verfügung gestellt. Es war ein aus schweren rotbraunen Holzplanken gebautes Haus, dessen Räume mit alten schwedischen Bauernmöbeln ausgestattet waren. Aus den Fenstern blickte man zu beiden Seiten auf das von zahllosen felsigen Inseln bedeckte Meer. Gewaltige graue Felsblöcke lagerten in dem schütteren, das Haus umgebenden Kiefernwald, der bis zu den steil ins Meer abfallenden Felshängen der Halbinsel reichte.

Ich fuhr jeden Morgen mit meinem kleinen Wagen zur Stadt. Wieviel glückliche Stunden verbrachten wir mit den Kindern und alten und neuen Freunden während dieses schönen Sommers 1938 in den von der Sonne erwärmten Felsen unserer Meeresbucht, auf den romantischen Inseln des Skärgården und in diesem Haus unserer nordischen Zuflucht.

Fritz Busch war aus Argentinien, seiner ersten Zuflucht nach seiner Auswanderung, nach Stockholm gekommen, wo er als ständiger Gastdirigent der Oper und des Philharmonischen Orchesters wirkte. Er hatte Dresden, dessen Oper er als Generalmusikdirektor vorstand, 1933 aus Protest gegen die Übergriffe der Nazipartei verlassen, ebenso wie sein Bruder Adolf, der berühmte Geiger, dem Deutschland Hitlers den Rücken gekehrt hatte.

Er war einer der wenigen nicht direkt betroffenen deutschen Künstler, die freiwillig unter Aufgabe ihres Besitzes und ihrer Karriere, aus tiefem Haß gegen die Zerstörer der deutschen Kultur, das Land verließen und ihr Bestes im Ausland repräsentierten.

Seine Konzerte und seine Aufführungen mit dem außerordentlichen Ensemble der Stockholmer Oper gehören zu unseren schönsten Erinnerungen aus diesen Jahren. Unvergeßlich wird mit immer seine ›Cosi fan tutte‹ an der Stockholmer Oper bleiben, die er kurz zuvor, mit seinem Freund Carl Ebert als Regisseur, in Glyndebourne herausgebracht hatte. Alles, was es Liebenswertes an einem Menschen gibt, war in ihm vereinigt. Er war offen und gerade heraus, Intrigen, wie es sie — wie in vielen anderen Berufen auch — nicht zum wenigsten unter Dirigenten gibt, waren ihm fern. Seine warme Herzlichkeit, sein Humor, gepaart mit einer gesunden Skepsis gegenüber unkritischem Denken und irrationalen Spekulationen, führten zu einem freundschaftlichen Verhältnis zwischen uns, ihm und seiner Frau, die ihrerseits bei großem Kunstverstand die praktischen Seiten des Lebens ihrer Familie zu regeln wußte.

Eines Tages tauchte Bert Brecht auf. Er hatte seinen Arbeitsplatz in einem scheunenartigen Gebäude am Rande der Stadt. Unter Gerümpel aller Art saß er in einer Ecke des bis unter das hohe Dach reichenden Raumes an seinem Schreibtisch. Ich begegnete ihm leider erst, als unsere Stockholmer Tage sich schon ihrem Ende zuneigten, so daß unsere eben beginnenden freundschaftlichen Beziehungen nur von kurzer Dauer waren. Sie standen schon unter dem Zeichen der drohenden deutschen Invasion und der Fluchtsorgen, die unsere Gespräche beherrschten.

In unserem ersten Stockholmer Sommer war es, daß ich jenen unvergeßlichen Mann kennenlernte, dessen unermüdlicher Hilfsbereitschaft unzählige Menschen in diesen Jahren des Unglücks und der Verzweiflung unendlich viel Gutes zu verdanken hatten. Henrik Willem van Loon, holländischer Abstammung, war in jungen Jahren nach den Vereinigten Staaten gegangen, hatte in Harvard studiert, zusammen mit Franklin Delano Roosevelt, dessen Freund er war. Seine populärwissenschaftlichen Bücher waren zu dieser Zeit in der ganzen Welt in großen Auflagen verbreitet. Sein Buch ›Die Erde‹ ist das Vorbild für diese Art von Populärliteratur geworden. In Amerika war er eine Figur, die sozusagen die Kinder auf der Straße kannten. Er war von imponierender Größe und gewaltigem Leibesumfang. Alles an ihm war groß, seine Nase, seine Augen, seine Hände und — sein Herz.

Zum 80. Geburtstag des damaligen schwedischen Königs Gustav Adolf V. war er als Berichterstatter einer großen amerikanischen Radiostation nach Stockholm gekommen. Eine solche Gelegenheit darf sich ein Verleger nicht entgehen lassen.

Als ich ihm am Telefon meinen Namen nannte und ihn in stotterndem Englisch um eine Zusammenkunft bat, antwortete er mir in fließendem Wienerisch. Niemals bin ich einem Menschen mit so schneller Assoziationsfähigkeit begegnet. Er hatte durch Thomas Mann, der ein paar Tage sein Gast in seinem Haus in Old Greenwich, Connecticut, gewesen war, offenbar von mir gehört und sofort auf Wien umgeschaltet, als ich meinen Namen nannte. Aus der ersten Begegnung in seinem Hotelzimmer entwickelte sich eine lange Freundschaft, die bis zu seinem Tode dauerte.

Fremde Sprachen saugte er wie ein Schwamm auf. Wenige Tage nach seiner Ankunft konnte er sich bereits auf Schwedisch unterhalten. Deutsch konnte er in allen Dialekten, und als er nach einem kurzen Besuch bei Sibelius aus Helsinki nach Stockholm zurückkam, begrüßte er uns auf finnisch. Meine Kinder liebten den Riesenonkel innig und konnten sich totlachen, wenn er eine ganze Schüssel voll roter Grütze vertilgte, nachdem er erst einen Finger in die ihm unbekannte Speise hineingesteckt und abgeleckt hatte. Er konnte ungewöhnliche Mengen verschlingen, und meine Frau hatte in Dalarö, wenn er zu Besuch kam, Vorkehrungen für mindestens drei Portionen zu treffen, um seinen Appetit zu befriedigen. Neben seiner schriftstellerischen Arbeit spielte er die Geige und malte. Immer trug er einen kleinen Farbkasten bei sich und benutzte jede vorhandene Flüssigkeit, Wasser, Bier oder Wein, um den Pinsel zu befeuchten und zauberhafte Aquarellskizzen hervorzubringen. Nach getanem Werk trocknete er ihn an seinen Haaren ab.

Wenn ich ihm einen Bedürftigen nannte, ließ er nicht einen Moment verstreichen, um seine Hilfe anzubieten. Nur ein Beispiel von vielen: ich erwähnte, als wir bereits in Old Greenwich in seiner Nähe lebten, ganz beiläufig, wie schlecht es einem mir bekannten österreichischen Schriftsteller in New York gehe. Er schlug vor, ihn doch einmal zu ihm zu bringen. Nach dem Essen bat er ihn in sein Arbeitszimmer. Eine Viertelstunde später hatte er ihn als Sekretär engagiert, mit Gehalt, freier Wohnung und Verpflegung. Nie vorher hatte Henrik Willem einen Sekretär gehabt, schon gar nicht einen, der weder die englische Sprache noch die Stenographie beherrschte. Aber das war seine Methode zu helfen, ohne zu demütigen.

Auch in Stockholm war es mir indessen nicht vergönnt, in Ruhe meiner verlegerischen Tätigkeit nachzugehen. Es gab keinen

Platz auf dieser Erde mehr, auf dem einen die Ausstrahlung des Bösen in Deutschland nicht erreichte.

Am 5. November 1938 hatten Eugen Claassen und Henry Goverts ein heimliches Treffen mit mir in Kopenhagen vereinbart. Während des Essens im Speisesaal des Hotels ›Angleterre‹ wurde ich ans Telefon gerufen: ein Anruf aus Berlin. Er konnte nur von Frau S. Fischer sein und nichts Gutes bedeuten.

Mit meiner Frau in der engen Telefonzelle eingezwängt, wartete ich aufgeregt auf die Herstellung der Verbindung. Zu meinem Erstaunen meldete sich Justizrat Dr. Rosenberger, der frühere Sozius meines Berliner Anwalts und zeitweilige Vertreter von Frau Fischer, und teilte mir mit, er rufe im Namen von Herrn Adalbert Droemer, Inhaber der Firma Knaur, Berlin, an. Herr Droemer hätte die deutschen Verlagsrechte an dem Buch ›Madama Curie‹ von Eve Curie von dem kommissarischen Leiter des Bermann-Fischer Verlages, Wien, erworben. Er habe erfahren, daß ich angeblich über die Auslandsrechte verfüge und lasse mir mitteilen, daß das Propagandaministerium Schritte *gegen* Frau S. Fischer unternehmen würde, wenn ich diese Rechte nicht unverzüglich auf ihn übertrüge. — Mir stockte vor diesem gemeinen Erpressungsversuch der Atem. Aber ich faßte mich schnell. Ich konnte mir trotz der Skrupellosigkeit und Brutalität der Nazibehörden nicht denken, daß das Propagandaministerium ausgerechnet Herrn Droemer in einer so unwichtigen Sache Hilfestellung leisten sollte. Meine Antwort war, daß ich geschäftliche Besprechungen unter erpresserischem Druck ablehnen müsse, und ich hängte ab. Wohl war mir nicht dabei zu Mute. Aber ich hatte recht gehabt. Es war ein Bluff des Herrn Adalbert Droemer und wohl späte Rache für meine Ablehnung seines ›Buddenbrooks‹-Planes im Jahre 1929. Die Gemeinheit war nicht zu übertreffen. Und das letzte Raffinement war es, daß er sich für diesen Erpressungsversuch des jüdischen Anwalts von Frau Fischer bediente. Warum er zu diesem Mittel griff, war mir klar. Er hatte die Rechte an dem Erfolgsbuch nur für Deutschland und Österreich von Eve Curie erwerben können, da sie die Rechte für die übrige Welt mir übertragen hatte. Für die Überweisung des nicht unerheblichen Betrages, den Eve Curie von ihm als Vorauszahlung auf die künftigen Honorareinnahmen verlangt hatte, bedurfte es der Genehmigung der Reichsbank, die von ihm, wie immer in solchen Fällen, den Nachweis verlangte, daß er aus dem Verkauf des Buches im Ausland Devisen in mindestens gleicher Höhe einbringen würde. Da Droemer das Buch im Ausland nicht verkaufen und diesen Nachweis nicht erbringen konnte, war er Eve Curie gegenüber in Schwierigkeiten geraten und versuchte, **mich zur Freigabe meiner Rechte zu zwingen.**

Zunächst erfolgte nichts mehr. Aber Herr Droemer war zäh und gab nicht so bald auf.

Einen Monat später erhielt ich das nachfolgende Schreiben von einem Berliner Anwalt, Dr. jur. Kurt Runge, Berlin W 62, Kleiststraße 22, das charakteristisch für die damalige Rechtsauffassung ist.

Herrn Dr. Bermann   Berlin, den 7. Dezember 1938
per Adr. Verlag Albert Bonnier
STOCKHOLM (Schweden)
Sveawägen

»Betr.: Deutsche Ausgabe des Werkes von Eve Curie über das Leben der Madame Curie.

Namens und in Vollmacht der Firma Th. Knaur Nachf. Berlin W 50 habe ich Ihnen folgendes mitzuteilen:

Sie haben als Inhaber des Bermann-Fischer Verlages Stockholm sowohl in Schweden wie auch in der Schweiz das Werk von Eve Curie über das Leben ihrer Mutter in deutscher Sprache angekündigt. Sie haben dies getan, obwohl Ihnen bekannt ist, daß Sie als Geschäftsführer der Bermann-Fischer Verlags Ges. m. b. H. Wien mit Fräulein Curie im August 1936 einen Verlagsvertrag über dieses Werk abgeschlossen haben, aus dem einzig und allein der Wiener Verlag berechtigt und verpflichtet worden ist. Der Knaur Verlag hat durch den Vertrag vom 22. Oktober d. J. diese Rechte an dem Werk über Madame Curie einschließlich des Rechts an der deutschen Übersetzung von Maria Giustiniani käuflich erworben und ist damit Rechtsnachfolger des Wiener Verlages geworden. Der Originalvertrag beweist deutlich, daß das Verlagsrecht zum gewerblichen Betriebsvermögen der Wiener Verlags Ges. m. b. H. gehört hat, von dieser bezahlt und zur Vervielfältigung und Verbreitung des Werkes über Madame Curie verwertet worden ist. Da Sie als Geschäftsführer der Wiener Ges. m. b. H. nicht über Geschäftsvermögen der Ges. m. b. H. zu Ihrem persönlichen Vorteil verfügen durften, bestand also für Sie keine Möglichkeit, als Sie seinerzeit die Flucht ergriffen, diese zum Betriebsvermögen des Verlages gehörigen Rechte an sich zu bringen.

Daß Sie selbst diese Auffassung teilen, geht am besten daraus hervor, daß Sie es als Inhaber des Bermann-Fischer Verlages, Stockholm, für notwendig gehalten haben, Ende April dieses Jahres mit Fräulein Curie einen neuen Vertrag für die Rechte an der deutschsprachigen Ausgabe des Werkes außerhalb des Reichsgebietes abzuschließen, was Sie zweifellos nicht getan haben würden, wenn Sie der Ansicht gewesen wären, daß der Verlagsvertrag vom August 1936 auf Sie persönlich übergegangen sei. Denn nach diesem Vertrag stand der Bermann Fischer Verlag Ges. m. b. H., Wien, das Recht an der deutschsprachigen Ausgabe in der ganzen Welt, also einschließlich des Reichsgebietes, zu. Die Bermann-Fischer Verlag Ges. m. b. H., Wien, ist der Auffassung, und zwar offenbar mit Recht, daß Fräulein Curie gar nicht in der Lage war, mit Ihnen einen neuen Vertrag abzuschließen, weil der alte Verlagsvertrag vom August 1936 noch bestand. Zumindest hat Fräulein Curie es unterlassen, durch angemessene Fristsetzung sich die Möglichkeit des Rücktritts von dem alten Verlagsvertrag gegenüber der Bermann-Fischer Ges. m. b. H., Wien, zu verschaffen, zumal die durch die bekannten Ereignisse in der deutschen Ostmark eingetretene Verzögerung in den Leistungen des Wiener Verlages auf höhere Gewalt und damit auf Umstände zurückzuführen war, die der Wiener Verlag nicht zu vertreten hatte. Es kann jedoch im Augenblick dahingestellt bleiben, ob der Knaur-Verlag auf Grund seiner Rechtsnachfolge bezüglich des Buches über Madame Curie in der Lage ist, Ihnen die weitere Herstellung und den weiteren Vertrieb einer deutschsprachigen Ausgabe des Werkes *schlechthin* zu untersagen und Ihr Vorgehen notfalls mit gerichtlicher Hilfe auf Grund der revidierten Berner Übereinkunft, insbesondere durch Beschlagnahme gemäß Art. 16 zu unterbinden. Auf jeden Fall durften Sie unter gar keinen Umständen die durch die Art. 8 der revidierten Berner Übereinkunft geschützte deutsche Übersetzung von Maria Giustiniani für Ihre Ausgabe verwenden, wodurch Sie sich einer schweren Urheberrechtsverletzung schuldig gemacht haben.

Ich forderte Sie daher auf, mir *unverzüglich* zu erklären, daß Sie auf weitere Herstellung und gewerbsmäßige Verbreitung des Werkes von Eve Curie über das Leben der Madame Curie unter Zugrundelegung der deutschen Übersetzung von Maria Giustiniani verzichten, die auf Ihrem Lager befindlichen Exemplare einstampfen und ebenso die beim Buchhandel noch vorrätigen Exemplare zurückrufen und ebenfalls einstampfen werden. Gleichzeitig wollen Sie angeben, wieviel Exemplare bisher von Ihnen bzw. der Firma Bonnier und Ihren sonstigen Beauftragten und zu welchen Preisen verkauft worden sind, da Sie dem Knaur-Verlag auf Grund Ihrer Urheberrechtsverletzung an der Übersetzung, die Sie sich widerrechtlich angeeignet haben, zur Rechnungslegung verpflichtet sind. Im übrigen behalte ich dem Knaur-Verlag alle Ansprüche, insbesondere auf Schadenersatz und Kostenerstattung ausdrücklich vor.

Sollte ich nicht unverzüglich in den Besitz der gewünschten Erklärung gelangen, werde ich auftragsgemäß auf Grund von Art. 16 der Revidierten Berner Übereinkunft die gerichtliche Beschlagnahme Ihrer Ausgaben herbeiführen.

Es fällt übrigens dem Knaur-Verlag auf, daß Sie in dem Anzeiger für den Schweizerischen Buchhandel Nr. 21 vom 10. November 1938 Seite 170 das in Rede stehende Werk anzeigen mit der Angabe, ›37. bis 41. Auflage‹.

Es liegt hier eine gegen das unlautere Wettbewerbsgesetz und die Pariser Verbandsübereinkunft verstoßende Irreführung des Publikums über die Auflagenhöhe vor. Denn da der Bermann-Fischer Verlag, Stockholm, in keiner Weise Rechtsnachfolger der Wiener Ges. m. b. H. ist, sondern ausschließlich der Knaur-Verlag die Rechtsnachfolge des Wiener Verlages mit Bezug auf dieses Werk angetreten hat, sind Sie keinesfalls berechtigt, die früher in der Wiener Verlags Ges. m. b. H. erschienenen Auflagen Ihrer jetzigen Auflage zuzurechnen. Ich muß Sie ersuchen, mir in Ihrer Erklärung auch die Bestätigung zu erteilen, daß Sie in Zukunft diese unrichtige Auflagenangabe nicht mehr machen werden, da sich anderenfalls der Knaur-Verlag vorbehalten muß, auch dieserhalb gegen Sie auf Grund der Vorschriften über den internationalen Schutz des redlichen Wettbewerbs vorzugehen.

An die Büchergilde Gutenberg in Zürich sowie das Vereinssortiment in Olten habe ich im gleichen Sinne geschrieben.
Hochachtungsvoll

Kurt Runge, Rechtsanwalt«

Ph/GE den 19. Dezember 1938
Rechtsanwalt Dr. Kurt Runge
Kleiststraße 22,
BERLIN, W 62.

»Betr.: Deutsche Ausgabe des Werkes von Eve Curie MADAME CURIE.

Namens und in Vollmacht der Firma Bermann-Fischer Verlag, A. B., Stockholm, Stureplan 19, teile ich Ihnen in Beantwortung Ihres an Dr. Bermann persönlich gerichteten Schreibens vom 7. Dezember 1938 folgendes mit:
I. Dr. Bermann ist nicht der Inhaber der Bermann-Fischer Verlag A. B., Stockholm, vielmehr ist diese Gesellschaft eine Aktiengesellschaft, bei der Dr. Bermann lediglich angestellter Geschäftsführer ist. In der Annahme, daß Ihr Schreiben nur irrtümlicherweise an Herrn Dr. Bermann persönlich gerichtet ist, beantworte ich es im Namen der Bermann-Fischer Verlag A. B., Stockholm. Diese ist im Besitze eines rechtsgültigen Vertrages mit Fräulein Eve Curie. Aus diesem Verlagsvertrag ist die Bermann-Fischer Verlag A. B., Stockholm, berechtigt, das genannte Werk außerhalb Deutschlands in deutscher Sprache herzustellen, zu propagieren und zu verkaufen.
II. Ihre Behauptung, daß der Verlag Th. Knaur Nachfolger, Berlin, durch einen Vertrag vom 22. Oktober die Rechte an dem Werk MADAME CURIE von der Bermann-Fischer Verlag Ges. m. b. H., Wien, käuflich erworben hat und damit Rechtsnachfolger des Wiener Verlages geworden ist, steht — sofern ich den Inhalt des § 28 im deutschen Verlagsgesetz richtig verstehe — im Widerspruch zu diesem Gesetz, nach dem ein Verlag nicht berechtigt ist, ihm gehörende Verlagsrechte ohne ausdrückliche Zustimmung des Autors weiterzuverkaufen. Es ist unbestreitbar, daß eine derartige Zustimmung von Fräulein Eve Curie der Bermann-Fischer Verlag Ges. m. b. H., Wien, nicht erteilt worden ist. Infolgedessen ist ein etwa zwischen Knaur und Bermann-Fischer Verlag, Wien, abgeschlossener Vertrag über das genannte Werk rechtsungültig. Das Urheberrecht an der von Frau Maria Giustiniani im Einverständnis mit der Autorin veranstalteten Übersetzung gehört der Übersetzerin. Dieses Recht als solches wurde nicht am Wiener Verlag übertragen, sondern dem Wiener Verlag war es nur gestattet, gegen Bezahlung des Honorars die Übersetzung für seine Zwecke zu gebrauchen, nicht aber das Urheberrecht der Übersetzung zu veräußern. Darum kann die Firma Knaur Nachfolger nicht ohne ausdrückliche Zustimmung der Übersetzerin das Urheberrecht an der Übersetzung erwerben.
III. Da die Bermann-Fischer Verlag, Ges. m. b. H., Wien, nicht in der Lage ist, ihren Vertragsverpflichtungen gegenüber Fräulein Eve Curie nachzukommen (sie hat bis zum heutigen Tage die fälligen Honorare nicht bezahlt und sie ist nicht in der Lage, Neuauflagen des Werkes zu veranstalten), besteht die Kündigung des Verlagsvertrages durch Fräulein Eve Curie zu Recht. Auch aus diesem Grunde war die Ber-

mann-Fischer Verlag Ges. m. b. H. nicht berechtigt, die Verlagsrechte an dem genannten Werk zu veräußern.

IV. Nach dem Vertrag mit Frau Giustiniani, hat die Übersetzerin eine Pauschalsumme für die ersten 20 000 Exemplare erhalten und eine Tantieme von 5 % des broschierten Verkaufspreises für die übrigen Exemplare zu bekommen. Da Ende Juli 1938, zu dem Zeitpunkt als die hiesigen Ausgaben erschienen, diese Grenze bereits überschritten war und da es als ausgeschlossen gelten konnte, daß Frau Giustiniani als ›Nicht-Arierin‹ ihre Tantiemen erhalten könnte, ja sogar daß die Übersetzung überhaupt noch weiter verwendet werden könnte, ist dieser Vertrag wegen Unmöglichkeit der Erfüllung ungültig.

Abgesehen davon ist Herr Dr. Bermann-Fischer nach hiesiger Rechtsauffassung nach wie vor alleiniger Eigentümer sämtlicher Geschäftsanteile der Bermann-Fischer Verlags Ges m. b. H., Wien. Die Beschlagnahme seines Verlages und die Einsetzung eines Kommissars ändert an dieser Tatsache nichts. Danach ist Herr Dr. Bermann allein verfügungsberechtigt über das Eigentum der Wiener Gesellschaft, somit auch über dessen eventuellen Rechten an der Übersetzung des genannten Werkes von Frau Maria Giustiniani.

Ihre Behauptung, daß meine Mandantin sich durch die Benutzung dieser Übersetzung für die Stockholmer Ausgabe einer Urheberrechtsverletzung schuldig gemacht hätte, weise ich mit allem Nachdruck zurück.

V. Nachdem die Firma Th. Knaur Nachfolger am 22. Oktober 1938 *alle* diesbezüglichen Rechte des Wiener Verlages erworben zu haben behauptet, hat sie im November direkt mit Fräulein Eve Curie einen Verlagsvertrag über das genannte Werk und zwar ausschließlich für die Herstellung, Propaganda und den Verkauf innerhalb Reichsdeutschlands abgeschlossen. Es ist mir nicht ganz verständlich, wie Sie sich, als Vertreter der Firma Knaur angesichts dieses Vertragsabschlusses, der eine Anerkennung der Rechtslage durch ihren Mandanten darstellt, auf einen angeblichen Vertragsabschluß zwischen der Bermann-Fischer Verlag Ges. m. b. H., Wien, und der Firma Th. Knaur Nachfolger, Berlin, berufen können und sich dadurch zu den Maßnahmen Ihres Mandanten in Widerspruch setzen.

VI. Der von Ihnen erwähnte neue Vertragsabschluß meiner Mandantin mit Fräulein Eve Curie stellt keineswegs eine Anerkennung Ihrer Auffassung der Rechtslage dar, er war vielmehr deshalb notwendig, weil meine Mandantin in Zukunft nur noch den Verkauf des Buches außerhalb Reichsdeutschlands vorzunehmen wünschte. Infolgedessen war eine Abänderung des früher bestehenden Vertrages notwendig geworden.

VII. Da, wie oben bereits ausgeführt, Dr. Bermann allein berechtigt ist, über das Eigentum der Bermann-Fischer Verlag Ges. m. b. H. zu verfügen, steht ihm zweifellos auch das Recht zu, die Auflagenbezeichnung fortzuführen. Ich weise deshalb Ihren Vorwurf, daß meine Mandantin sich gegen das Wettbewerbsgesetz vergangen hätte, mit Entschiedenheit zurück.

VIII. Was den Lizenzverkauf an die Bücher-Gilde Gutenberg anbetrifft, möchte ich, abgesehen von der hiesigen Rechtsauffassung über die Besitzverhältnisse, bemerken, daß zu der Zeit, als dieser Verkauf stattfand, der Wiener Verlag weder beschlagnahmt war noch unter kommissarischer Leitung stand.

IX. Es erübrigt sich wohl, noch hinzuzufügen, daß meine Mandantin selbstverständlich nicht daran denkt, die Herstellung und den Vertrieb des Werkes einzustellen. Sie sieht den von Ihnen angedrohten gerichtlichen Schritten mit Ruhe entgegen.

Hochachtungsvoll
Unterschr. Philipsohn«

Das Schweizerische Vereinssortiment in Olten erhielt einen inhaltlich gleichen Brief von Herrn Runge, ebenso die Büchergilde Gutenberg in Zürich. Beide lehnten die an sie gestellte Zumutung, die Bücher zu vernichten, respektive den Vertrieb einzustellen, mit Entrüstung ab.
Von Herrn Droemer ward danach nichts mehr gehört.

Meine Bemühungen, Robert Musil aus Österreich herauszubringen, führten zunächst zu keinem Erfolg. Sie scheiterten an Musils weltfremden Forderungen. Er verlangte eine finanzielle Garantie und ein absolut ruhiges Zimmer. Weiß Gott wäre ihm das von Frau Mayrisch, der Gattin des Luxemburger Industriellen, in ihrem herrlichen Haus, das so viele große Geister beherbergt hatte, zugestanden worden. Thomas Mann schrieb in diesem Zusammenhang unter dem 27. 7. 38:

» . . . Nun noch zum Fall Musil. Gewiß ist es schwer, die Verantwortung für seine Emigration zu übernehmen, aber schließlich kommt etwas Anderes für ihn ja gar nicht in Betracht. Im Reich werden seine Bücher nicht publiziert werden, alle Veröffentlichungsmöglichkeiten, die für ihn bestehen, liegen außerhalb; die wohlhabenden Freunde und Gönner, die etwa bis jetzt in Wien ihn unterstützt haben, sind dazu nicht mehr in der Lage. Er mag draußen wenig Chancen haben, innerhalb der Reichsgrenzen aber scheint er mir jedenfalls verloren. Frau Mayrisch, mit der ich eben eine Zusammenkunft hatte, läßt sich den Fall wirklich angelegen sein und wird gewiß tun, was in ihren allerdings wirklich vielbeanspruchten Kräften steht. Sie hat, was sie zu tun in der Lage ist, nochmals in einem Brief zusammengefaßt, dessen Inhalt ich im Wesentlichen wiedergebe. Sie meint, daß M. am besten zunächst jedenfalls nach Luxemburg geht, da er ein Visum dazu *nicht* benötigt. Sie würde ihm bestimmt eine Aufenthaltserlaubnis von zwei bis drei Monaten erwirken können, und würde für die Kosten dieses Aufenthaltes (für Musil und seine Frau) mindestens zur Hälfte aufkommen, während ich hoffe, durch gesammelte Gelder und aus Eigenem (vielleicht würden auch Sie sich etwas beteiligen) die andere Hälfte aufbringen zu können. In dieser Zeit hofft sie, ihm die Einreise in ein anderes Land und irgend eine Erwerbsmöglichkeit verschaffen zu können. Sie selbst wäre bereit, für zwei Jahre mit einem bescheidenen monatlichen Betrag auszuhelfen, die American Guild würde wohl von mir bestimmt werden können, ab 1. Oktober auf ein halbes Jahr 30 Dollar monatlich zu bezahlen, und Weiteres müßte und würde sich wahrscheinlich zusammenfinden. Man sollte gewiß nicht zureden, wenn Musil irgend eine Wahl hätte, aber wie gesagt, davon scheint mir keine Rede zu sein. Frau Mayrisch wünscht nur, daß ihr Name in der ganzen Sache überhaupt nicht genannt wird, und dieser Wunsch ist natürlich streng zu respektieren. Sie hat mir auch noch einen Zettel mit genauen Anweisungen für Musils Aus- und Einreise gegeben, den ich zurückhalte, bis ich höre, daß er zu dem Schritt tatsächlich entschlossen ist. Jedenfalls habe ich den Eindruck, daß Ihr Rat, mich an Frau Mayrisch zu wenden, sehr gut war, und daß sie dafür sorgen wird, daß Musil nicht zugrunde geht.«

Aber es verlief alles im Sande. Er war unter dem Druck der Verhältnisse wohl noch schwieriger geworden, als er von Natur aus schon war. Erst viel später konnte er sich durch andere Freundeshilfe in die Schweiz retten.

Am 15. September traf ich Thomas Mann in Paris, auf seiner Reise, die die Übersiedlung nach den USA bedeutete. Von jetzt an kam er nur noch einmal vor dem Ausbruch des Krieges besuchsweise nach Europa zurück. Ich besprach mit ihm die Veröffentlichung seines Essaybandes ›Achtung, Europa‹, mit dem ihm besonders am Herzen gelegenen Vorwort ›Dieser Friede‹, seiner empörten und verzweifelten Reaktion auf das ›Münchener Abkommen‹ zwischen Hitler und Chamberlain, das von Hitler als Zeichen von Englands Schwäche betrachtet wurde und dadurch nicht wenig zum Ausbruch des Zweiten Weltkrieges beigetragen hat.
Er schrieb mir darüber noch im Dezember 1938:
»Wie sehr ich Ihre Empfindungen, die europäischen Ereignisse betreffend, teile, ist unnötig zu sagen. Der Münchner Friede war eine Katastrophe sondergleichen, und wenn diejenigen, die ihn schlossen, sich seiner politischen und moralischen Folgen auch nur halbwegs bewußt waren, so sind sie ebensolche Verbrecher als sie Dummköpfe sind.«

Im November 1938 war eine neue, furchtbare Terrorwelle über die Juden in Deutschland hereingebrochen. Die Synagogen gingen in Flammen auf. Nazihorden drangen in die Wohnungen ein und schleppten ihre Opfer in die Konzentrationslager. Alles, was es an jüdischen Geschäften noch gab, wurde kurz und klein geschlagen. Entsetzen breitete sich aus. Wer bis jetzt an den Ausbruch der Barbarei in Deutschland nicht geglaubt hatte — und das waren im neutralen Ausland nur allzu viele —, dem gingen jetzt die Augen auf.

Es war erstaunlich und deprimierend zu sehen, wie schnell sich früher solche Eindrücke und Erkenntnisse verflüchtigt hatten. Nach dem ersten Schock hatten sich die Gemüter gewöhnlich wieder sehr schnell beruhigt.

Dieses Mal jedoch schien die Wirkung nachhaltiger zu sein. Die Reaktion der schwedischen Regierung drückte allerdings weniger Abscheu als Angst aus. Die Verlage erhielten eine Aufforderung, in diesem Augenblick allzu große Aggressivität gegen Deutschland zu unterlassen.

Ich war gerade im Begriff, das Manuskript von ›Achtung, Europa‹ in Satz zu geben, das einen Aufsatz ›Der Bruder‹ enthielt. Thomas Mann hatte ihn als Ergänzung zu dem Essayband nachgeliefert und schrieb damals dazu:

»... und zwar denke ich ihn mir als Schluß-Stück des Ganzen, gleichsam als Satyrspiel. Von wem es handelt, ist in einer Art von Dunkel gelassen, das man wohl ein Hell-Dunkel nennen muß.«

Das Porträt Hitlers, das Thomas Mann hier gezeichnet hat, war natürlich von solcher Schärfe, daß wir befürchten mußten, durch seine Veröffentlichung eine neue Terrorwelle in Deutschland auszulösen. Bonniers, die den Essayband zu gleicher Zeit zu veröffentlichen beabsichtigten, baten um Eliminierung des Aufsatzes, und Thomas Mann, der selbst Bedenken geäußert hatte, entschloß sich schweren Herzens, ihn zu streichen. Er ist später in die Gesamtausgabe unter dem Titel ›Bruder Hitler‹ aufgenommen worden. Es war zum ersten Mal, daß sich im neutralen Schweden die Fernwirkung des Nazismus bei uns bemerkbar machte. Ich sollte sie bald noch mehr zu spüren bekommen.

Zu dieser Zeit begann ich mit der Vorbereitung eines Buches, das ich ›Briefe der Vertriebenen‹ nannte. Am 17. November 1938 schrieb ich darüber an Thomas Mann:

»Sehr geehrter Herr Professor,
in all dem neuen Elend, das über uns hereingebrochen ist, seine Aktivität nicht zu verlieren, fällt nicht ganz leicht.
Der Plan, den ich Ihnen nachstehend vorlege, beschäftigt mich schon seit langer Zeit. Er hat durch die neuen Ereignisse an Aktualität und Wert, wie mir scheinen will, nur gewonnen, zumal er einige Aussicht auch für praktische Hilfe bietet.
Es handelt sich um die Herausgabe von Emigrantenbriefen, wie aus beiliegendem Entwurf in allen Einzelheiten hervorgeht. Bevor ich an die Sache praktisch herangehe, hätte ich gern Ihre Meinung darüber gehört.

Würden Sie, falls der Plan Ihre Zustimmung findet, als erster unter den deutschen Vertriebenen, auch in Form eines Briefes zu diesem Band beitragen? In diesem Falle wäre zu erwägen, ähnliche Bitten auch an andere prominente Emigranten (Einstein, Werfel, Zuckmayer etc.) zu richten.
Man könnte wohl den Einwand erheben, daß es für eine solche Publikation noch zu früh ist. Andererseits aber steht nichts im Wege, einem ersten Band, dessen Zusammenstellung ohnedies ziemlich lange Zeit in Anspruch nehmen wird, weitere Bände folgen zu lassen. Ich glaube, sicher sein zu können, daß großes Interesse für eine derartige Publikation vorhanden ist und daß neben der ideelen Bedeutung, die eine solche Veröffentlichung zweifellos hat, das zu erzielende praktische Ergebnis beachtlich sein und eine Beihilfe für die Notleidenden leisten könnte.
Ich möchte die ganze Aktion unter Protektorat einer übergeordneten Flüchtlingshilfe stellen und erbitte Ihren Rat, welche Organisation dafür in erster Linie in Frage kommt.
Für eine möglichst rasche Antwort wäre ich Ihnen sehr dankbar.
Mit herzlichen Grüßen
Ihr sehr ergebener Bermann Fischer.«

Das Schicksal, das Hunderttausende betroffen hatte, war von welthistorischem Ausmaß. Es sollte, wie ich meinte, in Briefen seinen Niederschlag gefunden haben. Thomas Mann stimmte mit mir überein: »Ihre Idee, die Briefsammlung der Vertriebenen betreffend, finde ich ausgezeichnet und in jedem Sinn vielversprechend. Es wird Mühe und Zeit kosten, das Material zusammenzubringen; aber ich meine, man soll es sich nicht verdrießen lassen. In irgendeiner Form werde ich mich gern an der Sache beteiligen — sei es, daß ich zu der Sammlung, wenn sie vorliegt, ein kurzes Vorwort schreibe, oder daß ein Brief von mir selbst darin aufgenommen wird. Vielleicht ließe sich ein geeigneter finden aus der ersten Zeit unserer Emigration. Über die Flüchtlings-Organisation, unter deren Protektorat die Aktion gestellt werden könnte, muß ich noch nachdenken und Erkundigungen deswegen einziehen. Die Frage hat ja noch Zeit, und ich meine, Sie sollten die Aufforderung zur Einsendung der Briefe zunächst einmal öffentlich ergehen lassen.« Die Aufrufe, die ich im Sommer 1939 in allen Weltzeitungen erließ, hatten unmittelbaren Erfolg. Aber es war bereits zu spät. Der Ausbruch des Krieges unterbrach die meisten Postverbindungen und ließ den Mut zur Durchführung des Unternehmens erlahmen.
Mir trug es fast täglich anonyme Telefonanrufe in deutscher Sprache ein, mit wüsten Beschimpfungen und Bedrohungen, erste Zeichen, daß auch hier, unter der so ausgeglichen und ruhig erscheinenden Oberfläche bereits die bösen Mächte des Na-

zismus am Werke waren. In der schwedischen Zeitung ›Afton-bladet‹ verlangte man, man solle mir die Aufenthaltserlaubnis entziehen. ›Angriff‹ und ›Völkischer Beobachter‹ wüteten.

Es waren trübe Gedanken, die uns damals bewegten. Das München er Abkommen, der Fall der Tschechoslowakei, die offensichtliche Verkennung der Gefahr bei den Westmächten und die fehlende Entschlossenheit einzugreifen, ließen uns fast verzweifeln. Unseren Freunden aus Deutschland, die uns heimlich ab und zu aufsuchten, erging es genauso; wir konnten sie auch nicht trösten. Die Berichte, die ich von englischen Freunden erhielt, waren deprimierend.
Aber der Erfolg unserer Verlagsarbeit war ein gewisser Trost in all dem Elend, und ich begann am Ende des Jahres 1938 auch politisch einige Hoffnung zu schöpfen, daß England endlich den wahren Charakter des Nazisystems erkennen werde.

Stockholm, am 19. 12. 38

Herrn Prof. Dr. Thomas Mann
65 Stockton Street
Princeton

»Lieber, sehr verehrter Herr Professor,
ich freue mich sehr, nach so langer Zeit wieder Nachricht von Ihnen zu haben und Gutes von Ihnen zu hören.
Nachdem wir den Schock, den uns die Septemberereignisse versetzt haben, halb und halb überwunden haben, beginnt man hier wieder ein wenig Hoffnung zu schöpfen. In der Depression, die uns alle ergriffen hat, haben wir übersehen, daß blinde Selbstüberschätzung zum Wesen des Nazismus gehört und daß mit einer klugen Ausnutzung des außerordentlichen politischen Erfolges nicht zu rechnen war. Die Befürchtung, daß das Naziregime seinen gewaltigen Erfolg nach innen und außen ausbauen würde — eine Konsolidierung des Systems wäre zweifellos möglich gewesen — hat sich durch die barbarischen und, politisch gesehen, unverständlich dummen und sturen Maßnahmen der deutschen Regierung als unnötig erwiesen.
Die Annektion der Tschechoslowakei hat im Inneren keinen Jubel hervorgerufen, im Gegenteil: die Nähe der Kriegsgefahr, die den Menschen in Deutschland erst im Augenblick der Annektion in ihrer ganzen Größe klargeworden ist, hat bei der Arbeiterschaft und weit in das Bürgertum hinein beängstigend und abschreckend gewirkt. Die nachfolgenden Pogrome haben einen ungeheuren Ekel und eine Abneigung vor dem Regime hervorgerufen, der sogar auf die Parteikreise übergegriffen hat. Die außenpolitische Wirkung ist katastrophal für das Regime gewesen. Diese Ereignisse, zusammen mit den unverblümt ge-

äußerten Expansionswünschen und den Beleidigungen der englischen Staatsmänner haben die Front der Einsichtsvollen in England ungemein verstärkt, und es besteht die Hoffnung, daß die Münchenpolitik Englands sich nicht noch ein zweites Mal wiederholen wird. Aus seinen Abenteuern geht der Nazismus im Jahre 1938 nicht gestärkt hervor. Die Erkenntnis seines wahren Gesichts in England und Frankreich wird, zusammen mit den inzwischen stark geförderten Rüstungen beider Länder, von größter Bedeutung für die entscheidenden Ereignisse des Frühjahrs 1939 sein. Wir können und müssen jetzt wieder hoffen.

Über den Verlag kann ich Ihnen Gutes berichten. Das Ergebnis, das jetzt, unmittelbar vor Weihnachten, schon mit einiger Sicherheit zu übersehen ist, übertrifft meine Erwartungen. Ich habe von sieben Neuerscheinungen, also ohne Berücksichtigung der Ausblicke-Broschüren und der Forumbücherei, über 40 000 Bände verkauft und damit einen Umsatz erzielt, der an den des Wiener Verlages heranreicht. Dabei ist zu berücksichtigen, daß ich von Wien aus den ganzen deutschen Markt zur Verfügung hatte und das außerordentlich große alte Lager, aus dem sich erhebliche Umsatzziffern ergaben. Dabei darf nicht übersehen werden, daß ich erst seit vier Monaten ausliefere. Es waren bereits vier Neuauflagen notwendig und eine fünfte, nämlich der Neudruck von ›Achtung, Europa‹, steht vor der Türe. Das Buch ist durch die mehrfachen Verzögerungen leider sehr spät erschienen, sonst wären wir heute schon so weit. Ich glaube aber, daß unmittelbar nach Weihnachten die erste Auflage von 3000 Exemplaren verkauft sein wird.

Von der Broschüre ›Dieser Friede‹ sind bis jetzt ungefähr 3000 Exemplare verkauft worden, ich habe aber noch keine zuverlässigen Ziffern, da die Auslieferung erst vor wenigen Tagen erfolgte. Die recht umfangreiche Zeitungspropaganda mußte ich notwendigerweise auf die Schweizer Presse beschränken, jedoch wurde der Buchhandel in den andern in Frage kommenden Ländern sehr intensiv durch unsere Reisenden und durch wiederholte Rundschreiben bearbeitet.

Von ›Schopenhauer‹ haben wir ungefähr 1500 Exemplare verkauft.

Sehr bewährt hat sich das mir noch aus Berlin und Wien zur Verfügung stehende Adressenmaterial von Privatinteressenten, das mir durch eine treue Angestellte aus Wien hierher nachgeschickt wurde. Ich konnte nach Aussiebung der reichsdeutschen Adressen 15 000 Prospekte versenden. Die Zuschriften, die auf den Empfang dieser Prospekte zurückzuführen sind, haben einen überraschend großen Umfang angenommen.

Mit herzlichen Grüßen Ihr Bermann Fischer.«

Für das Jahr 1939 waren siebzehn Bücher in Vorbereitung; eine große Produktion für den kleinen Verlag, der unter besonders schwierigen Verhältnissen zu arbeiten hatte.

Die Zusammenarbeit mit den beiden holländischen Exilverlagen hatte sich sehr harmonisch gestaltet. Ein Teil meiner Stockholmer Bücher wurde unter der Aufsicht von Dr. Landshoff in holländischen Druckereien hergestellt und von Holland aus in die für uns noch offenen Länder verschickt.

Das schönste Produkt unserer Gemeinschaftsarbeit war die Buchserie FORUM, ein Vorläufer der späteren Taschenbuchserien.

Das Programm umfaßte aus dem Bermann-Fischer Verlag folgende Titel:

Franz Werfel ›Die vierzig Tage des Musa Dagh‹ (in zwei Bänden)
Stefan Zweig ›Maria Stuart‹
Annette Kolb ›Das Exemplar‹
Arthur Schnitzler ›Erzählungen‹
Thomas Mann ›Die schönsten Erzählungen‹

Von den beiden anderen Verlagen kamen hinzu:

Erich Maria Remarque ›Im Westen nichts Neues‹
Alfred Neumann ›Der Patriot‹
Heinrich Mann ›Die kleine Stadt‹
Joseph Roth ›Radetzkymarsch‹
Lion Feuchtwanger ›Jud Süß‹
Vicki Baum ›Stud. chem. Helene Wilfüer‹

Und schließlich wurden für die Serie drei Anthologien zusammengestellt:

›Die schönsten Erzählungen der Romantiker‹
›Heinrich Heine Auswahl‹
›Musikerbriefe in einer Auswahl von Alfred Einstein‹

Die Serie wurde, als sie 1939 erschien, ein großer Verkaufserfolg.

Das Korrekturlesen war eine Tortur. In den schwedischen Druckereien gab es keine Setzer, die die deutsche Sprache beherrschten, und so wimmelte es von Satzfehlern. Da nur Linotype-Setzmaschinen zur Verfügung standen, mußte bei jedem Druckfehler immer eine ganze Zeile aus dem Satz genommen werden, um *einen* falschen Buchstaben zu korrigieren, was immer neue Fehler zur Folge hatte. Es hat viele Jahre — bis lange nach dem Ende des Krieges — gedauert, bis diese teuflischen Fehler aus den schwedischen Ausgaben vollständig eliminiert werden konnten.

In den holländischen Druckereien lagen die Verhältnisse günstiger. Die deutsche Sprache war den erfahrenen Setzern geläufig. Dafür gab es durch den langen Postweg unangenehme Verzögerungen und Mißverständnisse. Zunehmende Schwierigkeiten in der Papierbeschaffung und die Unmöglichkeit, die gewünschten Papierqualitäten und -stärken zu bekommen, zeitigten besonders in den späteren Jahren Buchausgaben, die unseren Ausstattungsvorstellungen nicht entsprachen. Die erste Auflage des ersten Bandes der Hofmannsthalschen Gesamtausgabe mußte auf einem viel zu dicken Papier gedruckt werden und war ein Monstrum an Umfang. Aber das alles mußte hingenommen werden.

Hier nur einige der wichtigsten Buchtitel aus der Verlagsproduktion des Jahres 1939:

Thomas Mann ›Lotte in Weimar‹
und als erste Bände einer neu zu schaffenden Gesamtausgabe, die ich ›Die Stockholmer‹ nannte, einen zweibändigen ›Zauberberg‹.

Franz Werfel ›Der veruntreute Himmel‹, Roman
und eine Auswahl seiner Gedichte
Alfred Döblin ›Bürger und Soldaten‹, Roman
Jean Giono ›Bergschlacht‹, Roman
Martin Gumpert ›Hölle im Paradies‹
Selbstdarstellung eines Arztes
Ernst Cassirer* ›Descartes‹ —
Lehre, Persönlichkeit, Wirkung

Die Schriftenreihe ›Ausblicke‹ wurde mit politischen Essays von Aldous Huxley ›Unser Glaube‹, Thomas Mann ›Das Problem der Freiheit‹, Harold Nicolson ›Ist der Krieg unvermeidlich?‹, R. M. Lonsbach ›Nietzsche und die Juden‹ und Erich Voegelin ›Die politischen Religionen‹ fortgesetzt.

Es war ein Programm, das wohl dem alten guten Namen des Verlages keine Unehre machte.

Anfang September 1939 sollte der Internationale PEN-Kongreß in Stockholm stattfinden. Schriftstellerdelegationen aus aller Welt wurden erwartet. Es war ein bedeutsames Ereignis, da eine öffentliche Auseinandersetzung der Intellektuellen mit den brennenden politischen Problemen zu erwarten war. Thomas Mann, dem eines der Hauptreferate zugedacht war, hatte den Vortrag ›Das Problem der Freiheit‹ dafür vorbereitet. Er war mit seiner Frau schon Mitte Juni aus Amerika herübergekommen und verbrachte einige Wochen in Holland, in Noordwijk aan Zee, im Hotel ›Huis ter Duin‹.

Es waren die letzten friedlichen Tage, die wir dort mit ihnen zusammen verlebten, eine kurze Atempause, bevor der Krieg über unsere Welt hereinbrach.

* Professor der Philosophie, früher in Hamburg, seit 1933 Universität Göteborg, später USA.

Ich sehe ihn noch in seinem Strandkorb sitzen, mit weißer Mütze auf dem Kopf, mitten im Lärm der im Sand spielenden Kinder, an dem siebten Kapitel der ›Lotte‹ schreibend. Wie konnte er nur in diesem Trubel die Konzentration aufbringen, das Altersgemälde Goethes, das seine Gedanken- und Ideenwelt so umfassend zur Darstellung bringt, hervorzuzaubern? Sie mußte so sehr seine eigene geworden sein, daß er gewissermaßen nur abzuschreiben brauchte, was er aus profundem Nacherleben bereits fertig gestaltet in sich trug.

Wir schlossen einen neuen, den veränderten Verhältnissen angepaßten Verlagsvertrag, der bis zu seinem Tode die Grundlage unserer Verlagsverbindung bildete.

Der Züricher Verleger Emil Oprecht war herbeigeeilt, um über die Zukunft seiner Zeitschrift ›Maß und Wert‹, als deren Herausgeber Thomas Mann zeichnete, zu sprechen. Ich hatte seit der Ablehnung meines Niederlassungsantrages in der Schweiz im Jahre 1935 alle Beziehungen zu Oprecht abgebrochen, weil ich glaubte, daß er mit die Schuld daran trage. Thomas Mann überzeugte mich davon, daß Oprecht, der so vielen Flüchtlingen geholfen hatte, sich im Gegenteil damals gegen seine Schweizer Kollegen für mich eingesetzt hatte, und so kam es hier durch Thomas Manns freundschaftliche Vermittlung zur Versöhnung.

In Stockholm bereitete man sich auf den Empfang der PEN-Gäste vor, als wie ein Blitz die Nachricht vom deutsch-russischen Nichtangriffspakt (23. August) einschlug. Hitler hatte Stalin sein Desinteressement an weiten Gebieten an Polens Ostgrenze erklärt. Das mußte sein Freibrief für die Okkupation Polens sein.

Thomas Mann war am 21. August bei uns in Stockholm eingetroffen. Die schlichte Begrüßungsfeier in unserem Sommerhaus in Dalarö stand schon unter dem Druck des drohenden Krieges, der nun unvermeidlich schien. Die kleine Rede, die ich an diesem Abend auf unsere Ehrengäste hielt, habe ich aufbewahrt:

»Meine Damen und Herren,
herzliche Freude erfüllt uns, daß wir Herrn Dr. Mann und seine liebe Frau zusammen mit Ihnen allen bei uns willkommen heißen können, hier in unserem buon retiro, in diesem Lande, das uns gastliche Aufnahme bot, im Kreise unserer hochherzigen Helfer.
Als nach dem Verlust unserer zweiten Heimat Wien die tätige Hilfsbereitschaft des Hauses Bonnier uns die Niederlassung hier ermöglichte, waren wir tief berührt von dem Vertrauen zu unserer Sache. — Unsere Sache, das ist die Sache des Geistes, das ist die Aufgabe, die Werte, die dem Vergehen und Vergessen des Exils anheim zu fallen drohen, zu sammeln und zu erhalten und neu aufzubauen, was zerstört wurde.

Allem anderen voran ist es Ihr großes Werk, verehrter Herr Doktor, dem unsere ganze Fürsorge gilt.

Für das unschätzbare Glück, hier im Lande des sozialen Friedens, des wirtschaftlichen und geistigen Wohlstandes, unserer uns zugeteilten Aufgabe nachgehen zu können, bin ich dem Hause Bonnier zu tiefstem Dank verpflichtet und glaube auch im Namen aller derer sprechen zu können, denen die Existenz des Verlages das Weiterschaffen ermöglicht.

Nach Ihren Worten, Herr Doktor, wollen wir glauben und vertrauen, daß die Sache der Freiheit und des Rechts siegen wird, glauben und vertrauen, daß es uns gelingt, die Werte, für die wir kämpfen, in eine bessere Zeit hinüberzuretten.«

Am 1. September 1939 marschierten die deutschen Armeen in Polen ein. Am 3. erklärten England und Frankreich den Krieg.

Der Kongreß war abgesagt. Alle versuchten, so schnell wie möglich nach Hause zu gelangen. Das große, für den 8. September angesagte Diner im Hause von Karl Otto Bonnier, das den PEN-Kongreß festlich beschließen sollte, wurde zum Abschied von unseren Freunden für lange düstere Jahre.

Thomas Mann und Frau Katia verließen uns, von unseren ängstlichen Gedanken begleitet, am Morgen des 9. September mit einem Flugzeug der KLM. Am Abend erreichte uns ihr Telegramm aus Southampton, das uns ihre glückliche Ankunft meldete. Wir waren sehr beunruhigt, da wir unmittelbar nach ihrem Abflug aus der Morgenzeitung erfuhren, daß einen Tag vorher eine amerikanische Passagiermaschine von deutschen Kampffliegern beschossen und dabei ein schwedischer Passagier getötet worden war.

Frau Katia Mann gab einen dramatischen Bericht über ihren Flug, dem später aus Princeton ein Brief Thomas Manns folgte, der die Überfahrt schildert:

South Western Hotel   11. IX. 39
Southampton

»Liebe Bermann-Fischers,
(womit sämtliche Lieben in Stockholm gemeint sind:)
Ehe wir Europa verlassen, soll doch noch ein dankbarer Abschiedsgruß gesandt sein! Sie vermuten uns natürlich längst auf hoher See, aber leider hat sich die Abfahrt der ›Washington‹ wesentlich verzögert; morgen Mittag hoffen wir, nun endgültig loszukommen, auf was für Plätzen steht immer noch dahin. Hoffentlich klappt alles ... Drei Tage Southampton ist unter den obwaltenden Umständen auch wirklich genug. Nicht als ob man irgendwie einen nervösen oder ängstlichen Eindruck hier

hätte. Außer der abendlichen Verdunkelung, die in den Zimmern allerdings fast bis zur totalen Verfinsterung geht, und den Sandsäcken überall nebst den vielen Uniformen merkt man nicht viel, und die allgemeine Stimmung ist von bemerkenswerter Ruhe und Entschlossenheit. ›We will fight till to the last penny and the last man‹, sagt einem jeder kleine Ladenbesitzer, und niemand scheint sich sonderlich darüber aufzuregen. Sie werden es schon schaffen, trotz der Anfangserfolge in Polen, und ich kann es mir noch immer nicht vorstellen, daß es sehr lange dauert und daß die Deutschen auch nur einen Kriegswinter aushalten! Aber man ist hier auf alle Eventualitäten gefaßt.

Es tat uns leid, daß wir erst so spät am Abend telegraphieren konnten. Aber aus einem gewissen Aberglauben mochte ich nicht schon aus Amsterdam telegraphieren, wo wir übrigens nur einen ganz kurzen, von vielen Formalitäten ausgefüllten Aufenthalt hatten, und dann zog sich die Reise noch endlos hin, da der Flug nach London ja auch durch beträchtliche Umwege verlängert wurde und man von dem improvisierten Flugplatz über drei Stunden mit dem Bus zu fahren hatte, so daß wir ziemlich erschöpft und erst abends spät in Southampton ankamen, um dann zu erfahren, daß wir uns gar nicht so hätten zu beeilen brauchen und daß wir Bonniers schönes Fest in aller Ruhe hätten auskosten können. Der unangenehmste Teil der Reise war ja entschieden der Flug bis Amsterdam, zumal die Stewardesse uns in aller Unschuld erzählte, die letzten zwei Tage sei das Flugzeug von deutschen Bombern umkreist worden, die durch alle Fenster alle Reisenden genau in Augenschein genommen. Einem älteren dicken Herrn wurde vor Aufregung schlecht, er mußte mit kalten Kompressen und Alkoholabreibungen zu sich gebracht werden, und ich bedauerte es doch recht, daß Tommy nicht mit blauer Brille und roter Perücke versehen war, aber es ging alles gut. Sehr ärgerlich war ja, daß wir fast unser ganzes Gepäck zurücklassen mußten. Hoffentlich ist es Ihnen gelungen, es auf einem schnellen Schiff nachzuschicken . . .

An Saltsjöbaden* denken wir mit freundlichen Gefühlen zurück: trotz allem war es ein schöner Aufenthalt, und es war doch gut, einmal wieder zusammen zu sein. Hoffentlich können wir auch den glücklichen Ausgang in nicht allzu ferner Zeit gemeinsam begehen! Nehmen Sie alle unsere herzlichsten Grüße und Wünsche.

Ihre Katia Mann«

* Badeort in der Nähe Stockholms.

Und darunter in Thomas Manns Handschrift:
»Recht herzlichen Gruß. Wir segeln morgen. Hoffen wir, daß es eine nice crossing wird. Dann will ich mit ›Lotte‹ wohl fertig werden.

Ihr T. M.«

Mit welcher Gelassenheit Thomas Mann die Aufregungen dieser gefährlichen Heimreise hinnahm, zeigt die Postkarte vom 10. September 1939, die er am Tage nach der Ankunft in Southampton schrieb:
»Lieber Dr. Bermann,
in der Maschinenabschrift muß es Seite 1, Zeile 3, ›da‹ statt ›daß‹ heißen. Sonst ist sie korrekt. — Unser Schiff geht nicht so pünktlich. Aber hübsch weit haben wir es ja schon gebracht.

Herzlich Ihr Auctor.«

Die zwei in größeren Abständen folgenden Briefe Thomas Manns trafen uns in großer Sorge um die Zukunft. Mit ihrer Zuversicht gaben sie mir Mut in einer sich mehr und mehr verdunkelnden Welt.
Unsere Hoffnung, der Krieg werde dem Treiben Hitlers ein rasches Ende setzen, brach schnell zusammen. Innerhalb eines Monats war Polen besetzt, Warschau gefallen. Grauen erfaßte die Welt vor dem unsagbaren Terror, der in dem besetzten Land um sich griff.
Der Krieg, den die Sowjetunion gegen Finnland entfesselt hatte, ließ die allgemeine Stimmung in Schweden noch düsterer werden. Wir fühlten uns mehr und mehr von der Umwelt abgeschnitten. Der Atlantik war für Zivilpersonen gesperrt, gleichviel, ob sie mit Schiff oder Flugzeug reisen wollten. Briefe nach den Vereinigten Staaten und von dort zu uns brauchten vier Wochen.
Noch fehlten Manuskriptteile von ›Lotte in Weimar‹. Sie mußten über die Schweizer Gesandtschaft in Portugal und gleichzeitig per Clipper nach Stockholm auf den Weg gebracht werden, um das Risiko des Verlustes einzuschränken.
Aber schließlich wurde das Buch doch noch vor Weihnachten 1939 fertig. Es war ein Ereignis besonderer Art für mich, das erste gebundene Exemplar in der Hand zu haben. Verspätet gelangte es schließlich auch zu seinem Autor:

Thomas Mann   Princeton N. J., 27. XII. 39
                                          65 Stockton Street

»Lieber Dr. Bermann,
ehe ich Ihnen schrieb, wollte ich gern ›L. i. W.‹ in Händen haben, um Ihnen ein Wort darüber sagen zu können. So kommt es, daß dieser Weihnachtsbrief so verspätet vom Stapel läuft; —

wo wir doch, unsererseits, rechtzeitig zum Fest einen so lieben und freundlichen Brief von Tutti hatten, für den auch ich bei dieser Gelegenheit noch vielmals danken möchte. Von dem Buch kam zunächst nur ein schon ziemlich zerlesener Vorläufer durch Landshoff (der noch hier ist, aber um Neujahr nach London reisen will). Aber genau zu Weihnachten trafen dann zwanzig Exemplare von der Alliance* ein, und so konnte ich mir nicht nur selber eines aneignen (das erste hatte ich gleich an Mrs. Lowe** weitergeben müssen), sondern auch einer ganzen Anzahl legitimer Aspiranten ein Geschenk damit machen. Der Beifall war überall groß, — ich meine: der Beifall, der Ihnen gebührt und der der Ausstattung gilt. Es ist ein ungewöhnlich schöner, mit sichtlicher Sorgfalt und Liebe hergestellter Band, darüber gibt es nur eine Stimme, und mein Schwiegersohn Borgese, Medis Gatte, philosophierte bei seinem Anblick gleich über die Widerstandskräfte der Civilisation, die sich darin ausdrückten, daß heutzutage ein deutsches Buch in dieser gepflegten Form herauskommen könne. Er hat wohl recht, aber ich sagte ihm, diese Zähigkeit der Civilisation habe ihren ganz persönlichen Sitz, nämlich in Ihrem Busen. Sie seien nicht umzubringen, und wenn nach Berlin und Wien auch Stockholm auffliege, so würden Sie es in London oder New York oder Neuseeland ebenso distinguiert weitertreiben und auch meinen nächsten Roman wieder aufs feinste herausbringen.

Wirklich, ich freue mich sehr an dem Buch, und daß es nun auf Deutsch irgendwie in der Welt ist — denn mit den Übersetzungen, das wird diesmal bestimmt ein Graus. Auf Englisch ist schon der Titel unmöglich. Die Geschichte wird wahrscheinlich ›The wondrous pilgrimage of Lotte Buff‹ heißen — obgleich ich's weiß, werde ich meinen Augen nicht trauen. Und der Erfolg unserer deutschen Ausgabe? Wir werden vorlieb nehmen müssen. Fünftausend Vorbestellungen waren kein schlechter Anfang unter so beschaffenen Umständen, und Ihre 10 000 werden Sie mit der Zeit schon loswerden. Wenn man freilich bedenkt, daß es, wenn Deutschland noch stünde, gerade bei diesem Buch sofort 100 000 hätten sein können, so könnte Wehmut einen packen. Aber wissen wir denn, ob nicht Deutschland bälder, als noch vor kurzem zu denken war, wieder zugänglich sein wird? Es sieht manchmal so aus. Stellen Sie sich vor, daß Sie eines Tages Ihre Ware in das ausgehungerte Reich werden hineinpumpen können!

Die durch zwei Nummern der N. Z. Z. gehende Besprechung Korrodis hat Golo mir geschickt. Sie ist unglaublich schlecht geschrieben und zeugt auch von ungenauem Lesen, hat mir aber doch Freude gemacht durch ihre Beherztheit und Wärme, die

* Unsere amerikanische Auslieferungsstelle.
** Thomas Manns amerikanische Übersetzerin, Helen Lowe-Porter.

natürlich mit den Zeit-Umständen zu tun hat und wohl noch vor kurzem an dieser Stelle nicht aufzubringen gewesen wäre, die aber doch echt ist und mir beweist, daß das Buch eine bestimmte Art von Menschen geradezu glücklich machen kann. Ein Brief von Hesse drückte Ähnliches aus. Sonst fehlt es bisher noch an Echo, und sehr vielfältig kann ja der Widerhall auch nicht sein. Was sich an Äußerungen bei Ihnen etwa zusammenfindet, schicken Sie mir wohl einmal.

Weihnachten haben wir im Kreise guter Freunde und mit wenigstens einer Auswahl unserer Kinder recht friedlich und vergnügt gefeiert. Nach Beendigung des Romans habe ich zunächst noch einmal etwas Politisches geschrieben, eine Erörterung der beiden Friedenskonzeptionen: Commonwealth und Großraum-Gewalt, dem deutschen Volk ins Gewissen geredet. Die Art der Veröffentlichung der fünfzig Seiten ist mir noch unklar. Teile davon sollen erst einmal Herald Tribune und Nation bekommen, auch Manchester Guardian. Ich könnte nun wieder zum Joseph übergehen, laboriere aber an einer indischen Novelle* herum, die ich vorher noch machen möchte. Ohnedies geht es leider am 2. Januar für vier Wochen auf lecture tour.

Nun kommt 1940. Wir dürfen neugierig darauf sein, — wobei ich mir natürlich sage, daß diese Neugier bei Ihnen einen weit unmittelbar beklommeneren Charakter trägt als bei uns. Mögen die großen Veränderungen, die jedenfalls, und vielleicht schon in diesem Jahr, zu erwarten sind, nicht derart sein, daß sie Ihr Leben und Werk neuerdings durcheinanderwerfen.

Wir alle grüßen Sie, Tutti, Frau Fischer und die Kinder aufs herzlichste.

Ihr Thomas Mann.«

Thomas Manns Wunsch für 1940 ging für uns leider nicht in Erfüllung. Im Sommer 1939 war mein Freund und Lektor Victor Zuckerkandl dem Ruf einer amerikanischen Universität gefolgt. Sein Nachfolger wurde ein Emigrant, der sich bei Ausbruch des Krieges über die baltischen Staaten nach Stockholm gerettet hatte. Er war mir durch schwedische Freunde empfohlen worden, und ich fand in ihm einen Mann von großen Kenntnissen und hoher Bildung.

Er spielte bald eine unrühmliche Rolle, die mir beinahe zum Verhängnis wurde und viele andere Jahre ihres Lebens kostete. (Ich möchte seinen Namen nicht preisgeben und werde ihn im folgenden X. nennen.)

Wir hatten das schöne Sommerhaus auf Dalarö im Herbst 1938 gegen eine Wohnung im Stadtteil Järdet, einer neuen Gartenstadt am Rande Stockholms, vertauscht.

---

* ›Die vertauschten Köpfe‹.

Der große Bechsteinflügel, den Frau Fischer aus Berlin mitgebracht hatte, fand hier seinen Platz. Mit viel Liebe und wenig Geld statteten wir das neue Heim aus, das neben unseren drei Töchtern nun auch den kleinen Sohn meiner Schwester und meine Mutter beherbergen mußte. Frau S. Fischer mit ihrer jüngeren Tochter Hilde lebten in unserer Nähe in eigener Wohnung. Es war eine große Familie geworden, für die ich zu sorgen hatte.

Frühe Dunkelheit setzte ein. Die Restaurants erstrahlten im Kerzenglanz, Schnee bedeckte die Straßen, die Schweden holten ihre Pelzmäntel und -mützen hervor, und alles duftete nach Glöck, dem heißen Grog, der überall ausgeschenkt wurde. Kerzentragende Mädchen zogen beim traditionellen Fest der Santa Lucia durch die Straßen einer friedlichen Welt, die so fern von den unaufhaltsam ansteigenden Kriegsfluten zu liegen schien. — Weihnachten kam, mit seinen heidnischen Rundtänzen in Skansen, zwischen den alten Schwedenhäusern und Holzkirchen, und eine unvergeßliche Weihnachtsfeier im Hause Bonnier. Es vereinigte die fast hundert Familienmitglieder, vom Säugling bis zum achtzigjährigen Senior, der an einer im Rechteck aufgestellten gewaltigen Tafel im großen Saal des Hauses präsidierte, von dessen Wänden die Abbilder der skandinavischen Dichter herabblickten.

Eine friedliche Welt, wie lange würde sie verschont bleiben?

Im Verlag bereiteten wir das Frühjahrsprogramm 1940 vor. Da waren ›Die vertauschten Köpfe‹ von Thomas Mann und sein Essay ›Dieser Krieg‹, Schalom Aschs Roman ›Der Nazarener‹, Martin Beheim-Schwarzbachs Erzählungen ›Der magische Kreis‹, Annette Kolbs ›Glückliche Reise‹, Aufzeichnungen einer Amerikafahrt, und einige Essays in der Schriftenreihe Ausblicke.

Eine Stockholmer Abendzeitung begann mit pronazistischen Meldungen die öffentliche Meinung zu beeinflussen. Das Personal der Deutschen Botschaft vermehrte sich in auffallender Weise, im Schaufenster des Deutschen Reisebüros, in einer der Hauptstraßen der Stadt gelegen, prangten die deutschen Siegesnachrichten, und selbst manche unserer schwedischen Freunde, die sich bisher nur mit Abscheu über das Naziregime geäußert hatten, wurden sichtlich unsicher. Ich kannte diese Erscheinungen und wußte, was sie zu bedeuten hatten, wenn es ernst werden sollte.

Holland war zweifellos viel gefährdeter, und damit war auch ein großer Teil meines Buchlagers, das sich dort zufolge unserer Gemeinschaftsproduktion und unserer gemeinsamen Auslieferung angesammelt hatte, gefährdet. Es schien mir ratsam, wenigstens einen Teil dieses Lagers nach Stockholm zu holen. Wie segnete ich später diesen Entschluß!

Mir war nicht wohl zu Mute. Wohin sich wenden, wenn Hitler seinen Arm nach Norden ausstrecken würde? Die bösen Anzeichen mehrten sich, wenn man Augen hatte, zu sehen. Und die meinen waren durch frühere Erfahrungen geschärft.

Ich wollte hören, wie man in England über die Lage dachte und wandte mich ratsuchend an meinen in London lebenden Autor Karl Otten, der — wie ich wußte — in naher Beziehung zu wichtigen Persönlichkeiten der englischen Regierung stand.

Statt eines Antwortbriefes schickte er mir einen englischen Freund, der sich als Mr. Alfred Rickmann vorstellte. Als Ausweis brachte er mir meinen an Otten gerichteten Brief, mit herzlichen Grüßen und der Bitte, die mich bewegenden Fragen mit ihm zu besprechen.

Nach vielem Hin und Her stellte es sich schließlich heraus, daß Rickmann der Beauftragte des Britischen Secret Service in Schweden war und deutsche Adressen von mir erhalten wollte. Er hatte ein getarntes Büro in der Stadt, von dem aus antinazistisches Aufklärungsmaterial mit Hilfe schwedischer Seeleute nach Deutschland geschleust wurde.

Meine fast zwanzigtausend Namen umfassende Adressenliste deutscher Buchkäufer, die mir — wie schon erwähnt — eine Angestellte meines Wiener Verlages heimlich nach Schweden geschickt hatte, kam mir jetzt gut zupaß. Ich war glücklich, unserer Sache und vielleicht auch unseren Gesinnungsgenossen in Deutschland damit helfen zu können. Meine Sekretärin erhielt den Auftrag, die Adressen auf ihr übergebene Umschläge zu schreiben. Mit antinazistischen Kampfschriften gefüllt, wurden sie in den Briefkästen von Hamburg und Bremen deponiert und durch die deutsche Post an unsere früheren Leser befördert. So kam mit anderen Pamphleten auch der berühmte Brief Thomas Manns ›An den Dekan der Philosophischen Fakultät zu Bonn‹ in unauffälligem Umschlag in die Hände vieler, für die diese Signale aus einer noch existierenden freien Welt Trost und Stärkung bedeuteten.

Mein kleiner Beitrag zum Kampf gegen Hitler sollte mir bald zu schaffen machen.

Die anonymen Anrufe im Verlag mehrten sich. Wieder begannen die Gespräche: was tun, wohin fliehen, gab es überhaupt noch einen Fluchtweg? Es waren zunächst theoretische Erwägungen, die wir mit Brechts und Buschs anstellten.

Der Weg nach England war sowohl per Schiff als auch per Flugzeug verschlossen. Dennoch beantragte ich ein Einreisevisum nach England, um mir damit die amerikanische Einreise zu erleichtern. Ich erhielt es sofort für die ganze Familie. — Könnte man sich nach Nordschweden zurückziehen oder von dort nach Finnland fliehen? Es war schrecklich. Sollte wieder alles umsonst gewesen sein? — Langsam dämmerte es mir —

ein ›unmöglicher‹ Gedanke: es gab nur einen einzigen Fluchtweg — über Rußland, Japan nach den USA.

Und dann schlug es wieder einmal ein: am 9. April 1940 landeten deutsche Truppen in Norwegen. Wir mußten fort! Die
Gefahr, daß auch Schweden, mit seinen unerschöpflichen Erz-
lagern im hohen Norden, besetzt werden würde, war zu groß.

Ich eilte auf das russische Konsulat, um ein Durchreisevisum
durch die UdSSR nach Japan zu beantragen. Zu meinem Erstaunen wurde es mir zugesagt für den Fall, daß wir ein Einreisevisum nach Japan vorweisen könnten. Auf dem japanischen Konsulat forderte man das Einreisevisum für die Vereinigten Staaaten, und bei den Letten, deren Land wir auf der
Reise nach Rußland überfliegen mußten — mit Zwischenlandung
in Riga — war das russische Visum Voraussetzung.

So fing ich also bei meiner Visajagd am Ende an: bei den United
States. Ein freundlicher Konsul machte keine Schwierigkeiten,
da er unser britisches Visum sah; innerhalb von vierundzwanzig Stunden hatte ich das Besuchervisum in unseren
glücklicherweise noch immer gültigen deutschen Pässen. Sie
waren inzwischen so mit Stempeln überfüllt, daß keine freie
Seite mehr übrig blieb, um die vielen noch notwendigen aufzunehmen. Man mußte leere weiße Blätter einkleben, um Platz
für die Japaner, die Letten und — ich weiß nicht mehr warum —
die Litauer zu schaffen. Am Schluß sahen unsere Pässe wie
Leporelloprospekte aus, deren Seiten mit vielen fremdartigen
Schriftzeichen bedeckt waren. Nach einer Woche hatte ich alles
beisammen. Inzwischen hatte meine Frau bei Intourist, dem
russischen Reisebüro, Plätze für den Flug nach Moskau, für die
transsibirische Eisenbahn nach Wladiwostok, für das Schiff
nach Tsuruga in Japan und für die Überfahrt über den Pazifik nach Los Angeles auf der ›Kamakura Maru‹, einem japanischen Passagierschiff, belegt. Wieder einmal war für Reisegele-
genheit und Komfort der Flüchtlinge gesorgt. Die moderne Zi-
vilisation war für alles gerüstet, nur für eines nicht, die Barbarei zu verhindern.

Verhaftung

Am 22. April sollte die Reise beginnen. Wir hatten Abschied von den Bonniers genommen und von unseren getreuen Mitarbeitern, die das vorbereitete Produktionsprogramm nun allein durchführen mußten, bis ich mich von irgendwoher wieder melden würde.

Am Abend des 19. April saßen wir nach dem Abendessen — die Kinder waren zu Bett gebracht — sozusagen schon auf den gepackten Koffern in friedlichem Gespräch über die im Dunkel liegende Zukunft, als die Haustürglocke schrill zu läuten begann. Zwei kräftige Herren standen draußen. Kriminalpolizei. Haussuchung. Wir wußten nicht, wie uns geschah. Sie durchsuchten alles, besonders aber die Küche. Kein Topf blieb unberührt. Dann nahmen sie mich mit. Autofahrt zum Büro. Alle Schränke und Schubladen wurden geöffnet. Immerhin brachten die beiden Athleten den Inhalt nicht in Unordnung. Aber da war noch der eiserne Schrank. Suche nach dem Schlüssel. Ich fand ihn schließlich und ließ die beiden hineinschauen, ganz sicher, daß nichts Verdächtiges sie finden könne. Aber was war das? In einer Ecke lag ein Bündel von Briefen. Ich traute meinen Augen nicht. Vor mehreren Tagen hatte ich meinen Geschäftsführer Walter Singer beauftragt, die Briefe zu vernichten, die mir Otto Strasser, der Hitler wegen der Ermordung seines Bruders Gregor Rache geschworen hatte, aus Canada mit allen möglichen Verlagsvorschlägen geschickt hatte. Statt dessen hatte er sie in sicherem Gewahrsam aufgehoben. Weiß der Teufel, was er sich davon versprochen hat. Mir konnte es gleichgültig sein. Für die beiden war es eine schöne Beute. Beweisstück für politische Tätigkeit.

Dann ging es weiter mit unbekanntem Ziel. Ich hatte zunächst keine Ahnung, wohin man mich brachte. Es war das Polizeigefängnis auf Kungsholmsgatan, wo man für kurze Zeit Taschendiebe und Trunkenbolde festhielt, bevor sie abgeurteilt wurden oder ihren Rausch ausgeschlafen hatten.

Man nahm meine Personalien auf, tat alles, was ich bei mir trug, einschließlich Zigarettenetui, Füllfeder und Armbanduhr in einen Korb, und ich fand mich in einer kahlen Zelle wieder, mit Klappbett, Tisch und Stuhl und einer hoch an der Decke befestigten elektrischen Birne, die erst bei Anbruch des Tages verlosch. Das Fenster, das an der Schmalseite des länglichen, etwa fünf Meter langen Raumes am Morgen das Tageslicht hereinließ, bestand aus fünfzig kristallartig geschnittenen kleinen Quadraten, die alle das gleiche Haus von der mir unbekannten Straße draußen reflektierten.

Nichts rührte sich.

Die Nacht unter der ewig brennenden Lampe war eine Qual. Ich zerbrach mir den Kopf, was der Anlaß für meine Festnahme sein könnte. Was war inzwischen mit meiner Frau geschehen? Ich schlug an die Tür. Nichts! Keine Antwort.

Der schlimmste Tag meines Lebens brach an. Schweigend brachte man mir den Eßnapf und verschwand. Endlich, am späten Nachmittag des nächsten Tages, es war ein Sonntag, rasselten die Schlüssel. Mein Anwalt kam. Nun hörte ich endlich, was los war. Rickmann war verhaftet worden. Mich hielt man als wichtigen Zeugen fest. Ein Haftbefehl war nicht gegen mich erlassen. Aber das Recht des habeas corpus, nach dem nach schwedischem Gesetz ein Staatsbürger höchstens drei Tage seiner Freiheit beraubt werden durfte, wenn keine Anklage erhoben wurde, galt für Ausländer nicht. Was man mir vorzuwerfen hatte, wußte mein Anwalt noch nicht.

Er tröstete mich. Meiner Frau gehe es gut. Sie blieb unbehelligt. Aber eine Hoffnung auf unsere unter so großen Mühen vorbereitete Abreise gab es nicht mehr. Drei Verhöre an den folgenden Tagen, höfliche Fragen über meine Beziehungen zu Rickmann, meine offenen Antworten über meine Adressenhilfe, ich hatte nichts zu verbergen oder zu verschweigen.

Am fünften Tag kam endlich Tutti. Ich durfte nur durch ein Gitter und nur in schwedischer Sprache mit ihr sprechen. Was konnten wir uns mit unserem kümmerlichen Vokabular in diesen wenigen Minuten schon sagen?

Vier ganze Wochen verstrichen. Man hatte mir inzwischen Bleistift und Papier gebracht und ein paar Bücher, um die ich gebeten hatte. Ich erhielt ab und zu einen Trostbrief meiner Frau, der mir Mut zusprach. Sie hatte ihre alte Energie wiedergefunden und lief von Pontius zu Pilatus, um mich herauszuholen. Aber alles versagte vor der Hartnäckigkeit der Polizeibehörden.

Mittlerweile erfuhr ich, was geschehen war. Die Kriminalpolizei hatte bei Mr. Rickmann Sprengstoff gefunden, den er im Auftrag des englischen Secret Service für die Sprengung von schwedischen Hafenanlagen benutzen sollte, falls ein Angriff der deutschen Armeen gegen Schweden erfolgte. Wie die Polizei auf seine Spur gekommen war, wußte mein Anwalt nicht.

Ich hatte zwar mit diesen Plänen nichts zu tun und überhaupt keine Kenntnis von ihnen, aber meine Beziehungen zu Rickmann waren angesichts der schweren Anklage gegen ihn ein ausreichender Grund, um mich bis zum Ende des Prozesses gegen ihn festzuhalten. Zwanzig Schweden, die mit ihm in Verbindung gestanden hatten, waren längst nach Hause entlassen. Nur ich saß fest, mit der Aussicht, den Nazitruppen in sicherem Gewahrsam in die Hände zu fallen, wenn es auch hier zur Besetzung kommen sollte. Zeitungen durfte ich nicht lesen. Von den Vorgängen auf den Kriegsschauplätzen hörte ich so gut wie nichts. Erst am 15. Mai erfuhr ich durch meine Frau vom Beginn der deutschen Offensive im Westen und von der Kapitulation Hollands, von der Zerstörung Rotterdams und von dem furchtbaren Terror, der das freiheitsliebende kleine Land überzog. Was mochte unseren Freunden dort zugestoßen sein?

Bei all dem Jammer vergaß ich fast, daß mein neu geschaffenes Buchlager und unsere gemeinsame Forum-Serie auch wieder dahin und verloren war.

Noch zwei kurze Verhöre — ohne neue Ergebnisse. Dann wieder nichts. Es war zum Verzweifeln.

Eines Tages sah ich auf dem Wege zur Bettkammer — die Gefangenen hatten jeden Morgen ihre Decken und Kissen dort zu deponieren — meinen Lektor X. auf dem Gang. Er lächelte mir zu. Wenige Stunden später erhielt ich einen Brief von ihm, in dem er mich bat, ich möge seine Familie unterstützen.

Von meinem Anwalt, der mich am gleichen Tage besuchte, erfuhr ich, daß X. zu acht Monaten Gefängnis verurteilt worden sei. Nach den Akten, die ihm gerade zugegangen seien, da er ihn im Revisionsverfahren als Pflichtverteidiger vertrete, ergäbe sich, daß X. sich eines Vergehens schuldig gemacht habe, das eines jüdischen Emigranten so unwürdig sei, daß er einer Unterstützung der Familie dieses Mannes nicht zustimmen könne. Einzelheiten könne er mir aus naheliegenden Gründen nicht mitteilen.

Was X. getan haben soll, erfuhr ich erst im Jahre 1946, als ich nach Ende des Krieges zum erstenmal nach Stockholm zurückkehrte.

In der fünften Woche verlegte man mich in das Untersuchungsgefängnis, das Ransakningsfängelse, Zelle 127.

Verglichen mit der bisherigen war sie wundervoll. Durch das Fenster, das zum Teil geöffnet werden konnte, sah ich auf grüne Bäume, alte Türme und Dächer, Tauben, die in den Turmfenstern nisteten und Pferde der berittenen Polizei, die unten im Hof an der Longe liefen. Am Nachmittag fiel für eine Stunde ein Sonnenstrahl auf mein Bett. Ich hatte meine Bücher um mich, konnte schreiben, bekam sogar meine eigene Verpflegung aus einem nahegelegenen Restaurant und konnte die Tagesereignisse täglich in der Zeitung verfolgen. Es war ein Klosterleben, der Kontemplation und Selbsterkenntnis hingegeben, wie man es sich nicht besser wünschen konnte — hätte nur draußen nicht die Gefahr der Invasion gedroht und hätte ich mich nicht so bitter um das Schicksal meiner Frau und meiner Kinder gesorgt.

Die französische Verteidigungslinie war zusammengebrochen. Am 14. Juni wurde Paris von deutschen Truppen besetzt. Der freundliche Direktor des Gefängnisses, der mich jeden Morgen besuchte, und mit mir ein paar Worte über die allgemeine Lage wechselte, strahlte vor Glück. Jetzt sei der Krieg bald zu Ende, meinte er. Den Sieg Hitlers fürchtete er nicht im mindesten, ahnungslos, was er für die freie Welt bedeuten würde. »Und was geschieht dann mit mir?« fragte ich ihn. »Ach, Sie brauchen doch nichts zu befürchten«, meinte er. Der ahnungslose Engel!

Ich erlebte ›Neutralität‹ in Reinkultur. Das schwedische Volk war so antinazistisch, wie man es von diesen freiheitsliebenden Menschen nur erwarten konnte. Man erzählte mir, wie die Schaufensterscheiben des Deutschen Reisebüros, das voll von triumphierenden Siegesmeldungen hing, von den Vorübergehenden angespuckt würden, ich hörte von den kleinen Gefängnisbeamten, wie sehr der Nazismus verabscheut wurde. Aber Polizei und Armee und Teile des oberen Bürgertums waren durch ihre Erziehung und ihre geschäftlichen Kontakte so eng mit Deutschland verbunden, daß sie nicht sehen wollten, wie wenig ihr Deutschland noch mit dem Deutschland Hitlers zu tun hatte. Sie waren fasziniert von seinen Erfolgen und so neutral, daß der schwedische Staatsrat, unter dem direkten Einfluß des Königs, sogar den Transport deutscher Truppen (27. Juni 1941) durch ihr Land hindurch in das um seine Freiheit kämpfende Bruderland Norwegen gestattete. Daß sie gleichzeitig den über die Grenze fliehenden norwegischen Kämpfern Asyl gewährten, war das Äußerste, was ihre Neutralität zuließ.

Von den alarmierten Freunden in USA trafen Telegramme und Briefe ein. Thomas Mann schrieb:

»Mein Kabel, worin ich Ihnen ausdrückte, wie notwendig Ihre Anwesenheit hier für mich ist, haben Sie hoffentlich erhalten. Ich verliere kein Wort über den furchtbaren Ernst der Situation und über die Empfindungen, die Ihr persönliches Schicksal uns einflößt.«

Henrik Willem van Loon schrieb meiner Frau, er habe alle amerikanischen Konsulate und Botschaften auf unserem langen Weg nach den Staaten um Unterstützung für uns gebeten.

Die Justizmaschine aber arbeitete langsam. Vor Beendigung des Prozesses gegen Rickmann war mit einer Befreiung nicht zu rechnen. Mitte Juni wurde er zu acht Jahren Strafarbeit (Zuchthaus), seine Mitarbeiter zu fünf und dreieinhalb Jahren verurteilt. Kein Mensch kümmerte sich mehr um sie, die für ihr Land und damit auch für Schweden für den Fall einer Invasion, wie er sich soeben in Norwegen ereignet hatte, ihr Leben einzusetzen bereit waren.

Ich wartete mit verzehrender Ungeduld auf die Bekanntgabe der Entscheidung, die mir die Reise in die Freiheit Amerikas, die ich vor bereits mehr als neun Wochen hatte antreten wollen, ermöglichen würde.

Man hatte mir Ausgehtage zugestanden. Ein Beamter in Zivil

begleitete mich früh am Morgen nach Haus, frühstückte mit der Familie, ging mit uns spazieren, wartete vor der Tür meines Büros oder meiner Freunde, die ich besuchte, und brachte mich abends ins Kittchen zurück. Der Schließer am großen eisernen Tor staunte jedes Mal über den ungewöhnlichen Gefangenen, der wie ein Hotelgast behandelt wurde. Und endlich kam der Tag!

In ernster Prozedur wurde mir am 20. Juni das Ausweisungsdokument überreicht. Noch zwei Nächte und einen Tag mußte ich in der Zelle verbringen. Früh um fünf Uhr brachte man mich in unsere Wohnung, wo Frau und Kinder mich reisefertig erwarteten. Meine Frau hatte alle notwendigen Reisedokumente und Zugs- und Schiffsreservierungen verlängern können.

Wir fuhren mit meinem getreuen Polizeibegleiter nach Bromma, dem Flugplatz. Um sieben Uhr flogen wir davon. Unten blieb mein Schatten, der Hüter des Rechts, zurück.

Rund um die Welt

Noch einen letzten Blick auf den Skärgården — vielleicht sahen wir Dalarö, wo wir so viele glückliche Stunden verbracht hatten — und das Flugzeug trug uns hinaus, über die Ostsee nach Riga. Mit uns war Fritz Busch, mit Frau und Sohn.

Kaum eine Stunde Fluges trennte uns von den friedlichen Inseln, und wir waren mitten in der Düsternis der Gewalt und der Kriegsnot.

Der Flugplatz war umstellt von russischen Bombern. Überall saßen und lagen russische Soldaten in ihren schmutzigbraunen Uniformen. Riga war soeben von den Russen besetzt worden, ein Opfer des deutsch-russischen Paktes. Die wenigen Letten im Warteraum machten einen verstörten Eindruck. Wenn man ihnen Fragen stellte, wandten sie sich schweigend ab. Es herrschte drückende Hitze, und unsere Stimmung sank.

Der Weiterflug bis zum russischen Flughafen Veliki Luki war eine Tortur. Nach russischer Anordnung durfte die Maschine nur dreihundert Meter hoch fliegen. Es war uns hundeelend zumute. Aber die Kinder waren tapfer und klagten nicht. Der Flugplatz lag mitten in flacher Steppe, in glühender Sonnenhitze. Eine freundlich lächelnde, hübsche Beamtin empfing uns. Sie sprach fließend Englisch und übte auf der einsamen Flugstation alle Pflichten, die des Intourist-Helfers, des Zöllners und des GPU-Beamten aus. Sie versorgte uns mit Tee, Butter, Brot, Eiern und Wodka, kontrollierte unsere Pässe und verfrachtete uns in unser Flugzeug, zur letzten Flugetappe nach Moskau.

Das Hotel Monopol, damals das einzige große Hotel der Stadt, bot einen schrecklichen Anblick der Verkommenheit, die um so deprimierender wirkte, als die Reste früherer Pracht noch sichtbar waren, zerrissene Plüschbezüge, Bronzefiguren im Stil der achtziger Jahre, halbblinde Spiegel.

Im Speisesaal lärmte an reichgeschmückter Tafel eine Gruppe von Deutschen, die den Waffenstillstand mit Frankreich feierte. Wir ließen die Köpfe hängen und fielen bald in unsere Betten, um Kräfte für den nächsten Tag zu schöpfen, den Beginn der langen Reise nach dem fernen Osten.

Bei ›Intourist‹, wo wir unsere Schlafwagenkarten für den transsibirischen Expreß vorausbestellt hatten, wußte man zunächst von nichts. Dann stellte es sich heraus, daß unsere zwei Abteile erster Klasse von zwei russischen Kommissaren in Anspruch genommen worden waren und wir uns mit der zweiten Klasse zu begnügen hatten, d. h. mit zwei Coupés mit je vier Betten.

Protest war aussichtslos. Doch die Preisdifferenz zahlte man uns nach langem Rechnen ordnungsgemäß zurück.

Die Stunden, die uns noch bis zum Abgang des Zuges blieben, nutzten wir zur Besichtigung der Stadt. Ein deutschsprechender Student fuhr uns im Auto durch die Straßen, die Spuren des Verfalls zeigten, die Armut und den Schmutz eines gequälten Landes, das durch seine schweren inneren Kämpfe noch nicht zum Wiederaufbau gekommen war. In der Trostlosigkeit dieses Anblicks strahlte als unvergeßlicher Eindruck die Weite des Roten Platzes mit den goldenen Kuppeln und Türmen der Wassilij-Kathedrale, dem Kreml hinter seiner gewaltigen Mauer, dem Leninmausoleum und der die Stadt durchströmenden Moskwa. Ernst und lustlos dreinschauende, ärmlich gekleidete Menschen eilten durch die Straßen, uns — durch unsere Kleidung deutlich als Fremde kenntlich — keines Blickes würdigend.

Wir waren froh, als wir uns um fünf Uhr nachmittags von unserem Führer verabschieden und zur Bahn begeben konnten.

Der Zug bestand aus achtzehn Wagen und einem Speisewagen. Die Lokomotive stieß dunkle Wolken aus und ließ ab und zu ihre Sirene in schrecklichem e-Moll ertönen. Mit Mühe verstauten wir unser Gepäck in den engen Kabinen, in denen wir die nächsten vierzehn Tage verbringen sollten.

Die transsibirische Bahn war zu dieser Zeit noch eingleisig. Auf den wenigen Ausweichstellen mußten entgegenkommende Züge abgewartet werden, was lange Aufenthalte zur Folge hatte. Bei glühender Hitze schlich der Zug durch die endlosen Weiten.

Die Fenster der Wagen zweiter Klasse waren nicht groß und nur mit äußerstem Kraftaufwand zu öffnen. Gelang es schließlich, war bald alles mit einer dicken Schicht von Kohlenruß bedeckt. Durch die Fenster des Ganges drang nur wenig Luft in die Abteile. Wir gaben den Kampf bald auf und saßen oder lagen erschöpft auf unseren Betten oder standen im Gang unter den kreischenden, an der Decke befestigten Lautsprechern, die auf keine Weise zur Ruhe zu bringen waren. Wagte man — scheu um sich blickend — sie abzustellen, so eilte sogleich aus einem Nachbarabteil einer der dort untergebrachten Offiziere herbei und machte den Ohrenschmaus wieder lebendig. Dazu die gräßlich heulende Sirene der Lokomotive, deren durch Mark und Bein gehende Mißtöne die Vorstellung von Krieg, Überfall und Eisenbahnunglück heraufbeschworen.

Tutti und die Kinder hatten es sich zwischen den Gepäckbergen auf ihren schmalen Betten so bequem gemacht, wie die Umstände es zuließen.

Ich hauste in meinem Abteil mit dem Sohn von Fritz Busch und zwei Amerikanern, einem jungen, aus Norwegen geflohenen Kaufmann und Professor Belquist von der Berkeley University,

California, der in Upsala als Gastprofessor Political Science gelehrt hatte. Mit ihm verstand ich mich gar nicht. Wir betrachteten uns mit unverhohlenem Mißtrauen. Ich hielt ihn für nazifreundlich, und er mich wahrscheinlich für einen Kommunisten. Wir sprachen auf der langen Fahrt kein Wort miteinander.

Am sechsten Reisetag, in der Gegend von Krasnojarsk, hielt der Zug plötzlich gegen Morgen auf freier Strecke an, mitten in der endlosen Steppe. Als mehrere Stunden verstrichen waren, ohne daß er sich wieder in Bewegung setzte — wir hatten uns schon an das russische Tempo gewöhnt —, entschlossen wir uns, nachzusehen, was geschehen war. Vor uns sei ein Zug entgleist, es würde ein paar Stunden dauern, bis die Bahn wieder frei sei, hieß es. Man promenierte am Zug entlang, pflückte Blumen, herrliche rote und gelbe Lilien, die zu Tausenden aus dem Steppengras leuchteten. Man bereitete Tee mit dem heißen Wasser der Samoware, die an beiden Enden des Wagens Tag und Nacht brodelten. Es wurde Mittag. Das Essen ohne Schaukelei schmeckte besonders gut; aber es rührte sich nichts. Schließlich entschloß ich mich, der Sache auf den Grund zu gehen. Nach einem kleinen Fußmarsch entlang den Schienen, bis zum Kopf des Zuges, bot sich mir der Anblick einer veritablen Eisenbahnkatastrophe. Angesichts der Eisentrümmer, der nach oben starrenden Achsen und Räder, der in weitem Umkreis verstreuten Getreidesäcke, die die Strecke vor uns bedeckten, lief mir ein Schauer den Rücken hinunter. Die Lokomotive eines entgegenkommenden Güterzuges war aus den Schienen gesprungen, und die schwer beladenen Güterwagen waren teils in sie hineingerast, teils über die Böschung gestürzt. Unser Zug hatte glücklicherweise noch kurz vor der Unfallstelle auf einem Ausweichgleis anhalten können.

Auf dem Rückweg sah ich schon von weitem meine Frau, von aufgeregt gestikulierenden und winkenden Menschen umgeben, in Tränen. Man hatte das unsinnige Gerücht verbreitet, der Zug würde in wenigen Minuten abfahren und mich in der Steppe zurücklassen. Die Vorstellung war allerdings schreckenerregend. Ich wußte aber aus eigenem Augenschein, daß vor dem späten Abend an ein Weiterfahren nicht zu denken war.

Schuld an dieser unnötigen Aufregung trug der als Dolmetscher mitreisende Intourist-Angestellte, der wegen seiner Leistungen auf dem Gebiet des Kundendienstes ›der kleine Idiot‹ genannt wurde. Dieser junge Mann, der schon in Moskau im Intourist-Büro alles in heillose Unordnung gebracht hatte, machte die Reise nach Wladiwostok zum erstenmal. Wir hatten bald heraus, daß die Auskünfte, die er erteilte, seiner Phantasie entsprangen. So schilderte er uns die Fahrt um den Baikalsee, die über steile Serpentinen führend zwei Tage dauern würde. Tatsächlich brauchte der Zug von Krasnojarsk bis Ulan-Ude, an der

Grenze der Mongolei entlangfahrend, zwölf Stunden, und von Serpentinen war keine Rede. Jeden Morgen erschien ›der kleine Idiot‹, unrasiert und ungewaschen, in einem zerschlissenen blauen Anzug und las uns in seinem gebrochenen Deutsch das Menu vor, das im großen und ganzen immer aus den gleichen Speisen bestand. Im Speisewagen nahm dann übrigens niemand von unseren Wünschen Notiz.

Der Speisewagen, der in drei Schichten arbeitete, stellte eine Höchstleistung an Ausnutzung menschlicher Arbeitskraft dar. Das Personal bestand aus einem Chef, der mit seinem unsagbar schmutzigen Leinenkittel immer am ersten Tisch neben dem Kücheneingang saß. Bei unserer Ankunft in Wladiwostok trug er plötzlich eine strahlend saubere Jacke, die er offenbar zur Begrüßung seiner Gattin angelegt hatte. Hauptperson war ein kleiner alter Kellner, der bessere Zeiten gesehen hatte und gut Deutsch sprach. Er wurde unterstützt von einem zweiten Kellner und einem weiblichen Wesen, das klein, dick und so verschmutzt war, daß wir die Schilderungen unserer Tochter Gisi über die Vorgänge beim Teller- und Gläserspülen unerbittlich zum Schweigen bringen mußten, um uns unseren Appetit zu erhalten. Diese drei armen Leute hatten ganz allein die Passagiere aus achtzehn voll besetzten Wagen Tag für Tag zu betreuen. Dabei waren sie immer freundlich und hilfsbereit und rührend dankbar für abgelegte Kleidungsstücke anstelle von Trinkgeldern.

Am achten Tag gingen die Eier aus. Unser lieber alter Kellner hatte sich bisher immer geweigert, Bestellungen auf *ein* Ei entgegenzunehmen. Das sei zu wenig; es mußten drei sein. Jetzt gab es gar keine mehr. Der Tee, unser einziges Getränk, schmeckte unvermittelt so sehr nach Karbol, daß er ungenießbar war. Das Fleisch hatte einen Stich, und roten Kaviar konnten wir nicht mehr sehen.

Glücklicherweise wurde es etwas kühler, je mehr wir uns dem Baikalsee näherten. Ständiger Regen schützte uns vor Staub und Ruß. Wir hatten uns mit den Verhältnissen abgefunden, und so ging es Tag für Tag mit Lesen, Gesprächen und Schlaf durch die immer gleichbleibende Steppenlandschaft, von Birkenwäldchen unterbrochen, Riesenweiten, in denen die kleinen Kirgisendörfer verschwanden, ebenso wie die Städte, in denen der Zug hielt. Immer und überall bot sich das gleiche Bild des furchtbaren Elends. In Lumpen gehüllte Gestalten, Männer, Frauen und Kinder, vor Schmutz starrend, um Lebensmittel und Zigaretten bettelnd. Wege und Straßen tiefe Schlammgruben. Elend, Lumpen, Hunger, Schmutz, Krankheit — das war der Anblick, den Rußland im Jahre 1940, dreiundzwanzig Jahre nach der Revolution, vom Fenster der transsibirischen Bahn aus bot. Es war freilich nur ein winziger Teil des gewaltigen Landes, das später Widerstandskräfte hervorbringen sollte, die man ihm unter dem bedrückenden Eindruck seiner Armut nicht zugetraut hätte.

Je weiter wir nach Osten kamen, um so mehr Militärtransporten begegneten wir, und um so mehr militärische und industrielle Anlagen wurden sichtbar. Viele der mitreisenden Offiziere verließen den Zug, andere stiegen ein; man hatte das Gefühl, schon im Krieg zu sein. Wir fuhren um die Südspitze des Baikalsees herum, an seinen herrlichen Ufern entlang, bis zu Ulan-Ude, von wo aus die Bahn sich zunächst nach Norden wendet, an der chinesischen Grenze scharf nach Süden abbiegt, um in Wladiwostok am japanischen Meer zu enden.

Wir waren früh um sechs Uhr angekommen. Was uns hier erwartete, übertraf alles vorher Gesehene. Vor dem Bahnhofsgebäude lagerten Hunderte von zerlumpten Gestalten, ganze Familien unter zerfetzten Zeltdächern. Sie hatten offenbar kein Quartier in der Stadt gefunden. Man sah in diesen frühen Morgenstunden Frauen mit kleinen Kochapparaten hantieren, Männer und Kinder schliefen noch auf dem vom Regen aufgeweichten Boden. Vor dem Hotel flüsterten uns früher Angekommene zu, es gebe Ratten. Zimmer und Betten waren in unbeschreiblichem Zustand der Verwahrlosung. Aber es half nichts. Unser japanisches Schiff, das uns nach dem kleinen japanischen Hafen Tsuruga bringen sollte, fuhr erst am nächsten Morgen.

Ich ging in die Stadt, um mich nach Brot umzusehen. Die Kinder hatten Hunger. Im Hotel gab es zu so früher Stunde nichts. Leere Fensterhöhlen starrten auf die Straßen, in deren Mitte stinkender Abfall in schmalen Abzugskanälen schwamm. Vor den wenigen Läden standen lange Menschenschlangen, auf die Ausgabe von Lebensmitteln wartend. Lastwagen brachten sie an – getrocknete Fische, die in das Zeitungspapier, das jeder bei sich trug, eingepackt wurden. Von Brot für meine Kinder konnte keine Rede sein. Ich kam mit leeren Händen zurück. Gegen Mittag gab es ein kärgliches Mahl im Hotel. Wir besuchten den amerikanischen Konsul, der durch Henrik van Loon sogar in dieser fernen Weltecke über unsere Ankunft informiert worden war und uns ein Grußtelegramm von ihm übermittelte. Dann wanderten wir ans Meer, an dessen fernem Horizont uns Japan erwartete. Japan und danach Amerika. Wir hatten noch einen weiten Weg zurückzulegen, bis wir uns wieder in Sicherheit fühlen würden.

Die ›Harbin Maru‹ strahlte in weißem Glanz. Das kleine Schiff versah damals dreimal im Monat den Verkehr zwischen Wladiwostok und Tsuruga, dem kleinen Hafen an Japans Ostküste, von wo aus man mit der Bahn in zehnstündiger Fahrt Yokohama und Tokio erreichte. Nicht nur die langersehnte Sauberkeit, auch die Ordnung, die auf dem Schiff herrschte, die präzise Arbeit der Besatzung und die überall spürbare Energie, die auf das einfache Ziel gerichtet war, das Schiff pünktlich abfahren und ankommen zu lassen, gab uns unseren Lebensmut zurück. Die vielen auf dem Schiff mitreisenden Japaner und Koreaner, besonders deren Frauen, brachten uns zum Bewußtsein, daß wir uns einem anderen Kulturkreis näherten. Natur, Menschen, Kleidung und Sitten verwandelten sich mit einem Schlage. Als wir am nächsten Morgen, am 10. Juli, in dem kleinen nordkoreanischen Hafen Seistin (Tschögdschin) anlegten, erwartete eine große Menschenmenge das Schiff am Pier. Schlanke, hochgewachsene Frauen standen da, in prächtige Gewänder aus einer Art Glasbatist gekleidet, die, an den Hüften gegürtet, in großen Falten fast bis zur Erde reichten, mit weißen Juchtenstiefeln an den Füßen und großen Papierschirmen in der Hand. Mit ihren braunen, breiten und doch zarten Gesichtern, den schlanken Händen, mit ihren graziösen Bewegungen, wirkten sie wie Zauberpuppen. Andere wieder, kleinere, trugen japanische Kimonos mit bunter Schärpe um den Leib, klapprende Holz- oder leise Reisstrohsandalen an den Füßen, ihre vor Gesundheit strahlenden Babies auf dem Rücken. Alles lachte und plapperte in hellen Tönen durcheinander. Als die Landungsbrücke befestigt war, kam eine Menge dieser Menschen an Bord, um nach Japan überzusetzen. Papierschlangen flogen von den Zurückbleibenden zu den Abfahrenden, bis die größer und größer werdende Entfernung des fahrenden Schiffes die bunten Bänder, die uns noch mit dem asiatischen Festland verbanden, zerriß.

Nach tiefem Schlaf in langentbehrten Betten landeten wir am nächsten Morgen in Tsuruga. Die Fahrt im bequemen Expreß nach Yokohama zeigte uns das herrliche, wie ein exotischer Garten wirkende Land. Reisfelder umsäumten die Bahnstrecke, saubere Dörfer mit den charakteristischen japanischen Dächern in Holz oder Stroh flogen vorbei, Wälder an sanften Hügeln, mit breit ausladenden Koniferen und — wie Pilze aus den Reisfeldern auftauchend — die breiten, zugespitzten Strohhüte der Reisbauern. Manche von ihnen, auf hohen Holzsandalen, in ganzen Anzügen aus Stroh. Wir sahen in der Umgebung der Städte, die wir passierten, in die großen Glasfenster moderner Fabriken, wo Tausende von Mädchen an langen Arbeitstischen saßen, hielten in großen Städten mit Hochhäusern, denen die japanischen Holzhäuser mit ihren Gartenhainen und Totentempeln dicht benachbart sind. Irgendwo thronte ein Buddha auf einem Berg, in der Ferne schimmerte die Schneekuppe des Fudschijama — und endlich der Pazifik, der ersehnte Ozean, der uns noch von Amerika trennte.

Yokohama ist eine moderne Hafenstadt. Das ›New Grand

Hotel‹, das uns aufnahm, hat internationalen Stil. — Feuchte Hitze, wie im Dampfbad. Nachts lagen wir unter Moskitonetzen in unseren Betten. Die elektrischen Ventilatoren, die eintönig summten, brachten nur wenig Kühlung.

Früh am Morgen eilen wir zu Yusen Kaisha, der japanischen Schiffahrtslinie, um festzustellen, wann unser Boot, die ›Kamakura Maru‹, auf dem wir in Stockholm Kabinen reserviert hatten, nach New York abfahren würde.

Von unserem Hotelfenster aus hatten wir die prächtigen Schiffe in dem gewaltigen Hafenrund gesehen. Wir hatten aber auch schon im Hotel gehört, daß Tausende von Amerika-Reisenden, die keine Schiffsreservierung hatten, auf Transportmöglichkeiten warteten. Angeblich mußten sie mit einer Wartezeit von mindestens vierzehn Tagen rechnen.

Bei Yusen Kaisha wartete die große Überraschung — leider sogar zwei. Unsere Kabinen auf der ›Kamakura Maru‹ waren bereit. Das Schiff sollte den Hafen am 13. Juli, also in drei Tagen, verlassen. Es war wohl das schönste Passagierboot Japans, 17 000 Registertonnen, ein kleines Schiff, aber mit allem Komfort ausgestattet, wie wir hörten. Als wir unsere Schiffskarten vorlegten, kam die kalte Dusche, so kalt, daß uns wieder einmal der Atem stockte; durch amerikanische Verfügung vom 6. Juli mußten sämtliche Besuchsvisa vom Konsulat des Ausgangslandes neu bestätigt, revalidiert werden.

Die Konsequenzen konnten furchtbar sein. Wie sollten wir noch vor Abgang des Schiffes die Revalidierung bekommen? Wir telegrafierten an den freundlichen Konsul in Stockholm. Kam die Antwort nicht rechtzeitig, so war es bei dem Andrang der Wartenden wohl unmöglich, Schiffsplätze noch vor dem Ablauf unseres britischen Visums zu erhalten, von dessen Gültigkeit das amerikanische Besuchsvisum abhing. Wir sahen uns bereits in Japan festgefahren, mit einem japanisch-amerikanischen Konflikt vor Augen, ohne Visa, mit nur einem Ausweg: nach Shanghai.

Tutti war völlig verzweifelt und hoffnungslos, zum erstenmal seit dem Beginn unserer Odyssee; es fiel mir schwer, sie zu ermutigen, da ich selbst nicht an das rechtzeitige Eintreffen der Bestätigung glaubte.

Dampfbadhitze, Hotel mit Schick, Ventilatoren, Moskitonetze, Meeresleuchten, wenn wir in der Kühle der Nacht am Strand saßen — warten — warten — warten. Der Konsul kann uns doch unmöglich in Japan sitzenlassen?! Was tun, wenn er nein sagt?

Wir gingen zum amerikanischen Konsul in Yokohama, dem wir bereits durch Kabel von Henrik Willem van Loon angekündigt waren; freundliches Mitleid, aber es gab keine andere Hilfe als das Kabel aus Stockholm. Wir fuhren zum amerikanischen Konsul nach Tokio — er kennt den Verlag, will gern helfen —, aber gegen die Verfügung des State Department kann er nichts machen. »Versuchen Sie das kanadische Visum zu bekommen. Mit Ihrem britischen sollte das möglich sein.« Auf zum englischen Konsul. »Ja, wir wollen gern helfen. Aber wir müssen erst in London anfragen.« Imperial Hotel — Kaiserlicher Palast mit Graben und Mauer — Riesenstadt mit breiten Geschäftsstraßen — sehr amerikanisch — alles huscht nur an uns vorbei — wir haben nur das verfluchte Visum im Sinn.

Wieder zurück nach Yokohama zum amerikanischen Konsul. Ich plädiere wie ein Anwalt für einen Todeskandidaten — morgen soll die Exekution vollzogen werden. Da fällt mir ein: ich habe noch ein Empfehlungsschreiben von dem schwedischen Generalkonsul in den Vereinigten Staaten, Lamm, an einen Professor an der Berkeley University im Koffer. Vielleicht kann das helfen.

Ich hole den Brief — traue meinen Augen nicht — er ist an Professor Belquist adressiert, mit dem ich eben vierzehn Tage lang in unserem engen Schlafwagenabteil durch Sibirien gereist war, ohne ein Wort mit ihm zu sprechen. Unser gegenseitiges Mißtrauen löst sich in Gelächter auf. Er eilt zum Konsul, vielleicht kann er ihn überreden. Wir warten, in drückender Hitze. Aber da kommt schon Belquist, ein Papier in der Luft schwenkend. Das Kabel aus Stockholm ist da, mit der Revalidierung unseres Visums und guten Wünschen von Konsul Snow. — Belquist wandte uns brummend den Rücken, um seine Rührung über unsere Freude zu verbergen.

Wir hatten noch zwei Stunden Zeit vor Abgang des Schiffes. Die Reservierung war unbegreiflicherweise für uns gehalten worden. Wahrscheinlich waren viele unserer Schicksalsgenossen durch die amerikanische Verfügung an der Weiterreise gehindert worden, so daß keine Not mehr an Schiffsplätzen herrschte. Wir packten in Windeseile die Koffer und rasten an Bord.

Tief unten am Kai wieder Hunderte von Winkenden, Abschiednehmenden. Wir lösen uns langsam vom Pier, und mit zunehmender Fahrt geht es hinaus, nach Osten, immer nach Osten, um endlich das ersehnte Land des Westens zu erreichen.

›Kamakura Maru‹, unser Glücksschiff, das uns so unverhofft noch aufnahm, schimmernder Palast, blitzend in Nickel und Chrom, von kühlen Luftströmen durchweht. Weißgekleidete, elegante, leise, immer lächelnde Stewarts lesen uns jeden Wunsch von den Augen ab. Abends spielen sie japanisches Theater und tanzen in ihren klassischen Kostümen. Frühmorgens, bevor noch der melodische Gong zum Frühstück ruft, schwimmen wir im bunten Bassin in Meereswasser — draußen auf dem Deck kühlt ein leichter Wind die Hitze, das Meer ist tiefblau, fliegende Fische surren über das Wasser — wir träumen in den Deckstühlen und suchen zu vergessen. Vergessen? Unmöglich. — Nie verließen mich in all dieser Pracht, die für andere geschaffen war, die düsteren Erinnerungen an Deutschland und die Sorgen um eine ungewisse Zukunft.

Drei Wochen verbrachten wir in unserem schwimmenden Paradies. Der Pazifik meinte es gut mit uns. Die Gedanken an die Zukunft drängte ich noch zurück und ergab mich ganz dem Erlebnis der Fahrt und der Erwartung einer neuen Welt, die sich uns öffnen sollte.

Die ›Kamakura‹ legte in Oahu auf Honolulu an. Am Pier stand Klaus Mehnert. Er erwartete nicht uns, sondern seinen früheren Lehrer, Professor Belquist. Um so größer war die Freude über unser unerwartetes Wiedersehen. In seinem kleinen Wagen fuhr er uns zur Universität, wo er als Gastdozent lehrte, zeigte uns den Campus und Teile der Insel, deren Schönheit uns überwältigte. Es war unsere erste Begegnung mit Amerika, seinem way of life, noch vermischt mit dem Leben der hawaiischen Bevölkerung, aber doch schon deutlich in jeder Begegnung mit den Einwohnern fühlbar.

Wir trennten uns nur schwer, nach einem viel zu kurzen Aufenthalt. Noch eine Woche Fahrt über den wahrhaft ›Stillen Ozean‹, und dann kam es: das Land der Freiheit, Amerika, das schöne.

Unter dem kühnen Schwung der ›Golden Gate Bridge‹ hindurch fuhr unser weißer Schwan in die Bucht von San Francisco. Wir waren angekommen.

Henrik Willem van Loon hatte alles für unsere Ankunft vorbereitet. Pressefotografen, Interviews waren rasch überstanden. Paß- und Gepäckkontrollen dauerten nur Minuten, und eine Freundin van Loons nahm uns in Empfang und fuhr uns bergauf und -ab durch die schönste und eigenartigste aller amerikanischen Städte, durch ihre Geschäftsstraßen, das Chinaviertel, zu den alten spanischen Kirchen.

Aber wir mußten noch etwas weiter: ein letzter Tag in unseren Kabinen, auf der Fahrt nach Süden, entlang der kalifornischen Küste nach San Pedro, dem Hafen von Los Angeles, dem Ende der langen Reise.

Katia Mann und Erika erwarteten uns am Pier und brachten uns in ihrem Wagen nach dem kleinen, am Meer gelegenen Santa Monica, wo dank ihrer Vorsorge ein Bungalow uns aufnahm, unser neues Zuhause für die nächsten zwei Monate.

USA

Sieben schwere Jahre ständiger Gefährdung, sieben Jahre der Demütigung und Verfolgung lagen hinter uns.

Im Kampf um die Erhaltung des baren Lebens, in den man uns hineingestoßen, hatten wir kaum mehr über den Verlust unserer Freiheit nachgedacht, über den Verlust unserer Unabhängigkeit, der Daseinsform, die unserer Herkunft und Gesinnung entsprach.

Hier in Amerika, an der sonnigen Küste Californiens, mit seinen blühenden Gärten, seinem weiten, schneeweißen, von der gewaltigen Brandung des Pazifik bespülten Strand, strömte überwältigend das Gefühl der Freiheit auf uns ein, der Befreiung von der furchtbaren Last, die so lange auf uns geruht hatte.

Unter den freundlichen Menschen Californiens wurde uns erst ganz bewußt, in welch unwürdiger Bedrückung wir in den letzten Jahren gelebt hatten und welchen Gefahren wir entronnen waren.

Thomas Mann begrüßte uns in dem Haus, das er hier gemietet hatte. In seinem tropisch blühenden Garten erzählte ich ihm von unseren Abenteuern und begann über die Zukunft zu reden, Gedanken zu ordnen, Möglichkeiten zu erwägen.

Hier war es auch, wo er mich in einer solchen besinnlichen Stunde fragte — oder fragte er sich selbst — »Was wird wohl, meinen Sie, von meinem Werk übrigbleiben? Die ›Buddenbrooks‹, ja, das ist ein ganz gutes Buch — oder wird es der ›Joseph‹ sein?« Ich war sehr berührt von der stolzen Bescheidenheit, die aus seiner Frage sprach. Ich habe Kleinere gesehen, die von ihrer Unsterblichkeit überzeugt waren.

Nach der Entspannung der ersten Tage stellte sich die Frage nach dem ›Was nun?‹ Es war Anfang August 1940. Meine Freunde in New York rieten dringend, die Reise nach der Ostküste auf kühlere Tage zu verschieben.

Aus Stockholm erreichten uns erste, spärliche Nachrichten. Der Verlag arbeitete nach meinen hinterlassenen Anweisungen weiter und versuchte, seine Bücher nach dem uns einzig noch verbleibenden Absatzgebiet, der Schweiz, zu verkaufen. Von den beiden befreundeten holländischen Emigrationsverlagen, Allert de Lange und Querido, war nichts mehr zu hören. Sie waren ein Opfer der Nazis geworden, wie vordem mein österreichischer Verlag.

An das Schicksal ihrer Leiter war nur mit Schaudern zu denken. Wie wir erst viel später erfuhren, war Walter Landauer, nachdem er sich lange versteckt gehalten hatte, einem Mann, der ihm die Flucht nach der Schweiz versprach, in die Falle gegangen und der Gestapo in die Hände geliefert worden. Er ging in einem Konzentrationslager elend zugrunde, dieser zarte, kluge Freund, der mit soviel Liebe und Leidenschaft für seine Autoren und ihre Bücher gelebt hatte.

Emanuel Querido, der Begründer des holländischen Verlages, wurde in Amsterdam verhaftet, deportiert und umgebracht. Seine Mitarbeiterin, Alice van Nahuys-von Eugen und ihr Mann, Fred von Eugen, tauchten unter. Er wurde einer der Leiter des Widerstandes in Holland.

Nur mein Freund Fritz Landshoff, der Leiter des deutschen Querido Verlages, hatte sich nach dem Ausland retten können. Er war zufälligerweise zur Zeit der Okkupation Hollands in London.

Wenigstens ein Teil unserer in Holland eingelagerten Bücher, die ich kurz vor der Besetzung noch nach Schweden beordert hatte, war uns erhalten geblieben. Aber vieles war dennoch verloren, insbesondere der größte Teil der schönen, so erfolgreichen Bücher unseres Gemeinschaftsunternehmens, der Forum-Bücherei.

Wie lange der Stockholmer Verlag nach dem Verlust fast seines ganzen Absatzmarktes noch am Leben erhalten werden konnte, war noch nicht zu übersehen. Konnte man noch neue Bücher drucken? Sollte man nicht lieber jetzt für die vielen Autoren, die aus anderen europäischen Ländern nach den USA geflüchtet waren, dort einen internationalen Emigrationsverlag gründen?

Vor allem aber galt es jetzt, unseren Lebensunterhalt zu verdienen. Meine Geldmittel waren beschränkt, die Reise hatte ein Vermögen gekostet, und auf Einnahmen aus Stockholm war nicht zu rechnen. — Ich schob die Frage zunächst auf. Sie war nur in New York, dem Zentrum des Verlagswesens und des kulturellen Lebens Amerikas, zu lösen.

Mitte September brachen wir unsere Zelte im freundlichen Santa Monica ab und fuhren im neuerstandenen Wagen, der nicht mehr kostete als wir für fünf Fahrkarten nach New York hätten zahlen müssen, wie die Zigeuner, all unser Hab und Gut im Kofferraum und auf dem Verdeck verstaut, quer durch die Staaten nach Osten, über die Rocky Mountains, vorbei am Weltwunder des Grand Canyon, in dessen Tiefen der Colorado River braust, durch die nie gehörten Wildweststädte Gallup, Albuquerque, durch die ›painted desert‹ mit ihren in der heißen Luft zitternden roten Sandsteinformationen und versteinerten Wäldern, durch Oklahoma, Kansas und Kentucky, durch Ohio und Pennsylvania, in zehn Tagen des Staunens und Hingerissenseins vor den Wundern des gewaltigen Landes, nach dem letzten Ziel der Reise, New York.

Es war noch nicht ganz das letzte. Henrik Willem van Loon bestand darauf, uns in Old Greenwich in Connecticut, wo er selbst lebte, anzusiedeln. Nur sechzig Kilometer von New York entfernt, durch breite Autostraßen, die am Hudson River vorbei durch die zauberhafte Landschaft Neu Englands führen, und durch eine bequeme Bahnlinie mit der Stadt verbunden, leben dort und in vielen anderen ähnlichen Orten die New Yorker, die es lieben, sich nach Geschäftsschluß aufs Land zurückzuziehen.

In New York wohnt man nicht, meinte Henrik: und er hatte auch schon ein im Kolonialstil möbliertes Haus für uns ausersehen, das wir für billiges Geld mieten konnten. Ein kleiner Garten führte zum Sound hinunter, dem Wattenmeer, das die Küste von der vorgelagerten Insel Long Island trennt. Es konnte nicht schöner sein. Ich griff zu. Von diesem Augenblick an sind wir für unser ganzes ferneres Leben zu Landbewohnern geworden.

Und hier beginnt eine Geschichte, wie man sie vielleicht aus amerikanischen Abenteuerbüchern kennt, vom armen Einwandererjungen, dem das Glück auf der Straße begegnet, und er endet als einsamer Millionär. Nun, ganz so war es nicht bei mir. Aber eine echt amerikanische Geschichte, wie aus der Pionierzeit ist es doch:

Wir hatten uns am ersten Abend in unserem neuen Haus gerade zum Abendessen zu Tisch gesetzt, als die Türglocke schellte. Ein freundlich lächelnder Herr trat ein, schaute uns lustig durch seine goldgefaßten Brillengläser an und sagte: »How are you folks? My name is Alfred Harcourt. Ich habe von Euch durch Henrik Willem gehört. Ihr kennt mich nicht. Aber ich kenne Euch. Denn ich habe meinen Verlag nach Eurem Beispiel aufgebaut. Ich möchte einmal sehen, ob Ihr etwas zu essen habt.« — Und dann ging er in die Küche, schaute in die Töpfe und in den Kühlschrank, den schon Henrik Willem vor unserer Ankunft mit dem Nötigen gefüllt hatte, und zog sich mit einer Einladung in sein Haus, das ganz in der Nähe lag, zurück. »Mein Gott«, meinte ich zu meiner Frau«, »was für ein freundlicher netter Mann. Den wollen wir bald besuchen.« Aber damit ist die Geschichte nicht zu Ende.

Als ich am nächsten Morgen um acht Uhr auf dem kleinen Bahnhof auf den Expreß nach New York, den täglichen ›Commutertrain‹ wartete, stand ich allein unter vielen sich grüßenden, miteinander redenden Old Greenwichern, Geschäftsleuten aus New York. Einsam an eine der eisernen Säulen gelehnt, die das Bahnhofsdach tragen, hörte ich die mir noch vom letzten Abend bekannte Stimme: »Hallo, Mr. Fischer, going to New York?« Alfred Harcourt wollte wissen, was ich dort unternähme. Ob ich ein Büro dort hätte. »Aber Mr. Harcourt«, sagte ich, »ich kenne New York gar nicht. Ich fahre zum erstenmal in die Stadt, um einige Freunde zu besuchen.« — »Oh«, sagte er, »is that so? You can have a desk* in my office. Hier ist meine Adresse, ich erwarte Sie um zehn Uhr.« Auf der Fahrt, zwischen den zeitunglesenden Nachbarn, dachte ich über mein merkwürdiges Schicksal nach. Sollte hier wieder ein Zufall den Weg in die Zukunft weisen? Oder war es kein Zufall? War es die unsichtbare Kraft des alten Namens, die mich weitertrug?

Der Verlag Harcourt-Brace ist eines der führenden Verlagshäuser Amerikas. In seinem großen, in der Madison Avenue, mitten in Manhattan gelegenen Büro begrüßte mich mein neuer Freund, wies mir meinen Schreibtisch an, mit Telefon, Schreibmaschine, Sekretärin. Und ehe ich mich versah, war ich wieder mitten im Verlagsbetrieb. Ich hatte gar keine Wahl, auch keine Zeit, nachzudenken. Denn schon fragte er mich, wo eigentlich meine Bücher seien. »Ja, natürlich in Stockholm.« Das schien für ihn gar keine besonderen Schwierigkeiten zu bieten. »Schikken Sie ein Kabel und lassen Sie ein paar Tausend herüberkommen. Ich werde für den Vertrieb sorgen.« — »Ja, aber das kann Ihnen doch gar nichts einbringen«, meinte ich. — »Oh, das macht nichts, ich werde schon auf meine Kosten kommen.« Ich hätte gern die Gesichter meiner Guten in Stockholm gesehen, als knapp drei Monate nach meiner Abreise, aus den USA eine Bestellung auf 10 000 Bücher eintraf.

Nun, das war freilich nicht viel, aber es war ein ermutigender Anstoß, weiterzumachen. Und es zeigte sich bald, daß in den Staaten ein ziemlich großes Absatzgebiet für unsere Bücher vorhanden war. Tausende von Emigranten, viele von ihnen aus akademischen Berufen, waren Bücherfreunde. Einige amerikanische Buchhandlungen mit deutschsprechenden Kunden gaben Bestellungen auf, neue Buchhandlungen wurden von Emigranten eröffnet, die Universitätsbibliotheken hatten großen Bedarf. Und so kam es schließlich dazu, daß ich das eine oder andere der am meisten gefragten Werke in New York in Auflagen bis zu 5000 Exemplaren nachdruckte, um die Nachfrage sofort befriedigen zu können.

Alfred Harcourt hatte mir nach dem amerikanischen Prinzip ›Give him a chance‹ zum neuen Lebensstart verholfen. Ich wußte, daß es nur so gemeint war und daß ich mich bald auf eigene Füße stellen mußte.

Im Oktober 1940 waren viele Freunde, um deren Schicksal wir bangten, durch die Hilfe des unter Mitwirkung Thomas Manns von Präsident Roosevelt ins Leben gerufenen ›Emergency Res-

---

* Schreibtisch, Büroplatz.

cue Committee‹, einer Organisation zur Rettung gefährdeter Intellektueller, in Amerika angekommen. Franz Werfel, Heinrich und Golo Mann, Alfred Döblin, Leonhard Frank und mehrere andere waren durch einen in Südfrankreich stationierten amerikanischen Beauftragten des ›Rescue Committee‹, Mr. Fry, unter lebensgefährlichen Umständen aus dem besetzten Frankreich über Spanien und Portugal gerettet worden und hatten auf einem griechischen Schiff in langer Überfahrt den von deutschen U-Booten kontrollierten Atlantik überquert.

Drei Wochen vorher war der britische Dampfer ›City of Benares‹, auf dem sich Thomas Manns Tochter Monica mit ihrem Mann, dem Kunsthistoriker Dr. Lanyi, befand, versenkt worden. Sie war, nachdem sie sich viele Stunden in der hochgehenden See an einer Planke über Wasser gehalten hatte, gerettet worden, ihr Mann ertrank vor ihren Augen. Der deutsche Schriftsteller Rudolf Olden, der auf dem selben Schiff war, weigerte sich nach der Torpedierung, seine Kabine zu verlassen, müde des ewigen Kampfes, und ging mit dem Schiff unter.

Das griechische Schiff mit seiner kostbaren Last war in Hoboken, dem Hafen auf der Westseite des Hudson River, vor Anker gegangen. Franz Werfel, ausgehungert und abgerissen, sank mir in die Arme. Er wies auf seinen Rucksack. »Weißt Du, was ich darin habe? — Das Manuskript meines neuen Buches. Das beste, was ich je geschrieben habe.« Es war ›Das Lied von Bernadette‹, das ich ein Jahr später in Stockholm herausbrachte und das kurz danach in seinem amerikanischen Verlag ›Viking Press‹ in New York in englischer Übersetzung erschien. Der Erfolg der amerikanischen Ausgabe und später der des Films enthob Werfel, der fast ohne Mittel in Amerika angekommen war, aller ferneren materiellen Sorgen.

Franzl, wie ihn seine Frau nannte, liebte das Leben, Frauen, die Musik, das gute Essen, und er war ein Poet von Gottes Gnaden. Den praktischen Erfordernissen des Lebens stand er mit seinem kindlichen Gemüt hilflos gegenüber, und es bedurfte der starken Natur seiner Frau, um ihn vor den Härten des Daseins zu schützen. Ihr war es zu danken, daß die Flucht aus Österreich und später aus Frankreich gelang, und sie verschaffte ihm mit ihrer Energie, ihrem Glauben an sein Werk und ihrem unerschütterlichen Lebensmut die Ruhe für seine Arbeit. Beide hatten einen köstlichen Humor, und die vielen Stunden, die wir mit ihnen verbringen konnten, trugen uns über unsere eigenen Sorgen und Bedrückungen hinweg.

Nur wenige der exilierten deutschen Schriftsteller waren in ähnlich glücklicher Lage und konnten von ihren amerikanischen Einnahmen leben: Werfel und Thomas Mann, Feuchtwanger, Vicki Baum, Remarque, Stefan Zweig. Andere mußten sich nach einem Broterwerb umsehen, den manche beim Film fanden. Viele kamen an den amerikanischen Colleges und Universitäten unter, wo sie zunächst als ›Lecturer‹ in den deutschen ›Departments‹ begannen und oft in die Position ordentlicher Professoren aufrückten, eine Entwicklung, die an deutschen Universitäten mit ihrem streng hierarchischen Aufbau undenkbar wäre. Den meisten Schriftstellern deutscher Herkunft ging es miserabel. Sie lebten von Zuwendungen der zahlreichen Stiftungen, von Sammlungen, die für Emigranten allerorten veranstaltet wurden, oder von gelegentlichen journalistischen Arbeiten. Vielen half die deutschsprachige Zeitung ›Aufbau‹, ein Wochenblatt unter der Leitung Manfred Georges, das neben aktuellen Nachrichten und Leitartikeln zur Lage Informationen für die Emigranten publizierte.

Liesl Frank, die Gattin Bruno Franks, leitete in Hollywood eine Hilfsorganisation, in der sie unermüdlich mit finanzieller Unterstützung und Arbeitsbeschaffung den geretteten Schriftstellern weiterhalf.

Hermann Kesten wirkte beim ›Rescue Committee‹ in New York in gleichem Sinne, in selbstlosem Einsatz auf die Rettung der von den vorrückenden SS-Truppen in Frankreich Bedrohten bedacht. Viele, denen er in Zusammenarbeit mit Mr. Fry die Flucht und die Überfahrt nach Amerika ermöglichte, haben ihm ihr Leben zu verdanken.

L. B. Fischer Publishing Corporation

Im März 1941 war Fritz Landshoff aus England in Amerika eingetroffen. Er hatte die Verlagsrechte der Autoren des Querido Verlages in eine in Batavia, Niederländisch-Indien, für diesen Zweck eingerichtete Gesellschaft eingebracht. Es waren u. a. Vicki Baum, Bruno Frank, Leonhard Frank, Lion Feuchtwanger, Klaus Mann, Erich Maria Remarque, Anna Seghers. Er bat mich, die neuen Werke dieser Autoren für ihn in meinem schwedischen Verlag zu publizieren. So erschienen von 1941 an im Bermann Fischer Verlag, Stockholm, im Kommissionsverlag, auch die Bücher des Querido Verlages, die spätere Verschmelzung der beiden Verlage vorwegnehmend.

Unser witziger Freund Friedrich Torberg sagte dazu einmal: » ... wenn vielleicht eines dieser Bücher irgendwann einmal einem wißbegierigen Buchhändlerssohn in die Hände fällt, könnte sich ein merkwürdiger Dialog entspinnen. Frage: ›Papa, warum ist dieses deutsche Buch, das in Holland gedruckt wurde, in Schweden erschienen?‹ — Antwort: ›Weil die Japaner in Holländisch-Indien einmarschiert sind.‹«

Aber alle diese Bemühungen um das gefährdete Traditionsunternehmen in Stockholm konnten uns keine Lebensgrundlage in der neuen Heimat bieten. So kam ich mit Landshoff, der sich in ähnlicher Lage wie ich befand, zu dem kühnen und leichtfertigen Entschluß, einen amerikanischen Verlag zu begründen. Wie ich den Mut dazu aufbrachte, vermag ich heute nicht mehr zu verstehen. Weder hatten wir die nötigen Geldmittel noch beherrschten wir die englische Sprache noch hatten wir Autoren, die das Interesse des amerikanischen Buchhandels und des Publikums gewinnen konnten. Wahrscheinlich wäre es auch in keinem anderen Land der Welt möglich gewesen, Leute zu finden, die ihr gutes Geld an ein so windiges Unternehmen wagten. Zusammen mit dem, was Landshoff und ich aus eigenem beisteuerten, waren es noch keine $ 80 000. Wer je in seinem Leben einen Buchverlag geführt hat, weiß, wie schnell das verpulvert ist.

Unsere Unerfahrenheit auf dem amerikanischen Buchmarkt ersetzten wir durch jugendliche Forschheit und eine Unverfrorenheit, die uns unsere Lage diktierte.

Es sollte doch mit dem Teufel zugehen, wenn wir nicht ein europäisch-amerikanisches Programm zusammenbrächten und unsere Bücher dank unserer langen Erfahrung so ausstatten könnten, daß sie sich auch unter der gewaltigen Konkurrenz der eingesessenen Verlage bemerkbar machen würden. Mit unseren großen deutschen Autoren konnten wir allerdings nicht rechnen. Die amerikanischen Übersetzungen von Thomas Mann, Werfel, Stefan Zweig erschienen seit Jahren mit Erfolg bei großen amerikanischen Verlagen, und es bestand für uns gar keine Möglichkeit, ihre neuen Werke in englischer Übertragung zu erwerben. Aber es gab viele deutsche Schriftsteller in der Emigration, die bisher nicht in Amerika veröffentlicht worden waren. Hier war eine Aufgabe für einen Verlag wie den unseren.

Wir mieteten einem Geschäftsmann, der dies offenbar nötig hatte, ein kleines Zimmer seines Büros ab — in der 43. Straße, West, nicht weit von der 5th Avenue, und begannen unsere Verlagspläne zu schmieden. Da waren zum Beispiel noch niemals die Briefe Giuseppe Verdis in englischer Sprache erschienen; Werfel hatte eine Auswahl in deutscher Sprache bei Zsolnay in Wien vor vielen Jahren besorgt. Leopold Schwarzschild bot ein umfangreiches Manuskript an, ›World in Trance‹, eine Geschichte der politischen Ereignisse von Versailles bis Pearl Harbour. Der österreichische Schriftsteller Otto Zoff übergab uns seine fertig vorliegende Geschichte der Hugenotten, und Paul Elbogens Buch ›Geliebte Mutter‹, das in Deutschland vor einigen Jahren große Verbreitung gefunden hatte, schien uns, ergänzt durch die Hinzunahme einiger großer amerikanischer Persönlichkeiten, auch für amerikanische Leser attraktiv zu sein. Dazu brachte uns ein junger amerikanischer Lektor, den wir inzwischen gefunden hatten, zwei amerikanische Manuskripte: ›Prisoners of Hope‹, ein Bericht über das besetzte Frankreich und die Untergrundarbeit gegen die Besatzungstruppen, von Reverend Howard L. Brooks, der mit den Unitariern in den französischen Konzentrationslagern den Gefangenen hilfreiche Dienste geleistet hatte — und ein Manuskript des Tokio-Korrespondenten der New York Herald Tribune, Joseph Newman, der unmittelbar vor dem amerikanischen Angriff auf Pearl Harbour Japan verlassen hatte und seine Kriegsvorbereitungen und Kriegsziele darstellte, ›Goodbye Japan‹.

Das waren sechs gute ›non fiction‹-Titel. Aber ohne einen guten amerikanischen Roman, möglichst von einem noch unbekannten Autor, wäre das Programm nicht vollständig gewesen.

Da las ich im ›American Mercury‹, einer damals in hohem Ansehen stehenden politisch-literarischen Monatsschrift, eine Shortstory von einem William Bradford Huie aus Alabama. Ich war so beeindruckt von seiner Darstellung eines zum Tode verurteilten Negers, von seiner schriftstellerischen Begabung und seinem ergreifenden Einsatz für ein armes, in entsetzliches Unglück geratenes Leben, daß ich beschloß, koste es, was es wolle, den Roman, an dem er arbeitete (aus einer Fußnote ging es hervor), für uns zu ergattern. Das Problem war nur, wie den Autor finden. Niemand kannte ihn. Der Redakteur der Zeitschrift, der einzige, der seine Adresse wußte, weigerte sich, sie mir zu geben, da er den Roman selbst verlegen wollte.

Die University of Alabama, auf die ich als nächste Quelle meine Hoffnung setzte, antwortete auf meine telefonische Anfrage mit einer Schimpfkanonade gegen den Autor. Man habe gerade eine Beleidigungsklage gegen ihn erhoben, da er ihre Fußballmannschaft der Korruption beschuldigt habe. Aber ich erfuhr bei diesem etwas verwirrenden Gespräch wenigstens, daß der Bruder Huies eine Zeitung in Montgomery, der Hauptstadt Alabamas, besitze.

Jetzt hatte ich ihn. Ich erhielt seine Telefonnummer und versuchte ihn in meinem höchst fragwürdigen Englisch davon zu überzeugen, daß die L. B. Fischer* Publishing Corporation, so hießen wir mittlerweile, der einzig richtige Verlag für ihn sei.

Vielleicht reizte ihn der Gedanke, mit seinem Buch Pate bei einem neuen Verlag zu stehen — er hat mir die Beweggründe für seine Zusage nicht verraten — und er sagte zu. Wenige Tage später kam sein Manuskript. Ich hatte mich nicht geirrt. Es war ein begabtes aggressives Buch, gegen gewisse Zustände der amerikanischen Gesellschaft gerichtet, für damalige Begriffe äußerst ›shocking‹, — inzwischen ist man weit Exzessiveres gewöhnt — so sehr, daß unser Lektor sich weigerte, es anzunehmen und seine Demission anbot. Zudem trug es auch einen haarsträubenden Titel, ›Mud on the Stars‹. Aber Landshoff und ich sahen hier unsere Chance. Mit einem zahmen Erstling konnten wir keine Katze hinterm Ofen hervorlocken.

Für die Gesamtausstattung holten wir unseren Freund aus vergangenen Tagen, Georg Salter, der sich in Amerika bereits einen großen Namen als Book Designer gemacht hatte. Was er uns an Umschlägen, Katalogentwürfen und Anzeigen lieferte, war exzellent. Mit Stolz konnten wir den früheren Verlagszeichen, dem Fischer mit dem Netz von Ehmcke, den beiden Rappen von E. R. Weiss, den Querido Initialen, den Fisch hinzufügen.

Unser Programm für das Frühjahr 1942 war komplett.

Alfred Harcourt, dem ich es vorlegte, wünschte uns Glück, und ich schied mit Dank aus seiner väterlichen Obhut.

Wir bezogen ein eigenes Büro in der 4th Avenue, der verlängerten Park Avenue, mitten im Konfektionsviertel, in einem düsteren Gebäude und in einer düsteren Gegend; aber es war billig. Zwei Sekretärinnen und eine Buchhalterin wurden engagiert. Ein holländischer Verleger, Freund Landshoffs, Marinus Warendorf, hatte sich mit einer kleinen Kapitaleinlage zu uns gesellt und übernahm die Administration. Landshoff und ich

---

* Landshoff-Bermann-Fischer.

F I S C H E R

Announcing a new imprint

BEFORE introducing our first list we feel that we ought to introduce ourselves. We are not new to publishing. Both of us have been associated with long-established book firms abroad: S. FISCHER, *Berlin* and later BERMANN-FISCHER, *Stockholm* and QUERIDO, *Amsterdam*. These firms have had a long and distinguished record as publishers of fine books by outstanding European and American authors, both in the pre-Hitler days and in the subsequent struggle for a free European literature in exile.

We have now joined forces to establish a new American firm. We propose to publish good books ... useful books as well as entertaining ones, books of enduring interest as well as timely ones. We hope that our efforts will be worthy of the authors with whom we have been identified in the past, and that we may contribute in some measure to the development of life and letters in these United States.

G B. Fischer
F H. Landshoff

L. B. FISCHER PUBLISHING CORP., 381 FOURTH AVE., N. Y.

We published, abroad, the work of these authors:

LION FEUCHTWANGER
ERNEST HEMINGWAY
SINCLAIR LEWIS
HEINRICH MANN
THOMAS MANN
HAROLD NICOLSON
JOHN DOS PASSOS
ERICH MARIA REMARQUE
FRANKLIN D. ROOSEVELT
ARTHUR SCHNITZLER
CARLO SFORZA
G. BERNARD SHAW
VINCENT SHEEAN
LYTTON STRACHEY
JAKOB WASSERMANN
FRANZ WERFEL
WALT WHITMAN
ARNOLD ZWEIG
STEFAN ZWEIG

SEE NEXT 7 PAGES

teilten uns in die literarische Leitung, ich sorgte für die Herstellung und Landshoff für die Finanzen und den Vertrieb.

Den drei Verlagsvertretern, die die Buchhandlungen im ganzen Land besuchen sollten, saßen wir bei unserer ersten Begegnung verschüchtert gegenüber. Es schien eher so, als ob sie vorhätten, *uns* zu engagieren und nicht umgekehrt. Selten habe ich vor Menschen solche Angst gehabt, wie vor diesen drei smart Americans, die, mit den Hüten auf dem Hinterkopf und der Zigarre im Mund, in schwer verständlichem New Yorker Slang ihre Vorschläge und Forderungen von sich gaben. Wir versuchten, uns ebenso smart zu benehmen, was bei unserem kargen Englisch nicht ganz leicht war. Aber sie verfuhren freundlich mit uns, milde lächelnd, und waren von unserem Programm ganz angetan.

Leichter war der Umgang mit den Druckereien und Bindereien. Sie hatten erfahrene Fachleute, die kleineren Verlagen, die keine eigene Herstellungsabteilung unterhielten, die Sorge um Papierbeschaffung und Druckgestaltung abnahmen und mit fertigen Entwürfen aufwarteten, so daß dem Verlag nur noch die Arbeit der Kalkulation und der Preisgestaltung verblieb. Diese Produktionsberater waren meistens deutsche Emigranten, die wegen ihrer großen Kenntnisse aus ihrer früheren Tätigkeit in deutschen Druckereien und Verlagen bei den amerikanischen Druckereien sehr beliebt waren.

Die Leitung eines kleinen amerikanischen Verlages ist kein Ruhekissen. Die musterhafte Organisation eines über das ganze Land verbreiteten Sortimentsbuchhandels, wie wir sie in Deutschland gekannt hatten, existiert in den Vereinigten Staaten nicht. Es gab ein paar hundert reguläre Buchhandlungen, die zum Teil auch noch Papierwaren verkauften. Etwa sechzig Prozent des Gesamtverkaufs an Büchern war in den Händen von zwei oder drei Grossisten, die für die Verteilung an die kleinen Buchverkaufsstände, und vor allem an die über das ganze Land bis in die kleinsten Orte verbreiteten öffentlichen Büchereien, die Leihbibliotheken und die Universitätsbibliotheken sorgten. Von der Gunst ihrer Einkäufer hing unser Schicksal ab. Sehr viele Möglichkeiten, diese großmächtigen Herren für uns einzunehmen, hatten wir nicht. Da wir niemanden störten, ließen sie uns leben, ja förderten uns sogar hier und da. Dabei spielte natürlich der Umstand, daß unsere Bücher ganz gut verkäuflich waren, eine Rolle, vor allem aber, daß nach dem Eintritt Amerikas in den Krieg die Nachfrage nach Büchern sprunghaft anstieg und die durch Papierverknappung eingeschränkten Auflagen schnell abgesetzt werden konnten.

Der Schluß, den der Nationalökonom Wilhelm Röpke in einem Aufsatz in der Frankfurter Allgemeinen Zeitung aus der geringen Zahl der Buchhandlungen in den Vereinigten Staaten ziehen zu können glaubte, ist allerdings falsch. Er schrieb: »Es ist nicht zu bezweifeln, daß die ganze, außerordentlich beunruhigende und uns warnende Problematik der Vereinigten Staaten an diesem Pegel des Tiefstandes der Buchkultur abgelesen werden kann, und dieses Resultat kann durch keine andere Messung der Soziologen aus der Welt geschafft werden.«

Abgesehen davon, daß die äußere Qualität der amerikanischen Bücher — wenn er darunter ›Buchkultur‹ versteht —, jedem Vergleich mit der anderer Länder standhält, übersieht Röpke die Existenz von Hunderttausenden von Bibliotheken, die selbst in den kleinsten Kommunen zu finden sind. Sie sind meistens in schönen eigenen Gebäuden mit gut eingerichteten Leseräumen untergebracht, und sie werden von den Bürgern, denen die ständig ergänzten Bücher kostenlos ausgeliehen werden, eifrig benutzt. Man kann diese von den Gemeinden unterhaltenen Büchereien beileibe nicht mit den meistens sehr ärmlichen privaten Leihbüchereien Deutschlands vergleichen. Sie stellen kulturelle Zentren dar, die sehr wohl einen Ersatz für die geringe Zahl von Buchhandlungen bieten und Leserschichten anziehen, die niemals eine Buchhandlung besuchen oder ein Buch kaufen würden. Zu schweigen von den großartigen Universitätsbibliotheken, die, mit großen Mitteln ausgestattet, schon so manche europäische Briefsammlung und so manchen Nachlaß bedeutender europäischer Autoren aufgekauft haben.

Das Vertriebssystem in den Staaten ist eben anders als das deutsche, wie auch das französische und englische anders ist. Es bietet dem Verleger nicht die gleichen Vorteile wie das deutsche. Die Verkaufsziffern aber zeigen, daß die Leser auch auf diese Weise erreicht werden.

Eine außerordentlich wichtige Rolle spielt der Buchexport, der, im Gegensatz zu den deutschen Verhältnissen, einen sehr großen Teil des Gesamtumsatzes ausmacht. Unangenehm ist freilich, daß es so gut wie keinen ›Festverkauf‹ gibt. Fast alles muß mit Rückgaberecht an den Buchhandel geliefert werden, und der Verleger kann für gewöhnlich erst nach Monaten feststellen, wie viele von den ausgelieferten Exemplaren seiner Bücher wirklich verkauft worden sind.

Ich hatte mich verhältnismäßig rasch in meine neue Rolle eingewöhnt. Ich nahm an Verlegertagungen teil, besuchte die Buchhandlungen, schloß Freundschaften mit Verlegern und Sortimentern und kannte bald die maßgeblichen literarischen Agenten und vor allem viele der in New York lebenden Autoren. Aber dennoch war ich mit dem Herzen nicht bei der Sache wie früher. Die innere Verbindung zum deutschen Schrifttum, die mich zum passionierten Verleger gemacht hatte, ließ sich zum amerikanischen Verlagswesen nicht künstlich herstellen. Das gefühlsmäßige, das innere Engagement war nicht das gleiche.

Mit unserer ersten amerikanischen Verlagsproduktion konnten wir leidlich zufrieden sein. Wie man zu sagen pflegt, wir waren ›ins Geschäft gekommen‹. Mit ›Mud on the Stars‹ hatten wir uns nicht getäuscht. Die Presse brachte zustimmende Rezensionen. Die witzige Zeitschrift ›The New Yorker‹ verlieh ihm den Preis ›The Ugliest Title Of The Year‹*, was zwar nicht sehr ehrenvoll, aber absatzfördernd war, und so wurden rasch 20 000 Exemplare abgesetzt — ein beachtlicher Anfangserfolg für einen unbekannten Autor und einen unbekannten Verlag. Agenten und Autoren wurden aufmerksam und boten uns Manuskripte an. Das junge Unternehmen hatte die Sympathie des Buchhandels gewonnen, der sich nun auch für unsere anderen Bücher einsetzte, so daß wir am Ende des Sommers ein befriedigendes Geschäftsergebnis verzeichnen konnten, eine Ermutigung für die Herbstproduktion.

Unter den zahlreichen Neuerscheinungen der folgenden drei Jahre waren es fünf, die besondere Erwähnung verdienen: Eine Anthologie der bedeutendsten lebenden Autoren der Vereinigten Staaten, von Ernest Hemingway, Sherwood Anderson, Willa Cather bis zu Conrad Aiken, E. E. Cummings, Katherine Anne Porter, unter dem Titel ›American Harvest‹**. Zwei Bände einer als jährlich erscheinenden Buchserie gedachten Sammlung junger unbekannter Autoren, die wir ›Cross Section‹*** nannten. Unter den Autoren, die der Herausgeber Edwin Seaver hier zum erstenmal veröffentlichte, fanden sich — heute weltbekannte — Namen wie Richard Wright, Norman Mailer, Ralph Ellison, Arthur Miller, Tennessee Williams. Sodann eine ›Heart of Europe‹ genannte und von Klaus Mann und Hermann Kesten edierte Anthologie moderner europäischer Dichtung, 1920 bis 1940, mit 141 Autoren aus 21 europäischen Ländern. Und schließlich Klaus Manns Lebensbericht ›The Turning Point‹, den ich später in seiner eigenen Übertragung ins Deutsche unter dem Titel ›Der Wendepunkt‹ in Frankfurt veröffentlichte.

Thomas Mann schrieb mir damals:

»Vor allem wollte ich Ihnen heute gratulieren zum Erscheinen des schönen Bandes ›Heart of Europe‹, der gerade in meine Hände kam. Trotz der Auslassungen, die notwendig wurden, ist es ja eine recht großartige Revue des geistigen Europa dieser zwanzig Jahre geworden. Gewiß ist es schade um manches, was fortfallen mußte, und manches davon hätte gewiß ebenso gut aufgenommen werden können an Stelle anderer Dinge, die hineingekommen sind. Aber was da ist, scheint mir alles irgendwie repräsentativ und wichtig, und die Idee des Ganzen war glück-

* Der häßlichste Titel des Jahres.
** ›Amerikanische Ernte‹.
*** ›Querschnitt‹.

lich und zeitgemäß. Bei dem neuen Verhältnis, das Amerika durch die historischen Ereignisse zu dem alten Erdteil nolens volens gewonnen hat, möchte ich annehmen, daß das amerikanische Publikum für diese Sammlung Interesse zeigen und Ihnen dafür danken wird.«

Der große Schlager war die Buchausgabe einer Rede des damaligen Vizepräsidenten Henry A. Wallace ›The Price of Free World Victory‹, von der wir in kurzer Zeit über hunderttausend Exemplare verkauften. Der damalige amerikanische Außenminister Hull nannte sie in einem Brief an mich »a historic speech«.

Das Buch, das uns den ganz großen Erfolg gebracht hätte, ließen wir uns entgehen. Die Sternstunde des Verlegers war uns in Amerika nicht vergönnt. Aber davon will ich noch ausführlicher im Kapitel ›Über das Verlegen, die Bestseller und die Buchwerbung‹ berichten.

Trotz der hübschen Erfolge, die mehr unser Selbstbewußtsein stärkten als unseren Geldbeutel, ging es nicht gar so üppig her. Es ist immer das gleiche Lied: zum Verlegen gehört Geld, Geld und Geld. Und wehe, wenn der große Erfolg kommt und man glaubt, man hat es geschafft! Nichts ist gefährlicher! Mein Rat für die Sternstunden künftiger Verleger: sofort alle Sparmaßnahmen durchführen, als hätte man die Summe verloren, die man soeben gewonnen hat!

Inzwischen hatte der Krieg seine entscheidende Wendung genommen. Am 8. November 1942 erfolgte die Landung englischer und amerikanischer Truppen in Nordafrika und Ende November begann der Durchbruch der Roten Armee bei Stalingrad, der mit der Kapitulation der Armee von General Paulus endete.

Grauenhaft waren die Berichte über den Terror gegen die Juden in Deutschland, Polen und Rußland, die ersten Nachrichten über den verzweifelten Kampf der im Warschauer Ghetto Eingeschlossenen und ihre blutige Vernichtung.

Der Haß gegen Nazideutschland wuchs ins Ungemessene. Wir, die wir noch die Machtergreifung miterlebt hatten, noch mit eigenen Augen gesehen, am eigenen Leib verspürt hatten, wie die Pest des Hitlerismus sich wie eine Epidemie in Deutschland ausbreitete, wie jung und alt sich ihm hingab, wie die Kleinen und die Großen, die einfachen Geister und die Intellektuellen, ihm bereitwillig zu dienen sich beeilten, wir konnten uns diesem Haßgefühl, dem Wunsch nach rücksichtsloser Ausrottung dieses weltbedrohenden Übels nicht entziehen.

Aber ich wußte nun, daß eines Tages der Sieg kommen würde. Es würde ein geschlagenes, vernichtetes, am Boden liegendes Deutschland geben, mitten in Europa. Ich hatte das Unglück heraufkommen sehen, ich kannte die Quellen, aus denen es entsprungen war, kannte die Deutschen, aber auch die anderen, die in ihrer Unvernunft und Ungerechtigkeit die damalige demokratisch gesinnte deutsche Regierung gedemütigt hatten, um später den Kräften des Terrors in Feigheit und Angst die Steigbügel zur Macht zu halten. Würde dieses Mal der Sieg einen besser vorbereiteten Sieger treffen? Die verderbliche Wirkung der deutschen Erziehung zum Nationalismus hatte ich an mir selbst erlebt. Ich kannte deutsche Geschichts- und Lesebücher und wußte, wie sie den Geist der jungen Gemüter vernebelten, wie sie von früh auf ihren Opfern die Welt vernagelten, anstatt sie zu eröffnen, wie sie einen Patriotismus züchteten, der in Chauvinismus enden mußte, und ein Bild der Umwelt entwarfen, das, entstellt und verzerrt wie es war, zur Selbstüberschätzung und zur Verachtung der Andersartigen verführte.

Als ich damals 1943 den Entschluß faßte, eine Weltgeschichte auf liberal-demokratischer Grundlage schreiben zu lassen, wußte ich nichts von ›Re-Education‹, jenem später so mißbrauchten und mißverstandenen, zu Tode gerittenen und ins Lächerliche entstellten Begriff. Ich wollte etwas schaffen, was jungen Menschen in Deutschland und, nicht zu vergessen, ihren jungen Lehrern die Grundlage für eine gesündere, lebensvollere Geschichtsauffassung bieten könnte.

Unter der Leitung von Professor Dr. Fritz Karsen, dem früheren Leiter der Karl-Marx-Schule in Berlin, arbeitete eine Gruppe von Historikern den Plan zu einem Geschichtswerk aus, bei dem es nicht mehr nur um Schlachten und Kriege, um Dynastien und Verträge ging, das vielmehr neben der politischen Geschichte die soziale und kulturelle in gleicher Weise behandelte, fern von nationalistischen Vorurteilen; ein Plan, den ich später der ›Fischer Weltgeschichte‹ der Fischer Bücherei zugrunde legte.

Im gleichen Sinn übertrug ich einer Gruppe von Germanisten die Aufgabe, als Ersatz für die bisher gebräuchlichen deutschen Lesebücher, die ebenfalls mehr von Mars-la-Tour und Sedan zu berichten wußten und in denen die deutsche Literatur bei Hebbel endete, neue zusammenzustellen, die die Schüler auch mit moderner Literatur bekanntmachen und ihnen Einblick in eine von Vorurteilen freie Welt vermitteln sollten. Sie wurden nicht mehr abgeschlossen. Jedoch boten die weitgediehenen Vorarbeiten später die Anregung zu dem von Professor Walther Killy geschaffenen vierbändigen Werk ›Zeichen der Zeit, Ein deutsches Lesebuch‹.

Damals, 1943 bis 1945, arbeiteten wir in USA mit Enthusiasmus an diesen beiden, von wahrem Idealismus getragenen Plänen. Ob und wie wir jemals zu ihrer praktischen Verwendung kommen würden, wußten wir nicht. Wir glaubten nur daran, daß sie nach dem Krieg eine notwendige Aufgabe zu erfüllen haben würden. Ich hatte mich nicht darin geirrt. Die Weltgeschichte, deren erste vier Bände bei Ende des Krieges im Manuskript vorlagen, wurde in der französischen und britischen Besatzungszone sehr bald von den Besatzungsbehörden in den Schulen eingeführt.

Die Finanzierung dieses Unternehmens erfolgte aus den Mitteln des Stockholmer Verlages. Es war ein ganz privater, von keiner offiziellen Seite beeinflußter Beitrag zu einer Erziehungsarbeit, die mir als eine der wichtigsten und dringlichsten Aufgaben der Zukunft erschien. Von ihrer Lösung, nicht von einer ›Re-Education‹ des deutschen Volkes — solche naiv-überheblichen Vorstellungen lagen mir fern —, von der Schaffung eines von demokratischer Gesinnung getragenen Erziehungssystems in Deutschland würde seine künftige Rolle in einem wiedererstehenden Europa und damit auch das Schicksal Europas abhängen. Illusionen darüber, daß die Staatsmänner der Zukunft der Erfüllung dieser Aufgabe das gleiche Gewicht verleihen würden, wie ihrem politischen Ehrgeiz, gab ich mich allerdings nicht hin. Mein Pessimismus war, wie sich erweisen sollte, nicht unbegründet.

Daß das Propagandaministerium eine ausführliche Akte über unsere bescheidenen Bemühungen angelegt hatte und sich in hämischen Artikeln dazu äußerte, erfuhr ich erst nach dem Kriege.

Neben der ständigen Arbeit an meinem amerikanischen und meinem schwedischen Verlag, beschäftigte mich noch ein weiteres Unternehmen. Die Zahl der deutschen Kriegsgefangenen in den USA hatte sich in der letzten Zeit stark vermehrt. Die amerikanische Armee suchte Mittel und Wege, sie zu beschäftigen und sie mit den im Exil geschaffenen Werken der großen deutschen und ausländischen Autoren bekanntzumachen. Man wandte sich an mich mit der Frage, ob ich bereit sei, aus den mir zur Verfügung stehenden Rechten eine Buchserie moderner Literatur zusammenzustellen, und bat mich um Vorschläge. Die Bücher sollten in den Gefangenenlagern durch die Kantinenverwaltung zu möglichst wohlfeilen Preisen verkauft werden.

Schon lange hatte ich mich mit dem amerikanischen Pocketbook, seiner Herstellungsweise und seiner Kalkulation beschäftigt. Ich schlug der Armeeverwaltung eine Serie von zunächst 24 Bänden in Taschenbuchformat zu dem damals in Amerika üblichen Preis von 25 Cent vor. Aus den mehr als 40 Titeln, die ich zur Verfügung stellte, sollte eine Kommission von Kriegsgefangenen mit literarischen Kenntnissen 24 Titel auswählen. Da man Wert darauf legte, daß ich meine Vorschläge persönlich vertrat, brachte man mich in direkten Kontakt mit ihnen. Der zuständige Captain Walter Schoenstedt vom ›Office of the Provost Marshal General‹, selbst ein Exdeutscher, begleitete mich in das Lager Fort Kearny, R. I., wo er mich mit dem Kriegsgefangenen Kurt Vinz zusammenführte, der vor dem Krieg Vertreter des Verlags Diederichs gewesen war.

Er war Mitherausgeber der Kriegsgefangenen-Zeitschrift ›Der Ruf‹, die sich darum bemühte, ihre Leser über die politischen und kulturellen Vorgänge der Zeit zu informieren. Diese im Lager Fort Kearny lebenden Deutschen stellten eine Auslese dar. Sie nahmen an Gastvorlesungen, die von den benachbarten Universitäten veranstaltet wurden, teil, besaßen eine eigens für sie zusammengestellte, umfangreiche Bibliothek und hatten eine frei gewählte Selbstverwaltung. Ihre Freiheit ging so weit, daß sie sogar zu den Schlüsseln des Lagertors Zugang hatten: man gewann fast den Eindruck, sich in einem Feriencamp für Studenten zu befinden. Meine Beziehungen zu Herrn Vinz, später Begründer und Mitinhaber der ›Nymphenburger Verlagshandlung‹, und zu seinen Mitgefangenen — oder soll ich besser sagen, Kollegen im Lager? — gestalteten sich recht produktiv. Die Auswahl der besonders erwünschten Bücher gelang reibungslos. Es befanden sich unter ihnen Werke der aus ihrer Heimat vertriebenen deutschen Schriftsteller, wie Leonhard

Franks ›Räuberbande‹, Werfels ›Die vierzig Tage des Musa Dagh‹, Thomas Manns ›Zauberberg‹, Arnold Zweigs ›Streit um den Sergeanten Grischa‹, Zuckmayers Novellensammlung ›Ein Bauer aus dem Taunus‹ und sein ›Hauptmann von Köpenick‹ und Erich Maria Remarques berühmter Roman aus dem Ersten Weltkrieg ›Im Westen nichts Neues‹. In Übersetzungen kamen hinzu Joseph Conrad, Ernest Hemingway, Stephan Vincent Benett und zum erstenmal in den Registern des Verlages verzeichnet, der in Amerika lebende Poet armenischer Abstammung William Saroyan.

Mit Hilfe eines erfahrenen amerikanischen Verlegers, der mit einer großen Spezialdruckerei und -binderei für Taschenbücher in Chicago arbeitete, ging ich an die Ausführung unseres Programms. Diese Reihe, die unter dem Namen ›Neue Welt‹ in einer Erstauflage von 50 000 Exemplaren pro Titel Anfang 1945 kurz vor Kriegsende erschien und in kürzester Frist ausverkauft war, stellte die direkte Vorläuferin der später von mir ins Leben gerufenen Fischer Bücherei dar.

So entwickelte sich meine Tätigkeit in Amerika, fast gegen meine Absicht, erneut zum deutschen Buche hin. Wohin sie am Ende führen würde, war zunächst nicht abzusehen, doch alles geschah so zwangsläufig, daß ich mich nicht länger wehrte. Sie entsprang natürlich meinem uneingestandenen Wunsch, die Tradition des alten S. Fischer Verlages eines Tages trotz aller Widrigkeiten fortzusetzen. Dieser Wunsch wurde mir erst ganz bewußt, als mir ein amerikanischer Freund die Frage stellte, wozu ich eigentlich alle diese Mühen auf mich nähme — ich würde mir wohl doch nicht ernsthaft einbilden, daß ich eines Tages in einem physisch und psychisch zerstörten Deutschland wieder als Verleger arbeiten könnte.

Nein, das bildete ich mir tatsächlich nicht ein. Diese Unternehmungen, der Lehrbuchplan und die Kriegsgefangenenbibliothek, waren gewissermaßen selbständig aus den mich Tag und Nacht bedrängenden Gedanken erwachsen, für die zukünftige Gestaltung eines friedlichen Europa nach dem Kriege im Rahmen meiner Möglichkeiten etwas beizutragen. Aber ich konnte mir damals nicht vorstellen, daß es möglich sein sollte, den Verlag von Stockholm je wieder nach Deutschland zu verbringen.

Nun, da der Nazispuk zu Ende ging und das Licht der Befreiung auch für Deutschland am Horizont aufdämmerte, trat bald von außen her die Frage an mich heran, wie die geretteten Geistesgüter den Menschen in Deutschland wieder zugeführt werden könnten.

Stockholm, ferngeleitet

Der Verlag in Stockholm hatte in den Kriegsjahren tüchtig weitergearbeitet. 1941 waren die zwei großen Romane ›Wem die Stunde schlägt‹ von Ernest Hemingway und ›Das Lied von Bernadette‹ von Franz Werfel erschienen sowie Stefan Zweigs Bericht über ›Brasilien‹, daneben zwei Queridobücher: ›Die große Pause‹ von Vicki Baum und ›Liebe Deinen Nächsten‹ von Erich Maria Remarque, fünf Erfolgsbücher, die in unserem Miniaturabsatzgebiet beträchtliche Auflagen erzielten. 1942 folgten u. a. Antoine de Saint-Exupérys ›Flug nach Arras‹, Stefan Zweigs Erinnerungen eines Europäers ›Die Welt von Gestern‹ und Thomas Manns ›Deutsche Hörer‹, 25 Radiosendungen nach Deutschland. (Die erste Auflage wurde in den USA gedruckt, 1942. Im Jahre 1945 erfolgte eine auf 55 Ansprachen erweiterte zweite Auflage in Stockholm.)
Er schrieb mir seinen Wunsch für eine Buchausgabe am 19. April 1942:

»Seit Jahr und Tag verfasse ich regelmäßig, einmal im Monat, kurze Botschaften nach Deutschland mit Hilfe des B. B. C. Anfangs kabelte ich nach London, von wo sie von einem guten Sprecher nach dem Kontinent gesendet wurden. Bald zogen wir, damit Deutsche und Schweizer mich selber hören, das Verfahren vor, daß ich den Text hier durchs Mikrophon auf eine große Platte (bis zu 8 Minuten) spreche, die nach New York geht, von da nach London auf eine andere Platte telefoniert und so gesendet wird. Die Ansprachen sollen sich technisch und auch sonst gut bewähren. Mr. Kirkpatrick (der Hess Interviewer) vom Londoner B. B. C. schrieb mir, daß sie aus der Schweiz und aus dem Norden zustimmende Briefe darüber bekommen haben, und daß es sogar Deutschen gelungen ist, ihren Beifall zu äußern.«

In der Einleitung zu den Sendungen sagte Thomas Mann:
»Im Krieg gibt es für das geschriebene Wort keine Möglichkeit mehr, den Wall zu durchdringen, den die Tyrannei um Euch errichtet hat. Darum ergreife ich gern die Gelegenheit, die die englische Behörde mir bietet, Euch von Zeit zu Zeit über das zu berichten, was ich hier sehe, in Amerika, dem großen und freien Land, in dem ich eine Heimstatt gefunden habe.«

1943 und 1944 konnte ich dem Verlag in Stockholm wieder einige außerordentliche Werke zuführen, die seiner Weiterexistenz Sinn verliehen: Thomas Mann hatte den vierten

Band der Josephs-Tetralogie, ›Joseph der Ernährer‹, vollendet. Von Stefan Zweig erschienen zugleich drei Bände, seine gesammelten Aufsätze von 1904 bis 1940 unter dem Titel ›Zeit und Welt‹, eine um fünf historische Miniaturen vermehrte Neuausgabe seiner berühmten ›Sternstunden der Menschheit‹ und die unter tragischen Umständen bei mir eintreffende Erzählung ›Schachnovelle‹. Dazu der erste Roman von William Saroyan, ›Menschliche Komödie‹, unseres Freundes Friedrich Torberg Erzählung ›Mein ist die Rache‹ und des amerikanischen Präsidentschaftskandidaten Wendell Willkie damals aufsehenerregendes politisches Buch ›Unteilbare Welt‹.

Der Brief, mit dem der Stefan Zweig sein Manuskript bei mir ankündigte, kam in meine Hände, kurz nachdem die Nachricht von seinem Selbstmord in Brasilien durch die Zeitungen bekanntgeworden war.

Über seinen Freitod wurde viel gemunkelt. Es gibt eine einfache Erklärung: Verzweiflung am Leben. Ich traf ihn, den sonst so gepflegten, eleganten Mann, kurz vor seiner Abreise nach Brasilien, in bemitleidenswertem Zustand, unrasiert, mit hochgeschlagenem Mantelkragen, sich an den Häuserreihen einer New Yorker Straße entlangdrückend. Als ich ihn ansprach, erschrocken über seinen Zustand, klagte er mir sein Leid, seine Sorgen um die verzweifelte Lage der freien Welt, den unvermeidlichen Sieg der bösen Gewalten. Sich selbst klagte er an, daß er England, das ihm die Bürgerrechte verliehen hatte, verlassen habe; man würde ihm das dort nie verzeihen. Er war in einer schweren Depression, nicht frei von Verfolgungsideen und rationalem Zuspruch ganz unzugänglich. In diesem Zustand muß er später in Brasilien den unseligen Entschluß gefaßt haben.

Die Leitung des Stockholmer Verlages von meinem New Yorker Büro aus war verlegerische Seiltänzerei. Von keinem der Manuskripte, die ich der amerikanischen Post anvertraute, wußte ich, ob es jemals seinen Bestimmungsort erreichen würde. So war es nur natürlich, daß der Gedanke auftauchte, den Stockholmer Verlag nach den Vereinigten Staaten herüberzubringen. Thomas Mann fragte mich 1941 ganz ernsthaft: ob es ratsam sei, den Bermann-Fischer Verlag in Stockholm, am Rande der europäischen Wüste zu lassen, und ob es nicht besser wäre, die Firma ganz herüberzunehmen und mit der neuen amerikanischen zu vereinigen? Ich antwortete ihm damals mit dem Versuch einer Analyse der Exilverlags-Situation:

»Wir wenden uns mit allen Kräften dem Bemühen um die Erhaltung der deutschen Literatur und der deutschen Verlage im Exil zu. Dabei sind zwei wesentliche Fragen zu erwägen:
1. Die uns noch zur Verfügung stehenden Sprachgebiete —

Schweden, Schweiz, Ungarn — sind äußerst gefährdet, und es ist eine Zeitfrage, wie lange sie uns noch offenstehen. Nicht nur die direkte Kriegsgefahr bedroht sie, sondern auch die Zensur im eigenen Lande. Dies gilt vor allem für die Schweiz, wo man seit kurzem dem freien Verkauf von Remarque und sogar von Hemingway Schwierigkeiten in den Weg legt.

Wir müssen uns aber darüber klar sein, daß ohne diese europäischen Absatzgebiete die Aufrechterhaltung eines deutschsprachigen Verlagsunternehmens nicht möglich ist. Schon heute reichen diese Gebiete allein nicht mehr ganz aus, sondern nur noch ergänzt durch die Einnahmen aus außereuropäischen Ländern.

2. Die Verkaufsmöglichkeiten für deutsche Bücher in Nordamerika genügen für die Existenz eines Verlages nicht. Sie sind ein wichtiger Zuschuß zum europäischen Verkauf, aber nicht mehr.

3. Der Verkauf deutscher Bücher in Südamerika läßt sich sicherlich beträchtlich steigern, gewiß aber nicht so sehr, daß ein Unternehmen davon existieren könnte.

Für diese Länder käme das etwa 12 000 Bände umfassende Lager der ›Forum-Bücherei‹ in Frage, das ich noch kurz vor der Besetzung Hollands nach Schweden hinüberretten konnte. Aber das ist ja nur ein Tropfen auf den heißen Stein.

Übrigens, zur Illustration einer sinnlosen Bürokratie: diese wichtigen und schönen, außerdem so besonders billigen Bücher können wir in der Schweiz nicht verkaufen. Nach einem früher abgeschlossenen Vertrag zwischen der Schweiz und Holland, müssen alle in Holland hergestellten Waren von der Schweiz nach Holland bezahlt werden. Wenn wir unsere in Holland gedruckten Bücher also in der Schweiz verkaufen, würden die dortigen Behörden unsere Schweizer Verkaufsstelle zwingen, die eingezogenen Beträge nach Holland zu schicken, obwohl dort gar kein Empfänger existiert, wenn auch das Geld auf diese Weise den Nazis in die Hände fiele.

Zusammenfassend ergibt sich folgendes Bild:

1. Im Augenblick können wir uns gerade halten, solange wir Schweden, Schweiz, Nord- und Südamerika als Absatzgebiete haben und in Europa drucken können (die Druckpreise in USA sind viel zu hoch).

2. Wenn Europa ausfällt, läßt sich ein deutscher Verlag nicht mehr aufrechterhalten.

3. So ergibt sich die Antwort auf Ihre Frage von selbst. Die Verbringung des schwedischen Verlages wäre nur eine, übrigens sehr schwierige juristische, Transaktion ohne praktische Bedeutung.«

Wunderbarerweise gelangten alle die kostbaren Manuskripte in die Hände meiner getreuen Mitarbeiter in Stockholm und erblickten als Bücher das Licht des Tages. Es war jedesmal ein Fest für mich und die Autoren, wenn die ersten Exemplare nach langer Seereise bei uns eintrafen.

Nicht alles gelang so, wie wir es unter normalen Umständen gestaltet hätten — insbesondere waren die Druckfehler unausrottbar —, doch es war Krieg und man mußte glücklich sein, daß überhaupt noch Bücher in deutscher Sprache gemacht werden konnten.

Neben einer politischen Bücherreihe ›Bücher zur Weltpolitik‹ erschienen in den letzten Kriegsjahren innerhalb der ›Stockholmer Gesamtausgabe‹ von Thomas Mann ›Adel des Geistes‹, sechzehn Versuche zum Problem der Humanität, der Band ›Ausgewählte Erzählungen‹ sowie seine Novelle ›Das Gesetz‹, Carl Zuckmayers Erzählung ›Der Seelenbräu‹, der Roman von Joachim Maass ›Das magische Jahr‹, zwei weitere Bände von Stefan Zweig und ›Die Erzählungen‹, der erste Band der Gesamtausgabe von Hugo von Hofmannsthal, gesammelte Werke in Einzelausgaben, die heute 17 Bände umfaßt; daneben zahlreiche Übersetzungen aus dem Schwedischen und Amerikanischen. Im Jahre 1945 war die Jahresproduktion des Stockholmer Verlages bereits wieder auf 22 Titel angewachsen.

Den Verlust unserer Zeitschrift ›Neue Rundschau‹ hatte ich in allen diesen Jahren nicht verschmerzt. Da keine Nachrichten aus Deutschland zu uns drangen, wußte ich nicht, was aus ihr geworden war. Meine Vermutung, daß sie inzwischen verboten worden war, hat sich später als richtig erwiesen. Der 70. Geburtstag Thomas Manns bot mir den Anlaß, sie wieder zum Leben zu erwecken und als freie unabhängige Zeitschrift außerhalb Deutschlands erscheinen zu lassen. Das erste Heft sollte Thomas Mann gewidmet sein und aus Beiträgen seiner Freunde bestehen. Joachim Maass, der in unserer Nähe, am Mount Holyoke College in Massachusetts, wirkte und Richard Friedenthal, der in London lebte, boten mir ihre redaktionelle Hilfe an. Natürlich war es unter den ungemein komplizierten Post- und Transportverhältnissen der damaligen Zeit nicht möglich, monatliches Erscheinen zu gewährleisten. Die Vierteljahreszeitschrift war den Verhältnissen angemessen und konnte redaktionell und finanziell bewältigt werden.

Die fruchtbaren Redaktionsgespräche mit Joachim Maass, an denen meist meine Frau aktiv teilnahm und zu denen Friedenthal das eine oder andere schriftlich beitrug, waren von der Idee geleitet, wieder etwas Licht in die von Krieg und Zerstörung verdunkelte Welt zu bringen. Das erste Heft, das wir im Mai 1945 in Händen hielten, war wie das Symbol des Neubeginns einer Welt des Friedens.

Die nachstehende ›Zueignung‹ gab ich ihm mit auf den Weg:

ZUEIGNUNG
zum 6. Juni 1945

Ich blättere die alten Rundschauhefte durch — 1889-1933 — herausgegeben von S. Fischer. Mit welcher Liebe hing er an dieser Zeitschrift, seiner ›Neuen Rundschau‹. Mehr als alles, was mit seinem Imprimatur in die Welt hinausging, war jedes dieser Monatshefte seinem Herzen nahe, seinem Geist verwandt.

Er hat es nicht mehr erlebt, wie sie in fremden Händen langsam den Geist, seinen Geist aufgab.

Menschen tauchen in meinem Gedächtnis auf: Moritz Heimann, der Freund und Helfer der Dichter — er starb, bevor er sehen mußte, wie so manche, die er geliebt, das Werk verrieten.

Oskar Loerke, der, krank und verzweifelt am Leben, das Land, an dem er mit seiner Seele hing, nicht mehr verlassen konnte und, aufgerieben in hoffnungslosem Widerstand, einsam und verlassen dahinschied. Samuel Saenger, der mit Gesinnungstreue sein politisches Ideal durch viele Jahrzehnte hindurch auf den Seiten der Zeitschrift verfocht und wenigstens noch die letzten zwei Jahre seines Lebens in der Freiheit Amerikas, die es verkörperte, verbringen konnte.

Manche erinnere ich, die nicht genannt sein können, weil sie dort blieben, wo das Leben starb, ihrer Überzeugung, wenn auch schweigend nur, die Treue haltend.

Ich blättere die alten Hefte durch. Wieviel Haltung und Gesinnung, welche Freiheit des Geistes, wieviel Schöpfertum spricht in ihnen. Es ist schwer zu fassen, daß all dies dahingegangen sein soll. Aber es ist dahin. Nur eine dünne Decke war es über dem Abgrund.

Eine Welt des freien Geistes hatten wir uns aufgebaut. Als die bösen Gewalten mit harter Hand zugriffen, da stob sie auseinander. Draußen sammelte sich nur ein kleiner Kreis von Übriggebliebenen.

Was sie vereint hatte, war zerstört. Für die fremde Umwelt aber waren sie etwas fragwürdige Geister, mit dem Makel der Erfolglosigkeit behaftet. Die Fremde ist hart.

Da aber erhob sich eine Stimme, Thomas Manns Stimme. Und die Welt hörte. Was als eine Masse von entwurzelten Existenzen erschienen war, hatte plötzlich einen Namen und einen Ausdruck. Emigration, bis dahin ein etwas anrüchiger Begriff, hatte eine sichtbare, bewunderte, verehrungswürdige Repräsentation. Ein jeder konnte sich darauf berufen und war von einem Schimmer seiner Aura noch umstrahlt.

Wenn es heute eine Literatur in deutscher Sprache gibt, wenn heute noch eine Tradition existiert, welche die geistig-sittlichen Werte eines Deutschlands, das einstmals der Welt etwas bedeutete, überliefert, so ist das Thomas Mann in hohem Grade zu danken, seinem Werk und seiner Haltung, seiner menschlich-sittlichen Existenz.

Das ›Volk der Dichter und Denker‹ hat sich sein Urteil im Mai 1933 auf dem Opernplatz in Berlin gesprochen, als es widerspruchslos die Bücherverbrennung zuließ. Seit diesem Tage gibt es kein geistiges, an die nationalen Grenzen gebundenes Deutschland mehr.

Das wahre Deutschland in einem höheren Sinne — das sind diejenigen, die für Freiheit und Recht ihr Land verlassen haben, die in den Konzentrationslagern elendig litten, die heute als Amerikaner oder unter englischer Flagge gegen ›Deutschland‹ kämpfen. — Man müßte ein anderes Wort für den Begriff finden, der das repräsentiert, was einstmals der Welt das Wort Deutschland bedeutete — Goethe — Beethoven — und heute Thomas Mann.

Welches Glück für die Welt und für Deutschland, daß es ihn gibt.

Eben das hebt seine Bedeutung weit über den Tag hinaus, daß er das, was in der deutschen Kultur universale Bedeutung hat, in die Welt des freien Geistes hinüberrettete, indem er es durch sein Werk und sein Wirken repräsentierte.

Es schien von schöner, symbolischer Bedeutung zu sein, Thomas Mann zu seinem 70. Geburtstag ein Sonderheft der ›Neuen Rundschau‹ zu widmen; diese ›Tribüne eines freien Geistes‹ in deutscher Sprache, seiner Sprache, an diesem Tage wieder auferstehen zu lassen.

Wie diese Zeitschrift einstmals die Tribüne eines freien deutschen Geisteslebens war, so ist dieses Heft ein Symbol dafür geworden, daß trotz Exil, trotz Not und Leiden, ein freies Schrifttum deutscher Sprache nicht nur lebt, sondern auch in Blüte steht und sich einer größeren geistigen Gemeinschaft angeschlossen hat, mit der es in enger Verbundenheit gegen Ungeist und Barbarei für eine neue Humanität und eine neue Freiheit kämpft.

Das Haus in Connecticut

Wenn ich nach Geschäftsschluß, um fünf Uhr nachmittags, den Zug nach Old Greenwich bestieg, hörte der Verlag für mich auf, und das eigentliche, das Leben im Kreise der Familie und der vielen europäischen und amerikanischen Freunde, begann. Von den Riesenbesitzungen der Rockefeller und Morgan bis zu den bescheidenen Grundstücken der mittleren und kleinen Kaufleute und Angestellten New Yorks ist der Landstreifen, der sich an der Ostküste des Staates Connecticut erstreckt, in eine Gartenlandschaft verwandelt, die sich nach Westen weit ins Land hinein ausbreitet. Durch Autostraßen und die New York-New Haven-Boston Railroad miteinander verbunden, liegen darin in Abständen von wenigen Kilometern die kleinen Ortschaften, einander zum Verwechseln ähnlich, die kaum mehr als Einkaufszentren sind. Alle haben ihre hübschen kleinen Kirchen, meistens aus Holz gebaut, mit spitzen dunklen Kirchtürmen, ihre Bibliotheken, die fast immer an ihren roten Klinkermauern mit weißen Fensterumrahmungen erkennbar sind, und die ähnlich aussehenden Schulen. Überall gibt es die gleichen Grocerystores und Selbstbedienungsläden, den Schneider, den Schuster, den Hardwarestore, Postoffice und Bank.

Im weiten Umkreis um diese Zentren des lokalen Geschäftslebens liegen inmitten grüner Rasenflächen, durch keine Zäune getrennt, die weißen Holzhäuser der Bewohner, beschattet von Ahorn, Buchen und Eichen, umrahmt von Blumenbeeten und von den im Mai und Juni weiß und rosa blühenden Dogwoods, jenen für Connecticut charakteristischen Bäumen. Entfernt man sich von der Küste, dann findet man sich in einer leicht hügeligen Landschaft inmitten von grünen Matten und weiten Wäldern und Seen, fruchtbarem Farmland, auf dem der Mais, der Weizen und der Tabak gedeihen, Obstplantagen sich ausbreiten und der Ahorn, der dort Mapletree heißt, seinen süßen Saft, den ›Maplesyrup‹, spendet. Mitten hindurch fließt der Connecticut-River mit vielen Nebenflüssen, deren Namen noch an die indianische Vergangenheit erinnern.

Im Frühling durch diese blühende Landschaft, über die breiten Autostraßen, entlang dem Hudson-River, heimzufahren, war wahrhaft herzerfreuend, durch einen Park voller Blütenbäume und saftig grüner Wiesen.

Im Sommer, wenn man in der feuchten Hitze New Yorks kaum mehr atmen konnte, brachte die luftgekühlte Bahn die von der Büroarbeit Erschöpften zu ihren Lokalstationen, wo die Frauen mit den Autos warteten und mühsam in unendlichem Gedränge den Gatten zu finden suchten. Dann konnte man noch eine Stunde am kühlen Strand des Meeres verbringen.

Im Herbst erstrahlen die Wälder in einer Farbenpracht, wie sie wohl nur hier in diesem besonderen, etwas rötlichen Licht der amerikanischen Ostküste sich entfaltet.

Dann aber beginnt die Zeit der Stürme, der gefürchteten ›Hurricanes‹, die vom Süden her, vom Golf von Mexiko, an der Küste entlang nach Norden brausen und später, im Januar und Februar, manchmal bis tief in den März hinein, die von Norden kommenden ›Blizzards‹, die alles unter tiefem Schnee begraben und die Straßen mit einer Eisschicht bedecken, die das Fahren unmöglich macht.

New England ist dieser Küstenstreifen benannt, von seinen vorwiegend aus England stammenden Bewohnern, die durch den englischen Baustil ihrer Häuser und die englische Gartenkultur das Gesicht dieser Landschaft bestimmen.

Old Greenwich, unser kleiner Ort, liegt nahe am Mianusriver. Er war der Landungsplatz der ersten Siedler dieser Gegend. Ein Stein mit einer Bronzeplatte, der das historische Ereignis festhält, zeigt die Jahreszahl 1630.

Im Juni 1941, ein Jahr nachdem wir in unser hübsches Neuengland-Haus, das uns Henrik Willem van Loon besorgt hatte, eingezogen waren, ergab sich die Möglichkeit, ein größeres unmöbliertes Haus ganz in der Nähe zu übernehmen. Nur zehn Minuten von der Bahnstation entfernt lag es, in der Mitte einer fast drei Morgen großen, von Sträuchern und Baumgruppen bestandenen Rasenfläche, die in sanfter Neigung zum Sound hin abfiel.

Das Haus war Anfang des Jahrhunderts von einem Austernfischer erbaut worden, der durch die Belieferung von New Yorker Luxusrestaurants wohlhabend geworden war. Sein großes motorisiertes Fischerboot lag noch immer in der Nähe vor Anker. Die Wände des Hauses waren mit braunen Schindeln gedeckt, das Dach weit ausladend, die Fenster in weißen Rahmen. Da es lange Jahre leer gestanden hatte, war es recht verwahrlost, und die weiten Rasenflächen an seiner Vorder- und Rückseite waren von kniehohem Gras bewuchert.

Wir machten uns ans Werk. Jede freie Minute, die mir meine Arbeit ließ, benutzte ich, um mit der Sense und dem Grasmäher die verwilderte Wiese wieder in eine grüne Fläche zu verwandeln; ich zimmerte im Haus an Büchergestellen und wackeligen Fensterläden, während meine Frau die Wände strich und für Vorhänge und Kücheneinrichtung sorgte.

Um Möbel zu finden, streiften wir durch die ländlichen Antiquitätenläden der Umgebung, die mit dem Krimskram von 300 Jahren angefüllt sind. Mitten unter vielem Kitsch konnte man die schönsten Tische, Stühle, Betten und Schränke entdecken, wenn man sich die Mühe machte, in den Keller hinabzusteigen und mit kritischem Blick zu wählen. So fanden wir zu Spottpreisen, was wir brauchten. Ich glaube, wir haben damals kaum mehr als 400 Dollar ausgegeben, um die zehn Räume des Hauses für uns und unsere drei Töchter so auszustatten, daß wir uns in ihnen heimisch fühlen konnten. Später, nach dem Kriege, kamen dann die geretteten Erbstücke hinzu, vor allem der große Bechsteinflügel aus dem Grunewald, den ich aus Schweden herüberholte.

In zwei Monaten hatten wir aus der alten ›Scheune‹ ein Prunkstück gemacht, in dem man leben konnte.

Für die drei Töchter, inzwischen vierzehn, zwölf und zehn Jahre alt, war der Übergang in die amerikanische Schule kein großes Problem. Mitschüler und Lehrer nahmen sie wie bunte, fremde Vögel auf, begierig, von ihren seltsamen Reiseerlebnissen zu hören. Und die Kinder selbst, die zunächst nur schwedisch sprachen und noch lange Zeit schwedisch rechneten, eigneten sich mit erstaunlicher Geschwindigkeit die englische Sprache an und lebten sich so sehr in ihre neue Umgebung ein, daß sie uns, die Eltern, mit ihrem deutsch-akzentuierten Englisch, fast als Fremde betrachteten. Während ich mit meiner Frau deutsch sprach, redeten sie nur noch englisch, so daß wir uns schließlich im Gespräch mit ihnen der englischen Sprache bedienten oder in zwei Sprachen miteinander redeten. Schließlich fiel es uns gar nicht mehr auf, daß wir deutsch antworteten, wenn die Kinder englisch fragten.

Die Sprachen wechselten, je nachdem, ob unsere deutschen oder unsere amerikanischen Freunde kamen. So ging es wohl in den meisten Emigrantenfamilien zu, in denen schon die zweite Generation das Interesse an der deutschen Sprache verlor und, was mich besonders traf, aufhörte, deutsche Bücher zu lesen. Schon sehr bald nach dem Kriege machte sich das in den Absatzziffern deutscher Bücher in Amerika bemerkbar.

Aber auch für uns war es nicht schwer, uns einzuleben. Der alte Pioniergeist ist noch so lebendig, daß es selbstverständlich gilt, den Neuankömmling freundschaftlich aufzunehmen und ihm die Gewöhnung zu erleichtern. Kaum hatten wir mit unserer Arbeit in Haus und Garten begonnen, da kamen die Nachbarn, boten ihre Geräte an, wollten mit Möbeln aushelfen und luden in ihre Häuser ein. Ehe wir es uns versahen, waren wir ringsum bekannt, man sprach uns auf der Straße an, um sich nach unserem Ergehen zu erkundigen, die Kaufleute räumten uns, wie es gang und gäbe ist, Kreditkonten ein (eine gefährliche Verführung), selbst das kleine Lokalblatt, die ›Greenwich Times‹, begrüßte uns in seinen Spalten, so daß wir uns, ganz anders als in Schweden, wo wir immer Fremde geblieben waren, wie in eine neue Heimat warm eingebettet fühlten.

Auch hier freilich — genau wie bei der großzügigen Starthilfe im Verlagsbüro meines Freundes Harcourt — hatte man sich das Vertrauen zu verdienen. Man erwartete etwas von uns. Das Leben in einer solchen amerikanischen Community ist aufgebaut auf der tätigen Teilnahme aller ihrer Mitglieder. Jeder hat nach seinen Fähigkeiten zur Gemeinschaft beizutragen. Und so kam es, daß ich, sobald es mir meine Sprachkenntnisse erlaubten, den Einladungen der zahlreichen Clubs und Verbände nachkam, Vorträge über die Vorgänge in Deutschland und ihre geschichtlichen Voraussetzungen zu halten. Man verlangte nach objektiver Erklärung der Geschehnisse in einem Deutschland, das den meisten unbekannt war oder das sie nur von der Schule her aus seinen großen Leistungen kannten.

Wie es dann üblich ist, wurde nach solchen Vorträgen unbefangen gefragt und diskutiert. Jeder war an freie Rede gewöhnt und versuchte, mit unerschöpflicher Wißbegierde, den Dingen auf den Grund zu gehen. Ein jeder war am politischen Leben interessiert, fühlte sich mitverantwortlich und zögerte nicht, sich mit seinen Wünschen und Fragen an seinen Abgeordneten, der vielen persönlich bekannt war, zu wenden. Insbesondere die Frauenclubs, und an erster Stelle ›The League of Woman Voters‹, eine überparteiliche Organisation, spielten eine aktive Rolle im politischen Leben und übten einen nicht zu unterschätzenden Einfluß aus. Meine Frau war dort ein gern gesehener Gast und später, nach unserer Einbürgerung, ein aktives Mitglied.

Später, nach Beendigung des Krieges, nahm sie bei ihren Besuchen in Deutschland die Beziehung zu Studentengruppen auf und veranstaltete mit ihnen Diskussionsabende. Sie war damals voller Begeisterung über die Offenheit und Aufnahmebereitschaft der jungen Menschen, über die sie drüben in Amerika in zahlreichen Vorträgen bei der League und in verschiedenen Colleges berichtete; sie führte Sprechplatten vor, die bei diesen Diskussionen aufgenommen wurden. Vielen von ihnen hat sie zu Stipendien und Studienplätzen an amerikanischen Universitäten und Colleges verholfen.

Mrs. Ellen Harcourt, unseres alten Freundes Alfred Frau, nahm uns mit besonderer Herzlichkeit auf. Sie liebte die deutsche Literatur und Musik und hatte in ihrem schönen Haus ein kulturelles Zentrum geschaffen, in dem New Yorker Musikerfreunde regelmäßig Kammermusik-Konzerte gaben und in dem die ringsum wohnenden Schriftsteller und Verleger, Männer der Wirtschaft und der Wissenschaft sich trafen.

Unser Haus wurde der Treffpunkt unserer deutschen Freunde, die sich gern bei uns von den Strapazen der Stadt erholten. Alma Mahler-Werfel, die nach Franz Werfels Tod in New York lebte, war unser häufiger Gast, die Torbergs kamen und

das Musikerehepaar Bruno Eisner, der Cellist Nicolas Graudan
mit seiner Frau, der Pianistin — Kurt und Helen Wolff, die
kurze Zeit nach uns in Amerika eingetroffen waren und den
amerikanischen Pantheon Verlag gegründet hatten, Joachim
Maass und der junge Komponist und Pianist Lukas Foss, Schüler von Hindemith und Koussewitzky, und, nach der Rückkehr
aus Deutschland, Hans Wallenberg mit seiner Frau, der die
›Neue Zeitung‹ in München viele Jahre lang geleitet hatte. Es
wurde musiziert und vorgelesen, und es gab unvergeßliche
Abende, wie zum Beispiel jenen im Jahre 1943, an dem Carl
Zuckmayer mit dickem Manuskript bei uns eintraf und uns
Hören und Sehen verging, als er vor einer kleinen Hörerschar
— es war das erste Mal, daß er es tat — ›Des Teufels General‹
vorlas.
Zu Thomas Manns 70. Geburtstag im Juni 1945 hatten wir
viele Freunde eingeladen und das Graudan'sche Klaviertrio gebeten, für ihn das B-Dur-Trio von Schubert, das er besonders
liebte, zu spielen. Es geschah unter etwas dramatischen Umständen, denn kurz vorher war das Dach unseres Hauses abgebrannt
und die Handwerker waren gerade noch vor dem Fest mit den
Dachdeckerarbeiten fertig geworden.
Meine Tochter Gabrielle hatte die Verse Thamars, aus ›Joseph
der Ernährer‹, in denen sie die Ankunft Josephs verkündet, in
Musik gesetzt, und meine Tochter Gisela, die ihre Sopran-
stimme ausbildete, sang sie dem Geburtstagskind vor. Bei soviel Musik konnte auch Zuck, der inzwischen dem Weine reich-
lich zugesprochen, nicht schweigen, und er trug zum gewaltigen
Getöne seiner Laute und mit erderschütterndem Gestampf sein
›Cognacvogellied‹ vor, sehr zum Mißvergnügen des Jubilars,
der solchen Exzessen durchaus abhold war und nur mühsam
gute Miene machte.
Ein besonderes Ereignis für unsere Kinder war der Besuch von
Emanuel Winternitz aus New York. Denn er konnte zaubern
und tat es gern und so nebenbei, mitten im Gespräch. Es waren
zwar keine Tauben, die er herumfliegen ließ, oder Kaninchen,
die er aus seinem Hut hervorholte — aber was er mit Spielkar-
ten, Taschentüchern und Streichhölzern geschehen ließ, war
auch für die Großen höchst amüsierlich.
Die Geschichte seines Lebens in Amerika ist ein ergötzliches
Beispiel dafür, wie sehr es immer noch das Land der ›unbe-
grenzten Möglichkeiten‹ ist. Winternitz, 1898 geboren und
einer jüdischen Wiener Juristen- und Philologenfamilie entstam-
mend, hatte sich aus wirtschaftlichen Gründen für den Anwalts-
beruf entschieden. Neben seinem Studium der Jurisprudenz
aber hatte er sich der Musiktheorie und -geschichte gewidmet,
hatte bei Professor Hans Kelsen Staatsrecht und bei Professor
Ernst Cassirer Philosophie studiert, und wandte sich schließlich

vergleichenden kunsthistorischen und musikwissenschaftlichen Studien zu. Arm wie eine Kirchenmaus, mit einem Reservehemd und ein paar hundert seiner eigenen Architekturaufnahmen, Ergebnis seiner kunsthistorischen Unternehmungen, kam er 1938 auf der Flucht aus Österreich in den Vereinigten Staaten an, wo er sich drei Jahre lang kümmerlich mit schlecht bezahlten Vorlesungen an Schulen und Colleges am Leben erhielt. Als er eines Tages einen seiner amerikanischen Bekannten, der Direktor des Metropolitan Museums in New York geworden war, dort besuchte, fand er im Keller des Museums die ›Crosby Brown Collection of Musical Instruments of all Nations‹, 3000 wertvollste Stücke umfassend, in so erbärmlichem Zustand, daß er die Direktion des Museums und die Trustees, die gar kein Interesse für diese Schätze hatten, zu einer sorgfältigen Katalogisierung und zu einer dem musikhistorischen Wert der Sammlung adäquaten Neuaufstellung zu bewegen suchte. Aber seine Bemühungen waren zunächst vergeblich. Bis er auf die Idee kam, seine berühmten Musikerfreunde, Adolf Busch, Wanda Landowska, Paul Hindemith, Ralph Kirkpatrick und andere, vergessene Meisterwerke mit den alten Instrumenten für die Museumsmitglieder in den Räumen des Metropolitan Museums aufführen zu lassen. Diese Konzerte — ›Music forgotten and remembered‹ — hatten einen solchen Erfolg und führten zu einer so bedeutenden Zunahme der Museumsmitglieder, daß das Interesse der Museumsverwaltung erwachte und Winternitz zum Kurator der Instrumentensammlung berufen wurde. Mit den notwendigen Mitteln versehen, konnte er sie zu dem wichtigsten und größten Instrumentenmuseum der Welt ausbauen. Außerdem wurde er Leiter des von ihm einzurichtenden Music Departments, dessen Kammermusikkonzerte in dem eigens dafür gebauten Saal, einem der schönsten modernen Konzertsäle, die ich kenne, Höhepunkte im New Yorker Musikleben bilden. Neben seiner Tätigkeit als Kurator am Museum ist er heute Professor für Musikgeschichte an der Yale University und Mitglied zahlreicher gelehrter Gesellschaften und hat über fünfzig Arbeiten auf seinem Spezialgebiet, darunter fünf umfangreiche Bücher, veröffentlicht. Einer seiner Freunde sagte ihm einmal, als sie über sein Schicksal in Amerika sprachen: »Dich hat der Führer in deine Bahn geworfen.«

Besonders schwierig gestaltete sich das Leben in der Emigration für die deutschen Schauspieler. Nur ganz wenigen gelang es, sich in das fremde Sprachmedium einzufühlen und sich den andersartigen Gegebenheiten der amerikanischen Bühne anzupassen. Oskar Karlweis, der mir in Amerika ein lieber Freund wurde, hatte sich in Wien und in Berlin in Komödie und Operette mit seiner Agilität und seinem Witz bereits einen Namen gemacht. 1938 war er mit Mühe aus Österreich nach Frankreich entkommen und schließlich 1940 mit Hilfe des ›Rescue Comittee‹ über Spanien und Portugal nach den USA gelangt.

Ich traf ihn im Fahrstuhl des ›Park Plaza‹ Hotels, müde und verzweifelt. »Was soll ich hier in diesem Land, dessen Sprache ich nicht beherrsche. Ich kenne nur zwei englische Worte: ›beefsteak‹ und ›money‹.« Selbst in seiner tiefen Depression hatte ihn sein Humor nicht verlassen.

Daß gerade sein damals noch gebrochenes Englisch ihn zum Erfolg führen sollte, wußte er noch nicht. Als Max Reinhardt 1940 in New York die ›Fledermaus‹ inszenierte, gab er ihm die Rolle des Prinzen Orlofsky, die er schon vor Jahren in der Berliner Aufführung mit größtem Erfolg kreiert hatte. Als ›whispering bariton‹ mit seinem komischen Englisch rief er Lachstürme beim New Yorker Premierenpublikum hervor und hatte von einem Tag zum anderen den Gipfel der Popularität errungen. Er spielte die Rolle elfhundert Mal.

Als Jacobowsky in Franz Werfels ›Jacobowsky und der Oberst‹ brachte er sein Publikum zum Lachen und Weinen über das Schicksal des ewig fliehenden, wandernden Juden, der durch alle Fährnisse hindurch immer wieder von den ›drei Möglichkeiten des Überlebens‹ die richtige wählt.

Als er 1956 in New York starb, pries ihn die New York Times als »master of pathos, symbol of the underdog, who acquired shrewdness as well as mastery of languages that enabled him to act in the finest theatres of France, England and the United States as well as in Germany and Austria«.

Ein häufiger Gast bei uns in Old Greenwich war der frühere Generalstabshauptmann von Bärensprung. Er hatte nach dem Ersten Weltkrieg Jura studiert und war Oberbürgermeister in Magdeburg geworden. Als Anwalt von Reichspräsident Ebert, den die Alldeutschen mit ihren Denunziationen zu Tode gequält hatten, und als kämpferischer Sozialist mußte er Deutschland sofort bei der Machtübernahme durch die Nazis verlassen. Mit Hilfe eines seiner getreuen Polizeibeamten gelang es ihm, zunächst nach Polen zu entfliehen. Später wurde er militärischer Berater von Tschiang Kai Schek und war schließlich in Greenwich, ganz in unserer Nähe gelandet. Er gehörte zu der Gruppe ehemaliger Politiker, die sich der Illusion hingaben, die künftige deutsche Regierung in Amerika bilden zu können und eifrig Ministerplätze unter sich verteilten. Bärensprung träumte von dem neuen Generalstab, den er mit seinen Freunden besetzte. So saß er oft zu abendlicher Stunde bei uns, der riesige Mann, dessen massige Gestalt seinem Namen Ehre machte, weit zurückgelehnt in seinem Sessel und mit geschlossenen Augen die Zukunft Deutschlands, wie er sie sah, heraufbeschwörend.

Seine etwas realistischer denkende Freundin, Elisabeth Hauptmann, die frühere Sekretärin Bert Brechts, goß dann etwas Wasser in seinen Wein, mit der lakonischen Bemerkung: »Die Generole (sic!) haben wir jetzt, aber wo kriegen wir die Muschkoten her?«
Stefan Zweig wollte sich in unserer Nähe niederlassen, bevor er sich zu Brasilien entschloß. Hätte er es doch getan!
Professor Antonio Borgese lebte eine Zeitlang, mit seiner Frau Elisabeth, der jüngsten Tochter Thomas Manns, in nächster Nachbarschaft. Er war vor der faschistischen Herrschaft als politischer Redakteur des Corriere della Sera in Rom tätig und hatte Italien sofort den Rücken gekehrt, als Mussolini zur Macht kam. Jetzt lehrte er an der Universität Chicago Romanistik und war ein feuriger Vertreter des Gedankens einer Weltregierung. Wer ihm widersprach, wurde mit dem blitzenden Schwert seines Geistes zu Boden gestreckt. Er war ein glühender Verfechter der Demokratie, der gewiß noch eine große politische Rolle in Italien gespielt hätte, wäre er nicht kurz nach dem Ende des Krieges gestorben.

Im April 1941 traf auch Frau Fischer aus Stockholm, zusammen mit der jüngeren Schwester meiner Frau und deren sechs Monate alten Tochter, in Los Angeles ein. Sie waren auf dem gleichen Wege wie wir von Schweden gereist, hatten aber im Gegensatz zu der freundlichen Behandlung, deren wir noch teilhaftig geworden waren, schon die Feindseligkeiten der Japaner gegen die Welt des Westens zu spüren bekommen — Vorgeschmack des kommenden Krieges gegen die Vereinigten Staaten. Auf dem kleinen Schiff, das sie von Wladiwostok nach Tsuruga brachte, waren sie körperlich bedroht worden und hatten viele Stunden bei Kälte und Regen an Deck verbringen müssen.
So leicht es jüngeren Menschen fiel, sich in Amerika zu Hause zu fühlen, sich mit dem amerikanischen Leben vertraut zu machen, so schwer war es für die alten. Frau Fischer, damals schon nahezu siebzig, konnte sich nicht mehr eingewöhnen, obwohl ihr die englische Sprache keine Schwierigkeiten bereitete. Nicht anders ging es meiner Mutter, die uns nach Kriegsende nach Amerika gefolgt war. Die beiden Frauen vereinsamten mehr und mehr; selbst das Zusammensein mit ihren Kindern und Enkelkindern konnte sie über die tragische Trennung von ihrer Heimat nicht hinwegtrösten.
Für die alte Frau Fischer war die Isolierung besonders schwer zu ertragen, da sie aus einer Daseinsform herausgerissen war, die ihr die engste Verbindung mit den geistigen und künstlerischen Kräften Deutschlands gewährt hatte. Die großen Entfernungen auf diesem Kontinent erlaubten ihr Begegnungen mit

alten Freunden nur selten. So verfiel sie zusehends in Schwermut, die sich erst ein wenig lichtete, als sie, Jahre nach dem Krieg, nach Deutschland zurückkehren konnte. Im Oktober 1952 hat sie dann, im Alter von 82 Jahren, das Zeitliche gesegnet. Wir haben sie in Frankfurt am Main begraben.

Unsere Befürchtung, daß sich bei Eintritt Amerikas in den Krieg unsere Lage verändern würde, erwies sich als unbegründet. Immerhin gab es ein paar ängstliche Wochen, insbesondere als eine Registrierung der ›enemy aliens‹ angeordnet wurde, bei der man uns sogar Fingerabdrücke abnahm. Es war das einzige Mal, daß wir derartigen Maßnahmen ausgesetzt waren. In meiner Sorge wandte ich mich damals, es war im Februar 1942, an Thomas Mann:

February 9, 1942

Herrn Dr. Thomas Mann
740 Amalfi Drive
Pacific Palisades, Calif.

»Lieber Herr Doktor Mann:
Soll denn wirklich gar nichts in der Enemy-Alien-Frage geschehen?
Die hier arbeitenden politischen und unpolitischen Gruppen der deutschen Emigranten tun nichts. Es ist recht deprimierend zu sehen, wie diese ehemaligen Politiker ihre Zeit auf fruchtlose Bemühungen verschwenden, als künftige Regierung anerkannt zu werden, deutsche Legionen zu bilden und das Problem der Zukunft Deutschlands nach dem Kriege zu lösen, während sie sich um diese naheliegendste und brennendste Frage nicht bekümmern.
Wenn das so weitergeht, ist zu befürchten, daß die am Anfang des Krieges spürbare Bereitwilligkeit der Regierung, die Loyalität des größten Teiles der deutschen Emigranten anzuerkennen, dem Einfluß der immer und überall vorhandenen bösartigen Über-Nationalisten weicht.
Die unterschiedlose Registrierung aller deutschen Emigranten als Enemy-Aliens bedeutet eine schwere moralische Belastung der Emigration, die alles andere eher erwartet hat, als eine derartige Verkennung und Mißachtung ihrer Gesinnung und Haltung. Am schlimmsten ist im Augenblick die weitgehende Beunruhigung, da natürlich niemand an die beruhigenden Erklärungen des Attorney General glaubt und die Befürchtung immer weiter um sich greift, daß die Registrierung nur der Auftakt zu weitergehenden Maßnahmen ist. Die unterschiedlose Sperrung und Räumung gewisser Gebiete an der Westküste, bei der die deutschen Emigranten den Japanern gleichgestellt wer-

den, läßt das Schlimmste befürchten. Die einzige Stimme, die sich bisher gegen die drohende Gefahr erhoben hat, kommt von Dorothy Thompson. Ich lege Ihnen den Ausschnitt aus der New York Post bei.

Sie sind der einzige, verehrter Herr Doktor, der die Führung in dieser Frage übernehmen könnte. Es sollte möglich sein, sich in einem von den wichtigsten Persönlichkeiten der Emigration unterzeichneten Schreiben an die Regierung zu wenden oder eine Deputation nach Washington zu schicken. Was die Österreicher erreichen konnten, sollte der für Amerika eminent wichtigen Gruppe deutscher Wissenschaftler, Dichter, Schriftsteller etc. ebenfalls möglich sein, und es sollte sich ein Weg finden lassen, um eine Unterscheidung zwischen Loyalen und Illoyalen durchzuführen. Dem jetzigen Zustand, der die Tendenz zeigt, sich ins Unerträgliche und Gefährliche zu entwickeln, sollte ein Ende bereitet werden. Ich wäre Ihnen für eine rasche Antwort sehr dankbar. Mit besten Grüßen

Ihr ergebener
G. B. Fischer«

Thomas Mann

1550 San Remo Drive
Pacific Palisades, Calif.
Februar 13th, 1942

»Lieber Doktor Bermann:
Sie können sich denken, daß die alien-Angelegenheit auch mich dauernd beschäftigt und deprimiert ... Seit Wochen frage ich mich, was ich tun könnte und habe jetzt den geradesten und vielleicht am meisten erfolgversprechenden Weg zu Präsident Roosevelt eingeschlagen. Mit anliegendem von Toscanini, Borgese, Sforza, Bruno Frank, Bruno Walter und mir unterzeichneten Telegramm. Hoffen wir das Beste!

Ihr Thomas Mann«

President Franklin D. Roosevelt
The White House
Washington D. C.

»Mr. President:
We beg to draw your attention to a large group of natives of Germany and Italy who by present regulations are, erroneously, characterized and treated as »Aliens of Enemy Nationality«.

We are referring to such persons who have fled their country and sought refuge in the United States because of totalitarian persecution, and who, for that very reason, have been deprived of their former citizenship.

Their situation is such as has never existed under any previous circumstances, and it cannot be deemed just to comprise them under the discrediting denomination of »Aliens of Enemy Nationality«.

Many of those people, politicans, scientists, artists, writers, have been among the earlist and most farsighted adversaries of the governments against whom the United States are now at war. Many of them have sacrificed their situation, and their properties and have risked their lives by fighting and warning against those forces of evil, which at that time were minimized and compromized with by most of the governments of the world.

It is true that the »Application for a Certificate of Identifications« provides such persons with an opportunity to make additional statements as for their political status. But as, so far, no official announcement to the contrary has been made, these victims of Nazi und Fascist oppression, these staunch and consistent defender of democracy, would be subject to all the present and future restrictions meant for and directed against possible Fifth Columnists.

We, therefore, respectfully apply to you, Mr. President, who for all of us represent the spirit of all that is loyal, honest and decent in a world of falsehood and chaos, to utter or to sanction a word of authoritative discrimination, to the effect that a clear and practical line should be drawn between the potential enemies of American democracy on the one hand, and the victims and sworn foes of totalitarian evil on the other.*

G. A. Borgese	Thomas Mann
Albert Einstein	Arturo Toscanini
Bruno Frank	Bruno Walter«

Die Aktion hatte unmittelbaren Erfolg. Wir konnten zwar während des Krieges nicht eingebürgert werden. Aber wir wurden behandelt, als wären wir es schon, sowohl im politischen als auch im geschäftlichen Leben.

* Übersetzung siehe Anhang.

Rufe aus Deutschland

Am 9. Mai 1945 war der Krieg gegen Deutschland beendet. Ich ging wie betrunken durch die Straßen von New York, als die Glocken den Sieg und das Ende des Schreckens verkündeten.

Einer der Höhepunkte dieser ersten Friedenstage war Thomas Manns Rede ›Deutschland und die Deutschen‹, in der Library of Congress in Washington. Der große Saal war überfüllt; mehrere Nebensäle mußten durch Lautsprecher mit dem Hauptsaal verbunden werden. Tausende wollten den großen Repräsentanten eines freien Deutschland im Augenblick des Sieges über seine barbarischen Unterdrücker hören. Archibald McLeish, der amerikanische Dichter, damals selbst ein Mitglied des Kabinetts, feierte in seinen Einführungsworten Thomas Mann als den Vorkämpfer der Demokratie.

Daß man Thomas Mann an dieser Stelle in diesem Augenblick sprechen ließ, war eine Ehrung für ihn und zugleich für die ganze Emigration, aber auch das Zeichen einer Gesinnung, wie sie nur in Amerika denkbar ist.

Die bewegendsten Sätze der Rede hier zu zitieren, ist angesichts der immer wiederkehrenden Entstellungen von Thomas Manns Haltung gegenüber Deutschland, nicht überflüssig:

»Den Richter zu spielen, aus Willfährigkeit gegen den unermeßlichen Haß, den sein Volk zu erregen gewußt hat, es zu verfluchen und zu verdammen und sich selbst als das ›gute Deutschland‹ zu empfehlen, ganz im Gegensatz zum bösen, schuldigen dort drüben, mit dem man gar nichts zu tun hat, das scheint mir einem auch nicht sonderlich zu Gesicht zu stehen. Man *hat* zu tun mit deutschem Schicksal, wenn man als Deutscher geboren ist. Die kritische Distanzierung davon sollte nicht als Untreue gedeutet werden. Wahrheiten, die man über sein Volk zu sagen versucht, können nur das Produkt der Selbstprüfung sein ... nichts von dem, was ich Ihnen über Deutschland zu sagen oder flüchtig anzudeuten versuchte, kam aus fremdem, kühlem, unbeteiligtem Wissen; ich habe es auch in mir, ich habe es alles am eigenen Leibe erfahren.«

Wie sich unser Schicksal und das des Verlages jetzt gestalten sollte, wurde zur brennenden Frage.

Wieder einmal stand ich vor Entscheidungen, deren Tragweite unabsehbar war. Hier war unser amerikanisches Unternehmen, an dem zwar mein Herz nicht hing, dem ich aber in vielfacher Hinsicht verpflichtet war, dort waren der Stockholmer Verlag und meine schwedischen Partner, die jetzt meinen Einsatz verlangten, um die Früchte ihres langen Durchhaltens ernten zu können, und es kamen unüberhörbare Forderungen, die Werke der aus Deutschland vertriebenen Verlagsautoren, die einen erheblichen Teil der modernen Literatur darstellten, wieder zurückzuführen, Forderungen sowohl von seiten der Schriftsteller als auch von den amerikanischen Behörden, die mit kulturellen Aufgaben im besetzten Deutschland befaßt waren. Es kamen aber auch, und das war das Unerwartete und Bewegende, wie aus Nebelferne die ersten Briefe aus Deutschland, Rufe nach Rückkehr und nach Hilfe in dem grauenhaften Chaos, das sie unseren Blicken eröffneten.

Die ersten Nachrichten, die aus Berlin eintrafen, kamen durch Freunde, die zur amerikanischen Besatzungsarmee gehörten. Suhrkamp lebte und versuchte, mit mir in Verbindung zu kommen. Die strengen Restriktionen, die Amerikanern im Verkehr mit den Deutschen auferlegt waren, machten das zunächst unmöglich. Erst Mitte September 1945 brachte mir der amerikanische Korrespondent Louis P. Lochner, der Suhrkamp in Berlin aufgesucht hatte, einen an ihn gerichteten Brief, dessen Inhalt für mich bestimmt war:

Suhrkamp Verlag, Berlin
vormals S. Fischer Verlag
Herrn Louis P. Lochner   Woyrschstr. 13
Apo 755 USFETRPR PARTY   Berlin, d. 3. 9. 1945
Berlin District Command
American Press Comp.   Berlin-Zehlendorf-West 2

»Sehr verehrter Herr Lochner!
Es freut mich, daß Sie mir Gelegenheit geben, an Herrn Dr. Bermann Fischer in New York Nachricht über uns gelangen zu lassen. Ich wäre Ihnen sehr dankbar, wenn Sie ihm kurz berichten wollten, daß wir, meine Frau und ich, den Krieg lebend überstanden, dabei alles persönlich verloren haben. Nicht weniger als drei Wohnungen sind uns bei Bombenangriffen total zerstört worden. Ich selbst war im April 1944 unter Hoch- und Landesverratsverdacht in verschiedenen Gefängnissen und dann im Konzentrationslager Sachsenhausen. Von dort bin ich im Frühjahr dieses Jahres mit einer doppelseitigen Lungenentzündung und Rippenfellentzündung entlassen worden. Von den Folgen dieser schweren Erkrankung bin ich noch immer nicht ganz wieder erholt. Bei meiner Frau hat der Arzt inzwischen T.B. festgestellt. Herr Dr. Bermann Fischer möchte diese Nachricht an unsere übrigen Freunde in Amerika weitergeben, vor allem an Carl Zuckmayer und Annette Kolb.
Meine Verhaftung durch die Gestapo war eigentlich eine Phase

in dem ständigen Kampf, den die Partei gegen den Verlag führte. Es ist mir gelungen, trotzdem den Verlag durchzusteuern, allerdings ist das Verlagshaus noch in den Berliner Kämpfen ausgebrannt. Gegenwärtig suche ich die Verlagsarbeit wieder in Gang zu bringen. Dafür warte ich dringend darauf, daß Herr Dr. Bermann Fischer sich meldet oder zumindest eventuelle Wünsche äußert. *Denn ich habe meine Verlagstätigkeit die ganze Zeit über als eine Statthalterschaft oder Treuhänderschaft* betrachtet.* Ich wäre Ihnen, sehr verehrter Herr Lochner, sehr dankbar, wenn Sie helfen könnten, daß die Verbindung zwischen Herrn Dr. Bermann Fischer und mir gerade in dieser letzten Frage bald aufgenommen werden könnte ...

Ihr sehr ergebener
Peter Suhrkamp«

Kurze Zeit darauf erhielt ich seinen ersten handschriftlichen Brief, der mich und meine Frau tief erschütterte und unsere ferneren Beschlüsse entscheidend beeinflußte.

Berlin, den 3. August 1945
»Lieber Gottfried und liebe Tutti Bermann — die letzten Nachrichten von Ihnen kamen über Hesse zu mir, im Jahre 43. Danach ist das Schicksal lawinenartig über uns gekommen: am 22./23. November 43 wurde unsere Wohnung in der alten Dernburgstr. durch Bomben zerstört, am 4. Dez. ging in der Morgenfrühe beim Angriff auf Leipzig die Auslieferung bei Fleischer drauf, ebenso die Vorräte und angefangenen Bücher bei Spamer, Poeschel, Haag Drugulin, Bibliogr. Institut usw.; am 15. Februar 44 unsere Ausweichwohnung in der Brahmsstr. im Grunewald; am 13. April wurde ich von der Gestapo verhaftet, unter Hochverrats- und Landesverrats-Anklage gestellt, lag in verschiedenen Gefängnissen und kam Anfang Januar 45 ins Konzentrationslager Sachsenhausen b. Oranienburg, von dort wurde ich am 8. Februar mit einer schweren Lungenentzündung und Rippenfellentzündung entlassen, lag im Krankenhaus Potsdam auf den Tod, bis Potsdam zerstört wurde, am 14./15. April, und erlebte, noch immer krank, am 27. April den Einmarsch durch die Russen; zuguterletzt, in den letzten Apriltagen, wurde das Verlagshaus in der Lützowstraße noch zerstört. Diese Kette von Ereignissen hat meine Frau mit durchgelebt — aber wir leben und sind im Begriff, die Arbeit wieder aufzunehmen. Das wird schwer sein — angesichts der Tatsache, daß das zwischen Menschen sein muß, die noch nichts begreifen und schwer begreifen werden, die ameisenhaft ihr Gut in Trümmern und Ruinen zusammenschleppen, zu müde um den

Himmel wahrzunehmen, geschweige denn auf einen Schimmer von Geist und im Herzen zu achten. Ich versuche Freunde zu einer Gemeinschaft zu sammeln, um die Mission aufzunehmen, die in Untergang und Not auf uns gelegt ist.

Im übrigen warte ich täglich auf Sie, um wieder in Ihre Hände geben zu können, was wir von Herrn Fischer übernahmen, und was ich nun neun Jahre hindurch allein verwaltet und mit meiner Person gedeckt habe. Äußerlich sind nur Trümmer übrig, aber der Ruf ist rein und blank geblieben und *Sie könnten, ohne Scham, vielleicht ohne aufzugeben, was Sie inzwischen in Stockholm und dort aufbauten, hier auch auf einem guten Boden wieder anfangen.* — Lassen Sie mich nun so bald als möglich wissen, ob ich damit rechnen darf. Ich möchte das Verlagsgebäude möglichst in Übereinstimmung und Gemeinschaft mit Ihnen wieder in Angriff nehmen. Kommen Sie selbst bald — wenn das nicht geht, lassen Sie mich Ihre Gedanken und Pläne wissen. Ich bin persönlich immer noch sehr schwach und müde, aber voll guter Pläne. Der nächste Winter steht allerdings sehr drohend vor uns. — Gerhart Hauptmann und Hermann Hesse leben. Ich hoffe Hauptmann in den nächsten Tagen mit Kurt Riess in Agnetendorf besuchen zu können. Er ist 82. — Lassen Sie mich wissen, wie es allen aus Ihrer Familie geht — vor allem grüßen Sie alle. Es sind nur die alleräußerlichsten Dinge, die ich jetzt schreiben kann. Ich zittere einem Wiedersehen entgegen, dann werden wir vielleicht sprechen können. Unsere Wohnungsadresse ist jetzt: Potsdam, Behlertstr. 5, dort haben wir im Augenblick ein Zimmer; die Verlagsadresse: Berlin W 35, Woyrschstr. 13.

Ich umarme Sie alle.
Ihr alter
Peter Suhrkamp

Es ist gewiß in Ihrem Sinne, wenn ich mich hier inzwischen um die Bühnenrechte auch der alten Verlagsautoren kümmere?«

Es war, als wären die Toten auferstanden. Wir hatten wohl daran gedacht, daß einmal das Ende der Schreckenszeit kommen würde. Aber wie weit reicht menschliche Vorstellungskraft!

Jetzt war es nicht mehr ein Denken ins Leere. Unfaßbar, dieser Brief war wirklich, greifbar, trug die vertraute Handschrift eines ins Unbekannte Entschwundenen, der uns in tiefer Not rief und unser längst verloren geglaubtes Erbe, den uns entwundenen Teil des Verlages S. Fischer, in unsere Hände legen wollte. Vor diesem Schicksal gab es nur eines: helfen und stützen, bis die Wege sich wieder zueinander öffneten.

Durch Bekannte in der Armee und der Verwaltung fanden wir bald Möglichkeiten, wenigstens den schlimmsten physischen Leiden Suhrkamps abzuhelfen. Inzwischen hatten sich auch andere Freunde aus dem Dunkel gemeldet. Unser Haus in Old Greenwich verwandelte sich in ein Versandhaus für Lebensmittel und Kleidungsstücke.

Aber wie wenig war das alles, gegenüber der Not des Hungers und der Kälte und der seelischen Not, in die Unschuldige wie Schuldige geraten waren.

Schon im Sommer 1945, als ich noch ohne jede Nachricht aus Deutschland war, hatte mich ein New Yorker Verleger, der als Berater der Armee mit dem Verlagsproblem in Deutschland befaßt war, zu sich gebeten. Er fragte mich, ob ich bereit wäre, der Armee meine für die ›Reeducation‹ so wichtigen Verlagsrechte zu überlassen. Man beabsichtige, sie zuverlässigen deutschen Verlegern unter Nachdrucklizenz zu übergeben. Ich konnte ihm auf diese naive Frage nur die Gegenfrage stellen, ob *er* das wohl tun würde, wenn er in meiner Situation wäre. Ehrlicherweise beantwortete er sie mit nein. Aber ich erklärte mich bereit, alle Hilfe für die Rückführung dieser Werte zu leisten, wenn die Armee mich in die Lage versetzen würde, selbst über die Art und Weise, auf die das geschehen solle, zu entscheiden.

Auch für mich galt das für alle Amerikaner gültige Verbot, in Deutschland geschäftliche Unternehmungen durchzuführen. Ich konnte also die Publikation meiner Verlagswerke in Deutschland nicht selbst vornehmen, sondern meine Bücher nur durch Übertragung von Verlagslizenzen an einen deutschen Verlag dem deutschen Buchhandel zugänglich machen. Insofern war der Vorschlag meines amerikanischen Kollegen nicht unvernünftig. Nur wollte ich selbst bestimmen, wer die Nachdrucksrechte erhielt, und wollte selbst die dazu notwendigen Verträge mit allen Konsequenzen für die Zukunft abschließen. Mein Gespräch endete mit der Zusicherung, man würde meinen Vorschlag überdenken und mich weiteres hören lassen.

Während ich noch in New York und Washington mit den zuständigen Stellen verhandelte, traf Suhrkamps Brief ein. Nun gab es keine Frage mehr für mich, welchem deutschen Verleger ich meine Lizenzen übertragen würde. Mit allem Nachdruck forderte *ich* jetzt die Berücksichtigung *meiner* Wünsche und zudem die Erteilung der Einreisegenehmigung in das besetzte Land. Ich zögerte nicht mit meiner Antwort an Suhrkamp.

Herrn Peter Suhrkamp   14. Sept. 1945
Woyrschstr. 13
Berlin

»Lieber Suhrkamp
Ich habe mich lange bemüht, mit Ihnen in Verbindung zu kommen. Nun ist es mir endlich durch Louis Lochner geglückt. Ich war über Ihr Ergehen und Ihre furchtbaren Erlebnisse unter-

richtet, teils durch Hesse, teils durch Zuckmayers Freunde, teils durch eine Notiz in der Kriegsgefangenenzeitschrift ›Der Ruf‹. Wir alle sind glücklich, daß Sie das Konzentrationslager und Ihre schwere Erkrankung überstanden haben.

Ich hoffe, daß ich Ihnen nach diesem entsetzlichen Zusammenbruch und nach den schweren Kämpfen und Entbehrungen, die Sie durchzumachen hatten, die Möglichkeit zu einer neuen aufbauenden Tätigkeit bringen kann.

Ihr Brief trifft in einem wichtigen Augenblick ein. Meine Vorbereitungen zur Wiedereröffnung des Verlages in Deutschland sind ziemlich weit fortgeschritten. Ihr Brief beeinflußt sie insofern als ich nunmehr daran denken kann, Sie in meine Pläne einzubeziehen. Ich werde Ihnen in Kürze Näheres berichten, sowie ich etwas weitergekommen bin. Inzwischen aber beantworten Sie mir bitte die folgenden Fragen:

1. Haben Sie eine Lizenz der Control Commission für die Eröffnung oder Weiterführung des Verlages?
2. Welche Gesellschaftsform hat der Verlag und wer sind die am Verlag beteiligten Parteien?
3. Wie ist die finanzielle Situation des Verlages, Bankguthaben, ungefähre Buchvorräte, Verpflichtungen?
4. Denken Sie daran, den Peter Suhrkamp Verlag fortzuführen resp. ihn in meine Organisation wieder einzubringen und auf welche Weise sollte das geschehen?

Ich werde wahrscheinlich in den nächsten Tagen Professor Lehmann-Haupt* sehen und erwarte von ihm Näheres zu hören.

Bitte unternehmen Sie in der Zwischenzeit, bis Sie von mir gehört haben, so weit als möglich, keine entscheidenden Schritte.

Tutti, Frau Fischer und Hilde lassen Sie herzlich grüßen. Die Töchter Gabi, Gisi und Annette sind große Mädchen geworden. Ich selbst werde wahrscheinlich in Kürze für einige Wochen nach Stockholm fahren, und es ist nicht ganz ausgeschlossen, daß ich nach Deutschland komme.

Ich hoffe, lieber Suhrkamp, daß Sie sich weiter von diesen furchtbaren letzten Monaten erholen. Ich stehe Ihnen, soweit die Vorschriften es erlauben, ganz zur Verfügung. Sie werden sehr bald wieder von mir hören. Alles Herzliche Ihnen und Ihrer Frau

Ihr G. B. Fischer«

Da auf diesen Brief zunächst keine Antwort erfolgte, wiederholte ich ihn am 29. Oktober und fügte noch hinzu: »Sie wissen wahrscheinlich, daß an dem Bermann-Fischer Verlag in Stockholm zu 50 Prozent der Verlag Albert Bonnier beteiligt

---

* Von der amerikanischen Armee beauftragter Fachmann für Verlagswesen. Ehemaliger Deutscher.

ist. Die Übertragung von Nachdrucksrechten unserer dortigen Bücher auf den innerdeutschen Verlag kann ich bei meinen Partnern und nebenbei bemerkt auch bei den Autoren nur dann durchsetzen, wenn der innerdeutsche Verlag Eigentum des Stockholmer Verlages ist (wobei Ihre Beteiligung an dem innerdeutschen Verlag als selbstverständlich vorausgesetzt wird). ... Ich hoffe, daß ich nunmehr bald von Ihnen hören werde, da ich dringend darauf warte, Ihnen die Fortsetzung des Verlages so schnell als denkbar zu ermöglichen.«

Erst spät im November kamen Suhrkamps Antworten auf meine Fragen vom 14. September. Danach hatte er als erster Verlag im britischen Sektor die Lizenz zur Weiterführung des Verlages erhalten. Die Gesellschaftsform und die Kommanditisten waren unverändert. Die vorhandenen RM-Guthaben waren natürlich nicht viel wert, Buchvorräte so gut wie nicht mehr vorhanden. Ich hatte nichts anderes erwartet.

Von Bedeutung war für mich Suhrkamps Antwort auf meine vierte Frage. Sie lautete: »Wie Sie sicher wissen, ist die Änderung des Firmennamens 1942 nur auf Verfügung des Ministeriums nach langen Auseinandersetzungen erfolgt. Jetzt war eine meiner ersten Überlegungen, ob ich nicht sofort wieder S. Fischer Verlag firmieren sollte, ich habe mich dann aber, um Ihren Dispositionen auf keinen Fall vorzugreifen, vorläufig für Suhrkamp Verlag, vormals S. Fischer Verlag, entschieden. Professor Lehmann-Haupt sollte Ihnen sagen, daß ich meine Aufgabe nie anders *denn eine Statthalterschaft oder Treuhänderschaft für Ihre Familie aufgefaßt habe und nur darauf wartete, daß Sie den Verlag wieder in irgendeiner Form in Besitz nehmen könnten.* Das wird bestimmt auch bei den übrigen Kommanditisten auf keine Schwierigkeiten stoßen.«

Nachdem ich Anfang Januar 1946 von Suhrkamp auch seinen Vorschlag bezüglich der Zahlung der Lizenzgebühren für die ihm von mir übergebenen Werke meines Stockholmer Verlages empfangen und akzeptiert hatte, waren die rechtlichen Grundlagen eindeutig fixiert. Er schrieb mir:

»Da wir beide denselben Willen haben und das Ziel gegeben ist, sollte während dieser Zeit daraufhin in einigen praktischen Dingen die Übereinstimmung hergestellt und Übergangsformen vereinbart werden. Es scheint mir beispielsweise an der Zeit,
I. daß Werke von Thomas Mann (›Lotte in Weimar‹ und auch die ›Josephs-Romane‹), von Franz Werfel, Carl Zuckmayer, Hugo von Hofmannsthal, Annette Kolb, also von den deutschen Autoren, die früher zum Verlag gehörten, hier bald erscheinen. Die Einfuhr wird Schwierigkeiten machen. Aber Sie könnten dem hiesigen Verlag eine Lizenz darauf übergeben. Ich würde

dann im Rahmen der hiesigen Möglichkeiten herausbringen, was Materialien, die technischen Gegebenheiten und die Besatzungsbehörden gestatten. Die Lizenzgebühren würde ich auf ein Sonderkonto abführen, das unter der Verwaltung der Besatzungsbehörden stehen sollte. Und diese würden den Transfer im Rahmen der Möglichkeiten und Gesetze zu gegebener Zeit bewerkstelligen.

II. Daß darüber hinaus auch Werke von amerikanischen und englischen Autoren, deren Verbreitung hier für die notwendige Aufklärung wünschenswert ist, eingeführt werden. Soweit die Rechte dafür bei Ihnen liegen, sei es in New York oder in Stockholm, wäre die Honorar- bzw. die Lizenzgebührfrage zu handhaben wie bei I.«

Weder bei meinen Partnern in Stockholm noch bei meinen späteren Teilhabern in Amsterdam noch bei mir selbst bestand nach diesen Erklärungen Suhrkamps irgendein Zweifel, daß er den innerdeutschen Verlag wieder in den Besitz der Familie Fischer zurückführen werde. Alle meine künftigen Maßnahmen, insbesondere die uneingeschränkte Lizenzübertragung von modernen Autorenrechten, gingen von dieser Voraussetzung aus.

Sehr beliebt hatte ich mich bei den amerikanischen Behörden mit meinem Eigensinn nicht gemacht. Es war in Washington alles so schön vorbereitet gewesen. Die Verträge waren schon im Sinne des ersten Vorschlages vom State Department ausgearbeitet worden. Nun mußte für den Einzelgänger ein neues Vertragsdokument entworfen werden, das Suhrkamp als exklusiven Lizenzträger meiner Verlagsrechte einsetzte.

Damit war für mich und den Exilverlag eine weittragende Entscheidung getroffen. Für die Suhrkamp KG in Berlin bedeutete sie die Wiederauferstehung aus den ›Trümmern‹.

Mit dem Erscheinen der ›Lotte in Weimar‹ von Thomas Mann, im Frühjahr 1946, als erster Lizenzausgabe des Bermann-Fischer Verlages im Suhrkamp Verlag, war das sichtbare Zeichen der ›Wiedervereinigung‹ der beiden auseinandergerissenen Verlage gegeben.

Damit war aber auch meine Anwesenheit in Deutschland unabweisbar geworden. Es war das Programm für die weiteren Lizenzausgaben aufzustellen, die Reorganisation des zerstörten Betriebes in Berlin in die Wege zu leiten, vor allem aber der spätere Zusammenschluß mit meinem schwedischen Verlag, dem die Finanzierung des Berliner Verlages obliegen würde, vorzubereiten. Ferner waren Abmachungen über das Ausscheiden der bisherigen Partner Suhrkamps zu treffen. Auch war die Einfuhr der Bücher des Stockholmer Verlages nach Deutschland zu regeln und waren die Beziehungen mit unseren alten Auslieferungsstellen in Holland und Österreich wieder aufzunehmen, von deren Schicksal wir nichts wußten. Schließlich mußte aber auch mein Verhältnis zu Bonniers neu geregelt werden, die während der Kriegsjahre dem Stockholmer Verlag große Beträge zur Verfügung gestellt hatten und nun von mir seine Einschaltung in den erhofften großen deutschen Buchmarkt erwarteten. Eine Fülle von Aufgaben türmte sich vor mir auf, die nur in Europa bearbeitet werden konnten.

Von meinem Wiener Verlag hatte ich seit Ausbruch des Krieges nichts mehr vernommen. Ich schrieb ins Leere hinaus an Rudolf Lechner, meine frühere Auslieferungsfirma in Wien. Die Antwort, die ich nach einigen Wochen erhielt, war traurig. Meine jüdischen Angestellten, die sich nicht mehr hatten herausretten können, waren alle nicht mehr am Leben.

Das große Buchlager, das von meiner Binderei noch in einen Tiefkeller verbracht worden war, war an einem der letzten Kriegstage in Flammen aufgegangen.

Aber ich wollte den Stützpunkt in Österreich nicht aufgeben und beschloß, den Bermann-Fischer Verlag, Wien, wieder neu aufzurichten. Lechner suchte für mich einen nominellen Geschäftsführer und schlug mir einen Studenten mit dem schönen Namen Heribert Umfahrer vor — wir brauchten für diese Position einen Österreicher —, der zudem eine Wohnung hatte, die als Adresse verwendbar war.

So gab es Mitte 1946 wieder eine Bermann-Fischer Verlag Ges. m. b. H. in Wien. Es war vorläufig nur ein Name. Aber bald sollte sich zeigen, wie wichtig dieser ›Foothold‹ in Österreich für die spätere Wiederaufbauarbeit werden sollte.

Mein Partner im New Yorker Verlag, Fritz Landshoff, war Ende 1945 zur Wahrnehmung persönlicher Interessen nach Amsterdam abgereist. Ich saß allein in meinem New Yorker Büro, in meinen Gedanken bereits auf dem Wege nach Stockholm, ohne zu wissen, wie ich aus der immer lästiger werdenden Verantwortung für das amerikanische Verlagsunternehmen herauskommen könnte.

Eines Morgens meldete sich bei mir ein mir unbekannter Herr: Mr. A. A. Wynn. Er sei an meiner ›Fall List‹, das heißt an den für Herbst 1945 geplanten Büchern, interessiert. Ob ich wohl bereit sei, sie ihm zu verkaufen. Deus ex machina! Ich fragte ihn, ob er nicht den ganzen Verlag kaufen wolle. Und ohne zu zögern sagte er ja. Es war nicht zu glauben! Ich wollte nichts als so schnell wie möglich nach Europa und hier kam einfach jemand ins Haus und wollte mir die ganze Last abnehmen, als hätte ich ihn gerufen. — Mr. Wynn war ein sehr erfolgreicher Verleger von Comic Books und hatte den Ehrgeiz, sich einen literarischen Verlag anzugliedern. Besser konnten sich unsere beiderseitigen Wünsche nicht decken. Wir wurden bald einig miteinander. Die Durchführung des Kaufvertrages konnte ich meiner Frau und meinem Anwalt überlassen. Und so war ich frei für meine erste Europareise nach dem Krieg.

Ganz frei war ich allerdings nicht. Deutschland blieb mir noch versperrt. Für Zivilisten gab es 1946 nur in ganz seltenen Ausnahmefällen die Erlaubnis, das zerstörte Land zu betreten. Für Schweden brauchte ich zwar auch eine besondere Einreiseerlaubnis, denn ich war ja des Landes verwiesen. Aber man machte mir dort keine Schwierigkeiten. Ich war ja jetzt auf der ›richtigen Seite‹.

Hoffnungsfroh und bedrückt zugleich wegen der langen Trennung von meiner Familie, packte ich meine Sachen und vertraute mich den American Airlines zu meinem ersten Flug über den Atlantik an — einer sechzehnstündigen Reise, für die ich Jahre zuvor sechs Wochen gebraucht hatte.

Es war ein Flug in eine neue Lebensperiode, in der ich meine Kräfte für den Wiederaufbau des S. Fischer Verlages einsetzen wollte. Zwölf Jahre des zähen Durchhaltens sollten nicht umsonst gewesen sein.

Am 9. Februar 1946 erhob sich das viermotorige Flagship ›Eire‹ der American Airlines, mit vierzehn Passagieren an Bord, in die Luft. Die wohlvertraute Küste New Englands mit den tief einschneidenden Buchten, mit ihren weißen, von weiten Rasenflächen umgebenen Häusern, zog tief unter uns vorbei. Vergeblich suchten meine Augen inmitten dieser friedvollen Landschaft das unsere.

Aus den vorgesehenen sechzehn Stunden wurden fünfzig. Maschinendefekt über New Foundland. Über Nacht in Stephensville, dem Militärflughafen. Zwischenlandung in Shannon, Irland, am 10. Februar um 8 Uhr 30 abends europäischer Zeit, mit neuem Maschinendefekt. Wir hatten den Atlantik wenigstens ohne Zwischenfall überquert. Aber nun ging es absolut nicht mehr weiter. Man schaffte uns in das kleine Dorf Ennis, zwanzig Kilometer vom Flughafen entfernt.

Es roch nach Europa. Die Hotelbetten mit riesigen Kissenbergen. Ich wanderte durch die nachtstillen Dorfstraßen und fand mich schließlich in einer Tanzhalle, in der, mit merkwürdig ernsten Gesichtern, junge Männer und Mädchen sich langsam zu den Klängen eines Pianos, eines Akkordeons, zweier Flöten, zweier Violinen und einer Trommel, einer simplen, rhythmischen Volksmusik, im Gruppentanz bewegten. Es war halb dunkel in dem niedrigen Raum, eine geisterhafte Atmosphäre nach diesem Abschied vom strahlenden fröhlichen Amerika.

Am nächsten Morgen, dem 11. Februar, um 7 Uhr 30 früh, stiegen wir wieder in die Lüfte. Gerade als ich meinen Mantel auszog — es war warm in der Kabine geworden — hieß es: Fasten your seat belts. Neuer Maschinendefekt. Wir flogen zurück und landeten wieder in Shannon. Um 9 Uhr 05 erneuter Abflug. 9 Uhr 20: einer der Motoren begann zu knallen. Wieder zurück und wieder in unser kleines Ennis, das bei Tageslicht noch ärmer schien, noch düsterer als in der letzten Nacht.

Was würden meine Leute denken, die mich in Stockholm erwarteten? Endlich, um 11 Uhr abends, holte man uns wieder auf den Flugplatz. Das Flagship ›Scandinavia‹, eben aus New York eingetroffen, erwartete uns. Noch ein Nachtflug, und um 7 Uhr 30 morgens, am 12. Februar, setzte die Maschine in Bromma, dem Flughafen von Stockholm, auf. Meine beiden Getreuen,

Singer und Frisch, erwarteten mich im Hotel; sie konnten sich nicht lassen vor Freude. Ich sehe meine Mutter wieder, nach sechs Jahren der Trennung, und den Sohn meiner Schwester, den wir zu uns genommen hatten. Er ist zu einem tüchtigen jungen Mann herangewachsen.

Das Wiedersehen hat begonnen. Manchmal überfällt es mich wie ein Schock. Es ist alles beim alten und doch eine veränderte Welt. Oder bin ich es, der sich gewandelt hat? Ich sitze wieder an meinem Schreibtisch am Stureplan, wieder kommt Singer und berichtet; Frisch legt mir Entwürfe und Kalkulationen vor. Ich verhandle mit Bonniers, die mit der Eröffnung des deutschen Buchmarktes in viel zu kurzer Frist rechnen. Ihr Optimismus beunruhigt mich. Er kann nur Enttäuschungen bringen. Aber ich will sie nicht entmutigen und will alles versuchen, die Einreisegenehmigung nach Deutschland zu bekommen, um an Ort und Stelle die Einfuhrfrage für unsere Bücher zu regeln. Aber es ist alles noch viel zu früh. — Ich muß mich zunächst darauf konzentrieren, den Verkauf unserer Bücher außerhalb Deutschlands, der im letzten Kriegsjahr auf ein Minimum geschrumpft war, wieder zu beleben.

Fritz Landshoff ruft mich nach Amsterdam. Man will dort unsere Bücher. In dem ausgehungerten Land fehlt es an allem, auch an geistiger Nahrung, da die holländischen Verleger ihre Tätigkeit nur in sehr beschränktem Umfange beginnen konnten. Ich muß hin. — In der Schweiz geht es leidlich. Der erste Band der Hofmannsthal-Gesamtausgabe hat begeisterte Aufnahme gefunden. Die erste Auflage von 3000 Exemplaren war sofort verkauft.

Kurz nach meiner Ankunft in Stockholm veröffentlichten die schwedischen Zeitungen die nunmehr, nach Ablauf von sechs Jahren, freigegebenen Berichte über die Affäre Rickmann, in die ich nichtsahnend hineingeraten war. Die Dokumente lasen sich wie ein Kriminalroman und versetzten mir noch nachträglich einen Schock. Ich erfuhr zum erstenmal, welche Rolle mein früherer Lektor gespielt und mit welcher Schuld er sich, bewußt oder unbewußt, belastet haben sollte.

Stockholm war, ähnlich wie Zürich, während des Krieges eine Spionagezentrale gewesen. Es wimmelte von deutschen und englischen Geheimagenten. Die anonymen Anrufe und Drohungen, die mir damals fast täglich ins Haus kamen, zeugten von der Aktivität der deutschen Agenten. Die britische Konterspionage war sicherlich nicht weniger tätig und befand sich nach dem Überfall auf Norwegen in erhöhter Alarmbereitschaft.

Als X., nur wenige Wochen nach Kriegsbeginn, in Stockholm eintraf, wurde er, diesen Berichten zufolge, von einem Deutschen, Herrn Horst, zu einer geheimnisvollen Zusammenkunft in die Halle des Strandhotels gebeten, der ihm den Auftrag erteilte, »etwas hinter den Kulissen zu spionieren«, insbesondere herauszufinden, welche englischen Agenten es in Stockholm gab. Falls er sich weigere, würde es ihm, seiner Frau und seinen Kindern schlecht ergehen, wenn Deutschland den Krieg gewonnen habe.

Daß X. sich dieser Drohung fügte, setzt eine Naivität voraus, die bei einem so erfahrenen Journalisten recht unwahrscheinlich ist. Erwartete er ernsthaft nach einem Sieg des Nazismus als Jude eine bevorzugte Behandlung für schmutzige Spionagearbeit?

Ein halbes Jahr später wurde er von der schwedischen Polizei verhaftet. Sie hatte einen von ihm an einen in Berlin lebenden Herrn Kutzner gerichteten Brief angehalten, in dem er das Leben in Stockholm harmlos schilderte und einen Onkel Rickhard erwähnte, den er ab und zu treffe. Die kriminaltechnische Anstalt hatte jedoch diesen Brief bearbeitet und seinen, mit unsichtbarer Tinte geschriebenen, wahren Inhalt zum Vorschein gebracht. Er lautete:

Lieber Herr Kutzner,
nach langen Bemühungen ist es mir gelungen, die Repräsentanten des Secret Service in diesem Lande festzustellen.

Um dieses Resultat zu erreichen, wandte ich mich an einen ehemaligen Bekannten, einen Emigranten in London. Meine Vermutung daß dieser Mann ähnliche Verbindungen nach hierher aufgenommen hatte, war richtig.

Ich kam durch einen englischen Kurier mit ihm in Verbindung und so allmählich in Kontakt mit einem Herrn Rickmann, der hier Studien über das schwedische Erz macht und zur Zeit in Stockholm ist.

Dieser Mann ist einem Mr. Wilson unterstellt, dessen Bekanntschaft ich nicht machen konnte. Er hält sich abwechselnd in Norwegen und Schweden auf.

Er leitet eine neu eingerichtete Abteilung für englische Propaganda in Schweden und gleichzeitig für Propagandaversuche gegen das Reich. Er läßt sein Material hier mit deutschen Briefmarken versehen, um dann die Sendungen von Deutschland aus abzusenden.

Rickmann fürchtet die schwedischen Behörden und camoufliert deswegen alles. Sein Interesse konzentriert sich momentan auf Malmö.

In meinen späteren Berichten werde ich ihn einfach Onkel Rickhard nennen. Vielleicht kann ich ihn dazu bewegen, mir zu einer Reise nach England zu verhelfen. Dort kann ich dann andere Bekanntschaften für das Reich mobilisieren, in der Presse und im Foreign Office.

Kant.

Dies war der Deckname von X. in seinen Briefen nach Deutschland.

Die unsichtbare Tinte hatte er nach seinen Angaben von Horst erhalten, zusammen mit einem Spezialfederhalter. Die Enthüllungen dieses Briefes führten zur Verhaftung Rickmanns und seiner Helfer.

X. gab in denselben Zeitungen folgende Erklärung für sein Verhalten:

Die Polizeiakten über meinen Fall im Jahre 1940 geben teilweise ein falsches Bild. Ich war nämlich gezwungen, den antinazistischen Charakter des Zeitungsbüros, bei dem der Adressat des Briefes arbeitete, geheimzuhalten, im Hinblick auf die exponierte Stellung des Adressaten und seiner Freunde in Berlin. Der Adressat und alle seine Mitarbeiter waren Oppositionelle gegen Hitler und der Zweck des Briefes war, den Kontakt zwischen diesem Kreis und der englischen Propaganda, für die damals Rickmann in Stockholm arbeitete, zu vermitteln. Die Formulierung des Briefes und die Camouflage hatten die Absicht, den Adressaten gegen Verdächtigungen seitens der deutschen Behörden zu schützen. Von einer schwedischen Briefzensur zu diesem Zeitpunkt hatte ich damals keine Ahnung.

Als ich 1941 auf freien Fuß gesetzt wurde, legte ich das Material über meinen Fall den Vertrauensleuten der deutschen Emigration, der German Labor Delegation in New York, vor. Diese untersuchten den Fall im Auftrag der amerikanischen Behörden, verhörten andere im Ausland wohnende Verbindungsleute derselben Berlin-Redaktion, prüften weiteres Beweismaterial und kamen zu dem Resultat, daß ich von jedem Verdacht, den Interessen des Dritten Reiches zu dienen, freigesprochen werden müßte. Dieses Resultat wurde später dadurch bestätigt, daß die deutschen Behörden, ohne einen Zusammenhang mit meinem Fall, sämtliche in ihrer Reichweite befindlichen Mitarbeiter der besagten Redaktion verhafteten, darunter auch den Adressaten dieses Briefes. Nach deutschen Angaben starb dieser im Polizeigefängnis, während andere, z. B. Redakteur Stübe und der Legationsrat Schelina, gehenkt wurden. Auch mein einziger Bruder, der zeitweise für dieses Zeitungsbüro arbeitete, wurde gleichzeitig von der Gestapo erschossen.

Ich habe niemals die Absicht gehabt, Hitler zu dienen. Selbst wenn mein Brief, ohne meine Absicht, die schwedische Staatspolizei auf die Spur des Engländers Rickmann führte.

Daß ich jetzt, nach sechs Jahren, erfuhr, durch welch sträflichen Leichtsinn meines Lektors, wenn es wirklich nur Leichtsinn war, ich zweieinhalb Monate von der schwedischen Polizei festgehalten worden war und die englischen Beamten viele Jahre im Zuchthaus verbringen mußten, nützte mir wenig. Die Erklärung von X. mutete meinem guten Willen einiges zu. Aber der Krieg war vorbei, das Happy-End ließ vieles vergessen, zumal es noch glimpflich für alle Beteiligten abgelaufen war. Rickmann war vor Ablauf der acht Jahre, als man genau wußte, wer den Krieg gewinnen würde, entlassen worden und nach England zurückgekehrt. Meine Ausweisung wurde durch königliches Dekret aufgehoben.

In Holland, wohin ich mich, dem Rufe Landshoffs folgend, begab, sah ich zum erstenmal die Spuren des Krieges. Das schöne Hauptgebäude des Flughafens von Schiphol, in dem ich mich so oft bei meinen Flügen von und nach Stockholm aufgehalten hatte, war verschwunden, nur noch Eisengerippe, Trümmerhaufen, Holzbaracken, waren übrig geblieben.

Unbeleuchtete Straßen bei der Fahrt nach dem Hotel in der Dämmerstunde. Meinen Freunden, die mich im Hotel erwarten, sieht man die Hungerzeit der letzten Kriegsmonate an. Was sie davon erzählen, ist furchtbar. Eine Kartoffel und ein kleines Stück Brot für den ganzen Tag. Auf den Straßen an Hunger sterbende Menschen. Erschießungen auf offener Straße. Überall sah man noch Blumensträuße und Kränze an den Häuserwänden, zum Gedenken an die armen Opfer, die lange nicht begraben werden konnten und einfach liegenblieben.

Ich besuche das Judenviertel. Eine leere Höhlenstadt. Alles Brennbare ist von der Bevölkerung weggenommen worden, nachdem die Bewohner deportiert worden waren.

Es ist rührend, wie die Menschen von den Hungerzeiten sprechen und sich entschuldigen, daß sie soviel vom Essen reden. In den Zimmern ist es kalt. Manche glücklichere haben eiserne Öfen. Die Frauen tragen Kopftücher wegen der ungewöhnlichen Kälte. Ich friere entsetzlich. Die Straßenbahnen sind so überfüllt, daß die Menschen wie die Trauben daran hängen. Autos gibt es nicht, wohl aber verbeulte Karosserien auf Rädern, von uralten Rössern gezogen, und andere phantastische, wie aus Zigarrenkisten gezimmerte Gefährte, die einen für teures Geld durch die Straßen befördern. Der Transport vom Bahnhof bis zu meinem Hotel, eine Straßenbahnfahrt von zehn Minuten, kostete mich den Gegenwert von 12 Dollar. Aber alle sind freundlich, erfüllt vom Glück wiedergewonnener Freiheit. Alles arbeitet am Wiederaufbau, voll von Optimismus und Unternehmungslust.

Alice van Nahuys, die frühere Mitarbeiterin von Emanuel Querido, und ihr Mann, Fred von Eugen, empfangen mich mit offenen Armen. Er war einer der Führer des holländischen Widerstandes gewesen und hatte den Alliierten große Dienste geleistet.

In der kurzen Zeit seit dem Ende des Krieges hatte er bereits mit großem Mitarbeiterstab eine zwölfbändige holländische Enzyklopädie fast vollendet, während seine Frau an der Wiedererrichtung des Querido-Verlages wirkte, der bald seine führende literarische Stellung in Holland von neuem gewann. Der deutschsprachige Querido-Verlag soll unter der Leitung von Fritz Landshoff weitergeführt werden. Seine Verlagsrechte, die ich für ihn während der Kriegsjahre verwaltet hatte, legte ich wieder in seine Hände zurück.

Die Verkaufsmöglichkeiten für die Bücher meines Stockholmer Verlages in Holland hatte Landshoff nicht überschätzt. Es war kaum glaublich, daß ich mit einem Auftrag von über 100 000 Gulden und der offiziellen Genehmigung zur Überweisung dieses Betrages nach Stockholm zurückkehren konnte. Für das ausgehungerte, schwer leidende Land wie für meinen ausgehungerten Verlag war das eine große Summe. Und für uns in Stockholm ein erster Hoffnungsschimmer für die Zukunft.

In Stockholm blieben mir nur noch wenige Tage. Alle meine Bemühungen, die Einreisegenehmigung nach Deutschland zu erhalten, waren trotz der Unterstützung der amerikanischen Gesandtschaft gescheitert. Man vertröstete mich auf das nächste Jahr, in dem die strengen Bestimmungen vielleicht etwas gemildert werden würden. So wie die Zustände in Deutschland waren, hätte ich dort doch nicht viel ausrichten können.

Das Stockholmer Verlagsprogramm für die Jahre 1946 und 1947, das ich zusammenstellen konnte, bewies hohe Qualität, die Verkaufsmöglichkeiten nach Holland, nach der Schweiz und den Vereinigten Staaten waren wieder eröffnet und die Weiterexistenz des Verlages war gesichert. Ich konnte mit dem Ergebnis meiner ersten Friedensreise zufrieden sein, wenn ich auch traurig war, auf die Wiederbegegnung mit meinen Freunden in Deutschland noch ein weiteres Jahr warten zu müssen.

Titel für Titel der nächsten zwei Jahre waren literarische Ereignisse: Neben der Fortführung der Gesamtausgabe von Hugo von Hofmannsthal mit den ›Gedichten und lyrischen Dramen‹ und dem Band ›Lustspiele‹ wurden die Gesamtausgaben von Franz Werfel mit seinem Roman ›Die vierzig Tage des Musa Dagh‹ und von Carl Zuckmayer mit dem Band ›Deutsche Dramen‹ begonnen. Der neue Roman von Franz Werfel ›Stern der Ungeborenen‹ lag vor, sein letztes Werk. Unser teurer Freund war, mit der Feder in der Hand, an seinem Schreibtisch einem Herzschlag erlegen.

Richard Friedenthal hatte Stefan Zweigs nachgelassenen ›Balzac‹ druckfertig gemacht und dessen ›Ausgewählte Novellen‹ zusammengestellt. Von Schalom Asch lag das Manuskript seines Romans ›Der Apostel‹ vor, von Alfred Einstein, dem Musikschriftsteller, die Mozart-Biographie; ›Thema und Variationen‹, die Autobiographie Bruno Walters, des großen Dirigenten, war vollendet.

Ein Preisausschreiben, das ich unter den deutschen Kriegsgefangenen in USA veranstaltet hatte, brachte einen Roman von Walter Kolbenhoff ein: ›Von unserem Fleisch und Blut‹, und Eugen Kogon übergab mir seine grundlegende Studie ›Der SS-Staat‹ zur Veröffentlichung außerhalb Deutschlands. Überglänzt aber war das Programm von zwei Werken: Thomas Manns ›Doktor Faustus‹ und Carl Zuckmayers Drama ›Des Teufels General‹.

1946 konnte ich Suhrkamp noch neben der ›Lotte‹ Thomas Manns Essay ›Vom kommenden Sieg der Demokratie‹ als Lizenzausgaben übergeben. Aus seinem eigenen Fundus publizierte er einige Essays von Albrecht Goes, Ernst Penzoldt, Reinhold Schneider und sein ›Taschenbuch für junge Menschen‹.

Ende März flog ich in die Staaten zurück. Noch ein Jahr verging, bis ich die Fahrt nach Deutschland antreten konnte.

Wiedersehen mit Deutschland

Der Traum wurde Wirklichkeit, die Wirklichkeit war wie ein Traum. Wo soll ich anfangen zu erzählen, wie all die Eindrücke, Begegnungen, Gespräche zurückrufen, die in diesen Tagen und Wochen auf mich einstürzten? Es ist fast zu viel und zu erschütternd, um es wiedergeben zu können.

Ich traf am 8. Mai 1947, nach kurzem Aufenthalt in Stockholm, in Frankfurt am Main ein. Noch ganz unter dem Eindruck der herrlichen Rheingaulandschaft, die ich gerade überflogen hatte, mit ihren grünen Wäldern und Flüssen und den zauberhaften alten kleinen Flecken und Städtchen, die ihre unversehrten roten Dächer zeigten und ihre verwitterten Kirchtürme, ein wahres Bild des Friedens, wurde ich von Grauen erfaßt beim Anblick der leeren Fensterhöhlen, der zerrissenen Erde ringsum, als wir uns Frankfurt näherten.

Als mich der Zubringerbus vor dem Frankfurter Bahnhof absetzte, fand ich mich inmitten unendlicher Hoffnungslosigkeit, die von den drahtgespickten öden Trümmerhaufen ausging und von den verhungerten Menschengestalten, die zwischen ihnen gebückt und müde einherschlichen.

Gegenüber der Bahnhofshalle, über der das verbogene Eisengerüst ihrer Kuppel gen Himmel ragte, sah ich, wie eine Insel aus dem Trümmermeer hervortauchend, die Geschäftsstelle der American Airlines. Ich wollte dort versuchen, Freunde von meinem Eintreffen zu verständigen. Als der junge deutsche Angestellte meinen Namen in meinem Paß sah, fiel er mir beinahe um den Hals: »Sind Sie der Verleger der ›Neuen Welt‹ Bücher? Ich war Kriegsgefangener in den Staaten, und ich kann Ihnen gar nicht sagen, wieviel mir Ihre Bücher bedeutet haben.« Eine schönere Begrüßung hätte es für mich nicht geben können. Ob der junge Mann wohl ahnte, daß er mir mit seiner Freude an diesen Büchern das verloren geglaubte Deutschland, das durch Terror und Krieg für mich ganz und gar abhanden gekommene, wieder erstehen ließ?

Lange hielt es mich nicht in Frankfurt. Ich mußte weiter nach Berlin. Dieses Mal reiste ich mit den Papieren des Military Government als V. I. P., als ›very important person‹. Was das bedeutet, kann nur ermessen, wer die Höhen und Tiefen des Menschendaseins kennt. Diese Papiere machten einen zum Übermenschen, der wie ein Zaubergott den armen, im Schmutz kriechenden Gestalten ein wenig Glück bringen konnte. Man mußte die Zähne zusammenbeißen, um das durchhalten zu können.

Es fängt schon im Zug an, der mit zehn Schlafwagen und zwei

Speisewagen dahinrast. Der Schaffner, ein bis auf die Knochen abgezehrter Mann, kann sich vor Freude nicht lassen, als ich ihn deutsch anspreche, und er ist den Tränen nahe, als ich ihm meinen Frühstücksbeutel mit zwei Broten und einem Apfel schenke. Der Zug hält auf irgendeiner Station. Draußen vor dem hell erleuchteten Speisewagen stehen ausgehungerte Frauen, Männer und Kinder und schauen einem auf den Mund. Ich ertrug es nicht und ging in mein Schlafwagenabteil.

Hatten wir nicht eben noch die Bomben, die auf Deutschland fielen, als Waffen der Gerechtigkeit begrüßt? War ich nicht eben noch ein gnadenlos Vertriebener gewesen? Niemals mehr sollte mich dieser Zwiespalt der Gefühle verlassen, im Anblick dessen, was mir noch bevorstand.

Ja, Suhrkamp stand leibhaftig auf dem Bahnsteig der kleinen Wannseestation. Auf seinen Stock gestützt, lächelte er mir entgegen, und wir umarmten uns stumm. Neun Jahre waren vergangen, seit wir uns in Baden bei Zürich, nach unserer Flucht aus Wien, noch einmal kurz begegnet waren. Damals stand ich am Anfang meiner abenteuerlichen Reise in die Emigration um die halbe Welt, er kehrte zurück in die nicht minder unbekannten Abenteuer eines in die Katastrophe steuernden Deutschland. Viel konnten wir uns in diesem Augenblick nicht sagen. Es würde lange Zeit brauchen, um die Erlebnisse der Vergangenheit und die Zukunftspläne in Worte zu fassen.

Das Wiedersehen mit den Mitarbeitern in dem dürftig eingerichteten Verlagsbüro in der Forststraße in Zehlendorf schloß den Kreis. Viele von ihnen, die mir vor zwölf Jahren die roten Rosen zum Abschied gereicht hatten, drückten mir jetzt mit Tränen in den Augen die Hand. Ich konnte die Tränen selbst kaum zurückhalten vor diesen abgezehrten müden Gesichtern, die nur zu deutlich ausdrückten, daß sie von meiner Anwesenheit die Wendung zum Besseren erwarteten. Was konnte ich tun, als mit meinen kümmerlichen Paketen ihren Hunger stillen? Und nicht einmal das. Die Not war zu groß.

Berlin bot einen hoffnungslosen Anblick. Das Ausmaß der Zerstörung übertraf alles, was man sich nach den Zeitungsmeldungen und Fotos ausmalen konnte. Wie sollte es möglich sein, hier zu arbeiten und zu leben? Alles widersetzte sich dem Gedanken, an diesem Elend, das ich nicht mit verschuldet hatte, mitzutragen zu sollen. Mein Schicksal, das mir hier aufgezwungen wurde, hatte mich andere Wege geführt und zu einem anderen Menschen gemacht. Das Mitleid, das mich erfüllte, war kein Äquivalent für dieses Elend. Und dennoch mußte ich tun, was ich mir nun einmal selbst aufgetragen hatte. Suhrkamp hatte mich gerufen, um den Verlag in meine Hände zurückzulegen. Ich mußte es versuchen.

Es war zunächst nicht leicht, sich in der künstlichen, fremden Welt, die Deutschland damals war, zurechtzufinden. Alles war von einer höheren Macht in Formen geregelt, die man erst langsam verstehen lernte. OMGUS, das Office of Military Government, schwebte wie ein unsichtbarer Gott über allem. Für mich, den amerikanischen Bürger, war für alles und jedes ein besonderes Büro ›zuständig‹: the R. T. O., the Visitors Bureau, the Billeting Office, the PX-Store, Taxi Coupons, Rationcards, A. T. O.-Cards.

Das mir zugewiesene Quartier lag in Dahlem. Nach der Fahrt durch die entsetzlichen Trümmer traute ich meinen Augen nicht, als ich dieses blühende, duftende Paradies erreichte mit seinen gepflegten Rasenflächen, guten Straßen, schönen Villen rechts und links. Hier lag, umgeben von einer efeubewachsenen halbhohen Granitsteinmauer, durch weiße, von M. P.'s bewachte Gittertore abgeschlossen, das amerikanische Hauptquartier, inmitten herrlicher Blumenanlagen: das ehemalige Luftgaukommando Görings. In der nahe gelegenen Truman-Hall wurden wir verpflegt: eine völlig in sich abgeschlossene Welt des Wohlstandes, der Sicherheit und des herrscherlichen Selbstbewußtseins. Kein Deutscher durfte diese Insel im Meer des Elends ohne umständliche Anträge betreten.

Ein kleiner Schritt, und man war wieder im großen Grauen, in der Schutthalde, in der ich umherirrte, ohne zu wissen, wo ich mich befand. Lützowstraße, Lützowplatz, Tiergarten, eine undefinierbare straßenlose Wüste. Gespenstisch leuchteten aus dem Geröll die weißen Marmordenkmäler der Hohenzollern. Einsam saß Diana auf ihrem Pferd, zu Füßen des gewaltigen Stalinmonumentes, dahinter der ausgebrannte Reichstag mit verbogener Kuppel und die Siegessäule mit der Tricolore und dem Union Jack. — Dieses Ausmaß der Zerstörung ging über menschliche Fassungskraft. Man konnte sie schließlich nur noch ignorieren und sich den lebenden Menschen zukehren.

Neben diesen beiden Welten, der des Glanzes und der der Elends, begegne ich bald einer dritten, unsauberen, fetten. Man bringt mich in ein kleines deutsches Restaurant am Kurfürstendamm, der wie eine verwüstete Dorfstraße wirkt. Das Lokal besetzt bis zum letzten Platz, Blackmarket-Schieber. Hier gibt es alles. Ein Abendessen kostet zweihundert Mark (eine Sekretärin verdient zweihundertfünfzig, ein höherer Angestellter vierhundertfünfzig im Monat), aber sie haben's wieder und sitzen wie die Aasgeier in der Verwesung.

Diese Wochen waren erfüllt von der Begegnung mit einem bis in die Grundlagen der geistigen und materiellen Existenz zerstörten Deutschland und von den Bemühungen, in das Chaos in meinem Wirkungskreis ein wenig Ordnung zu bringen. Es schien zunächst hoffnungslos, trotz des guten Willens der amerikanischen Behörden, die sich mit einer komplizierten Bürokratie um die Wiederaufrichtung einer geregelten Verlagsorganisation bemühten. Der gute Wille war vorhanden, aber ein wirkliches Verständnis der deutschen Mentalität fehlte.

Die Aktivität der deutschen Verleger war noch ins Leere gerichtet, beschattet von der Furcht vor dem Morgen, von mildem Optimismus zum schwärzesten Pessimismus absinkend. Ein zukunftsicheres Schaffen gab es nicht. Es war ein Vegetieren von Gnaden der OMGUS.

Der etwas naive Glaube der Besatzungsbehörde, man könne auf das soeben beseitigte System eine Demokratie nach amerikanischem Muster aufpfropfen, zeigte erschreckende Mißerfolge auf kulturellem und ganz besonders auf erzieherischem Gebiet. Ich stand mitten zwischen den beiden Exponenten, den deutschen und amerikanischen, und versuchte, manchmal mit dem Mut der Verzweiflung, meinen amerikanischen Freunden die mir so naheliegend scheinenden Wege zur Lösung der zahlreichen Probleme zu zeigen. Oft gelang es, noch öfter scheiterte es an der Unmöglichkeit, den amerikanischen Kulturoffizieren klarzumachen, daß ein deutscher Sozialdemokrat kein Kommunist sei und ein so ›very efficient‹ deutscher Lehrer, den sie wegen seiner Betriebsamkeit bewunderten, ein hoffnungsloser Reaktionär.

Der für das Schulbuchwesen verantwortliche Mann zum Beispiel, ein Professor vom ›Teachers College‹ in New York, hatte in seiner Ahnungslosigkeit einige hunderttausend Schulbücher aus den ersten Nazijahren nachdrucken lassen. Sie mußten schleunigst wieder eingestampft werden.

Es war ein unverzeihlicher Fehler, daß die große Demokratie das kulturelle Leben als Nebenfaktor dem politischen und ökonomischen unterordnete und Millionen aufbrachte, ohne dafür zu sorgen, daß das Erziehungswesen, die Schulen und die Universitäten sofort durchgreifend reformiert wurden.

Ein besonderes Kreuz war die sogenannte Entnazifizierung: eines der schwersten und bei den Deutschen und Amerikanern am meisten diskutierten Probleme. Keiner war glücklich damit, alles stöhnte über die offensichtlichen und scheinbar unvermeidbaren Ungerechtigkeiten, und niemand wußte eine bessere Lösung. Überall konnte man es hören: die Großen läßt man laufen, und Tausende von kleinen Unbekannten, die oft genug unter Zwang Pgs geworden waren, wurden mit eiserner Hand von jeder Beschäftigung ausgeschlossen. Ich sprach mit vielen, die sich mit ihrer Berliner Offenheit darüber äußerten. Da war ein Bruder, ein Onkel oder ein Vater. Was hätte er denn machen sollen? »Da ham'se ihn jepreßt und jepreßt, un schließlich is er denn beijetreten. Der is doch nie'n Nazi jewesen. Hättense den mal schimpfen jeheert. Aber seen se, da is so ein Furtwängler oder der Werner Krauss, un schon komm'se alle jeloofen. Det arme Luder hat nischt zü fressen un muß Steine kloppen — ick sage Ihnen, vor nischt un wieder nischt! — Un Furtwängler ist wieder obenuff. Ick vastehe die Welt nich' mehr.«

Das große Ereignis für die Berliner Musikwelt war in der Tat Furtwänglers erstes Konzert seit zweieinhalb Jahren. Seine Einreiseerlaubnis nach Berlin machte große Schwierigkeiten. Es gab bei OMGUS eine Pro- und eine Contra-Furtwängler-Partei, die sich bitter bekämpften. Schließlich setzten sich die Furtwängler-Freunde durch, und das Konzert fand am Pfingstsonntag im zum Platzen gefüllten Titaniapalast, einem großen Kinosaal, statt.

Leonoren-Ouvertüre, Fünfte und Sechste Symphonie von Beethoven. Furtwängler sah alt und traurig aus, ein Schatten seiner selbst. Die bei seinem Erscheinen einsetzenden Ovationen brach er kurz ab. Mit der gleichen merkwürdigen Bewegung — dem Schütteln des Kopfes und dem spiraligen Niederschlagen des Stockes, die ich früher so oft an ihm gesehen hatte, begann er — und dann folgte etwas wie der Tanz eines Trunkenen oder Besessenen — mit dem linken Arm nach hinten ausstoßend, der Taktstock in der Rechten in heftigem Tremolo zitternd, drehte er sich in den Schultern, ging tief in die Knie, zog beschwörend die Musik aus den Geigen, streckte sich plötzlich zu seiner vollen Größe mit geballten erhobenen Fäusten, den Mund weit aufgerissen, in einer Ekstase, die wohl der ungeheuren Erregung, in die ihn dieses erste Auftreten versetzte, entsprang.

Besonders die Fünfte war großartig, auf unbeschreibliche Weise. Das Publikum tobte. Die politische Demonstration in Anwesenheit der hohen Besatzungsoffiziere, die in den ersten Reihen saßen, war unverkennbar; vielleicht war es auch Stolz, der berechtigte Stolz auf den großen Dirigenten, ein Trost in all dem Elend ringsumher. Die Überspanntheit, in der die Menschen lebten, hier kam sie zur Entladung und überhöhte für einen Augenblick ihre Gefühle.

Am gleichen Nachmittag traf ich mit Furtwängler im Hause seiner eifrigsten Verteidigerin zusammen. Seine Augen zeigten, was er durchgemacht hatte. Die Angriffe seiner früheren Freunde, insbesondere Fritz von Unruhs, hatten ihm zugesetzt. Er verstand sie nicht: Er habe seine Staatsratsstellung doch niedergelegt, doch er habe es nicht über sich gebracht, Deutschland zu verlassen und das Musizieren in Deutschland aufzugeben. Vor dem Entnazifizierungsgericht konnte er ja nicht gut sagen, daß er sich schuldig fühle, denn er kämpfte ja um seine Existenz — unmöglich konnte er dort die Frage nach der metaphysischen Schuld aufwerfen. Wenn Unruh ihm das zum

Vorwurf mache, so könne er diese Frage sehr wohl mit ihm diskutieren.

Dieses Gespräch berührte mich sehr. Ich bin kein Richter. Denkt man aber an die Opfer, so verschließt sich einem das Herz, und man fragt sich, warum eine Ausnahme für diesen, dessen ›metaphysische Schuld‹ schwerer wiegt als das Mitläufertum der unzähligen Kleinen.

Alle meine Versuche aber, die damaligen Zustände und die bis zum äußersten gespannten Nerven der Menschen in Berlin darzustellen, verblassen neben dem Brief Peter Suhrkamps vom Februar 1946 an meine Frau:

Berlin-Zehlendorf-West, Forststr. 27
den 25. Februar 1946

»Lassen Sie sich umarmen, Tutti! — Das pflegt meist am Ende eines Briefes zu stehen und ist dann eine rasche Redensart, mit der man sich wohl verabschiedet. Sie haben mich in den letzten Monaten einige Male dem Weinen nahe gebracht. Und es war kein blasses Gerührtsein, das uns hier heute schon leicht anwandelt — so bloß liegen die Nerven! — sondern ein Dankopfer aus ergriffenem Herzen. Wie haben Sie gesorgt! Einmal muß ich offen darüber schreiben: ohne die unausgesetzte Hilfe seit September 45 ginge ich gewiß nicht mehr über der Erde. Seit ich jetzt wieder aufstand, habe auch ich das Gefühl, wieder etwas zuzusetzen zu haben. Sie können nicht wissen, was es bedeutet, wenn ich das gerade jetzt schreibe. Jetzt, wo sonst allgemein aus den Äußerungen der Menschen Todesahnung schauert. Aus fast allen Briefen, die ich in letzter Zeit bekam. Auch wenn sie von noch jüngeren Menschen waren. Dabei sind sie immer noch tapfer. Aber dieser Winter hat allen — nein: nicht den Rest gegeben! — sondern sie entblößt, es ist sichtbar geworden, was sie seit langem sind.

Sie sind ganz und leidenschaftlich Trauer. Wortlos, aber in ihrer ganzen Erscheinung, im Ausdruck. Nicht schamlos. Und nicht verzweifelt. Ein Nackt-im-Gericht-stehen: das ist es. Das ist keine Übertreibung von mir. Möglich, daß andere das nicht sehen. Vom Lager her habe ich einen Blick dafür: wenn die Neueingelieferten sich auszogen, ihre Kleider abgegeben hatten, nackt durch die große Halle zu einem Scherer hin, der sie überall kahl schor, und dann wieder einen langen Weg durch die weite große Halle gehen mußten, zu einem Häufchen dreckiger stinkender Lumpen, den sie auf ihre Blöße tun konnten, der sie aber niemals bedeckte. Danach wagte keiner dem anderen ins Gesicht zu sehen. Da war neben mir Graf Paul York. Er war so grau im Gesicht, als wäre es eine Zementmaske. Und unwillkürlich legte ich den Arm um seinen Nacken und verbarg sein Gesicht an meiner Brust. Heute wundere ich mich noch, daß da niemand gelacht hat. — An diese Szene muß ich jetzt manchmal denken, wenn ich Menschen sehe. — Dies heute. Es ist spät und es wird kalt in meiner kleinen Kammer. Morgen schreibe ich mehr. Heute aber wollte ich diesen Dank wenigstens geschrieben haben. Sie sehen, ich tu das mit Ihrem Federhalter, der mir gestern gebracht wurde. Morgen mehr! —

26. Februar

Es ist schon spät, Tutti. Ich mußte nachmittags nach Frohnau. Unter heutigen Verhältnissen ist das eine lange Reise. Allein die Fahrt vier Stunden. Wegen einer Stunde Gespräch mit dem französischen Kulturattaché. Mitten im Gespräch mußte ich an Pierre Bertaux* denken. Warum wohl. Wissen Sie, wie er überstanden hat? — Und dann natürlich Loerke. Ich hätte gern sein Grab besucht, aber meine Kräfte reichten nicht. Die Bahnfahrt stand ich eingequetscht, und das war meinem Rückgrat schlecht bekommen. Über seinen Tod haben Sie sicher inzwischen Berichte bekommen. Als es zum Krieg gekommen war, konnte es keinen anderen Weg mehr geben. Er ist buchstäblich an gebrochenem Herzen gestorben. Nach einem Anfall, den er an einem Oktobertag 39 im Verlag hatte — von $^1/_2$12 bis 4 nachmittags — wußte ich, daß er den nächsten Anfall übersehen würde. Als er starb, war ich selbst unglücklicherweise in Bad Gastein. Kurz vorher waren bei mir Magengeschwüre durchgebrochen; ich hatte sie, trotz Schmerzen und Fieber, nicht beachtet. Jeder glaubte damals, daß ich draufgehen müßte — und dann war es Freund Loerke. Ich kam gerade noch zurecht, um ihn ins Grab zu legen. Seine letzten Jahre waren sehr verdüstert. Clärchen** trank doch immer schon. Das war so arg geworden, daß sie in eine Heilanstalt gebracht werden mußte. Und der gute Loerke schämte sich dessen auf seine bürgerliche Art und hätte es gern vertuscht. So konnte man ihn nicht mehr besuchen. Statt dessen blieb er allwöchentlich einen Abend bei uns in der Gustloffstraße (so war die Dernburgstraße umbenannt). Ich brachte ihn dann an die Bahn. Und einmal sagte er da plötzlich unvermittelt und sehr zornig: ›Sie müssen mir versprechen, daß Sie jedem, der je etwas Schlechtes von Cl. spricht, eine Ohrfeige runterhauen.‹ — In seinem Nachlaß fand ich einen Brief an Kasack und mich: ›Daß niemand behauptet, ich sei an einer Krankheit gestorben; ich bin allein an der braunen Pest gestorben‹, heißt es darin. ›Angina pectoris‹ war der Befund. Gottfried wird über meine Erklärung von Angina pecto-

---

* Jugendfreund meiner Frau. Französischer Widerstandskämpfer. Später Präfekt des Departements Toulouse, Chef der französischen Polizei. Jetzt Professor der Germanistik an der Sorbonne. Verfasser einer Hölderlinbiographie, des Bandes: ›Afrika‹ in der ›Fischer Weltgeschichte‹ und des Bandes ›Mutationen der Menschheit‹ in der Fischer Bücherei.
** Loerkes Lebensgefährtin.

ris lächeln. Aber ich habe immer wieder festgestellt, wenn jemand an dieser Krankheit gestorben ist, daß es am Leben zutiefst enttäuschte Menschen waren. Sie strangulierten mit ihrer Enttäuschung ihr Herz. Es waren auch immer Menschen, die übermenschliche Ansprüche an sich stellten. Hier denke ich auch an unseren Freund Bimbo*. Schade, daß Sie ihn nicht mehr sahen in den letzten Jahren. Er war ein ausgeglühter Krater. Er war für die Familie selbst immer unbegreiflicher geworden. Fast meine ich für sich selbst. —

Am 3. März

Drei Tage vergingen, ohne daß ich weiterschreiben konnte. Freitag abend saß R. Reece** bei mir. Sie kennen ihn, der Weltreisende von ›Albatros‹. Und wir sprachen sehr viel über S. Fischer. So lange und intensiv, daß wir zum Geschäftlichen, dessentwegen R. gekommen war, überhaupt nicht kamen; dann stand sein Wagen vor der Tür und es war Mitternacht. Mir tat es gut, mit jemandem über S. Fischer sprechen zu können. Bei Mirl*** im anderen Zimmer saß indessen Zuck****, der am Abend aus Wien zurückgekommen war, nur noch für ein paar Tage. Er ist zurückgerufen. Darüber sind wir so erschrocken und traurig wie er. Seine offene schenkende Herzlichkeit wirkt hier geradezu erschütternd und hinreißend. Wie ein Frühlingssturm! Er bringt jeden zum Lachen und Weinen in einem. Wenn nur viele solche kämen, meint man, dann würde hier noch etwas werden. Wieviel das ist; einfach ein natürlich-herzlicher Mensch! Wenn so einer kommt, merken wir, daß wir das wohl seit einem Jahrzehnt am meisten entbehrt haben! Und wie werden wir den einzigen Zuck vermissen! Am Freitag kamen für den Verlag zwei Pakete von Ihnen. Sie haben die alten Leutchen damit recht glücklich gemacht. Sie sind alle sehr verändert. Teils recht alt geworden, wie Frau D., Herr R. und Herr L., zum Erbarmen, so daß ich mich zusammennehmen muß. Teils haben sie ihre Façon verloren. Unverändert ist kaum einer. Bis zu meiner Verhaftung hatten sie sich durchweg gehalten. Der Schluß war dann doch zuviel! Und wenn sie nur ihr Gedächtnis völlig verloren und hindämmern wie E. —
Seit Mitte Januar stockt im Verlag die Herstellung völlig, weil Druckereien und Bindereien völlig still liegen. Kein Gas, kein Strom, keine Kohlen. In Oldenburg fing die Stockung schon Mitte Dezember an. So ist der zweite Band der Geschichtsbücher***** noch immer nicht ganz ausgedruckt. Zuletzt hatte es

---

* Der Cellist Max Baldner.
** Verleger der Albatros-Bücherei
*** Suhrkamps Frau.
**** Carl Zuckmayer.
***** Lizenzausgabe des Bermann Fischer Verlags der in Amerika vorbereiteten Schulausgaben.

noch eine Verzögerung durch die Engländer gegeben. Ich mußte den ganzen Text selbst noch einmal redigieren. Diese Schwierigkeiten können Sie sich kaum vorstellen. Es gibt kaum willige Mitarbeiter dafür. Und die Schulmeister mit innerer Bereitschaft können nicht über ihren Schatten hinaus. Das darf man ihnen nicht einmal zum Vorwurf machen. Ihre Bildung, ihre Denkgewohnheiten, ihre Sprache: drei Generationen, seit 1870, haben das so gepflegt. — Und seit 1914 sind sie abgeschnitten von der Welt.

Carlchen* erzählt von Schwierigkeiten, die Gottfried gemacht werden**. Dabei erwähnte er die Widmung von Hausers Fliegerbuch***. Hoffentlich erinnert sich Gottfried noch an die Details. Die Widmung wurde von Hauser damals erpreßt. Er wollte zu Eugen Diederichs, versuchte es mit Denunziationen im Propagandaministerium. Ein ›Nein‹ hätte Gottfried persönlich in ernste Gefahr gebracht, zudem wäre der Verlag geliefert gewesen. Ich erinnere mich dieser Dinge noch sehr genau, weil ich in der Sache mit Hauser und Peter Diederichs ein scharfes Rencontre im Prop.-Ministerium hatte. Unter Umständen soll Gottfried meine Vernehmung in dieser Angelegenheit verlangen. Vielleicht ist auch so schon alles erledigt. —

... Ich grüße Gottfried, Gabi, Gisi, Annette, Ihre Mutter, Hilla und auch Monika****, die ich nicht kenne. — Wenn ich alle wirklich umarmen könnte!

Stets und herzlich

Ihr alter
Peter«

Nach tagelangen umständlichen Verhandlungen mit den amerikanischen Behörden konnte ich endlich den von mir gewünschten Vertrag abschließen. Danach übertrug ich die Publikationslizenz einiger meiner wichtigen Bücher auf die amerikanische Armee, die sich ihrerseits verpflichtete, diese Rechte ausschließlich an den Suhrkamp Verlag weiterzugeben, dies unter der Voraussetzung, daß man mir das notwendige Papier für den Druck dieser Bücher zur Verfügung stellte.

Die Papierzuteilung erfolgte aber keineswegs bei der gleichen Stelle. Weit gefehlt. Ich hatte nach Wiesbaden zu fahren.

Während ich im Schlafwagen reiste, mußte Suhrkamp, den ich zu meinen Papierverhandlungen brauchte, den Militärzug nehmen, der am Tage verkehrte, und das war bereits eine besondere Vergünstigung. Das obere Bett in meinem Abteil blieb leer. Man sagte mir, daß es wohl das letzte Mal sei, daß einem Deutschen die Genehmigung zur Benutzung eines Militärzuges

---

* Carl Zuckmayer.
** wegen der Einreisegenehmigung nach Deutschland.
*** Siehe Seite 82 f.
**** Hilde Fischers Tochter.

erteilt würde. Es wurde mir klar, daß es unter diesen Umständen notwendig werden würde, den Verlag nach Frankfurt zu verbringen. Auch die ständig zunehmende Bedrohung durch die Russen und die Ungewißheit über das Schicksal Berlins zwang zu dieser Verlegung.

Nach unendlichen Laufereien und Verhandlungen gelang es mir schließlich, auch die letzte Hürde, das Papierzuteilungsproblem, zu nehmen. Ich konnte mit der verlegerischen Arbeit beginnen. So entstand die erste Buchserie des Suhrkamp Verlages, hauptsächlich aus meinen im Exil veröffentlichten Büchern zusammengesetzt. Auf der Buchklappe trugen sie den folgenden Text: »Die Rechte an . . . wurden dem Suhrkamp Verlag vorm. S. Fischer vom Bermann Fischer Verlag übertragen. — Die beiden Verlage, die durch die gewaltsame Auflösung des S. Fischer Verlages Berlin im Jahre 1936 entstanden sind, haben seitdem getrennt gearbeitet. Mit der Veröffentlichung dieser Buchreihe, die im Gedenken an den Gründer des Stammverlages ›S. Fischer's Bibliothek‹ genannt wird, nehmen die beiden Verlage die Zusammenarbeit wieder auf. — Die Autoren des Bermann Fischer Verlages und der Verlag selbst haben diese Reihe durch weitgehenden Verzicht auf materiellen Ertrag ermöglicht, um die Kontinuität der deutschen Literatur wieder herzustellen.«

Von 1948 an erschienen in dieser Reihe in einer Erstauflage von 50 000 Exemplaren, die uns aus der Hand gerissen wurden:

    Ernest Hemingway ›Wem die Stunde schlägt‹,
    Hermann Hesse ›Narziß und Goldmund‹,
    Thomas Mann ›Ausgewählte Erzählungen‹.

Später folgten:

    Ernst Penzoldt ›Die Powenzbande‹,
    William Saroyan ›Menschliche Komödie‹,
    Stefan Zweig ›Sternstunden der Menschheit‹ und ›Amok‹,
    Carl Zuckmayer ›Salware‹,
    Hugo von Hofmannsthal ›Deutsches Lesebuch‹,
    Stefan Zweig ›Die Welt von Gestern‹
    und andere.

Versprechungen und Vertrauen

Da wegen des »Trade with the enemy act« ein Vertrag zwischen mir und Suhrkamp über die von ihm in seinen früheren Briefen zugesagte Übertragung des Suhrkamp Verlages auf die Familie S. Fischer zunächst nicht möglich war, verfaßte Suhrkamp in Gegenwart seines Anwalts das nachstehende Testament, dem er im Juni 1948 noch den ebenfalls hier abgedruckten Brief folgen ließ.

TESTAMENT

Hierdurch bestimme ich, Heinrich Suhrkamp, genannt Peter Suhrkamp, Berlin-Zehlendorf, Forststraße 27, für den Fall meines Todes, daß der Suhrkamp Verlag vormals S. Fischer Verlag Berlin und der Suhrkamp Verlag vormals S. Fischer Verlag Frankfurt a. Main auf Herrn Dr. Gottfried Bermann Fischer, Frau Brigitte Bermann Fischer, beide Old Greenwich, Conn. USA und Fräulein Hilde Fischer, New York, übergehen sollen. Sollte ich im Zeitpunkt meines Todes nicht Alleininhaber der beiden genannten Verlagsunternehmungen sein, so sollen meine in diesem Zeitpunkt bestehenden Rechte an den Verlagen auf Dr. Gottfried Bermann Fischer, Brigitte Bermann Fischer und Hilde Fischer übergehen. Falls Dr. Bermann Fischer nicht mein Erbe werden kann und will oder wenn er nachträglich fortfällt, so setze ich an seiner Stelle seine Ehefrau Brigitte Bermann Fischer ein. Falls Brigitte Bermann Fischer nicht mein Erbe werden kann oder will, oder wenn sie nachträglich fortfällt, setze ich an ihre Stelle ihren Ehemann Dr. Gottfried Bermann Fischer ein. An die Stelle von Dr. Gottfried Bermann Fischer und Brigitte Bermann Fischer sollen notfalls deren Erben treten; an die Stelle von Fräulein Hilde Fischer deren Erben.
Dieses Testament beruht auf folgendem Sachverhalt: Als ich im Dezember 1936 die Fortführung des S. Fischer Verlages Berlin antrat, tat ich das ausgesprochenermaßen als Platzhalter der Familie Fischer, die damals Deutschland verlassen mußte. Der Kaufvertrag, durch den der Verlag in den Besitz einer Kommanditgesellschaft überging, ist seinerzeit geschlossen worden, um diese Fortführung vor den derzeitigen Behörden zu legalisieren. Insofern habe ich den Verlag niemals als mein Vermögen betrachtet. Er soll auch noch zu meinen Lebzeiten formalrechtlich auf die Familie Fischer zurücküberführt werden, sobald die Gesetze der Militärregierung das zulassen. Spätestens aber im Zeitpunkt meines Todes soll, falls die Rückführung bis dahin noch nicht möglich gewesen sein sollte, dies auf dem Erbwege erfolgen.
Meinen übrigen Besitz soll meine Ehefrau Annemarie Suhrkamp geb. Seidel erhalten. Ferner erwarte ich im Falle meines Todes, daß die Familie Fischer in Anbetracht meiner Leistungen für den Verlag meiner Ehefrau Annemarie Suhrkamp geb. Seidel auf Lebenszeit, zumindest aber für die Zeit des Bestehens der Verlagsunternehmungen oder Nachfolgeunternehmungen aus diesen, eine angemessene Rente zahlt.

Berlin, d. 15. Juni 1947   gez. Heinrich Suhrkamp
                                   gen. Peter Suhrkamp

Der ergänzende Brief zu diesem Testament lautet:

Berlin-Zehlendorf-West,
Suhrkamp Verlag   Forststr. 27
vorm.   den 28. 6. 1948
S. Fischer
Berlin und Frankfurt/Main
Geschäftsleitung   Su./Z.

Herrn Dr. Gottfried Bermann Fischer,
Bermann-Fischer-Verlag
Amsterdam
Singel 262

»Lieber Gottfried!
Bei unserem letzten Gespräch in Berlin meintest Du, Du müßtest
wohl etwas in der Hand haben, woraus für Deine Partner unsere Absprachen über den Berliner und Frankfurter Verlag, also
über den ganzen Komplex Suhrkamp Verlag vorm. S. Fischer,
jederzeit ersichtlich wären. Mir ist diese Anregung willkommen,
einmal für eine zusammenfassende Darstellung, darüber hinaus
aber als Gelegenheit, meinen Zielen und Absichten in einer
Form Ausdruck zu geben, die auch etwas Verbindliches hat. Im
Geschäftsleben haben mündliche Versprechungen ja wohl nicht
mehr das Verpflichtende. Und mein Testament hat auch nur Bedeutung für den Fall meines Todes.
Mein Brief an Dich im Sommer 1945, mit welchem ich die Familie S. Fischer aufforderte, Schritte für die Wiederinbesitznahme des Berliner Verlages zu unternehmen, da ich meinen
Auftrag als erledigt ansähe, war nicht etwa eine freundschaftliche Geste, sondern damit wollte ich ernstlich einen tatsäch-
lichen Sachverhalt bestätigen. Der Ausführung standen bis jetzt
Gesetze, die Ausländern Erwerbungen in Deutschland verbie-
ten, im Wege. Das schließt jedoch nicht aus, daß wir schon dem
angestrebten Zustand entsprechend disponierten und arbeiteten. Ich meinerseits habe in der Zwischenzeit zu diesem Ziel am
Wiederaufbau und an der Sicherung des Verlages in Deutsch-
land gearbeitet, und Du hast dafür aus dem Bermann-Fischer
Verlag Verlagsrechte für Deutschland ausschließlich dem Suhrkamp Verlag vorm. S. Fischer Verlag übertragen, so an der
›Geschichte unserer Welt‹, an verschiedenen Werken von Thomas
Mann, Franz Werfel, Stefan Zweig, Carl Zuckmayer, Ernest
Hemingway, und noch anderen. *Ich bestätige Dir als Voraus-
setzung dieser Übertragungen den Übertrag des Suhrkamp
Verlages in den Besitz der Familie S. Fischer.*
Der Berliner Verlag (›Suhrkamp Verlag vorm. S. Fischer KG‹)
ist seiner Struktur nach eine Kommanditgesellschaft, in der ich

allein persönlich haftender Gesellschafter bin. Die übrigen Kommanditisten sind: Clemens Abs, Bonn / Christoph Rathjen, Garmisch / Philipp F. Reemtsma, Hamburg — sie werden gemeinsam vertreten durch den Bankier Herrn Hermann J. Abs, Bentsger Hof bei Remagen. Da sämtliche alten Konten bis heute blockiert sind und Neueinlagen von den Kommanditisten seit 1945 nicht erfolgten, ist der Wiederaufbau des Verlages ohne Anteil der Einlagen der Kommanditisten geschehen. Im Anschluß an eine Besprechung mit dem Vertreter der Kommanditisten, Herrn Hermann J. Abs, habe ich den Kommanditisten am 5. Juni 1947 die Auflösung der Kommanditgesellschaft vorgeschlagen, dergestalt, daß unter Rechnungslegung per 1. Juni 1945 die Kommanditgesellschaft fristlos gekündigt und aufgelöst wird. Dieser Vorschlag ist von Herrn Clemens Abs und Herrn Christoph Rathjen grundsätzlich angenommen worden. Herr Reemtsma hat für sich persönlich auch seine Bereitschaft erklärt, dazu aber mitgeteilt, daß er zur Zeit nicht in der Lage sei, Verfügungen über Vermögensteile von sich zu treffen, da von einer Besatzung sein Vermögen unter Kontrolle gestellt ist. Infolge dieser Behinderung des Herrn Reemtsma konnte die Auflösung der Kommanditgesellschaft bis jetzt nicht durchgeführt werden. Gegen Herrn Reemtsma läuft zur Zeit ein Prozeß vor der Militärregierung.

Zur Sicherung gegen drohende politische Gefahren habe ich 1946/1947 in Frankfurt a. Main den ›Suhrkamp Verlag vorm. S. Fischer Inh. Heinrich Suhrkamp‹ aufgebaut. Für ihn habe ich am 4. Oktober 1946 die amerikanische Lizenz erhalten. Er ist als Einzelfirma ins Handelsregister eingetragen. Am 22. Mai 1948 habe ich der Form halber den Vertreter der Kommanditisten, Herrn Hermann J. Abs, von dieser Gründung verständigt und ihn um Mitteilung an die übrigen Kommanditisten gebeten. Ein Einwand von seiten der Kommanditisten ist nicht erfolgt. *Diese Frankfurter Firma gehört auch unter den Komplex, der in den Besitz der Familie S. Fischer überführt werden wird.*

Die vorstehenden Verfügungen von mir stehen in keiner Verbindung mit den in jüngerer Zeit erlassenen Rückerstattungsgesetzen, sie stellen auch weder eine Schenkung noch eine Vererbung durch mich dar, sondern damit wird lediglich ein Gut, das ich während der gezwungenen Abwesenheit der Familie Fischer verwaltete, in deren Hände zurückgegeben. Deshalb werden von mir auch keinerlei materielle Forderungen an diese Rückerstattung geknüpft. Ich habe aus der Verwaltung keinerlei Vermögen gezogen, aber ich habe mit meiner Frau von meiner Arbeit dafür von 1937 bis heute gelebt. Ich beanspruche auch für die Zukunft keine finanzielle Beteiligung an dem Geschäft, sondern lediglich ein Gehalt für meine Tätigkeit, solange ich im Verlag mitarbeite. Wenn es gelingen wird, den S. Fischer Verlag in seinem alten Bestand und seinem alten Ansehen wieder herzustellen — und darin sehe ich für meinen Teil eine Verpflichtung gegen das Erbe des verehrten Samuel Fischer vor der Welt — ist meine Verantwortlichkeit für den Verlag allein erst erfüllt. Nur für den Fall, daß ich früher sterben sollte, sehe ich es für gegeben an, daß meine Frau dann an den Erträgen des Verlages beteiligt wird. Ich würde eine Regelung für diesen Fall begrüßen.

Damit, lieber Gottfried, dürfte alles Wesentliche festgehalten sein.

Mit herzlichen Grüßen an alle Fischers, alle Bermann-Fischers und Dich besonders

stets Dein

gez. Peter Suhrkamp«

Auch den Besatzungsbehörden gab Suhrkamp eine ähnlich lautende Erklärung ab:

Herrn Professor Lehmann-Haupt   Berlin-Zehlendorf
Informations-Service Control   Millinowskystr. 18
ohne Datum, wahrscheinlich aber 1946
»betr.: das Verhältnis zwischen dem Suhrkamp Verlag, vormals S. Fischer Verlag, Berlin und dem B. L. Fisher (sic) Verlag, New York, bezw. Herrn Dr. Bermann-Fischer
. . .
Der unterzeichnete Verlagsleiter Heinrich Peter Suhrkamp und ebenso die übrigen Kommanditisten haben stets ihre Aufgabe darin gesehen, den wertvollen alten Verlag, der vor der Vernichtung stand, über die Zeit hinüber zu retten und sie haben ihren Auftrag, im Einvernehmen mit den früheren Besitzern und in deren Sinn als eine Treuhänderschaft betrachtet. Es ist jetzt erwogen worden, den alten Firmennamen wieder herzustellen, diese Erwägungen sind aber zurückgestellt worden, um darin dem Willen von Herrn Dr. Bermann-Fischer nicht vorzugreifen . . .
Die Rücküberführung würde keine Schwierigkeiten bereiten.«

Und im gleichen Sinne schrieb er an die Kommanditisten:

Herrn   Berlin-Zehlendorf
Clemens Abs   Forststraße 27
Bonn am Rhein   Den 5. Juni 1947 Su/Br.
Meckernheimer Straße 44

»Lieber, verehrter Herr Abs,
ich habe den Besuch von Herrn Dr. Bermann Fischer aus New York, dem Schwiegersohn des Begründers unseres Verlages und

Inhaber des Bermann Fischer-Verlags in Stockholm. Seine Anwesenheit habe ich benutzt zu einer Aussprache mit Hermann J. Abs, Ihrem Bruder, über die zukünftige Form unseres Verlages; das Gespräch hat am 3. Juni in Bünde stattgefunden. Dabei war das Ziel die Auflösung der Kommanditgesellschaft und die vorläufige Überführung des Verlages in die Form einer Einzelfirma unter meinem Namen. *Das letzte Ziel ist die Rücküberführung des Verlages in den Besitz der Familie Fischer.* Über die Verhandlungen in Bünde wird Ihnen Ihr Bruder auch berichten. Die gegenwärtigen Verhandlungen gehen von den folgenden Tatsachen als Grundlage aus. Ich selbst habe mich, nachdem die Fortführung des Verlages durch die Familie S. Fischer unmöglich geworden war, *stets nur als deren Platzhalter betrachtet und niemals als Besitzer des Verlages. Bei mir hat stets die Absicht bestanden, den Verlag so bald dies möglich sein würde, der Familie Fischer wieder zuzuführen.* Als wir seinerzeit die Kommanditgesellschaft zur Fortführung des Verlages begründeten, machten Sie Ihre Kapitaleinlage in die Kommanditgesellschaft ausgesprochenermaßen, um die Fortführung des Verlages in möglichster Unabhängigkeit von der NSDAP und deren politischen Zielen zu sichern. Die Übernahme des Verlages war also keine der seinerzeit üblichen Arisierungen und hatte auch in keiner Weise einen derartigen Akzent. Das ist jetzt in unserem Gespräch in Bünde auch von Herrn Dr. Bermann Fischer uneingeschränkt als Auffassung der Familie Fischer ausdrücklich bestätigt worden. Sie, verehrter Herr Abs, haben auch in den folgenden Jahren in jeder Weise gezeigt, daß der Verlag für Sie nicht bloß eine wirtschaftliche Kapitalanlage und einen Besitz bedeutete.

Als sich im Sommer 1945 für mich die erste Möglichkeit zu einer Verbindung mit der Familie Fischer bot, habe ich Herrn Dr. Bermann Fischer mitgeteilt, daß ich meine Aufgabe im Verlag als erfüllt betrachte und auf Dispositionen der Familie warte, in welcher Form die Wiederinbesitznahme des Verlages von der Familie Fischer beabsichtigt sei. Damals bestand für mich noch nicht die Möglichkeit, mich mit Ihnen darüber zu verständigen. Ich habe aus dem Geist, in dem in den vergangenen Jahren die Verlagsführung zwischen uns gehandhabt worden ist, aber geschlossen, daß dieser Schritt durchaus in Ihrem Sinne sein würde. Das Gespräch in Bünde hat mir das zu meiner großen Freude in der Haltung von Ihrem Bruder voll und ganz bestätigt, wobei Ihr Bruder allerdings ausdrücklich betonte, daß er nicht in Vollmacht von Ihnen sprechen könnte, aber von Ihrer Billigung überzeugt sei.

Die Maßnahmen, die für das Gesamtziel notwendig sind, wären vielleicht solange aufzuschieben gewesen, bis eine reguläre Übertragung auf die Familie Fischer durchgeführt werden kann. *Einige dringende Umstände machen es aber notwendig, sofort Schritte zu unternehmen. Das ist vor allem die Notwendigkeit, die Werke der namhaften Autoren aus der deutschen Emigration, wie beispielsweise Thomas Mann und Hugo v. Hofmannsthal u. a., deren Rechte der Bermann-Fischer Verlag Stockholm hat, in Deutschland sofort wieder erscheinen zu lassen. Es ist wichtig, daß das durch unseren Verlag geschieht und also insofern praktisch eine Einheit der beiden Verlage wieder durchgeführt wird. Das ist dem Bermann-Fischer Verlag Stockholm nur zuzumuten, wenn ihm Eigentumsrechte an unserem Verlag wieder eingeräumt werden. Während des Besuches von Herrn Dr. Bermann Fischer ist zwischen ihm und mir ein umfangreiches Programm vereinbart worden, in dem der Bermann-Fischer Verlag auf materielle Erträge zugunsten des Aufbaus des hiesigen Verlages so gut wie völlig verzichtet. Für den Moment ist deshalb in Aussicht genommen, daß ich die hiesige Firma für die Übergangszeit unter meinem Namen übernehme. Ich habe gleichzeitig eine letztwillige Verfügung getroffen, durch die der Besitz der Familie Fischer an dem Verlag auch für die Zwischenzeit für den Fall, daß mir etwas passieren sollte, gesichert wird*.*

Für die Auflösung der Kommanditgesellschaft habe ich in Bünde vorgeschlagen, daß unter Rechnungslegung per 1. Juni 1945 die Kommanditgesellschaft fristlos gekündigt und aufgelöst wird und nach § 12 des Gesellschaftsvertrages vom 16. Dezember 1936 die Abwicklung so erfolgt, wie das in § 11 dieses Gesellschaftsvertrages vorgesehen ist. Ihr Bruder und Herr Dr. Bermann Fischer haben diesen Vorschlag vernünftig und gangbar gefunden. Der Zeitpunkt des 1. Juni 1945 wurde gewählt, weil von da an ein völliger Neuaufbau des Verlages notwendig geworden war, so daß in diesem Zeitpunkt auch ein natürlicher Abschluß gesehen werden kann. Zu Ihrer Unterrichtung lege ich diesem Brief die Verlagsbilanz vom 1. Juni 1945, vom 31. 12. 1945 und die vorläufige Bilanz vom 31. 12. 1946 bei. Außerdem füge ich eine Aufstellung der bisherigen Verlagsproduktion an. Ich bitte Sie nun, meine Vorschläge zu prüfen und zu erwägen, ob Sie ihnen zustimmen können. Es würde die Durchführung erleichtern und beschleunigen, wenn Sie für die weitere Abwicklung und Beschleunigung auch dieser Angelegenheit Ihrem Bruder Ihre Vollmacht erteilten, so wie er Sie und die übrigen Kommanditisten in den Angelegenheiten des Verlages schon immer vertreten hat.

Ich bin von Ihrem Verständnis für das Notwendige in der gegenwärtigen Situation überzeugt. Zugleich hege ich aber die Hoffnung, daß Ihre Anteilnahme am Verlag unverändert be-

* Kursivierungen vom Verfasser.

stehen bleibt. Jedenfalls werde ich, solange ich im Verlag arbeite, in allem stets so tun, als wären Sie noch dabei wie in der Vergangenheit. Das erscheint mir nur selbstverständlich. Auch darüber hinaus können Sie mit meiner Dankbarkeit rechnen. Ich weiß, daß diese ebenso auf seiten der Familie Fischer besteht.

> Mit besten Grüßen und guten Wünschen
> stets Ihr sehr ergebener
> Peter Suhrkamp«

Ich selbst zögerte nicht, Herrn Hermann J. Abs, dem Repräsentanten der Kommanditisten, meinerseits eine Erklärung abzugeben, daß der Kauf des S. Fischer Verlagsteiles im Jahre 1936 durch die Kommanditgesellschaft, der durch seine Vermittlung zustande gekommen war, keinen Akt der Arisierung darstellte, sondern im Einverständnis mit der Familie Fischer durchgeführt worden war, um ihr die Auswanderung zu ermöglichen.

Die Situation war eindeutig geklärt. Mit meiner ganzen Energie ging ich nun daran, den am Boden liegenden Suhrkamp Verlag durch die Zuführung meiner Verlagswerke zu reaktivieren und ihm dadurch die notwendigen Existenzmittel zuzuführen. Dabei handelte ich in voller Übereinstimmung mit meinen Partnern und mit Suhrkamp, der mir am 22. Dezember schrieb:

»Sie haben den Berliner Verlag und den Stockholmer Verlag. Beide als deutsche Verlage. In der heutigen Lage ist Berlin der wichtigste Ort und wird es auch immer mehr ... Die Bedeutung von Stockholm ist jetzt verringert ... Das Ziel muß jetzt sein, Berlin so potent und arbeitsfähig wie nur möglich zu machen ... Also: im Augenblick eine Aktivität in Stockholm bremsen. Und *alles Vertrauen für Berlin und für mich, das muß allerdings vorhanden sein. Vergessen Sie nie, daß Sie nur in Berlin ganz Ihr eigener Herr im Hause sind.*«

Dieses Vertrauen brachte ich Suhrkamp in den folgenden Jahren in vollem Maße entgegen. Ich gab dem Suhrkamp Verlag an Lizenzausgaben, was nur immer möglich war. Neben den schon vorher erwähnten Büchern in der Romanserie: S. Fischers Bibliothek, waren es von Thomas Mann: der Roman ›Doktor Faustus‹, der Essayband ›Neue Studien‹, der vierte Band der Tetralogie: ›Joseph der Ernährer‹, von Franz Werfel ›Das Lied von Bernadette‹ und die Bühnenrechte des Erfolgsstückes ›Jacobowsky und der Oberst‹, von Stefan Zweig ›Die Welt von Gestern‹ und ›Marie Antoinette‹, von Thornton Wilder ›Die Iden des März‹ und die Bühnenrechte seiner Stücke, von Bruno E. Werner der Roman ›Die Galeere‹, von Carl Zuckmayer die Novelle ›Der Seelenbräu‹ und die Buchausgabe und die Bühnenrechte von ›Des Teufels General‹ und die ›Geschichte unserer Welt‹, herausgegeben von Fritz Karsen, die in der englischen und französischen Zone als Geschichtsbuch für die Oberstufe eingeführt worden war.

Vom Herbst 1946 an begann im Suhrkamp Verlag Berlin auch die Auslieferung der ersten eigenen Nachkriegsproduktion mit 16 Neuerscheinungen, meist kleineren Broschüren; im Jahre 1947 war die Buchproduktion bereits auf 24 Titel gestiegen.

Da ich wegen der zunehmenden politischen Spannung in Westberlin und den immer schwierigeren Transport- und Reiseverbindungen mit der eingeschlossenen Stadt Bedenken hatte, die Nachdrucksrechte an meinen Verlagswerken weiterhin dem Berliner Verlag zu übertragen, gründete Suhrkamp 1947 auf meinen Wunsch den Suhrkamp Verlag, vormals S. Fischer, in Frankfurt am Main. Ich selbst konnte es, wie schon früher erwähnt, nicht tun, da ich als Amerikaner keinerlei Geschäftstätigkeit ausüben durfte.

Von nun an sollten die Lizenzausgaben des Bermann-Fischer Verlages, Stockholm, nur noch in dieser Frankfurter Verlagsfirma erscheinen. Die im Juni 1948 einsetzende erste Berlinkrise bestätigte meine Befürchtungen. Als ich am 17. Juni mit meinem kleinen Wagen Berlin verließ, konnte ich die Elbe nur noch auf einem von den Engländern herbeigeschafften Ponton überqueren, da die Russen die Brücke gesperrt hatten. Ein ganzes Jahr lang war Berlin für mich nur noch durch die ›Luftbrücke‹ zu erreichen.

Von 1948 an hörte daher die aktive Tätigkeit des Suhrkamp Verlages in Berlin so gut wie ganz auf, während der Frankfurter Verlag sie in vollem Umfang übernahm. Durch die Militärverwaltung wurde uns das Haus Falkensteiner Straße 24, das in der amerikanischen Sperrzone gelegen war, zugewiesen. Das zerstörte zweite Stockwerk wurde von uns wieder aufgebaut und für Suhrkamp als Wohnung eingerichtet. In diesem Hause erlebte der Verlag seinen raschen Aufstieg.

Mein amerikanisches Aufenthalts-Permit für meinen ersten Besuch in Deutschland näherte sich jetzt dem Ende. Ich war ja nur ein ausländischer Besucher, der das besetzte Land zu verlassen hatte, wenn die ihm zugemessene Zeit abgelaufen war.

Hunderte von neuen Beziehungen zu Menschen aus allen Lagern und Ländern hatte ich in diesen Monaten meiner ersten Wiederkehr nach Deutschland geknüpft und alte Freundschaften, die durch die langen Jahre der Emigration unterbrochen worden waren, wieder aufgenommen. Die Seiten meines Tagebuches aus dieser Zeit reichten kaum aus, um alle die Verabredungen zu fassen, denen ich täglich von früh bis abends nachkam. Unmöglich, sich an alle zu erinnern und alle zu schildern, diese Wiedersehen und Begegnungen, von unserem alten Chauffeur, der mir die Hände küßte, bis zu dem alten Freunde

Kurt Heuser, der ohne Military Permit die Zonengrenze überschritt, um mich zu sehen, und zu Manfred Hausmann, der noch
drahtiger als früher, aber ungebrochen und voll kluger Einsicht
von den Jahren der Unterdrückung und des Terrors berichtete
und voller Pessimismus in die Zukunft schaute, bis zur schnee-
weiß gewordenen Frau Margarete Hauptmann, die mir vom Tod
und Begräbnis Gerhart Hauptmanns erschütternd berichtete,
und bis zu Professor Ivo Hauptmann, dem Maler, des Dichters
ältestem Sohn aus erster Ehe, mit dem mich herzliche Freundschaft verbindet, und der mir erzählte, wie er und seine beiden
Brüder mit gelassenem Humor ihr Schicksal der zurückgesetzten
Söhne ertrugen. Ich traf Benvenuto, Hauptmanns jüngsten
Sohn, den Jugend- und Spielgefährten meiner Frau, der jetzt
das Erbe verwaltete, und Eugen Kogon mit seiner Frau, im
Schwarzen Bock in Wiesbaden, von dem ich zum erstenmal
Authentisches über die Hölle des KZ hörte, Albrecht Goes, den
Pfarrer und Dichter, der in Leonberg und Stuttgart predigte
und mich mit seiner menschlichen Güte und Wärme tief er-
freute, Luise Rinser, die tapfere Kämpferin, die mit ihren beiden
kleinen Söhnen in München lebte und mutig weiterschaffte.
Meines Tages Stunden waren bis zum Rande gefüllt.
Auf dem Weg von München nach der französischen Besatzungs-
zone machte ich noch einen kurzen Aufenthalt in Stuttgart, um
meinen alten Freund Ernst Rowohlt wiederzusehen, der dort an
diesem Tage, wie man mir sagte, seinen 60. Geburtstag feierte.
Ich kam spät abends an und irrte lange in den dunklen, zerstörten Straßen umher, bis ich das düstere Lokal fand, in dem die
Festveranstaltung vor sich ging.
Vor dem Eingang saß, nur mit einem weißen Laken bekleidet,
Kiaulehn, von alkoholischen Dämpfen umhüllt. Drinnen war es
stockduster, und es gehörte tänzerische Geschicklichkeit dazu,
über alle die am Boden hockenden und liegenden Gestalten hinweg in das etwas lichtere Zentrum der Feierlichkeiten vorzu-
stoßen, wo der Jubilar, in erschreckend ungewohnter Magerkeit,
aber in fröhlicher Laune, ab und zu seinen mir von früher so
bekannten Kriegsruf ausstoßend, präsidierte und mir um den
Hals fiel. Werner Finck stand da und sah mich ungläubig lächend,
ob ich es denn wirklich sei, mit seinen verschmitzten Augen an,
und Heinz Ledig-Rowohlt, dem ich früher in Berlin niemals begegnet war, tauchte aus dem Dunkel auf, um mir den Begrü-
ßungstrunk zu kredenzen. In dem verwirrenden, in geisterhaf-
tes Dunkel getauchten Durcheinander, war nichts zu unterscheiden. Man drückte mir die Hand, schlug mir auf die Schulter,
steckte mir Brötchen mit undefinierbarem Aufstrich zu und
füllte mich mit Champagner, den, wie man mir sagte, die American Army gestiftet hatte. Und rings um die Wände liefen
breite Papierstreifen, auf denen zu lesen war: ›Balzac bezahlt

alles‹, ein Zeichen der ungebrochenen Laune und Unternehmungslust dieser einzigartigen Verlegerpersönlichkeit, die aus allen Unfällen und Zusammenbrüchen sich immer wieder, den alten Kriegsruf ausstoßend, frisch und fröhlich zu neuen Taten erhob.

Der Neue Wiener Verlag

Meine Frau hatte im Frühjahr 1947 nach langen Bemühungen die Einreisegenehmigung für die französische Zone erhalten. Ich erwartete sie mit brennender Ungeduld am Bahnhof von Baden-Baden, wo sie am 26. Juni voll frischen Lebensmutes und freudiger Erregung über ihr erstes Wiedersehen mit Europa dem Zug entstieg. Von diesem unvergeßlichen Augenblick an begann für uns beide ein neues Leben, in dem uns gemeinsame Arbeit noch enger als zuvor verband.

Meine Frau hatte von ihrer frühen Jugend an lebhaften Anteil an der Arbeit ihres Vaters genommen, wie es bei der engen Verbindung von Privat- und Verlagsleben im Hause Fischer nicht anders denkbar war. Sie hatte aber auch eine sorgfältige Ausbildung als Gebrauchsgraphikerin bei E. R. Weiß genossen und in einer Berliner Druckerei gearbeitet, um sich mit den technischen Vorgängen beim Satz und Druck vertraut zu machen. Ihre literarischen Kenntnisse, in die sie in der Atmosphäre ihres Elternhauses sozusagen hineingewachsen war, hatte sie durch vielfältiges Studium erweitert. So war sie, abgesehen von der rein geschäftlichen und administrativen Seite des Berufes, eine Verlegerpersönlichkeit, der sich jetzt zum erstenmal, nachdem die Kinder herangewachsen waren, die Gelegenheit zur vollen Entfaltung bot. Ich brauchte ihren Rat, das Gespräch und den Gedankenaustausch bei den vielen Entscheidungen, die mir noch bevorstanden, ihre unerschöpfliche Energie, ihren Reichtum an neuen Ideen und ihren unerschrockenen Optimismus, der mir über meine Zweifel und meinen Skeptizismus hinweghalfen, aber auch ihren vom Vater ererbten Instinkt für das Echte und Wertvolle, ihre kompromißlose Geradheit, mit der sie Menschen ebenso sehr gewinnen wie abstoßen konnte. Die Mischung von fraulicher Güte und fast männlicher Strenge bildeten eine mich immer wieder faszinierende Persönlichkeit, die ihre Wirkung auf unsere Umgebung nicht verfehlte und sich dem entwickelnden Verlag unverkennbar aufprägte.

Unser Weg führte uns zunächst nach Wien. Es war mir klar geworden, daß Stockholm zu weit von den Plätzen unserer zukünftigen Aktivität entfernt war. Aber auch Berlin und Frankfurt kamen als Verwaltungssitz für unsere vielfältigen Interessen jetzt noch nicht in Frage, solange Deutschland unter fremder Besetzung stand und jede Einreise von besonderen Genehmigungen der verschiedenen Militärregierungen abhing. Österreich war zwar auch besetzt, aber man hatte mir gesagt, daß dort alles einfacher zu machen sei und daß die wirtschaftlichen

Verhältnisse, vor allem die Papierzuteilung, wesentlich günstiger lagen als in Deutschland.

Auf dem zerschossenen Westbahnhof begrüßte uns Heribert Umfahrer mit einer Schreibmaschine und mit einem Taxi, das uns auf der Straße erwartete. Zwei zivilisatorische Errungenschaften von Seltenheitswert. Es stand wieder einmal alles zum besten. Nur war leider, wie sich bald herausstellte, seine Wohnung als Verlagsbüro nicht zu gebrauchen. Nicht nur, daß sie im russischen Sektor lag, sie war nur durch eine Waschküche zu erreichen und somit nicht ganz die geeignete Residenz für einen literarischen Verlag.

Aber auch das sollte sich bald regeln. Wien war leidlich davongekommen. Es zeigte zwar schwere Schäden in der Innenstadt, vor allem war der Stephansdom schwer getroffen, Oper und Burgtheater und einige Häuser am Graben waren zerstört. Aber die Stadt als Ganzes war erhalten geblieben, Geschäfte, Restaurants und Hotels waren geöffnet und die Straßen von lebhaftem Treiben erfüllt. Im Gegensatz zu dem traurigen Anblick, den die Menschen in Deutschland boten, waren die Wiener guten Mutes, sahen besser genährt aus und ließen es sogar an einer gewissen Eleganz nicht fehlen. Auf der Kärntner Straße gab es einige Modesalons, die eine Konkurrenz mit der Rue Faubourg de Saint Honoré in Paris hätten aufnehmen können.

Mit unseren PX-Rationen und der reichlichen Speisekarte des VIP-Hotels, in das wir, im Gegensatz zu Deutschland, unsere Wiener Freunde einladen konnten, waren wir begehrte Besucher. Aber auch abgesehen von den materiellen Genüssen, die wir den gewiß noch immer Darbenden bieten konnten, war die Freude groß, die lange Trennung überwunden zu haben. Wir wanderten durch die Straßen, verloren in Erinnerungen an unsere zwei glücklichen Jahre in Wien, fuhren hinaus nach Hietzing zu unserem kleinen Haus in der Wattmanngasse, das uns die erste Zuflucht auf den langen Wegen des Exils geboten hatte — zwei tiefe Bombentrichter hatten den idyllischen Garten in einen Erdhaufen verwandelt —, wir ergingen uns in den breiten Alleen des Parkes von Schönbrunn und zerbrachen uns den Kopf über das Wie und Wo des neuen Wiener Bermann Fischer Verlages.

Die österreichische Kapitale schien wirklich mit ihren intakten Druckereien und der relativ leichten Papierbeschaffung sowohl als Produktionsstätte als auch als Verkaufsgebiet gute Möglichkeiten zu bieten; sie war eine wichtige Ergänzung für den ohne Deutschland noch recht schmalen Absatzmarkt für unsere Stockholmer Bücher. Bei den Transport- und Devisenschwierigkeiten, die in Europa noch lange Zeit bestehen würden, kam bei den relativ großen Leserkreisen in den größeren Städten des Landes ein Nachdruck unserer Bücher speziell für Österreich in Frage.

Der Wiener Verlag hatte also eine zweifache Funktion: erstens als Produktionshilfe für Frankfurt, und zweitens als Verkaufszentrum für Österreich. Für diese nicht ganz unkomplizierten Aufgaben brauchte ich einen geschäftlich erfahrenen Leiter neben unserem tüchtigen, aber für ein derartiges Unternehmen nicht vorgebildeten Heribert Umfahrer.

Wieder kam uns ein Zufall zu Hilfe. Im amerikanischen ›Publication Center‹ warteten wir auf ein Gespräch mit dessen Leiter van Eerden, als ein jüngerer Mann den Raum durchschritt und im Zimmer van Eerdens verschwand. Meine Frau und ich blickten uns an und sagten mit einer Stimme: »Das wäre der Richtige.« Wie wir darauf kamen, ist schwer zu erklären. Wir wußten nicht einmal, ob der junge Mann Österreicher oder Amerikaner war. Das konnte man in Wien nicht so ohne weiteres unterscheiden. – Und er war wirklich der Richtige.

Joseph Berger, so war sein Name, war der Assistent von Mr. van Eerden, und als wir fragten, ob wir ihn für uns haben könnten, sagten beide ja. Drei Jahre lang leitete Berger mit großem Geschick und viel Energie das Wiener Haus und wurde uns ein treuer Freund.

Noch eine andere herzliche Freundschaft nahm in Wien ihren Anfang. Eines Tages meldete sich bei uns, auf Empfehlung des Kritikers und Journalisten Hans Weigel, ein bildschönes dunkelhaariges Mädchen, krampfhaft ein Papierbündel unter dem Arm haltend. Sie lächelte uns schüchtern aus ihren lustig-ängstlichen Augen, die fast chinesischen Schnitt hatten, an und reichte uns ihr Manuskript. Es war Ilse Aichinger mit ihrem Roman ›Die größere Hoffnung‹, den sie, fast noch ein Kind, in den vergangenen Leidensjahren geschrieben hatte. Wir lasen ihn, fasziniert, noch am gleichen Tage. Wir hatten eine große Dichterin gefunden, einen Menschen von so reinem Charakter, solch leidenschaftlicher Liebe zu allem Leben, daß wir sie ganz in unser Herz schlossen. Unsere Reise nach Wien wäre um ihretwillen allein der Mühe wert gewesen.

Ihr Buch erschien bald darauf als eine der ersten Publikationen des Wiener Verlages, und es gehört, zusammen mit ihren späteren Werken, zu den Perlen der neuen deutschen Literatur.

Eine Verlagsunterkunft war auch bald gefunden. Kollege Prachner, der seine schöne Buchhandlung auf der Kärntner Straße wieder in Betrieb genommen hatte, konnte uns im Halbstock über seinem Laden einen Raum abgeben. Es war ein lustiges Büro. Die Fenster reichten vom Boden nur bis in Hüfthöhe, man mußte sich bücken, um hinauszuschauen. Dafür sah man von der Straße aus die Beine der fleißig arbeitenden Verlagsmitglieder, an ihrer Spitze Joseph Berger und Heribert Umfahrer, der mittlerweile die Funktion des Reisevertreters für Österreich übernommen hatte, eine Funktion, die er auch heute noch innehat. Das Lektorat vertraute ich Erik Graf Wickenburg an.

Schon ein Jahr später befand sich der inzwischen wesentlich vergrößerte Verlagsbetrieb in luftiger Höhe über dem ›Graben‹, dem schönen Platz in nächster Nähe des Stephansdoms. Ein unternehmungslustiger Architekt hatte den zu dieser Zeit noch wahrlich kühnen Entschluß gefaßt, eines der beiden zerstörten Häuser an der Ecke nächst dem Dom wieder aufzubauen. Es sollte ein fünfstöckiges Bürohaus werden.

Wir mieteten das vierte Stockwerk. Die darunter liegenden drei und das oberste fünfte hatten ebenfalls schnell Mieter gefunden, und der Rohbau erhob sich bald zu stattlicher Höhe. Es ereignete sich aber, daß die vier Mieter unter und über uns ihre für die Fortführung des Baues notwendigen Vorauszahlungen einstellen mußten, und so kam es, daß der nicht sehr finanzkräftige Bauherr nur noch unser viertes Stockwerk ausbauen konnte. So saßen wir über und unter leeren Wohnungshöhlen in unserem inzwischen komfortabel eingerichteten Büro. Der Aufstieg zum vierten Stockwerk war nur für Schwindelfreie möglich, weil es zu einem Geländer für die steile Wendeltreppe bei unserem Baumeister nicht mehr gelangt hatte; da es im Winter zudem durch das noch halb offene Dach in den Treppenschacht schneite, wurde ein Besuch im Bermann-Fischer Verlag ein gefährliches Bergabenteuer. Zum Glück wurde bald der Fahrstuhl geliefert, der uns der lebensgefährlichen Klettertouren enthob, obwohl er in der ersten Zeit nur funktionierte, wenn man sich schräg an eine Wand der Kabine anlehnte. Aber so war das Leben in Wien in diesen ersten Jahren nach dem Krieg. Es funktionierte alles so halb und halb in schöner Wiener Schlamperei, man lachte und weinte zugleich und hatte im Frühling seinen Heurigen wie eh und je.

Meine Frau forschte nach unserem entwendeten Besitz, vor allem nach unseren Bildern und Musikinstrumenten. Wir wußten, daß sie 1938, nach der Besetzung Wiens, aus unserem Haus nach dem Dorotheum, dem staatlichen Auktionshaus, gebracht und dort versteigert worden waren. Unter Aufwendung einiger Energie gelang es meiner Frau, sich Einblick in die Versteigerungslisten zu verschaffen und, siehe da, hier war alles mit größter Genauigkeit verzeichnet: unser Gauguin hatte einen Käufer für 500 Mark gefunden, unser Pissarro einen Liebhaber für 1250 Mark und der Greco ›Das Schweißtuch der Veronica‹ war als ›Spanische Schule‹ für den Sensationspreis von 2500 Mark einem Glücksvogel zugeschlagen worden. Lange konnte dieser sich jedoch seines Glückes nicht erfreuen. Die Gestapo schaltete sich ein und beschlagnahmte das Bild, um es dem ›Führer‹ vorzulegen. Gottlob gefiel es Herrn H. nicht, und so wurde es dem Käufer später wieder ausgeliefert. Diese Umstände, die in den

Büchern des Dorotheums verzeichnet waren, trugen zu der Auffindung des wertvollen Bildes bei, das wir schließlich im Keller einer Wiener Kunsthandlung, unter einer verstaubten Bettstelle, in Zeitungspapier eingewickelt, entdeckten. Schließlich kam auch das Gemälde von Gauguin zu uns zurück. Die amerikanischen Restitutionsbehörden konnten den deutschen Aufkäufer, der es inzwischen nach der Schweiz verschoben hatte, dazu zwingen, es an uns auszuliefern.

Viele meiner Bücher fanden sich in der Wiener Nationalbibliothek, an meinem Ex Libris oder dem S. Fischers erkennbar, manche durch Hakenkreuz-Stempel auf dem Titelblatt oder Rücken entstellt. Sie sind in meiner jetzigen Bibliothek die Kuriosa, Erinnerungsmale an vergangene Barbarei —, allerdings eine Barbarei penibelster Ordnung. Die freundliche Bibliothekarin, die uns zu einigen wertvollen Büchern aus unserer verlorenen Bibliothek verholfen hatte, führte uns auch auf den Dachboden. Es bot sich uns ein erstaunlicher Anblick. Wohlgebündelt lagen da, in je vier Exemplaren, sämtliche in den Jahren 1936 bis 1938 im Wiener Verlag produzierten Titel und die ganze Kammermusik meiner Frau, die man, Stimme für Stimme, sorgfältig in Pappe gebunden hatte. Was mag wohl in dem Manne vorgegangen sein, der, so sehr um die Erhaltung unserer Bücher und Noten besorgt, diese Anordnungen getroffen hatte? Ob ihn humane Gefühle geleitet hatten, die Voraussicht eines Endes mit Schrecken und unserer Wiederkehr — oder war es nur bürokratischer Ordnungtrieb? Bei aller Freude über den wiedergewonnen Besitz, der ein Stück unseres vergangenen Lebens bildete, konnten wir uns melancholischer Gedanken über die menschliche Natur nicht erwehren.

Das Bild Pissarros aber, es war ›Quai Malaquais‹ genannt und figuriert im Gesamtkatalog von Venturi unter der Nummer 1290, blieb verschwunden. Gewiß ziert es die Wand eines Sammlers in Südamerika oder in einem der anderen Länder, die die Rückgabeverpflichtungen aufgehoben haben.

Der Amsterdamer Verlag

Amsterdam, Ende Juli 1948

»Wir teilen unseren Freunden vom Sortimentsbuchhandel hierdurch mit, daß unsere seit vielen Jahren freundschaftlich verbundenen Firmen, einem von beiden Seiten seit langem gehegten Wunsche entsprechend, vereinigt sind. Name und Adresse der Firma ist fortan

Bermann Fischer / Querido Verlag N. V.
Amsterdam C, Singel 262

Die Leitung liegt in den Händen der Herren Gottfried Bermann Fischer und F. H. Landshoff.«

Schon bei meinem Stockholmer Aufenthalt im Frühjahr 1947 hatte sich bei Bonniers eine gewisse Müdigkeit gegenüber der Weiterführung des Bermann Fischer Verlages gezeigt. Man war wohl über die großen Schwierigkeiten enttäuscht, die sich einer sofortigen Eröffnung des Verlages in Deutschland entgegenstellten. Die Zerstörung des Landes, die desperate Währungslage, die Abhängigkeit von den alliierten Besatzungstruppen und ihrer immer komplizierter sich gestaltenden Bürokratie entmutigten sie so sehr, daß sie sich mit der Frage nach einer Abgabe ihrer Geschäftsanteile zu beschäftigen begannen. Ich beurteilte die Aussichten für den Verlag weitaus optimistischer, obwohl auch ich mir darüber klar war, daß man Geduld haben und noch einige Jahre würde zuwarten müssen, bevor mit einer Normalisierung zu rechnen war.
Ich konnte danach Tor Bonniers Bedenken und Zweifel verstehen. Seine Interessen lagen schließlich bei seinen großen schwedischen Unternehmungen, die sich ständig erweiterten.
Meine Freunde in Amsterdam, Fritz Landshoff und Fred und Alice von Eugen vom Querido Verlag, sahen die Dinge anders. Eine Kombination der beiden Emigrationsverlage bei gleichgearteten Interessen und den vielfältigen Verbindungen, die sich in den vergangenen Jahren herausgebildet hatten, erschien als eine in jeder Beziehung vernünftige Maßnahme.
Die Verhandlungen, die wir gemeinsam Anfang 1948 mit Bonniers aufnahmen, führten bald und ohne große Schwierigkeiten zum Verkauf der Bonnier'schen Anteile an eine in Amsterdam neu gegründete Verlagsgesellschaft, den Bermann Fischer-Querido Verlag, in den ich meine Verlagsrechte und meine Rechtsansprüche auf den Berliner, Frankfurter und Wiener Verlag einbrachte, während Landshoff seine Verlagsrechte dem neuen Unternehmen übertrug und die holländische Querido-

Gruppe sich entsprechend finanziell beteiligte. Die zentrale Leitung der drei Verlagsunternehmungen, der deutschen, österreichischen und holländischen, war damit auf die Amsterdamer Firma übergegangen, die unter Dr. Landshoffs und meiner gemeinsamen Leitung stand. Cheflektor wurde Dr. Rudolf Hirsch, der seit Ende des Krieges bei Fred von Eugens holländischer Enzyklopädie gearbeitet hatte.

Die Trennung von Bonniers, die so viel zur Erhaltung des Verlages beigetragen hatten, stimmte mich traurig. Ich war mir bewußt, daß sie im falschen Augenblick abgesprungen waren. Aber ich konnte sie von meiner Auffassung der Lage nicht überzeugen und war ihnen zu Dank verpflichtet, daß sie mir keine Schwierigkeiten bereiteten, den naheliegenden neuen Weg zur Fortführung des Verlages zu beschreiten. Für mich bedeutete die Verlegung der Zentrale nach Amsterdam eine große Erleichterung. Mit erfahrenen Partnern im Hause konnte ich mich unbesorgt den vielfältigen Aufgaben widmen, welche die drei Verlage an mich stellten.

Durch diese Verteilung auf drei Länder hatte ich mir die Möglichkeit einer ausreichenden Buchproduktion, einigermaßen unabhängig von der Papierknappheit, geschaffen und die Versorgung der durch Devisenrestriktionen und Transportschwierigkeiten getrennten Buchmärkte gesichert. Wien produzierte von nun an für Österreich, Berlin und Frankfurt für Deutschland, während der Amsterdamer Verlag die Schweiz, Holland und Nord- und Südamerika versorgte und, wenn immer eine Import- und Zahlungsgenehmigung von den deutschen Behörden zu erreichen war, auch Deutschland. So betrug im Jahre 1948 die Gesamtproduktion der drei Verlagsteile 48 Titel, neun davon waren speziell für den österreichischen Buchmarkt in Wien hergestellt: Nachdrucke von Büchern, die bereits in Stockholm und Berlin vorlagen, aber nicht nach Österreich exportiert werden konnten. Ich saß am Schalthebel des komplizierten Apparates, der allerdings nur funktionieren konnte, wenn alle Teile den Impulsen der Zentrale folgten. Aber der Erfolg lohnte die Mühe.

Als am 20. Juni 1948 die Währungsreform die wirtschaftliche Gesundung Deutschlands einleitete, verfügte der Suhrkamp Verlag in Frankfurt dank der Lizenzausgaben, die ich ihm zur Verfügung gestellt hatte, über eine Reihe von Büchern hohen literarischen Ranges und konnte sich aus den Verkaufserträgnissen wieder selbständig erhalten.

Der Wiener Verlag stand mit seiner Produktion auf eigenen Füßen, und Amsterdam setzte die Tätigkeit des Stockholmer Verlages mit dem Ausbau der großen Gesamtausgaben fort. (Es erschienen dort der zweite Band der Lustspiele Hugo von Hofmannsthals und die dreibändige Ausgabe von ›Joseph und seine Brüder‹ in der Stockholmer Gesamtausgabe von Thomas Mann, Werfels gesamte Erzählungen und drei Werke von Stefan Zweig.)

Die wohlfeile S. Fischer Bibliothek spielte für den Wiederaufbau des Suhrkamp Verlages eine große Rolle. Die ersten Auflagen, dank den Papierlieferungen der amerikanischen Armee 50 000 Exemplare pro Titel, waren sofort nach Erscheinen vergriffen. 73 Prozent des Umsatzes des Suhrkamp Verlages wurden in diesem Geschäftsjahr aus dem Verkauf jener Lizenzausgaben erzielt.

Inzwischen wirkten meine Partner in Amsterdam wahre Wunder bei den holländischen Behörden, die die Genehmigung zur Überführung des Stockholmer Buchlagers nach Amsterdam und für die Zahlungen an Bonniers zu erteilen hatten. Fred von Eugen konnte mit seiner unwiderstehlichen Beredsamkeit überzeugend darlegen, daß wir mit dem Export unserer Bücher Devisenbringer für Holland sein würden, und es zeigte sich sehr bald, daß wir eine positive Devisenbilanz erzielen konnten. Doch es waren aufregende Tage, bis jene Genehmigungen vorlagen, die für die Fortführung des Verlages lebenswichtig waren. Neben diesen geschäftlichen und organisatorischen Aufgaben durfte ich die ›Neue Rundschau‹ nicht vergessen. Nach dem ersten, Thomas Mann gewidmeten Heft im Juni 1945, wurde sie als Vierteljahresschrift fortgesetzt, zunächst in den Jahren 1945 bis 1948 in Stockholm, 1949 in Amsterdam und schließlich ab 1950 unter der Redaktion von Rudolf Hirsch in Frankfurt am Main.

So wuchs und festigte sich der Bau. Aber neue, ungeahnte Probleme entstanden.

Ende einer Freundschaft

Die ersten Differenzen mit Suhrkamp zeigten sich am Anfang des Jahres 1949. Bis dahin war der Aufbau des Verlages in völliger Übereinstimmung in allen Fragen vor sich gegangen. Der Erfolg sprach für sich. Suhrkamps persönliches Leben war zur Normalität zurückgekehrt. Er stand in der Falkensteiner Straße, wo er auch über eine schöne Wohnung verfügte, einem Verlagsunternehmen vor, das eine führende Position im wiedererwachenden literarischen und kulturellen Leben Deutschlands einnahm.

Ich hatte ihm die Leitung des Berliner und des Frankfurter Hauses weitgehend überlassen und mich auf die Zuführung der Lizenzausgaben, die Papierbeschaffung und die Koordination der drei Verlagsprogramme beschränkt. Hier setzte plötzlich Suhrkamps Widerstand ein. Diese lebenswichtige Koordination, insbesondere mit dem Amsterdamer Verlag, der mit seinen Buchrechten für die Aufrechterhaltung einer erfolgreichen verlegerischen Tätigkeit in diesen Notjahren in Deutschland von entscheidender Bedeutung gewesen war und ohne die der Frankfurter Verlag nicht so erfolgreich hätte aufgebaut werden können, begann ihn zu stören. Ich hatte naturgemäß den gesamten Verlagskomplex im Auge, mit seinen vielfachen Verpflichtungen und Aufgaben, denen der Frankfurter Verlag allein zu diesem Zeitpunkt gar nicht gerecht werden konnte. Suhrkamps Obstruktion erschwerte mir in zunehmendem Maße meine Arbeit und führte zu ärgerlichen Auseinandersetzungen über die Programmgestaltung des Wiener und Amsterdamer Verlages und über die Einfuhr der dort hergestellten Bücher nach Deutschland. Je günstiger sich die Lage des Verlages gestaltete, um so mehr wünschte er die aktive Tätigkeit des Amsterdamer Verlages einzuschränken und den Frankfurter Verlag von der Gesamtleitung, die in meinen Händen lag, unabhängig zu machen.

Schon seit einiger Zeit widersetzte sich Suhrkamp auch meinem Wunsch nach einer äußeren Ausstattung der in Frankfurt hergestellten Bücher, die der Entwicklung der modernen Graphik Rechnung trug. Seine grauen, immer mit der gleichen Drucktype versehenen Schutzumschläge entsprachen seinem düster-asketischen Wesen, nicht aber unserer Art, die ihren Ausdruck in einer farbenfreudigen, vom Formgefühl unserer Tage erfüllten äußeren Gestaltung unserer Bücher finden wollte. Dazu fügte sich nun aber eine andere alarmierende Erscheinung. Der Name ›Fischer‹ verschwand mehr und mehr auf den Buchumschlägen und Titelblättern, und der Name Suhrkamp trat auf den Lizenzausgaben in den Vordergrund. Der von uns gemeinsam gezeichnete Text in den neuen Ausgaben von ›S. Fischers Bibliothek‹ wurde ohne mein Wissen gestrichen. Meine vorsichtig geäußerten Einwände und Mahnungen halfen nicht. Obwohl noch alles in freundschaftlicher Weise zur Sprache kam, zeigten sich bei Suhrkamp immer deutlichere Zeichen der Verärgerung gegen meine Kritik und gegen meine vorwärtstreibende Aktivität.

Seine Vorstellung vom Verlegen war die des ›Elite Verlages‹, d. h. Bücher durften eigentlich nur in die Hände Berufener kommen und dementsprechend durfte nicht für die große Masse produziert werden. Daß er sich damit — abgesehen von allen schwer erkämpften Privilegien der Demokratie — in Gegensatz zu den Grundprinzipien S. Fischers stellte, wollte er nicht hören. Ein fast groteskes Gespräch zwischen ihm und einem jungen Hamburger Studenten wird mir unvergessen bleiben. Wir hatten Peter im Herbst 1948 — wir waren zu dieser Zeit gerade von Amerika zu längerem Aufenthalt nach Europa geflogen — zu uns nach Stockholm eingeladen. Wir wollten ihn vierzehn Tage lang pflegen und mit Dingen ausstatten, die in Deutschland nicht erhältlich waren. Der junge Hamburger, der sich ebenfalls zum erstenmal nach dem Krieg im Ausland aufhielt, freute sich, Suhrkamp kennenzulernen und bat ihn im Laufe seines Gesprächs mit ihm, der Studentenbibliothek einige der im Suhrkamp Verlag erschienenen Bücher, d. h. also die von mir dem Suhrkamp Verlag überlassenen Lizenzwerke von Thomas Mann, Franz Werfel, Stefan Zweig, Carl Zuckmayer etc., zu überlassen. Es wäre doch schön, wenn so viele der Studierenden, die über gar keine Geldmittel verfügten, endlich diese ihnen sonst ganz unzugänglichen wichtigen Werke moderner Literatur lesen könnten.

Darauf Suhrkamp: »Da müssen sie sich eben das Geld zusammensparen. Bücher gehören nicht in die Masse, nur in die Hände der Auserlesenen.« Mein junger Freund war völlig perplex und wagte nicht zu antworten. Aber ich war nicht minder sprachlos über diese merkwürdige Auffassung des Verlegerberufes, dessen Aufgabe es sein sollte, dem Buch eine möglichst weite Verbreitung zu verschaffen. Ich beruhigte mich damals damit, daß sie auf der Papierknappheit in Deutschland beruhte, die die Zuteilung von kleinen Mengen von Büchern an den Buchhandel notwendig machte, ohne zu ahnen, daß diese Auffassung Suhrkamps tiefer saß und mit einen Grund für unser späteres Zerwürfnis darstellen würde. Was ich damals für eine aus der Zeitnot geborene Laune gehalten hatte, erwies sich jetzt als sein verlegerisches Prinzip.

Im Jahre 1947, als die Verhältnisse nichts anderes als billige broschierte Bücher gestatteten, hatte er die wohlfeilen Ausgaben der ›S. Fischer Bibliothek‹ akzeptiert. Aber schon damals hatte ich die Aufnahme von Hermann Hesses ›Narziß und Goldmund‹ in diese Serie nur gegen seinen heftigen Widerstand durchsetzen können. Als ich mit ihm meinen Plan einer Taschenbuchserie bereden wollte, war er fassungslos und verweigerte auch nur die Erörterung eines derartigen Unternehmens.

Auf der anderen Seite aber bot er meinen immer dringlicher werdenden Bitten, den Berliner Verlag einzustellen, taube Ohren. Da im Laufe des Jahres 1948 die Verlagstätigkeit ganz auf die Frankfurter ›Zweigstelle‹ übergegangen war, jedoch das gesamte Personal des Berliner Büros beibehalten wurde, entstand dadurch eine erschreckende Belastung des Frankfurter Hauses. Da Suhrkamp Geschäftsführer war, konnten weder ich noch meine Partner ihn zu den naheliegenden Maßnahmen zwingen. Das Debakel blieb nicht aus.

Als Suhrkamp schließlich meiner Bitte nach der Wiederherstellung des alten Namens nicht nachkam, und sein Zögern damit begründete, daß es noch zu früh und mit der immer noch notwendigen Genehmigung der amerikanischen Behörden nicht zu rechnen sei, nahm ich diese Angelegenheit selbst in die Hand.

Um festzustellen, ob die Erfüllung meiner Bitte, die schließlich nur ein erster Schritt auf dem Wege zur Rückgabe des Verlages — von Suhrkamp in so vielen Schriftstücken zugesagt — wirklich noch undurchführbar sei, wandte ich mich an den mir empfohlenen Stuttgarter Anwalt Dr. Ferdinand Sieger. Seine Auskunft war allerdings niederschmetternd. Ich mußte erfahren, daß Suhrkamp die Fristen der Rückerstattungsanmeldung, welche die Voraussetzung für die Rückerstattung war, hatte verstreichen lassen.

In seinem Testament vom 15. Juni 1947 hatte Suhrkamp ausdrücklich erklärt: »... habe ich den Verlag niemals als mein Vermögen betrachtet. Er soll auch noch zu meinen Lebzeiten formal-rechtlich auf die Familie Fischer zurücküberführt werden, sobald die Gesetze der Militärregierung es zulassen.«

Die Gesetze der Militärregierung ließen es seit langem schon zu. Suhrkamp aber hatte keine Anstalten getroffen, von dieser Möglichkeit Gebrauch zu machen. Nicht nur, daß durch das Versäumnis Suhrkamps die Rückgabe des Verlages an uns in Frage gestellt war —, es drohte eine andere Gefahr. Nach den damals geltenden Gesetzen hatte die IRSO, eine von den Besatzungsbehörden autorisierte jüdische Organisation, das Recht, ehemals jüdisches Eigentum mit Beschlag zu belegen, um es zugunsten notleidender Juden zu verwenden, wenn es nicht von den früheren Eigentümern oder vom gegenwärtigen Besitzer zur Rückerstattung angemeldet worden war. Sie hatte bei meinem Anwalt ihre Ansprüche bereits angemeldet. Ein Zugriff der IRSO hätte die Tätigkeit des Verlages für unabsehbare Zeit lahmlegen können.

Ich war noch geneigt, dieses schwere Versäumnis der Unkenntnis Suhrkamps über die Restitutionsgesetze zuzuschreiben, doch sein Verhalten bei einer gemeinsamen Besprechung mit meinem Anwalt belehrte mich darüber, daß er seine so feierlich erklärte Rückgabeverpflichtung nicht mehr anerkannte.

Den einfachen, vom Gesetz vorgesehenen Weg der gütlichen Vereinbarung vor den Restitutionsbehörden, einen anderen gab es nicht, verweigerte er mit der Begründung, er würde dadurch als ›Ariseur‹ diskriminiert. Auch die Erklärung seines eigenen Anwalts, den er inzwischen hinzugezogen hatte, daß das doch keineswegs der Fall sei, vielmehr seine treuhänderische Tätigkeit, auf die er sich immer berufen hatte, offizielle Anerkennung finden würde, fruchtete nichts.

Um ihm mein Vertrauen und das meiner Partner zu zeigen, und seine Stellung im Verlagskonzern deutlich zum Ausdruck zu bringen, bot ich ihm einen Vertrag* an, in dem er als allein zeichnungsberechtigter Verlagsleiter mit 25 Prozent Gewinnbeteiligung und Pensionsberechtigung für sich und seine Frau angestellt werden sollte. Die Festsetzung seines Gehaltes würde ihm selbst vorbehalten bleiben. In diesem Vertragsentwurf war seine Stellung zum Gesamtkonzern festgelegt: als Verlagsleiter sollte er die ihm unterstellten deutschen Verlage als Teil des Gesamtkonzerns führen, doch die Notwendigkeit und den Vorrang einer zentralen Leitung, die in meiner Hand lag, anerkennen.

Aber auch das war vergebliches Bemühen. Suhrkamp lehnte ab. Sein Anwalt begründete es in einem späteren Schriftsatz: » ... weil er es für unmöglich ansieht, daß ein führender literarischer Verlag in Deutschland seine verlagspolitischen Direktiven von außerhalb Deutschlands empfängt.« Er forderte dagegen, »daß bestimmte Maßnahmen, die Geldtransaktionen mit dem Ausland, die Bestellung von Geschäftsführern und wichtige Organisationsfragen nur mit seinem Einverständnis durchgeführt werden dürften und daß der Verlag selbständig nach den Gegebenheiten in Deutschland geführt werden müßte«.

Seine Forderung stellte eine Lähmung meiner freien Entscheidungsmöglichkeiten dar, eine totale Umdrehung des bisherigen Verhältnisses zwischen dem deutschen und dem Amsterdamer Verlag und eine Abkehr von seinen Zusicherungen, den Verlag wieder in meine Hände zu legen.

Als Suhrkamp schließlich den Angestellten untersagte, Weisungen von mir entgegenzunehmen, blieb mir keine andere Wahl, als mich an die Restitutionsgerichte zu wenden.

* Siehe Anhang.

Es war ein schwerer Entschluß. Aber wir konnten das Erbe nicht fahren lassen, für dessen Wiederaufrichtung wir, im Vertrauen auf Suhrkamps Wort, alles eingesetzt hatten, was wir über die Exiljahre hinaus hatten retten können.

Im letzten Augenblick kam uns ein Mann zu Hilfe, dessen Haltung in den vergangenen Jahren über jeden Zweifel erhaben war; Dr. Eugen Kogon, der fünf Jahre lang im Konzentrationslager gelitten hatte, stellte sich uns zur Verfügung, nachdem er Einblick in die Unterlagen genommen hatte. Zusammen mit einem von Suhrkamp benannten Vertreter, Geheimrat Dr. Alexander Kreuter, wurde in mühsamen Verhandlungen mit Suhrkamp eine gütliche Vereinbarung formuliert, die schließlich von beiden Seiten akzeptiert und vor den Wiedergutmachungs-Kammern der Landgerichte Frankfurt am Main und Berlin unter dem Datum vom 26. April 1950 abgeschlossen wurde. Dem klugen, überlegenen, dem allgemeinen Interesse dienenden Eingreifen dieser beiden Männer war es zu danken, daß uns unser Recht wurde, ohne daß die Öffentlichkeit mit einer Auseinandersetzung konfrontiert werden mußte, die niemandem zum Nutzen gewesen wäre.

Die Präambel der Vereinbarung lautete:

»Veranlaßt durch das Bestreben nationalsozialistischer Kräfte, den S. Fischer Verlag in Besitz zu nehmen, und zur Abwehr dieser Bestrebungen haben die Herren Dr. Gottfried Bermann Fischer und Peter Suhrkamp im Jahre 1936 einen Weg gesucht und gefunden, Namen, Substanz und Tradition des Verlages rechtlich und tatsächlich zu erhalten. Als dies, teils im Ausland, teils im Inland gelungen war, bemühten sich beide Partner nach 1945, den in Deutschland inzwischen durch Kriegsereignisse zerstörten Verlag wieder aufzubauen. Dieses ihr Zusammenwirken betrachteten beide Partner im Sinne eines in übereinstimmendem Ziel wurzelnden Treuhandverhältnisses. Die nachstehend getroffene Vereinbarung soll nunmehr als Durchführung des gemeinschaftlichen Bestrebens dazu dienen, einerseits den S. Fischer Verlag in seiner ursprünglichen Form wieder herzustellen, andererseits die unter dem Namen Peter Suhrkamp entfaltete verlegerische Tätigkeit als Peter Suhrkamp Verlag zu erhalten.«

Im weiteren wurde vereinbart, daß die beiden Suhrkamp Verlage in Berlin und Frankfurt unter dem Namen S. Fischer Verlag *mit Aktiven und Passiven* auf mich als den Beauftragten der Familie Fischer übergehen, und daß diejenigen Autoren, die während der Nazizeit in Deutschland bei Suhrkamp verblieben waren, resp. sich ihm in dieser Zeit angeschlossen hatten, befragt werden sollten, welchem der beiden nunmehr getrennt arbeitenden Verlage sie sich anschließen wollten.

Von diesen Autoren optierten Ernst Barlach (Erben), Albrecht Goes, Manfred Hausmann, Kurt Heuser, Gerhart Hauptmann (Erben), Johannes V. Jensen, Bernhard Kellermann und Luise Rinser für den S. Fischer Verlag, während — ich nenne hier von insgesamt 36 nur die bekannten Namen — Bert Brecht, Hermann Kasack, Wilhelm Lehmann, Reinhold Schneider, Rudolf Alexander Schröder, T. S. Eliot, Max Frisch, Hermann Hesse und Ernst Penzoldt bei Suhrkamp verblieben. Die Autoren des Bermann Fischer Verlages wurden selbstverständlich nicht befragt und verblieben beim Bermann Fischer Verlag, Amsterdam.

»Mit Aktiven und Passiven!« Es war für uns eine furchtbare Entscheidung. Suhrkamp, dem große Guthaben auf den von ihm zu lange beibehaltenen Ostkonten eingefroren waren, konnte seine Lizenzverpflichtungen mir gegenüber nicht erfüllen, aus denen ich die Honorare an meine Autoren für die bei Suhrkamp erschienenen Bücher zu zahlen hatte. Ich hätte es ablehnen können, die Schulden Suhrkamps, die fast eine Million betrugen, mit zu übernehmen. Aber mir waren die Hände gebunden, da diese Schulden zum größten Teil aus Honorarverpflichtungen an meine Autoren bestanden, die er, entgegen seiner Zusicherung, nicht auf ein Sonderkonto eingezahlt hatte. Allein die Carl Zuckmayer aus den Aufführungen von ›Des Teufels General‹ geschuldeten Einnahmen betrugen über 250 000 Mark. Meine Weigerung, diese Schulden des Suhrkamp Verlages mit zu übernehmen, hätte für die Autoren den Verlust ihrer Honorare bedeutet, für die Suhrkamp Verlage den Konkurs, für mich den Verlust der Autoren und den Zusammenbruch meiner Arbeit. Ich konnte nicht zögern, in die Verpflichtungen einzutreten.
So endete eine zwanzigjährige Freundschaft, eine Zusammenarbeit, die nach den Schreckensjahren von mir so hoffnungs- und vertrauensvoll aufgenommen worden war. Einen Schlüssel zu Suhrkamps Verhalten habe ich nicht, eines Urteils möchte ich mich enthalten, vielmehr mich damit begnügen, die durch Dokumente erhärteten Tatsachen zu berichten.

Neubeginn

Die Auseinandersetzung mit Peter Suhrkamp war beendet. Meine Hoffnung, mit ihm zusammen den Verlag neu aufzubauen, hatte sich nicht erfüllt. Ich stand jetzt allein vor der Aufgabe, das nahezu verwirtschaftete Unternehmen neu zu gestalten. Doch nicht ganz allein. Meine Frau war neben mir, mit ihrem Enthusiasmus, ihrer unermüdlichen Kraft, ihrer Phantasie und ihrer unerschütterlichen Überzeugung, daß der Wiederaufbau des Verlages als ererbte Verpflichtung und als in leidvollen Emigrationsjahren erworbenes Recht uns gelingen werde.

Zu uns stand unser Anwalt und Freund Dr. Ferdinand Sieger, der unsere Sache wie seine eigene verfochten hatte und uns mit seinen ausgedehnten Kenntnissen des Urheber- und Verlagsrechts, der Corporations- und Steuergesetze und seinem Verständnis für die literarischen und menschlichen Zusammenhänge ein unentbehrlicher, phantasievoller und immer bereiter Ratgeber war.

In Amsterdam hatte ich meine Partner und Freunde, Fritz Landshoff und Fred und Alice von Eugen, die mir während meiner Auseinandersetzung mit Suhrkamp treu zur Seite gestanden hatten und mir nicht nur mit ihrem Rat, sondern mit aktiver Mitarbeit zu Hilfe kamen.

Und schließlich gesellte sich Rudolf Hirsch zu uns, der schon seit 1948 als Lektor für den Bermann Fischer-Querido Verlag, Amsterdam, gearbeitet hatte. Er war ein alter Freund von Fritz Landshoff aus den ersten Emigrationsjahren. Landshoff wohnte damals als Pensionär im Hause von Rudolf Hirschs Mutter in Amsterdam, zusammen mit seinem Freund Landauer, dem Leiter des Emigrationsverlages Allert de Lange. Hirsch führte ein Einsiedlerleben im Haus seiner Mutter, bevor Landshoff ihn zur Mitarbeit in seinem Verlag heranzog. Seine Kenntnisse auf den verschiedensten Gebieten, von der Kunstgeschichte über die Philosophie bis zur modernen Literatur, waren ungewöhnlich. Ich konnte mir keinen besseren Berater und Mitarbeiter bei den kommenden literarischen und geistigen Aufgaben wünschen, die nun auf mich einstürmen würden. Er nahm im Mai 1950 seine Tätigkeit als Lektor des Verlages auf. Bald trat er neben mir und meiner Frau in die Verlagsleitung ein. Aus gegenseitig sich befruchtender Zusammenarbeit entstand der neue Verlag, wie er sich heute darbietet. Die spätere Trennung von ihm im Jahre 1962 war mir schmerzlich; daß er sich als Herausgeber des Nachlasses von Hugo von Hofmannsthal dem Hause jetzt wieder verbunden hat, ist mir eine Freude.

Wir blieben im alten Haus in der Falkensteiner Straße 24. Das obere Stockwerk, das bisher von Suhrkamp bewohnt worden war, wurde für meine Frau und mich hergerichtet. Das Verlagspersonal, mit Ausnahme von Suhrkamps Sekretärin und seinem nächsten Mitarbeiter Andreas Wolff, hielt dem Verlag die Treue. So konnte die administrative Arbeit ohne Unterbrechung weitergehen. Es war ein kleiner Betrieb, bei dem jedoch alle wichtigen Posten in der Buchhaltung, der Werbung, der Auslieferung und dem Vertrieb, der Herstellung und der Theaterabteilung von besten Fachleuten besetzt waren oder neu besetzt wurden.

Meine erste Maßnahme bestand in der Dezentralisierung des Büros. Suhrkamps autoritatives System hatte mir nie behagt. Ich war der Ansicht, daß ein so individuelles Unternehmen, wie es ein literarischer Verlag ist, in seinen wichtigen Abteilungen von Persönlichkeiten besetzt sein muß, die im Rahmen des Gesamtunternehmens selbständig denken und handeln können. Ich war überrascht, daß es zunächst gar nicht so einfach war, meine Mitarbeiter von meinen Arbeitsmethoden zu überzeugen. Zehn Jahre Amerika hatten mich gründlich gewandelt und mir den ganzen Zauber ›preußischer Disziplin‹ unerträglich gemacht. Allmählich zog aber in die Räume des Hauses die liberale freundliche Atmosphäre ein, die von eh und je im S. Fischer Verlag geherrscht hatte.

Zunächst galt es jetzt, Ordnung in die finanzielle Lage zu bringen. Es bedurfte dazu aller meiner Ressourcen, und derer meiner damaligen holländischen Partner. Da wir an die Zukunft des Verlages glaubten, da die Autoren zu uns standen und insbesondere Carl Zuckmayer in treuer Freundschaft mit seinen Forderungen zu warten bereit war, ging ich mit Mut und Zuversicht daran, eine Verlagsproduktion zu beginnen, die einerseits die verlegerischen Verpflichtungen gegenüber den Verlagsautoren erfüllte, andererseits geeignet erschien, dem Verlag die Mittel wieder zuzuführen, die zur Gesundung seiner wirtschaftlichen Existenz notwendig waren.

Daneben waren es zwei große Aufgaben, denen zu genügen war: neue Autoren im In- und Ausland mußten gewonnen, und eine Taschenbuchserie mußte geschaffen werden. Schon kurz nach dem Ende des Krieges hatte ich begonnen, mich mit diesem Plan zu beschäftigen. Durch die Serien ›Forum‹ (1940) und insbesondere durch die Bücherreihe ›Neue Welt‹ (1945) war ich mit den spezifischen Problemen des Taschenbuchs — sowohl auf dem Gebiet der technischen Herstellung als auch der Kalkulation — wohl vertraut.

Damals, 1950, war es keineswegs sicher, wie der Buchhandel und das deutsche Leserpublikum diese englisch-amerikanische Verlagsmethode aufnehmen würde. Das Risiko war groß, da der ungewöhnlich niedrige Preis eines Taschenbuchs nur durch entsprechend hohe Anfangsauflagen, also hohe Investierungen, erreicht werden kann. Auch bedurfte die für das Taschenbuch spezifische Bindung sorgfältiger Vorbereitung. Die neuartige Bindetechnik war in Deutschland noch nicht allgemein bekannt. Wir mußten die geeignete Binderei ausfindig machen, sowohl für das neuartige Bindeverfahren als auch für die Cellophanierung der Pappumschläge, durch die die Bände eine längere Lebensdauer erhielten.

Ich hatte schon 1949 in Amsterdam erfahren, daß Ernst Rowohlt mit ähnlichen Plänen umging. Seine ›Rotationsromane‹ waren eine ausgezeichnete, aus der Papier- und Geldnot entstandene Idee. Daraus das Taschenbuch nach amerikanischem Vorbild in Deutschland zu entwickeln, mußte einen so wagemutigen Verleger wie Ernst Rowohlt besonders reizen. So wußte ich, daß er mir zuvorkommen würde, aber es blieb mir nichts anderes übrig, als zu warten. Die anderen Aufgaben waren vordringlicher, und ich wollte es mir nicht leisten, an ein so großes Unternehmen, wie es eine Taschenbuchserie ist, ohne ausreichende Vorbereitungen heranzugehen. Zudem hätte ich damals Suhrkamp zu einer so ›ordinären‹ Verlagsidee – dem ›billigen Buch für jedermann‹ – niemals bewegen können.

Das Programm des S. Fischer Verlages 1950 umfaßte sechzig Buchtitel, ein großer Einsatz für das ›junge‹ Unternehmen. Von den alten berühmten Verlagsautoren enthielt es Werke von Gerhart Hauptmann, Hugo von Hofmannsthal, Thomas Mann, Arthur Schnitzler; von den in der Emigration Hinzugekommenen Bücher von Lin Yutang, Friedrich Torberg, Thornton Wilder, Franz Werfel, Carl Zuckmayer, Stefan Zweig; von Autoren, die während der Nazizeit bei Suhrkamp erschienen waren und die sich nunmehr für meinen Verlag, den S. Fischer Verlag, entschieden hatten, Werke von Albrecht Goes, Manfred Hausmann und Luise Rinser; und schließlich eine Reihe von neuen Autoren des In- und Auslandes wie Lincoln Barnett, Christopher Fry, Jiri Mucha, Arthur Miller, Hans Jürgen Söhring. Dazu kamen die vom S. Fischer Verlag aus dem Querido Verlag, Amsterdam, übernommenen Romane von Vicki Baum, Lion Feuchtwanger, Leonhard Frank, A. M. Frey, Martin Gumpert, Hermann Kesten, Heinrich Mann, Robert Neumann, Joseph Roth, Leopold Schwarzschild, Anna Seghers und Ernst Weiss und ›Die Dialektik der Aufklärung‹ von Max Horkheimer und Theodor W. Adorno. Es war zum erstenmal nach Beendigung des Krieges, daß eine solche Fülle von seit langer Zeit aus Deutschland verschwundener Literatur dem deutschen Leserpublikum wieder zugänglich gemacht wurde.

Ein Buch aber löste eine Welle von geistiger Anregung und

Aufregung aus, wie sie aus den langen Hungerjahren des Geistes erklärlich ist: Franz Kafkas Roman ›Der Prozeß‹.

Meine Bemühungen, die Publikationsrechte am Werk Kafkas für den Verlag zu erwerben, begannen im Jahr 1944. Die Verlagsrechte hatte Salman Schocken 1934 von Frau Julie Kafka, Franz Kafkas Mutter, erworben, als die Veröffentlichung seiner früher bei Kurt Wolff und im Verlag ›Die Schmiede‹ erschienenen Bücher in Deutschland unmöglich wurde. Der Vertrag war gegengezeichnet von Max Brod als dem literarischen Testamentsvollstrecker. Von der Familie Kafkas lebte 1944 nur noch die Tochter seiner Schwester Valli, die mit ihren beiden Schwestern Elli und Ottla im KZ ermordet worden war.

Salman Schocken, ein Mann von großem Vermögen und literarischen, künstlerischen und geistigen Interessen, hatte zusammen mit seinem Bruder den Warenhaus-Konzern Schocken begründet. In den frühen dreißiger Jahren rief er den Schocken Verlag in Berlin ins Leben. Er hatte die Absicht, u. a. die Werke bedeutender jüdischer Autoren in einer Reihe zu publizieren, die er ›Gastgeschenk der Juden an das deutsche Volk‹ nennen wollte, dies zu einer Zeit, als er bereits seinen ständigen Wohnsitz nach Jerusalem verlegt hatte. Er war glücklich, das Werk Kafkas dieser Reihe, in der auch die Werke von Heine, Wolfskehl und Mombert aufgenommen werden sollten, einfügen zu können. 1934/1935 erschienen die ersten vier Bände von Kafkas ›Gesammelten Werken‹ unter den Verlagszeichen Schockens in Berlin. Klaus Mann schrieb damals in den ›Europäischen Heften‹: »Es ist ein Wunder, daß unter den Augen der Gestapo die ›Gesammelten Schriften‹ Franz Kafkas im Schocken Verlag, Berlin, erscheinen können.« Die Gestapo schritt jedoch sofort ein, und die folgenden zwei Bände erschienen in dem tschechischen Verlag Mercy. In Israel begründete Schocken die Tageszeitung ›Haarez‹ (Das Land), die heute von seinem Sohn Gershom (Gustav) Schocken geleitet wird.

Sein später in New York etablierter Verlag ›Schocken Books Inc.‹, der heute unter der Leitung seines zweiten Sohnes Theodore steht, wurde zuerst von Dr. Max Strauss verwaltet. Mit ihm, der übrigens im Jahre 1916 die ersten deutschen Übersetzungen von Agnon herausgebracht hatte, führte ich meine ersten Verhandlungen über eine deutsche Kafka-Ausgabe im S. Fischer Verlag, ohne zunächst über die Kundgebung meines Wunsches hinauszukommen.

Erst 1948 konnte ich mit Salman Schocken selber verhandeln. Die Begegnung mit diesem Mann gehört zu den bedeutenden Ereignissen meines Lebens. Klein, aber breitschultrig, mit dem Kopf eines weißhaarigen Löwen, glich er mehr einem alttestamentarischen Prediger als einem modernen Geschäftsmann. Und so glich auch das erste Gespräch mit ihm, das in einem Restaurant in der Nähe der Park Avenue, wo er seine Wohnung und seinen Verlag hatte, mehr einer literarisch-politischen Diskussion als einer Vertragsverhandlung.

Mit meinen damals noch nicht sehr weit fortgeschrittenen Verlagsplänen in Deutschland, kurz nach dem Krieg, war nicht viel herzumachen. Immerhin war er wohl von meinen Absichten nicht unbeeindruckt geblieben. Die Übereinstimmung in den vielen weltanschaulichen und literarischen Fragen, die zur Sprache kamen, war mir im Augenblick bei der Natur dieses Mannes, der das Werk Kafkas liebte und es nur in die Hand eines ihm geistig nahestehenden Verlegers geben würde, das Wichtigste. Damals unterschätzte ich allerdings die Hartnäckigkeit Schockens, mit der er alle Verlagsmöglichkeiten prüfen würde.

Im Laufe der folgenden zwei Jahre hat er mit den meisten in Frage kommenden deutschsprachigen literarischen Verlegern verhandelt, und ich hatte schon fast aufgegeben, als er sich schließlich doch, wohl nicht ganz unbeeindruckt von der Intervention unseres Freundes Friedrich Torberg, für den S. Fischer Verlag entschied.

Es war ein wichtiges Ereignis für den Verlag. Obwohl die Bücher des ersten Programms attraktiv genug waren, übte die Publikation des geheimnisumwitterten Dichters Kafka eine große Anziehungskraft insbesondere auf die jüngeren Leserschichten aus und lenkte verstärkt die Aufmerksamkeit auf den zurückgekehrten Verlag.

Auf der zweiten Buchmesse, die am 20. September 1950 in der Paulskirche eröffnet wurde, war der S. Fischer Verlagsstand die Sensation, von früh bis spät dicht von Neugierigen, von Käufern und Lesern umlagert.

Der S. Fischer Verlag hatte sich damit von neuem in Deutschland etabliert. Der Kreis war geschlossen. Von Berlin über Wien — Stockholm — New York — Amsterdam wieder in Berlin und schließlich in Frankfurt, der neuen Arbeitsstätte.

Hier wollten wir ein Zentrum des Geistes und der Kultur errichten, hier, wo die Menschen abgeschnitten wie auf einer fernen Insel, ohne Verbindung zur Welt gelebt hatten, wo die gesellschaftlichen Beziehungen abgerissen waren, in diesem Lande ohne Hauptstadt, von der früher ein Strom von Anregungen ausgegangen war. In unserem Hause versuchten wir, Persönlichkeiten aus allen Kreisen — vom Theater, der Universität, von Rundfunk und Presse — zu vereinen, luden zu Vorlesungen, literarischen Abenden, zu zwanglosen Treffen auch in den Verlagsräumen ein. Es wurde über Hugo von Hofmannsthals Werk gesprochen und über Kafka. Junge und alte Autoren lasen aus ihren Arbeiten: Ilse Aichinger, Albrecht Goes, Ernst Schnabel, Herbert Heckmann, Luise Rinser, Carl

Zuckmayer, Annette Kolb, Thomas Bernhard, Klaus Demus, Hilde Domin.

Ganz besonders starkes Interesse fanden die Vorlesungen, die ich in Berlin unter dem Titel ›Das freie Wort im S. Fischer Verlag‹ veranstaltete. Die Aula der Freien Universität, die mehr als 1600 Menschen faßt, war jedes Mal bis auf den letzten Platz besetzt. Als Albrecht Goes, der zu einer Vorlesung aus Hamburg heranfliegen mußte, zur festgesetzten Stunde nicht eintraf — sein Flugzeug konnte wegen Nebels in Tempelhof nicht landen — gingen fast 2000 Berliner aus Ost und West protestlos durch den dichten Nebel, der die Stadt einhüllte, nach Hause und kamen zu der eine Woche später neu angesetzten Vorlesung wieder, jeden Platz der großen Aula und einiger Nebenräume füllend.

In dieser Vorlesungs-Reihe sprach der Archäologe Professor Herbert Kühn über ›Erwachen und Aufstieg der Menschheit‹, Carl Zuckmayer las aus den ersten Anfängen seiner 1966 erschienenen Memoiren, Bernhard Minetti aus den Dichtungen und Tagebüchern von Felix Hartlaub, deren Gesamtausgabe im Verlag erschien, Luise Rinser aus ihrer Erzählung ›Jan Lobel aus Warschau‹, Professor Erich von Kahler sprach über Thomas Mann, und Schauspieler lasen aus Thomas Manns Werken.

Damals war der Übergang von Ost- nach Westberlin noch frei. Am Halleschen Tor, dicht an der Zonengrenze, war mit amerikanischer Hilfe die Memorial Library gebaut worden, ein schönes, modernes Gebäude, das mit seinen auf übersichtlichen Regalen untergebrachten Büchern, mit seiner Musikabteilung und Kinder-Bibliothek, einen Anziehungspunkt besonders für die Jugend des Ostsektors darstellte. Auch hier, in dem schönen Vortragssaal, veranstaltete der S. Fischer Verlag die eine oder andere Lyrik-Vorlesung, die nur einen kleineren Kreis von Interessenten finden konnte.

Durch Carl Zuckmayer lernten wir Inge Scholl in Ulm kennen, die Schwester von Hans und Sophie Scholl. Bald nach dem Ende des Krieges hatte sie für ihre Ulmer Mitbürger ein Zentrum der Bildung und Erziehung, die Ulmer Volkshochschule, geschaffen. Gelehrte und Schriftsteller aus aller Welt kamen, um dieser von Idealismus getragenen Institution zu dienen. Die von selbstverständlichem Verantwortungsbewußtsein geleitete Persönlichkeit dieses Mädchens war imponierend und erfüllte meine Frau und mich mit Bewunderung.

Als meine Frau von dem Plan Inge Scholls und ihres späteren Mannes, Otl Aicher, hörte, eine ›Hochschule für Gestaltung‹ ins Leben zu rufen, vermittelte sie den beiden durch ihre freundschaftlichen Beziehungen zu Shepard Stone, der damals zum engsten Mitarbeiterstab des U. S. High Commissioner

McCloy gehörte, die für den Bau der Schule notwendigen Geldmittel und wurde eine der Mitbegründerinnen dieser Anstalt.

Das Erinnerungsbuch an ihre Geschwister, das Inge Scholl unter dem Titel ›Die weiße Rose‹ geschrieben hatte, dem Symbol der Aktion, mit der die beiden jungen Menschen zusammen mit ihren Freunden Christoph Probst, Alexander Schmorell, Willi Graf und Professor Kurt Huber »die Reinheit der Gesinnung und den Mut zur Wahrheit gegen die Phrase und die Lüge setzten« — wie Theodor Heuß im Vorwort sagt — erschien 1955 in der Fischer Bücherei (Erste Auflage 1953 bei Verlag der Frankfurter Hefte G. m. b. H.). Es ist ein bleibendes Denkmal für den Widerstand geworden und ein verpflichtendes Beispiel für die deutsche Jugend.

Der Hunger nach geistigen Gütern, nach den Worten der Dichter, nach dem Unbekannten aus der Welt jenseits der Grenzen, war mindestens so groß wie der Drang der Schreibenden, ihr Wissen, ihre Dichtungen, ihr Werk weiterzugeben. Es herrschte in diesen Jahren des Neubeginns ein beglückendes Einverständnis zwischen Gebenden und Nehmenden, das Gefühl des Aufeinanderangewiesenseins, des Zusammenschlusses, des Aufbaus einer neuen Gemeinschaft.

Die Jahre ab 1950 brachten einen Wirbel von Aufgaben, die auf mich einstürzten wie die Wellen des Meeres. Wie konnten sie bewältigt werden, ohne daß wir völlig in ihnen untergingen? Alles sollte sofort geschehen, alles Fehlende sofort wiederbeschafft werden. Von allen Seiten drängten die Autoren in verständlicher Ungeduld. Aber der Wiederaufbau der verlorenen Gesamtausgaben der großen Verlagsautoren konnte nur langsam und systematisch durchgeführt werden. Von ihren Werken war ja nur vorhanden, was ich im Stockholmer Exilverlag während des Krieges und im Amsterdamer Verlag nach dem Krieg nachgedruckt hatte. Das war wenig genug. Zwar hatte ich mit der Stockholmer Gesamtausgabe Thomas Manns 1939 mit dem Roman ›Lotte in Weimar‹ und einem zweibändigen ›Zauberberg‹ begonnen. Bis 1948 waren aber durch den Krieg und meine Auswanderung nach Amerika nur vier weitere Werke in Stockholm erschienen, ›Adel des Geistes‹, ›Buddenbrooks‹, ›Doktor Faustus‹ und ›Joseph und seine Brüder‹. Es existierten im Jahre 1950 also nur sechs von den insgesamt zwölf Bänden der späteren Gesamtausgabe.

Obwohl Thomas Mann viel Verständnis dafür hatte, daß nicht alles auf einmal nachgeschafft werden konnte und nicht auf sein Recht pochte, blieben mir doch ungeduldige, ja böse Mahn- und Beschwerdebriefe nicht erspart: Gewöhnlich steckte dann

das Verlagsangebot eines Kollegen dahinter, der keine Nach-
drucksverpflichtungen hatte, wie sie auf mir lasteten, und für
den es infolgedessen leicht war, große Angebote auf eines der
gangbaren Werke zu machen.

London, 18. August 1950
Savoy Hotel

»Lieber Dr. Bermann,
Sie können sich denken, daß ich mich viel und ernstlich mit dem
Problem beschäftige, wie ich unter den gegenwärtigen Umständen, bei schwindenden amerikanischen Einnahmen und bei der
allgemeinen Lage des Büchermarktes im Stande sein werde, meinen Lebens-Standard einigermaßen aufrecht zu halten. Besonders handelt es sich für mich darum, mir in der Schweiz eine,
wenn auch bescheidene finanzielle Basis zu schaffen für den
Fall, daß meines Bleibens in Amerika nicht mehr lange sein
kann.
Nun bin ich durch eine zufällige persönliche Verbindung mit
dem Berner Verleger Alfred Scherz ins Gespräch gekommen,
und dieser ist geneigt, ja sogar sehr gern bereit, von ›Buddenbrooks‹, die ja zur Zeit nicht auf dem Markt sind, eine größere
Auflage als Lizenz-Druck herzustellen, wobei mir eine Anzah-
lung von 16 000 Franken zugesichert ist. Diese Auflage auch
über die Schweizer Grenzen zu vertreiben, müßte man ihm auf
zwei Jahre zugestehen.
In Verbindung damit wäre er außerordentlich interessiert an
einer Schweizer Parallel-Ausgabe des Gregorius Romans*, wofür die finanziellen Bedingungen noch festzusetzen wären. Es
würde sich zunächst mindestens um 20 000 Franken handeln,
und er würde sich im Fall des Gregorius natürlich unbedingt
verpflichten, den Vertrieb seiner Ausgabe strengstens auf die
Schweiz zu beschränken.
Ich darf auf Ihr Verständnis und Ihr Entgegenkommen auch
darum rechnen, weil ich in letzter Zeit immer wieder die Erfahrung machen mußte, daß Monate lang die wichtigsten meiner
Bücher auf dem Markt fehlten (›Zauberberg‹, ›Faustus‹), was
ja vermutlich mit den gegenwärtigen Produktionsschwierigkei-
ten zusammenhängt und woraus ich Ihnen also keinen Vorwurf machen will. Es ist eine reine Feststellung von Tatsachen,
zu deren Kompensierung durch schweizerische Lizenzausgaben
beigetragen werden könnte. An Beispielen dafür fehlt es ja
nicht, so hat der Insel-Verlag derartige Schweizer Ausgaben
von Rilke konzediert.
Diese Schweizer Einkünfte sind für mich von vitaler Wichtigkeit, und ich muß Ihnen die Vorschläge mit allem Ernst und

---

* Der Roman erschien 1951 im S. Fischer Verlag unter dem Titel ›Der Erwählte‹.

allem Nachdruck vortragen, in der bestimmten Erwartung, daß Sie mir bei ihrer Verwirklichung keine Schwierigkeiten machen werden. Es ist selbstverständlich, daß Sie auf eine gewisse Beteiligung Anspruch haben, aber ebenso selbstverständlich, daß diese nicht die amerikanische Höhe von 50 % haben kann, ich schlage 20 % vor, ein Mehr würde den ganzen Wert des Unternehmens für mich illusorisch machen . . .«

Chicago, 26. August 1950

»Lieber Dr. Bermann,
Ihr Telegramm war mir natürlich eine bittere Enttäuschung, wie Sie sich denken können nach meinem Brief, in dem ich Ihnen meine Lage und Bedürfnisse so eindringlich wie möglich auseinandersetzte. Was ich einsehe, ist, daß eine Schweizer Ausgabe von ›Buddenbrooks‹ mit der von Ihnen für das Frühjahr vorgesehenen, der eine andere der Büchergilde Gutenberg* zur Seite stehen soll, nicht zusammengehen würde. Die neue Abmachung von Gutenberg kommt mir überraschend. Ich wußte nichts davon . . . Das Zustandekommen des Geschäfts mit der Büchergilde muß mir willkommen sein, da mir ja an der Aufbesserung meines Franken-Kontos gelegen ist . . . .«

Pacific Palisades, 2. Sept. 1950

» . . . Glauben Sie wirklich, daß es Ihrem Prestige sehr schaden würde, wenn der Scherz-Verlag die ›Buddenbrooks‹ Ausgabe übernähme? Wäre es nicht am Ende eine Erleichterung für Sie? Und was sollte Ihnen die Arbeitsteilung schaden zwischen Ihnen und dem Scherz, wenn dieser den neuen kleinen Roman nur in der Schweiz vertreibt und Ihnen das übrige deutsche Sprachgebiet bleibt? . . .«

Immer wieder mußte ich, mit solchen Konkurrenzversuchen konfrontiert, meine Beredsamkeit aufbieten, um sie abzuschlagen. Im übrigen war es bei der Loyalität Thomas Manns nicht allzu schwer. Er hing in freundschaftlicher Verbundenheit an dem altangestammten Verlag, mit dem er durch so viele gemeinsam erduldete Gefährdungen gegangen war.
Wenn der Sturm vorübergebraust war — nicht ohne mir schlaflose Nächte verursacht zu haben — war wieder alles beim Alten. ›In nun schon alter Freundschaft‹ steht als Widmung an mich in einem der 1949 erschienenen Bände, ein Wort, mit dem Thomas Mann sehr sparsam umging.
Streng und zugleich milde stand Frau Katia hinter ihm. Den Freunden des Hauses war es wohl bewußt, welche bedeutende

* Schweizerische Buchgemeinschaft.

Persönlichkeit dem schöpferischen Wirken des Gatten die Ruhe und Sicherheit schaffte und in nie versagender Gefaßtheit und kluger Einsicht die Rauheiten der Emigrationszeit milderte und ebnete. Ihr gelassener Humor und ihr treffender Witz konnten einen schon, auch in bitteren Augenblicken, zum Lachen bringen.

Viele seiner Briefe hat Thomas Mann ihr diktiert, und wohl manche milderen Töne, wenn es wieder einmal einen Angriff gab, waren sicherlich ihr zu verdanken, obwohl auch sie es nicht an Kritik am bösen Verleger fehlen ließ. Unvergeßlich, wie S. Fischer sie bei einem gelegentlichen Besuch in Berlin mit den Worten begrüßte: »Nun, Frau Mann, welchen Dolch tragen Sie heute im Gewande?«

Eines Tages, es war im Jahre 1935, als die Atmosphäre mit Problemen zum Platzen geladen war, schrieb ich ihr einen Huldigungsbrief, um ihr meine trotz aller Diskussionen und Meinungsverschiedenheiten bestehende Verehrung und Verbundenheit zum Ausdruck zu bringen:

24. April 1935

»Liebe Frau Mann,

dieses Mal sollen Sie nicht unzufrieden mit mir sein, wenigstens nicht, was das Briefeschreiben anbetrifft. Ich gebe Ihnen sonst schon Grund genug dazu. Aber es ist wahr, ein Brief ist fällig und hätte schon längst geschrieben werden müssen, sonst können Sie nicht wissen, daß der ewig Insistierende ein Bewunderer und Verehrer ist. — Ich weiß, wieviel es Ihrer Stärke und Unermüdlichkeit zu danken ist, daß Thomas Mann sein großes Werk schaffen und vollenden konnte. Gegenüber allem, was seine labile und feinnervige Natur so tief erschüttern mußte, waren Sie die Bewahrerin und Schützerin, die durch kluge Aktivität den brutalen Anprall ausglich und das Gleichgewicht wieder herstellte. So wurde bei allen Stürmen Ihr Haus ein Ort der Ruhe und des Geborgenseins, hinter dessen festen Mauern dieses Werk geschaffen werden konnte. —

Dichterfrauen sind für den Verleger, vor allem den ›Junior-Chef‹, ein schwieriges Kapitel. Darin bilden Sie, Verehrteste, keine Ausnahme. Im Gegenteil. Das sei offen eingestanden. Aber das gehört zur Natur der Dinge, und die Auseinandersetzung mit der real denkenden Gattin zum Beruf des Verlegers. Da aber beider Absicht darauf gerichtet ist, des Gatten resp. Autors höchstmögliches Wohl zu erzielen, sind sie sozusagen Kollegen, die, wenn auch über die Methoden manchmal verschiedener Meinung, am gleichen Strang ziehen. — Aber Scherz beiseite, wenn ich oft anderer Meinung bin, wie Sie, so handelt es sich um Fragen der Taktik, die nun einmal, wie die Dinge liegen, notwendig ist, und nicht um Fragen der Gesin-

nung. Daß Ihr Gatte und Sie, bei allen Differenzen in der Beurteilung unserer Lage, immer auch unserer Betrachtungsweise Rechnung tragen, dafür bin ich Ihnen sehr dankbar, nicht nur als der Verleger, sondern auch als Mithüter und Bewahrer des Werkes, dessen Erhaltung in seinem naturgegebenen Umkreis ein grundlegender Baustein für die Zukunft ist.
Mit herzlichen Grüßen — Ihr Sie verehrender

Gottfried Bermann Fischer.«

Ein neuer Roman von Thomas Mann war immer ein aufregendes Ereignis. Schon lange vor der Ablieferung des Manuskripts kündigte es sich an. Zunächst war es nur ein kurzer Hinweis in einem Gespräch oder in einem Brief. Nach einiger Zeit bekamen wir Proben aus dem neuen Werk zu hören. Thomas Mann liebte es, zu abendlicher Stunde, nach dem Essen, einen kleinen Kreis von Freunden um sich zu versammeln und ihm in seiner unübertrefflichen Art vorzulesen. Dabei amüsierte er sich über seine Gestalten, als sei er ihnen gerade begegnet. Er war glücklich, wenn er bemerkte, daß es seinen Zuhörern gefiel.
Oft genug sagte oder schrieb er mir, wie sehr ihn ein Wort der Zustimmung ermutigte, um ›fortzufahren‹, wie sehr er das brauchte, aber auch wie kritisch er seinen Arbeiten gegenüberstand.

17. 12. 1950

»Lieber Dr. Bermann,
Ihre Worte und die ebenso schönen von Tutti nach der Lektüre des Gregorius haben mir recht wohl getan. Sie sind ein freundliches, ermutigendes Echo für den Anfang, und Trost braucht man ja immer nach Ablieferung so einer Jahr-und-Tag-Arbeit.«

5. Juni 1954

» . . . Ich kann nicht sagen, daß ich dem Erscheinen des ›Krull‹ Bandes besonders freudig entgegensehe. Es sind ein paar gute, lustige, auch originelle Sachen darin, aber nach dem zuletzt in der Rundschau Erschienenen kommt eigentlich nichts Rechtes mehr, der Ausgang ist flau und flüchtig, kommt mir vor, und das Schlimmte ist, daß mir das Ganze jetzt im Licht des Unfughaften und Unwürdigen erscheint, wenig geeignet, eine öffentliche Stimmung der Ehrerbietung für das Leben des Achtzigjährigen vorzubereiten. Oft denke ich, es wäre mir besser gewesen, wenn ich nach dem ›Faustus‹ das Zeitliche gesegnet hätte. Das war doch ein Buch von Ernst und Gewalt und hätte ein Lebenswerk gerundet, dessen lose Nachspiele mir oft peinlich-überflüssig erscheinen.
Verzeihen Sie die depressive Offenheit, mit der ich Sie wohl in Verlegenheit setze! Vielleicht ist mein Blick zu mißmutig, und

vielleicht können Sie mich trösten, was Sie übrigens nicht tun sollten. Bei meiner Labilität gelänge es Ihnen nur zu leicht . . .«

Mit den Werken Hugo von Hofmannsthals sah es nicht anders aus als bei Thomas Mann: Von der im Jahre 1944 begonnenen Gesamtausgabe waren bisher nur vier Bände von den damals vorgesehenen fünfzehn erschienen. Von Franz Werfel fehlten acht Bände, von Thornton Wilder fünf, von Stefan Zweig acht, von Carl Zuckmayer die Komödien, die Volksstücke und Erzählungen. Arthur Schnitzlers Werk fehlte ganz, ebenso das von Joseph Conrad. Das Werk Kafkas war ganz neu aufzubauen, desgleichen das von Virginia Woolf.
Es waren nahezu hundert Bände, die so bald wie möglich nachgedruckt werden mußten, um die Kontinuität wiederherzustellen und die Lücke zu füllen, die die vergangenen zwölf Jahre nach dem Verlust des gesamten Buchlagers in Wien gerissen hatten.
Freilich war diese Verpflichtung nicht nur eine Bürde. Es war ein ›embarras de richesse‹, sozusagen eine goldene Last. Man mußte nur verstehen, sie durch die Jahre hindurch zu tragen und langsam zu Nutz und Frommen der Autoren, der Leser und des Verlages in Bücher zu verwandeln. Dazu gehörte Geld, Geld und wieder Geld.
Nur wenig hatten wir aus der Katastrophe gerettet. Einiges fand sich auf dem Wege des Bankkredits. Herrn von Tümpling, einem der Mitbesitzer der Berliner Handelsgesellschaft (BHG), die damals gerade ein neues Haus in Frankfurt am Main eröffnet hatte, machte es offenbar Spaß, neben der Finanzierung zahlreicher Geschäfts- und Industrieunternehmen auch ein wenig auf kulturellem Gebiet zu riskieren. Einen Bankmann zu überzeugen, daß das ausschließliche Recht, ein Buch bis zum Ablauf des Urheberrechts, damals bis fünfzig Jahre nach dem Tod des Autors, zu drucken und zu vertreiben, einen materiellen Wert darstellt — wie eine Maschine oder ein Lager von Wolle oder Eisen — ist nicht leicht. Gewöhnlich stößt man dabei auf ungläubiges Kopfschütteln. »Sie können uns viel erzählen«, schien der an handfestere Werte gewöhnte Gesprächspartner zu denken, »aber wie können Sie mir beweisen, daß das nicht alles nur Hirngespinste und Wunschträume sind, was Sie mir da an Zahlen, Absatzziffern und Verkaufsmöglichkeiten vorgaukeln.«
Bei Herrn von Tümpling war es anders. Er fragte nicht viel. Der Name des Verlages, die stolze Liste von Verlagsautoren und vielleicht auch ein gewisses Vertrauen in meine optimistische Darstellung der Möglichkeiten für ein Verlagsunternehmen, das über so viele Werke verfügte, nach denen man in Deutschland verlangte, ließen ihn nicht zögern, mir die damals

für den Wiederaufbau, für die Erfüllung meiner verlegerischen Aufgaben notwendige Kredithilfe zu gewähren.

Ganz besonders war es der Erfahrung und Geschicklichkeit in finanziellen Dingen meines Freundes Ferdinand Sieger und meiner holländischen Partner, Fred und Alice von Eugen und Fritz Landshoff, zu danken, daß wir uns durch die bergehohen Schwierigkeiten hindurchmanövrieren konnten. Wenn ich von Schwierigkeiten spreche, so meine ich damit das in den ersten Jahren bestehende Mißverhältnis zwischen den für unsere damalige Lage ungewöhnlich hohen und langfristigen Investitionen für den Nachdruck der verloren gegangenen Bücher und der Möglichkeit, sich durch raschen Umsatz liquide zu erhalten. Nur ein Teil der ›goldenen Last‹ konnte dazu beitragen. Natürlich waren es in erster Linie die großen Romane von Thomas Mann, Franz Kafka, Carl Zuckmayer, Stefan Zweig, Franz Werfel und Thornton Wilder, die hohe Verkaufserfolge erzielten, aber schon die Werke von Hugo von Hofmannsthal und Virgina Woolf sprachen zunächst nur ein kleines, erlesenes Publikum an, und es dauerte viele Jahre, bis man bei diesen Werken von einem geschäftlichen Erfolg sprechen konnte. Hier stand das Prestige des Verlages als Verwalter dieses großen literarischen Erbes im Vordergrund. Die Weiterführung des S. Fischer Verlages wäre ohne die Erfüllung solcher Aufgaben sinnlos gewesen.

Es mußten aber auch Opfer gebracht werden. Benvenuto Hauptmann hatte als Nachlaßverwalter bei der Auseinandersetzung mit Suhrkamp für das Verbleiben des Werkes Hauptmanns im S. Fischer Verlag gestimmt. Er stellte aber bald so hohe finanzielle Forderungen und verlangte für die Übernahme des Nachlasses, in den er zudem jeden Einblick verweigerte, einen so großen Betrag, daß ich mich schweren Herzens entschließen mußte, das Werk an einen anderen Verlag abzugeben. Was S. Fischer einst seinem Freund Gerhart Hauptmann zugebilligt hatte, konnte ich damals nach den großen Verlusten der Emigrationszeit nicht leisten.

Erfreulich war es dann, wenn wir für ein Buch wie ›Die größere Hoffnung‹ von unserer liebenswerten Dichterin Ilse Aichinger unsere Kräfte einsetzen und eine Lesergemeinde erschließen konnten, oder für ›Das Brandopfer‹ von unserem Freund Albrecht Goes, das im Laufe weniger Jahre hunderttausend Leser fand, oder für das Romanwerk unserer Autorin Luise Rinser, die in den Nazijahren so viel zu erdulden gehabt hatte.

Aber in den ersten fünfziger Jahren ging es trotz unserer großen Bücher zunächst nur langsam voran. Niemand verfügte damals über flüssige Mittel. Die Anschaffung von Büchern war ein Luxus, der von den meisten Menschen erst nach der Befriedigung der lebenswichtigen Bedürfnisse erfüllt wurde. So beschäftigte mich oft die Frage, ob es nicht geschäftlich vorteilhafter gewesen wäre, mit dem Angebot unserer wichtigen Werke bessere Zeiten abzuwarten, als sie schon in der ›Vorwirtschaftswunder-Zeit‹ quasi auszunutzen. Aber damals wußte man noch nichts von dem kommenden ›Wunder‹, und es ging nicht an, diese Schätze zurückzuhalten.

Die Autoren oder ihre Vertreter drängten, und wir mußten produzieren, koste es, was es wolle, wenn wir uns unsere Autorenrechte erhalten wollten.

Ein anderer Sorgenberg türmte sich vor mir auf: die Devisensperre und das Problem, wie die zuständigen Devisenbehörden davon überzeugt werden könnten, daß sie uns die Genehmigung für unsere Honorarzahlungen nach dem Wohnsitz unserer meistens im Ausland lebenden Autoren erteilen müßten. Romane und Essaybände waren schließlich nicht so lebenswichtig, um dafür harte Währung, die damals in Deutschland knapp war, auszugeben. Glücklicherweise waren wir aber inzwischen Devisenbringer geworden. Unsere Verkäufe nach der Schweiz, nach Holland, nach England und den USA hatten einen solchen Umfang angenommen, daß unsere Devisen-Bilanz positiv ausfiel. Aber es gab genug Schreiberei und Lauferei, um die bürokratischen Klippen der Behörden zu umschiffen.

Sie saßen wie eine Geheimgesellschaft mit eigenen Sitten und Gebräuchen überall verteilt in Frankfurt, Berlin, Wiesbaden, Amsterdam, Zürich. In diesen Anfangsjahren verbrachte ich mehr Zeit in Flugzeugen, Bahnen und auf den Autostraßen als in meinem Büro, um die notwendigen Ausfuhr-Einfuhr- und Zahlungsbewilligungen durchzusetzen.

Aber ich muß sagen, daß wir trotz allem viel guten Willen und viel Verständnis und Hilfsbereitschaft für unsere Nöte fanden. Es gelang sogar, das inzwischen wieder zu beträchtlichem Umfang angewachsene Buchlager von Amsterdam nach Frankfurt zu verbringen und damit die erste wichtige Maßnahme zur endgültigen Wiedervereinigung der verschiedenen Verlagsniederlassungen durchzuführen.

Damals, 1947, war man voller Erwartung auf eine Literatur, die, wie wir hofften, aus dem Dunkel der Verstecke, aus den heimlichen Produktionsstätten einer unterdrückten, von Protest und Widerstand erfüllten Jugend auftauchen würde, wie damals nach dem Ersten Weltkrieg die schöpferische Schriftstellergeneration der Brecht und Bronnen.

Es sollte jedoch, wie sich zeigte, noch viele Jahre dauern, bis ein neues literarisches Leben erwachte. Zwölf Jahre der Abschließung von der Außenwelt, die Senkung des allgemeinen Bildungsniveaus, der radikale Bruch der Tradition, die gewaltsame Unterdrückung jedes freien Gedankens und die riesigen Verluste an Menschenleben hatten ein Vakuum hervorgerufen, eine Lähmung des geistigen Lebens, die nicht so schnell überwunden werden konnte.

Eine ganze Generation von Schriftstellern war aus ihrer Bahn geworfen worden. Alle, die ich früher genannt, die mit mir ihren Lebensweg angetreten hatten, Joachim Maass, Klaus Mann, Kurt Heuser, Martin Beheim-Schwarzbach, Friedrich Torberg und viele andere waren durch die Unterdrückung im Lande oder durch die Emigration schwer getroffen und in ihrer schriftstellerischen Produktionskraft gehemmt worden.

Die amerikanischen, englischen und französischen Theaterstücke, die sich mit den Zeitproblemen auseinandersetzten und überall auf deutschen Bühnen gespielt wurden, hätten Anregung und Beispiel für junge deutsche Dramatiker bieten können. Die Theater waren überfüllt. Die Verlage boten alle Hilfe, wo sich auch nur die Spur eines Talentes zeigte. Aber offenbar war der Druck, der auf diesen getroffenen Generationen lastete, noch zu groß für ein freies dichterisches Schaffen, für eine Gestaltung der Probleme, welche die jüngste Vergangenheit heraufbeschworen hatte. Zahlreiche Preisausschreiben für Dramen und Prosawerke, die wir und andere Verlage veranstalteten, verliefen ergebnislos. Von den Hunderten von Manuskripten, die bei uns einliefen, war nicht ein einziges brauchbar, obwohl Lektoren und Dramaturgen, Verleger und Theaterleiter sie mit hoffnungsvoller Erwartung und nimmermüder Aufnahmebereitschaft prüften.

Der Gedanke, nach amerikanischem Vorbild jungen Schriftstellern und Dramatikern eine gewisse Hilfe durch Einrichtung von Kursen in der Technik des Dramas und des Romans zu bieten, blieb in den Anfängen stecken. Erwin Piscator hatte in New York eine solche Schule gegründet, an der auch Zuckmayer vorübergehend gelehrt hatte, und viele der modernen amerikanischen Dramatiker danken ihm dafür. In Deutschland stießen unsere Bemühungen in dieser Richtung auf geringes Verständnis.

Hans Werner Richter fand schließlich den richtigen Weg mit seiner Gruppe 47. Der Zusammenschluß dieser jungen Schriftsteller bedeutete Ermutigung auf dem Wege zu einer neuen deutschen Literatur und führte durch — manchmal erbarmungslose — Kritik langsam aus der Erstarrung hinaus. Alle späteren Einwendungen gegen die Gruppe können an diesem Verdienst ihres Gründers nichts ändern.

Es hat den Anschein, als wären die entscheidenden literarischen Arbeiten über die unmittelbare Vergangenheit nur von außen her gekommen:

Carl Zuckmayers noch in der Emigration geschriebenes Drama ›Des Teufels General‹, das sich mit den Problemen des Nationalsozialismus und des Widerstandes auseinandersetzt, die mystischen Elegien, die Nelly Sachs in ihrer schwedischen Wahlheimat über das jüdische Schicksal gesungen hat, der Versuch des Schweizers Max Frisch, die Frage der menschlichen Identität in seinem Stück ›Andorra‹ an der Gestalt eines vermeintlichen Juden aufzurollen, der Roman André Schwarz-Barts ›Le dernier des justes‹, dessen Übersetzung aus dem Französischen ich unter dem Titel ›Der Letzte der Gerechten‹ herausgebracht habe, alles dies strömte von außen her nach Deutschland ein.

Gleichfalls von außen her und dennoch aus der Mitte einer erneuerten deutschen Sprache gestaltet, kamen die Gedichte des großen Lyrikers unserer Zeit Paul Celan, der in seiner ›Todesfuge‹ das Unsagbare ins Unvergängliche erhoben hat.

Es ist vielleicht kein Zufall, daß in Deutschland an die Stelle der schöpferischen Verwandlung der Wirklichkeit das ›Dokumentarstück‹ getreten ist, dessen aktuelle Bedeutsamkeit nicht geleugnet werden soll.

Für den S. Fischer Verlag spielten zu dieser Zeit unter diesen Umständen die jungen ausländischen Autoren eine entscheidende Rolle. Meine Aufmerksamkeit konzentrierte sich insbesondere auf die in den angelsächsischen Ländern entstehende Literatur. Nach meiner langen Tätigkeit als Verleger in den Vereinigten Staaten waren mir die dortigen wie auch die englischen Verleger und literarischen Agenten wohl bekannt. Einige zählte ich zu meinen Freunden. Zudem verbrachte ich jedes Jahr mehr als sechs Monate in Amerika, um mir gemäß den damals geltenden Vorschriften für Eingewanderte meine amerikanische Staatsbürgerschaft zu erhalten. So wußte ich, was im Kommen war und konnte mir rechtzeitig die mich interessierenden Autoren sichern; nicht nur die Buchautoren, sondern auch die wichtigsten Dramatiker, darunter Arthur Miller und Tennessee Williams, deren Stücke ich durch die Theaterabteilung des Verlages in deutscher Übersetzung an die deutschen Theater brachte. Thornton Wilders Dramen ›Wir sind noch einmal davongekommen‹ und ›Unsere kleine Stadt‹ standen schon seit 1945 als meistgespielte Stücke auf den Programmen. Christopher Fry's Dramen erregten Aufsehen. Die Stücke von Eugene O'Neill, die schon seit 1924 von S. Fischer verlegt wurden, eroberten sich wieder ihren Platz an den deutschen Bühnen, und John Osborne's und John Whitings jugendlich-stürmische Dramen fanden überall ein aufnahmebereites Publikum.

Der größte Erfolg fiel einem Buch zu, das ich schon 1949 in New York für den Verlag erworben hatte. Es trug den Titel ›From here to Eternity‹ ein Zitat aus einem amerikanischen

College-Song. Ich nannte es ›Verdammt in alle Ewigkeit‹ – nach einer anderen Strophe des gleichen Liedes. Sein Autor hieß James Jones. Um dieses sein erstes Buch zu schreiben, hatte er sich in einem Wohnwagen, der ihm von einer Mäzenatin zur Verfügung gestellt worden war, für mehrere Jahre in die Wildnis zurückgezogen. Der Erfolg des Buches in den USA, als es 1949 bei Scribner's erschien, war sensationell. Niemals vorher war in dieser Sprache, in dieser bis ans Brutale gehenden Offenheit geschrieben worden. Hier war ein Schriftsteller am Werk, der von Leben vibrierende Menschen schuf und in niemals nachlassender Spannung einen Ausschnitt aus dem Erleben des Krieges dramatisch gestaltete.

Als das Buch, an dessen Übersetzung ich selbst mitgearbeitet hatte, 1951 herauskam, gab es zunächst beim Buchhandel einen Schock. »So ein Buch können wir unmöglich unseren Kunden anbieten«, hieß es. (Inzwischen hat man sich an stärkeren Tobak gewöhnt.) Aber der Buchhandel hatte unrecht. Der Roman machte seinen Weg. Langsam zunächst. Die erste Auflage von 20 000 Exemplaren brauchte mehr als ein Jahr. Als eine verbilligte Ausgabe 1953 erschien, begann sein ›Siegeslauf‹. Es gehört heute mit mehr als einer halben Million durch den Buchhandel abgesetzter Exemplare zu den meistgekauften Büchern seit dem Ende des Krieges.

Wenn man James Jones zum ersten Mal begegnet, mit seinem quadratischen Schädel, dem weit vorspringenden Kinn, den übermäßig breiten Schultern auf einem von Muskeln strotzenden Körper, glaubt man nicht, einen Schriftsteller vor sich zu haben. Niemals habe ich erlebt, daß das Äußere eines Menschen so sehr sein wahres Wesen verdeckt. Hinter der Boxergestalt verbirgt sich ein feinnerviger, skeptisch-kluger, humorvoller Eigenbrötler, der mit wachen, ein wenig verschlagenen Augen die Welt betrachtet und analysiert. Vorurteilsfrei, scharf wie ein Messer und geradeaus. Die Kraft seiner Muskeln ist ins Analytisch-Dramatische kompensiert worden.

Dieser so ungemein amerikanisch wirkende Mann hat sich in einer der schönsten Gegenden von Paris, auf der Isle St. Louis mit erlesenem Geschmack ein Haus eingerichtet, in dem er mit seiner Frau, seiner kleinen Tochter und einem adoptierten Sohn seit vielen Jahren lebt, seiner schriftstellerischen Arbeit nachgeht und jungen Malern, Bildhauern und Schriftstellern weiterhilft.

Im Jahre 1952 hatten sich die Verhältnisse weitgehend stabilisiert, die Papierbeschaffung war kein Problem mehr, die Transportschwierigkeiten waren beseitigt, der Geldverkehr mit dem Ausland war normalisiert, und der Verlag selbst durch seine Erfolge finanziell unabhängig geworden.

Die Funktionen des Wiener Bermann-Fischer Verlages und des Amsterdamer Bermann Fischer-Querido Verlages, die für die Überwindung aller dieser Schwierigkeiten der Anfangsjahre so entscheidend beigetragen hatten, waren überflüssig geworden. So entschlossen wir uns im September 1952, den Wiener Verlag zu schließen. Unser Freund Joseph Berger, der schon lange auf diese Entscheidung gewartet hatte, übernahm die Leitung des großen Familienbesitzes, eines Mühlenbetriebes, den er in den folgenden Jahren zu einem bedeutenden Unternehmen entwickelt hat.

Die Geschäftsanteile meiner Amsterdamer Freunde am Bermann Fischer-Querido Verlag, Amsterdam, gingen durch Kauf an den S. Fischer Verlag über. Dr. Landshoff trat in den New Yorker Verlag Harry N. Abrams Inc. ein, in dem er heute noch in leitender Stellung tätig ist. Die Aktivität des Amsterdamer Verlages wurde stillgelegt. Er existiert nur noch als ein Namensschild am Eingang des holländischen Querido Verlages, der uns in den Exiljahren so hilfreich gewesen war.

Damit war die Odyssee eines deutschen Verlages beendet. Sämtliche Anteile der S. Fischer Verlag GmbH, mit Sitz in Berlin und Frankfurt, befanden sich wieder im Besitz der Familie S. Fischer, und das Verlagsunternehmen stand unter meiner alleinigen Leitung, mit meiner Frau neben mir.

Thomas Manns Besuch in Deutschland

Ende Juli 1949 kam Thomas Mann zum ersten Mal zu kurzem Besuch nach Deutschland. Sein Entschluß, der Einladung der Stadt Frankfurt anläßlich der Feier zum 200. Geburtstag Goethes Folge zu leisten, hat eine lange Vorgeschichte.
Sie beginnt mit einem offenen Brief Walter von Molos vom 4. August 1945, in dem er Thomas Mann zur Rückkehr nach Deutschland auffordert.

»Lieber Herr Thomas Mann!
In den langen Jahren der Bestürzung der Menschenseelen habe ich viele Ihrer Äußerungen gehört — soweit sie gedruckt zu mir gelangen konnten — auch gelesen. Und immer freute, erschütterte mich Ihr treues Festhalten an unserem gemeinsamen Vaterlande. Nun lernte ich als letzte Ihrer öffentlichen Kundgebungen die kennen, die am 18. Mai in München veröffentlicht wurde; auch hier wieder fand ich dankbar und mit nicht geringerer Erschütterung das gleiche. Man sagte mir, daß Sie im Rundfunk am Tage Ihres 70. Geburtstages gesprochen hätten und mitteilten, Sie freuten sich auf das Wiedersehen mit Deutschland.
Mit aller, aber wahrhaft aller Zurückhaltung, die uns nach den furchtbaren zwölf Jahren auferlegt ist, möchte ich dennoch heute bereits und in aller Öffentlichkeit ein paar Worte zu Ihnen sprechen: Bitte, kommen Sie bald, sehen Sie in die von Gram durchfurchten Gesichter, sehen Sie das unsagbare Leid in den Augen der vielen, die nicht die Glorifizierung unserer Schattenseiten mitgemacht haben, die nicht die Heimat verlassen konnten, weil es sich hier um viele Millionen Menschen handelte, für die kein anderer Platz gewesen wäre als daheim, in dem allmählich gewordenen großen Konzentrationslager, in dem es bald nur mehr Bewachende und Bewachte verschiedener Grade gab.
Bitte, kommen Sie bald und geben Sie den zertretenen Herzen Trost durch Menschlichkeit und den aufrichtigen Glauben zurück, daß es Gerechtigkeit gibt, man nicht pauschal die Menschheit zertrennen darf, wie es so grauenvoll hier geschah. Dieser Anschauungsunterricht entsetzlicher Art darf für die ganze Menschheit nicht verlorengehen, die nach Glauben und Wissen in einer dämonischen und höchst unvollkommenen Welt zu existieren versucht, mit dem in unserer Epoche die Blutrache beendenden, nach fester Ordnung suchenden Flehen: ›Vergib uns unsere Schuld, wie auch wir vergeben unseren Schuldigern. Erlöse uns von dem Übel!‹
Wir nennen dies Humanität.
Bitte, kommen Sie bald und zeigen Sie, daß der Mensch die Pflicht hat, an die Mitmenschheit zu glauben, immer wieder zu glauben, weil sonst die Menschlichkeit aus der Welt verschwinden müßte. Es gab so viele Schlagworte, so viele Gewissensbedrückungen und so viele haben alles vor und in diesem Kriege verloren, schlechthin alles, bis auf eines: Sie sind vernünftige Menschen geblieben, ohne Über-

steigerung und ohne Anmaßung, deutsche Menschen, die sich nach der Rückkehr dessen sehnten und sehnen, was uns einst im Rate der Völker Achtung gab.

Ihnen, dem Seelenkundigen, genügt es zu sagen, daß wohl Haß, Brutalität und Verbrechen überall ausgerottet werden müssen, aber nicht darf dies, um der Zukunft der Menschheit und der heranwachsenden Jugend in allen Ländern der Erde willen, durch neuen, in Leidenschaft verallgemeinernden Haß geschehen, wie ihn hier krank gewordene Gehirne und Herzen übten. *Das deutsche Volk hat* — ungeachtet recht zahlreicher und lebhafter Aufforderungen von der Frühe bis in die Nacht — *vor dem Kriege und im Kriege nicht gehaßt, es haßt nicht, es ist dazu nicht fähig, weil es wahrhaft seine Großen und seine Meister, die die Welt liebt und verehrt, verdiente und noch immer verdient, denn* — ich spreche voller Verantwortung es aus — *Ihr Volk, das nunmehr seit einem Drittjahrhundert hungert und leidet, hat im innersten Kern nichts gemein mit den Missetaten und Verbrechen, den schmachvollen Greueln und Lügen, den furchtbaren Verirrungen Kranker, die daher wohl so viel von ihrer Gesundheit und Vollkommenheit posaunten.* Von diesen und für diese spreche ich nicht, aber ich sage, vor allem um der Zukunft der Gesamtmenschheit willen, der wir weiter Hoffnung geben müssen als nunmehr Altgewordene, die diese Pflicht zu erfüllen haben, solange uns Frist gegeben ist.

Wir müssen endlich jeder dem alle Menschen Einigenden dienen, das Gemeinsame, Verbindende, nicht weiter oder neu das Trennende suchen, denn Haß und pauschale Herabsetzung und unrichtig abgekürzte Geschichtsbetrachtungen zu ergänglichen Zwecken sind unfruchtbar und führen zu Katastrophen; das haben wir doch in unserer Lebensspanne in schrecklicher Art erfahren.

Kommen Sie bald wie ein guter Arzt, der nicht nur die Wirkung sieht, sondern die Ursache der Krankheit sucht und diese vornehmlich zu beheben bemüht ist, der allerdings auch weiß, daß chirurgische Eingriffe nötig sind, vor allem bei den zahlreichen, die einmal Wert darauf gelegt haben, geistig genannt zu werden ... *Sie wissen, daß es sich um keine unheilbare Krankheit unseres Volkes handelt,* wir sollen alle zusamt den Siechen, dem vor allem Vertrauen fehlt, gesund machen, ihn aber nicht in seiner Schwächung durch Demütigungen und Enttäuschungen neu krank und dann vielleicht unheilbar werden lassen.

Kommen Sie bald zu Rat und Tat. Ich glaube, stete Wachsamkeit, auch über sich selbst, sichert allein die Freiheit des allverbindenden Geistes. An dieser Wachsamkeit haben es wohl alle Menschen auf der ganzen Erde fehlen lassen, weil die Weltkrisen seit 1914 zu sehr verwirrten und müde machten. Suchen wir wieder gemeinsam — wie vor 1933 — die Wahrheit, indem wir uns alle auf den Weg zu ihr begeben und helfen, helfen, helfen!

In diesem Sinne Ihr

Walter von Molo.«

Er ist gewiß in bester Absicht geschrieben worden, doch er enthüllt das Mißverständnis der deutschen Intellektuellen über das an die Wurzel der Existenz gehende Erlebnis der Emigration und zeigt die tiefe Kluft, die sich zwischen den Deutschen drinnen und draußen aufgetan hatte. Molos Meinung, mit dem Ende des Krieges und dem Untergang des Nationalsozialismus sei die Rückkehr nach Deutschland nicht mehr als ein Flug über den Ozean und die Mitwirkung am Wiederaufbau quasi die Pflicht des ›guten Arztes‹, beruhte auf einer völlig falschen Beurteilung der psychologischen Wandlung, die die Ausstoßung aus Deutschland, die furchtbaren Geschehnisse im Lande unserer Herkunft und das gemeinsame Erlebnis mit den Menschen der neuen Heimat Amerika in den Jahren vor Ausbruch des Krieges und während der Kriegsjahre für uns bedeutete. Wir waren nicht Gäste eines fremden Landes geblieben. Wir hatten sein Schicksal geteilt, an seinen Kämpfen und blutigen Verlusten teilgenommen. Was wir ihm gebracht hatten, wurde von ihm mit Dank und Anerkennung aufgenommen, wie wir uns die Güter seiner Kultur und seiner Sprache zu eigen gemacht hatten. Wir waren in den mehr als zehn schweren Jahren in diesen Kulturkreis hineingewachsen.

Unsere Kinder waren in seiner Sprache und seiner Erziehung aufgewachsen. Unsere Söhne waren mit den Armeen Amerikas und Englands in den Kampf gezogen. So sehr wir an der alten Sprache hingen und alles, was an deutscher Kultur in uns weiterlebte, bewahrten, so sehr fühlten wir uns als Bürger des neuen Landes, nicht nur aus Dankbarkeit, weil es uns aufgenommen hatte — gewiß waren wir auch dankbar —, sondern aus einem ganz echten, tief erlebten Gemeinschaftsgefühl. Die seelischen Vorgänge zu analysieren, die Vielfalt der Empfindungen, die Entwicklung dieses Prozesses darzustellen, würde hier zu weit gehen. Er ist keineswegs abgeschlossen. Aber niemals wird unser Leben wieder zu der Ausgeglichenheit einer normalen national-bewußten Existenz zurückfinden. Es gibt keine Rückkehr! Ein Baum, den man mit Gewalt aus der Erde gerissen, läßt sich nicht wieder einpflanzen.

Aus solchen Gründen muß die ablehnende Antwort Thomas Manns* auf den Brief Walter v. Molos verstanden werden. Wie recht er mit seinem Zögern hatte, den Versicherungen Molos Glauben zu schenken, zeigt das böse Wort von Frank Thiess über die Emigranten, die »aus den Logen und Parterreplätzen des Auslands der deutschen Tragödie zuschauten«. Es ist wohl kaum eine dünkelhaftere Gesinnung denkbar. Hier äußerte sich bloßes Ressentiment, der Haß gegen eine Persönlichkeit wie Thomas Mann, der seinen Kopf riskiert hatte schon zu einer Zeit, als Leute wie Thiess noch der naiven Ansicht huldigten, die Nationalsozialisten seien belehrbar, und mit dem ›Reichskulturwalter‹ Hinkel devote Briefe wechselten.

---

* Brief Thomas Manns vom 7. 9. 45 — ›Briefe 1937–1947‹, S. Fischer Verlag.

Am 8. August 1932 hatte Thomas Mann im Leitartikel des ›Berliner Tageblatts‹ geschrieben:

»Werden die blutigen Schandtaten von Königsberg den Bewunderern der seelenvollen ›Bewegung‹, die sich Nationalsozialismus nennt, sogar den Pastoren, Professoren, Studienräten und Literaten, die ihr schwatzend nachlaufen, endlich die Augen öffnen über die wahre Natur dieser Volkskrankheit, dieses Mischmasches aus Hysterie und vermuffter Romantik, dessen Megaphon-Deutschtum die Karikatur und Verpöbelung alles Deutschen ist?«

Was hat Herr Thiess damals gesagt? Daß gerade er den Begriff der ›Inneren Emigration‹, der übrigens von Thomas Mann stammt*, für sich in Anspruch nahm, muß für diejenigen, die ihr wirklich angehörten und ihr Leben wagten, wenig erfreulich sein.

Thiess war nicht der einzige, der Thomas Manns Haltung nach dem Krieg attackierte. In anonymen Briefen bedrohte man ihn, falls er deutschen Boden betreten würde. Seine Radioreden, die er in den USA gegen den Nazismus gehalten hatte, und in denen er die Deutschen aufrief, sich endlich gegen ihre Unterdrücker zu erheben, wurden falsch zitiert und als antideutsche Propaganda gebrandmarkt. Selbst unter deutschen Intellektuellen konnte man solche Entstellungen hören.

Aus einem meiner Briefe vom 19. 7. 1949 an meine Frau: »Die anonymen Briefe sind *beispiellos!* Ich gehe am Freitag nach meiner Rückkehr nach Frankfurt sofort damit auf die Polizei.«

Nach längerem Zögern entschloß sich Thomas Mann, der Einladung der Stadt Frankfurt Folge zu leisten. Über die Ereignisse während seines Besuches berichtete ich meiner Frau in einem Brief, der den unmittelbaren Eindruck besser wiedergibt, als es eine nachträgliche Schilderung könnte:

28. 7. 1949
Frankfurt/Main
Hotel Frankfurter Hof

»Wie oft habe ich Dich in diesen Tagen des Thomas Mann Besuches herbeigesehnt. Sie sind vorübergerauscht mit einer Fülle von Ereignissen, die, zusammengenommen, ein wundervolles Bild von der großen Persönlichkeit Thomas Manns geben und alle die niedrigen Anwürfe und Schmähungen gegen ihn zum Schweigen brachten, wenigstens im Augenblick, und es den besseren Elementen unter den Deutschen ermöglichten, ihrer Verehrung und Anhänglichkeit Stimme zu verleihen ...

---

* Thomas Mann verwendete ihn in seinem Vortrag ›The war and the Future‹, den er am 13. 10. 43 in der Library of Congress, Washington, hielt. Er erschien in deutscher Sprache unter dem Titel ›Schicksal und Aufgabe, Reden und Aufsätze‹, Seite 613 ff., Stockholmer Ausgabe.

Ich fuhr zwei Tage vor seiner Ankunft nach Frankfurt und besprach, sehr besorgt wegen der vielen Drohbriefe, mit dem Oberbürgermeister Dr. Kolb die Sicherheitsmaßnahmen. Manns sollten anstatt mit dem Auto mit dem Schlafwagen reisen. Ich war beunruhigt, weil sie dann vom deutschen Bahnhof in Basel an ganz allein und ungeschützt wären. Es ließ sich aber nichts mehr tun. Man schwebt ja immer bei solchen Dingen zwischen zu großer Angst und Leichtfertigkeit. Die hohen Stadtbehörden neigten, was die Fahrt anbetraf, zu letzterer. Gott sei dank hatten sie recht damit.

Früh um 8.50 Uhr, am 24., war ich mit Peter S. auf dem Frankfurter Bahnhof. Als der Zug einlief, erschienen der Oberbürgermeister, der Polizeipräsident und ein Schwarm von Detektiven. Katia und Tommy waren sehr vergnügt, empfingen den obligaten Blumenstrauß, die Menschen blieben einen Moment stehen, erkannten ihn, lächelten — und man ging unter knipsenden Fotoreportern zum städtischen Auto und entschwand zum ›Gästehaus der Stadt‹ in Kronberg-Schönberg, etwa 25 Minuten außerhalb Frankfurts, schon im Taunus gelegen, wo ich auch Quartier genommen hatte. Es ist herrlich schön dort draußen, ein Park mit alten Bäumen, die sanften Taunusberge vor den Fenstern, völlige Einsamkeit ringsherum, und das Haus selbst recht gepflegt und mit vielen Bediensteten . . .

Ich begann allmählich zu ahnen, was mir bevorstand. Denn das Telefon begann zu klingeln, und außer mir gab es niemanden zu antworten. Ich rutschte also ganz unbeabsichtigt sofort in die Rolle des Sekretärs und Managers und blieb es für die nächsten Tage unerbittlich von früh bis spät. Es begann sogleich mit einem Krach zwischen dem Press Centre der ausländischen Journalisten und der Pressezentrale der Stadt resp. deren überempfindlichen Leiterin. Mein diplomatisches Geschick entwickelte sich zu meinem eigenen Erstaunen to the occasion. Ich war die Ruhe und Vernunft selbst, und wenn die Berichterstattung schließlich so reibungslos funktionierte, ohne Gehässigkeit und Mißverständnisse oder Entstellungen, so war das wirklich mein Verdienst. Es waren etwa 150 Journalisten da, davon mindestens 30 ausländische, die alle einzeln telefonierten und Interviews erbaten. Ich arrangierte eine Pressekonferenz am 25. früh. Der Korrespondent der New York Times, Mr. Raymond, bestand aber eisern auf Einzelinterview. Ich lud ihn also zum Tee mit Manns ein und erreichte so, daß er sich einfügte. Solche Dinge gab es hundertfach. Jedenfalls war Tommy dadurch vor Aufregungen geschützt. Am Nachmittag arrangierte ich eine Autofahrt durch den Taunus, die dank dem ausgezeichneten Chauffeur des Oberbürgermeisters ganz prächtig verlief. Auf einem Gutshof, den wir passierten und flüchtig besichtigten, führte der Besitzer mit großer Eleganz die unerwarteten Gäste durch seine prächtigen Pferdestallungen und schnitt eigenhändig Blumen für Katia. Es hätte nicht besser vorbereitet werden können. Dieser erste Tag trug nicht wenig zu Tommys guter Verfassung bei.

Der 25. begann mit der Pressekonferenz in einem Saal in Frankfurt vor ca. 150 Journalisten. Tommy wurde von Dr. Kolb eingeführt. Er saß vor den Korrespondeten zwischen Kolb auf der einen und mir auf der anderen Seite. Es ging gleich in medias res: ›Was ist an den Ihnen unterlegten Äußerungen, daß Sie nie mehr nach Deutschland kommen wollen, etc. etc.?‹ Tommy beantwortete jede Frage in längerer Rede. Es war sofort eine Atmosphäre von höchster Achtung und Respekt geschaffen. Nach literarischen Fragen aller Art kam die von mir schon gefürchtete Frage: ›Gehen Sie nach Weimar?‹ Darüber hatte ich schon in Zürich und mehrfach am Tage vorher mit ihm diskutiert. Du kannst Dir denken, in welchem Sinne. Meine Argumente waren: denken Sie an Jules Romains 1933, die Deutschen selbst, im Westen und im Osten, werden Ihren Besuch mißdeuten, die American authorities werden es verübeln, die Russen werden ihn für ihre Zwecke ausbeuten. — Sein Standpunkt aber war, und das sprach er schließlich *sehr* deutlich aus: ›Ich besuche ganz Deutschland, und dazu gehören auch die Deutschen in der Ostzone. Ich gehe nach Weimar, um den Menschen dort Mut zu machen. Wenn meine Worte dort — und ich werde offen für Humanität sprechen — unterdrückt werden, so werden sie durch die Weltpresse doch bekannt werden.‹ Diese Argumentation hat natürlich etwas für sich, und alle, die dagegen sind, inklusive der Herren von ›Publication‹, die extra deswegen zu ihm kamen, mußten sich dem beugen. Man erklärte ihm, man sei zwar gegen den Besuch, wenn er aber entscheide zu gehen, werde man ihm alle Hilfe gewähren. In der Pressekonferenz war Tommys Haltung sehr antikommunistisch und ging sogar in der Antwort an einen kommunistischen Reporter bis zur Anwendung des Wortes Terrorismus. Nach der Pressekonferenz fuhren wir wieder nach Schönberg zurück; am Nachmittag gab es noch zahlreiche Besuche, für mich natürlich unzählige Telefonate; dann ruhte man, und am 27. fuhren wir nach Frankfurt zur Paulskirche.

Vor den Eingangstüren standen ein paar hundert Menschen; die Kirche, die 1200 Personen faßt, war bis zum letzten Platz gefüllt. Tommy und Katia saßen in der ersten Reihe, zwischen dem kettengeschmückten Oberbürgermeister und seiner Frau, daneben der Rektor der Universität Franz Boehm mit seiner Frau, der Tochter von Ricarda Huch, etwas weiter weg die Vertreter der amerikanischen Behörden. Es herrschte feierliche Ruhe, bis die Musik begann, dann kamen Gedichte von Goethe und schließlich ein hervorragender Vortrag von Kolb (wie ich später hörte, verfaßt vom Hessischen Kultusminister Stein), von literarischer Bedeutung und mit gut gewählten Zitaten aus Thomas Manns politischen Essays, eine großartige Einleitung und Begrüßung.

Dann kam Tommy. Es war einfach überwältigend. Er sprach, wie ich ihn noch nie gehört habe. Innerlich zutiefst erregt, mit einer Wärme, die den Hörer ganz unmittelbar bewegte, mit großen, natürlichen Gesten. Das Historische des Augenblicks, weit über seine Person hinaus, war so deutlich spürbar, daß es fast sichtbar in der heißen Luft der Kirche zitterte. Ich sah den Gesichtern an, daß sich ihm niemand entziehen konnte. Es war eines jener feierlichen Ereignisse, die sich über die aktuelle Gelegenheit hinaus tief einprägen und einen Einschnitt, einen Wandel, deutlich fühlbar machen. Es war etwas geschehen. Das spürte jeder. Mit ihm war die Welt wieder zurückgekehrt, eine Kluft überbrückt. Das symbolisierte sein Erscheinen, und die Menschen waren tief bewegt von ihm. Walte Gott, es möge über die Paulskirche hinausdringen. Es wäre der letzte Augenblick. Als der Wagen abfuhr, liefen Kinder und Erwachsene noch hinterher und jubelten ihm zu.«

Auf ein Telegramm der ›Kampfgruppe gegen die Unmenschlichkeit‹, das gleichzeitig als offener Brief erschien, in dem Thomas Mann aufgefordert wurde, seine Reise nach Weimar zu unterlassen oder gewisse Bedingungen zu stellen, schrieb er, schon in Mantel und Hut, vor einer Ausfahrt, in der Halle des Gästehauses stehend, die folgende Antwort:

»Ich habe die Gründe, die mich bei meinem Entschluß bestimmten, auf meiner Deutschlandreise im Goethe-Jahr auch Weimar zu besuchen, wiederholt, auch bei der Frankfurter Pressekonferenz vom 25. Juli, auseinandergesetzt. Das Entscheidende ist, daß mein Besuch dem alten Vaterlande als Ganzem gilt, und daß es mir unschön erschiene, mich von der Bevölkerung der Ost-Zone fernzuhalten, sie gewissermaßen links liegen zu lassen.

Im Rahmen dieses Besuches Forderungen zu stellen, die die einladenden deutschen Behörden nicht erfüllen können, ist offensichtlich unmöglich, und die interpellierende Gesellschaft weiß das so gut wie ich. Ich brauche nicht zu sagen, daß ich die Ziele einer Gesellschaft zur Bekämpfung der Unmenschlichkeit von Herzen ehre und ihrem Bestreben, mildernd und humanisierend auf das politische Leben einzuwirken, allen erdenklichen Erfolg wünsche. Ist doch dieses Bestreben mein eigenes, und mein Besuch in Weimar sollte gerade ihm in erster Linie dienen.«

Am nächsten Abend gab es ein intimes Essen bei Professor Eppelsheimer, dem Direktor der Deutschen Bibliothek, an dem Peter Suhrkamp, Dolf Sternberger, Albrecht Goes und unsere alten Freunde Hans Reisiger und Otto Veit teilnahmen. Sternberger brachte einen brillanten, eleganten Toast auf Thomas Mann aus, witzig und unbeschwert. Der Gefeierte war sehr erquickt. Nach dem Essen erschienen noch zwanzig Studenten, und er las nun zu unserer Freude aus seinem damals im Entstehen begriffenen Gregorius-Roman ›Der Erwählte‹. Erstaunlich, wie er nach dem ›Faustus‹ und nach drei Goethe-Essays etwas sprachlich so völlig Neues zuwege bringen konnte. Er und wir amüsierten uns köstlich über die altfranzösisch-deutschen, lübisch-platten Dialekte, in denen da geredet wird, über die höchst anstößigen Dinge, die da geschehen und mit meisterhafter Überlegenheit, fast spielerisch, nur angedeutet werden, so daß sie alles Obszöne verlieren und ihr tragischer Hintergrund sichtbar wird.

Die Angriffe auf Thomas Mann aber hörten auch nach seinem Besuch in Deutschland nicht auf.

Wenn es der Zweck seines Besuches gewesen sein sollte, die Mißverständnisse und Spannungen, die seit 1945 zwischen ihm und der Emigration einerseits und den Deutschen andererseits entstanden waren, zu beseitigen, so war er nicht erreicht worden. Thomas Mann repräsentierte in gewissem Sinne die ganze deutsche Emigration. Er mag es selbst nicht gewünscht haben. Für die Emigranten aber war es dennoch so. Die Reaktion in Deutschland auf ihn wurde als ein bedeutungsvolles Zeichen für eine Gesinnung, eine Atmosphäre empfunden, als ein Indikator dafür, in welcher Richtung sich die deutsche Mentalität seit Kriegsende entwickelt hatte und wohin sie sich wenden würde.

Die Anzeichen für eine reaktionäre Entwicklung mehrten sich in erschreckender Weise. Es waren zunächst nur kleine Vorfälle. Die Hakenkreuz-Schmierereien in Köln erschienen dabei weniger signifikant als die offiziellen Äußerungen, die hauptsächlich die Sorge darüber zum Ausdruck brachten, was das Ausland dazu sagen würde. Gefährlicher aber erschienen mir die Zustände in den deutschen Schulen. Ich traute meinen Ohren nicht, als eines Tages der sechzehnjährige Sohn eines Freundes meine Frau fragte, ob es denn wahr sei, daß Hitler durch den in Polen herrschenden Terror gegen die dortige deutsche Minderheit 1939 zur Kriegserklärung gezwungen worden sei. Sein Geschichtslehrer habe ihnen das gesagt. Das war kein Einzelfall. Heimlich schlich sich entsprechende Literatur ein. Bücher dieser Art wurden gedruckt und feilgeboten. Gewiß geschah das nicht durch den offiziellen Buchhandel, und viele protestierten und griffen zur Selbsthilfe, wie auf einer der Buchmessen, wo der Stand eines Verlages, der derartige Literatur zeigte, von empörten Buchhändlern auf die Straße geworfen wurde. Aber es waren böse Anzeichen. Die Reaktion machte ihre ersten, vorsichtigen Schritte, um den Boden zu erproben, auf dem sie weitergehen könnte. Es war nicht zu gefährlich, wie sich herausstellte.

In diese Zeit fällt ein kleines Erlebnis, das mich sehr berührte. Der Redakteur einer kulturpolitischen Zeitschrift hatte zu einer politischen Diskussion siebzehn- und achtzehnjährige Schüler eingeladen. Er sprach gegen den falschen Nationalismus der vergangenen Jahre und für einen gesunden Patriotismus. Er sprach lange und schön. Als er geendet hatte, herrschte Schweigen. Keiner der jungen Leute wollte sich äußern. Endlich — es war eine peinlich lange Zeit vergangen — meldete sich ein junges Mädchen zu Wort: »Wir haben nicht verstanden, worüber Sie gesprochen haben«, sagte sie, »für uns sind das alles völlig leere Begriffe: Nationalismus, Patriotismus, Vaterland — wir wollen Europa, wir wollen endlich fort von diesen überholten Schemen, die letzten Endes nur Zerstörung über die Welt gebracht haben.« Es war fast belustigend zu sehen, wie der Vortragende, der sich durchaus als fortschrittlicher Demokrat fühlte, beinahe eine Kehrtwendung zum Nationalismus vollzog — in seinem Eifer, seine These vom Patriotismus gegen den ›Nihilismus‹ der Jugend zu verteidigen.

Ein junger deutscher Freund schrieb mir 1952: »Die Sozialistische Reichspartei, die Nachfolgerin der NSDAP, ist ja heute als verfassungswidrig endlich verboten worden. Was einem viel Mut macht. Sonst ist es allerdings direkt unverschämt, wie die alten Nazi-Literaten und Antisemiten wie Kolbenheyer und Will Vesper, der letztere ist der Schlimmste, wieder vertreten sind. Doch wir, die Gegenseite, sind jetzt doch so schlau geworden, darüber zu schweigen; ich meine mit öffentlichen Angriffen und Glossen in den Zeitungen, das waren schließlich immer die besten Propagandastücke für jene Burschen.«

›Zu schweigen‹ — so war es Ende der zwanziger Jahre, als der Nazismus begann, und so ist es heute wieder. Tief im Unterbewußten sitzt immer noch — oder schon wieder — die Angst vor der Macht der Straße, der Mangel an Selbstbewußtsein der Intellektuellen, die Überzeugung, daß gegen die Reaktion, die Dummheit, den Fanatismus in deutschen Landen eben doch nichts zu machen sei. Immer wieder zeigt es sich, daß über schwächliche Deklarationen, offene Briefe und ähnliches hinaus nichts getan wird, um den hochkommenden dunklen Kräften mit Entschlossenheit und dem Mut der Überzeugung entgegenzutreten.

Am 6. Juni 1955 vollendete Thomas Mann sein achtzigstes Lebensjahr. Ich widmete ihm ein Heft der ›Neuen Rundschau‹ mit der folgenden Zueignung.

Zueignung

An diesem besonderen Tage stellt sich die Frage, wem in erster Linie zur Vollendung dieses achten Lebensjahrzehnts Glück zu wünschen sei. Was hat uns dieses Dezennium alles geschenkt! Wir hatten nur die Hand aufzuhalten, um eine Fülle zu empfangen, auf die uns sicherlich kein Anspruch zustand, einen Segen, für den wir nur unseren Sinn zu öffnen brauchten, um seiner teilhaftig zu werden, eine Sinngebung unseres Lebens, deren wir in dieser Zeit des Zweifels und des Skeptizismus so sehr bedürfen.

Es begann 1945 mit jener Rede »Deutschland und die Deutschen« in der Library of Congress in Washington, die, noch mitten in den Emotionen des Kriegshasses, die erste Brücke schlug.

In diese Zeit fällt die Arbeit an dem oft mißverstandenen und mißdeuteten Roman, der von tiefster und schmerzlichster Liebe zu Deutschland erfüllt ist, am »Doktor Faustus«.

Es folgen die Essays: »Nietzsches Philosophie im Lichte unserer Erfahrung«, »Frankfurter Ansprache im Goethejahr«, »Meine Zeit«, »Phantasie über Goethe«, »Dostojewski mit Maßen«, und inmitten dieser und anderer essayistischer Arbeiten der aus einer fernen Welt, der Welt des Märchens, der Legende kommende Roman »Der Erwählte«.

Eine größere Erzählung, »Die Betrogene«, und ein weiterer Essay, »Der Künstler und die Gesellschaft« (1952 und 1953), unterbrechen zeitweise die Arbeit an dem in diesen Jahren der Vollendung entgegengehenden ersten Teil des humoristischen Romans »Die Bekenntnisse des Hochstaplers Felix Krull«, der wie ein erfrischender Regen in die Dürre unserer Welt fiel.

Gehen wir zehn Jahre zurück, in die Zeit der Emigration, so ergibt sich eine schier unglaubliche Produktionskraft: drei der Josephsromane, »Lotte in Weimar«, die Erzählungen »Die vertauschten Köpfe« und »Das Gesetz« sowie elf kleinere und größere Essays entstanden in dieser kurzen Zeitspanne. In den letzten zwanzig Jahren sind es also sieben große Romane, drei Erzählungen und etwa zwanzig Essays, die wir empfangen haben.

Welchen Mannes Werk in seinem siebten und achten Jahrzehnt läßt sich dem Umfang und der Bedeutung nach mit diesem vergleichen?

Kritik, die zeitgeboren und zeitgebunden notwendigerweise vom Blickpunkt momentaner Betroffenheit aus urteilt, sollte nicht die schöpferische Einheit seines dichterischen und denkerischen Schaffens übersehen. Viele seiner Äußerungen entspringen ihr und entziehen sich deshalb der gewöhnlichen Beurteilung. In die Zukunft greifend ahnt und sieht er oft mehr voraus, als dem Zeitgenossen lieb ist.

Die Wahrheit zu suchen und das Humanitäre gegen die ständige Bedrohung zu verteidigen, sind seine einzigen Motive. Konsequent, kompromißlos und ohne Rücksicht auf das Landläufig-Bequeme ging er seinen Weg vom nationalen Deutschen zum Europäer und zum Weltbürger, immer der allgemeinen Einsicht, die seiner Erkenntnis folgte, voraus. »Meine Zeit — ich habe, das darf ich sagen, nie ihren Liebediener und Schmeichler gemacht, weder im Künstlerischen noch im Politisch-Moralischen; indem ich sie ausdrückte, war ich ihr meistens entgegen, und wenn ich Stellung bezog, geschah es regelmäßig im unvorteilhaftesten Augenblick.« (Aus »Meine Zeit«, ein Vortrag 1950.)

Am 6. Juni 1945 war ihm das erste nach langer Schweigezeit wieder erscheinende Heft dieser Zeitschrift zu seinem siebzigsten Geburtstag gewidmet. Damals wurde er als der kämpferische Repräsentant des freien Geistes schlechthin gefeiert.

Dieses Heft sei ihm zu seinem achtzigsten Geburtstag zugeeignet mit unserem tiefen Dank für eine einzigartige Gemeinschaft. Fünfundfünfzig Jahre, durch zwei Verlegergenerationen hindurch, ist der Verlag mit ihm und seinem Werk verbunden. Durch friedliche und wildbewegte Zeiten sind wir gemeinsam gegangen. Unsere Bindung an ihn und an sein Werk fand ihre Entsprechung in seiner Treue zu uns durch alle Gefährdungen und durch alle Krisen unseres wechselvollen Verlagslebens hindurch.

Es hat etwas Beglückendes, daß ein solches Verhältnis die Katastrophen, die unsere Welt erschütterten, allem Skeptizismus zum Trotz überdauern konnte.

Möge uns Thomas Mann noch viele Jahre in seiner schöpferischen Kraft erhalten bleiben.

Gottfried Bermann Fischer

Die Welt feierte einen ihrer Großen.

Der schweizerische Bundespräsident, französische, englische und amerikanische Dichter, Künstler und Politiker, deutsche Delegationen huldigten ihm.

Bei der offiziellen Feier im Zürcher Schauspielhaus dirigierte der alte Freund Bruno Walter, der aus diesem Anlaß aus Amerika herübergeflogen war, die »Kleine Nachtmusik«. Thomas Mann sprach zu seinen, das ganze Haus füllenden Freunden aus aller Welt bewegende Worte des Dankes.

Am späten Abend traf sich ein engerer Freundeskreis in einem der alten Züricher Zunfthäuser.

Ich saß dem alten verehrten Mann gegenüber. In seinen vertrauten Zügen zeichnete sich noch nichts von dem nahen Ende ab. Daß es unsere letzte Begegnung war, ahnte ich nicht.

Nur zwei Monate später erkrankte er in Holland und starb am 12. August in Zürich.

Ich habe seinem Werk gedient, diesem Werk, das untrennbar mit dem Namen S. Fischer verbunden ist und das wie ein Leitstern über den verschlungenen Wegen der Verlagsodyssee schwebte.

Er teilte das Schicksal so manches großen Deutschen, von seinen eigenen Landsleuten verstoßen, bitter bekämpft und angefeindet, weil er ihnen den Spiegel vorhielt.

Über das Verlegen,
die Bestseller und die Buchwerbung

»I would be glad to be a fisherboy.« Mit dieser Zusage wurde Thornton Wilder 1945 ein Mitglied der ›Fischer Familie‹, des Kreises der Verlagsautoren, der sich seit 1933 langsam wieder erweitert hatte, nachdem so manche infolge der Spaltung des Verlages und der Veränderungen, die die Zeit mit sich bringt, ausgeschieden waren. Ich traf ihn zum ersten Mal, nachdem wir unseren Vertrag schon unterzeichnet hatten, in dem kleinen Sommerort Southampton auf Long Island, wo wir mit den Kindern kurze Sommerferien verbrachten.

Eine schöne Einrichtung in Amerika sind die Sommertheater. Einige Schauspieler schließen sich unter der Leitung eines Regisseurs zusammen und spielen für einige Wochen in improvisierten Theaterräumen, meistens primitiv hergerichteten alten Scheunen, in denen man eine Bühne gezimmert und ein paar hundert Stühle aufgestellt hat, modernes Theater. Ich habe da erstaunlich gute Aufführungen erlebt. — Hier in Southampton spielten sie ›Unsere kleine Stadt‹, und in der Rolle des ›Spielleiters‹ war Thornton Wilder persönlich angekündigt.

Thornton stand im Eingang des Theaters, eine blaue Baskenmütze auf dem Kopf, und begrüßte uns mit soviel Herzlichkeit und Wärme, daß wir sogleich ganz gefangen waren. Durch seine Brillengläser blitzten uns seine lustigen Augen freundlich und zugleich forschend an. Er war so gar nicht der Typ des Amerikaners, wie ihn sich der Europäer vorstellt, der Amerika und die Vielfalt seiner Menschen nicht kennt. Wilder ist eine Mischung von Dichter, Gelehrtem und Weltmann. Er wurde 1897 in Madison (Wisconsin) geboren und hat seine frühen Jugendjahre in China verbracht, wo sein Vater, ursprünglich Zeitungsverleger, als Generalkonsul wirkte; der junge Thornton besuchte dort eine deutsche Missionsschule. Er ist in allen Ländern der Erde herumgekommen. Er hat an Schulen und Universitäten gelehrt. Der große Erfolg seines ersten Romans, ›Die Brücke von San Luis Rey‹, hatte ihn unabhängig gemacht.

Mit seiner Schwester Isabel lebt er in seinem schönen Haus in Hamden, Connecticut, ganz seinem Werk. Seinen jüngsten Roman ›The Eighth Day‹ hat er in der Einsamkeit der Wüste von Arizona geschrieben. Die Regelung seiner materiellen Angelegenheiten überläßt er Isabel und seinem Anwalt. Ich habe niemals mit ihm über geschäftlich-verlegerische Fragen sprechen können. Als ich einmal wegen einer Vertragsfrage mit meiner Frau zu ihm nach Hamden gefahren war, setzten wir uns nach dem Lunch mit feierlichen Gesichtern zum Verlagsgespräch zusammen. Aber es wurde wieder nichts daraus. Er hatte herausgefunden, daß meine Frau Klavier spielte, und ehe ich mich's versah, saßen beide am Flügel und spielten vierhändig, bis die Zeit zum Aufbruch gekommen war.

Hier in Southampton spielte er nun Theater. »Wissen Sie«, sagte er, »das Theaterspielen macht mir große Freude — wenn es mir nur nicht so schwer fiele, den Text zu lernen«, und freute sich diebisch, wenn man darauf hereinfiel, denn es war ja sein eigener. Und er war ein guter Schauspieler, den man in dieser Rolle nicht leicht vergißt. Ich habe ›Unsere kleine Stadt‹ noch oft und mit besserem Ensemble in New York und an deutschen Theatern gesehen. Immer aber mußte ich dabei an diese Aufführung in dem kleinen Scheunentheater in Southampton denken, wie Thornton an der Rampe, die blaue Baskenmütze auf dem Kopf, mit seiner hellen, etwas heiseren Stimme seine Sätze sprach, die wie ein leiser Wind die Vorgänge auf der Bühne begleiten und die Freuden und Leiden des Lebens dieser Menschen aus einer kleinen Stadt irgendwo in Amerika an uns vorbeiziehen lassen.

Während es keiner großen Mühe bedurfte, mit den Büchern von Thornton Wilder beachtliche Auflagen zu erzielen, ist es bisher nicht gelungen, für eine so bedeutende Autorin wie Virginia Woolf in Deutschland einen größeren Leserkreis zu gewinnen.

Das Geheimnis des Bucherfolges läßt sich in keiner Formel fangen. Manche Bücher tragen ihn in sich. Oft kündigt er sich schon vor dem Erscheinen an. Es gehen Gerüchte um über den kommenden Bestseller, zuerst im Buchhandel, dann bei der Presse, schließlich im Publikum; niemand weiß so recht, woher sie kommen, aber sie breiten sich aus und fliegen dem Buch voraus, wie bunte Vögel. Bei anderen kann der Verleger tun, was immer nur möglich ist, seine ganze Überredungskunst bei Buchhändlern, in Zeitungsanzeigen und Plakaten aufbieten, nichts will anschlagen, und das Buch sinkt in Vergessenheit, bevor es seinen Weg begonnen hat. Manchmal geschieht ein Wunder und durch irgendein auslösendes Moment — durch eine Verfilmung oder eine Rezension am richtigen Platz und zur richtigen Zeit — löst sich der böse Zauber, und jedermann will nun plötzlich gerade dieses Buch, von dem bislang niemand etwas wissen wollte.

Mehr als vierzig Jahre lang habe ich mich auf dem Gebiet der Buchwerbung versucht und bin niemals das Gefühl losgeworden, daß es im Grunde vergebliches Bemühen ist. Weder lassen sich die großen Bucherfolge noch die großen Mißerfolge, die ich als Verleger erlebt habe, ausreichend erklären.

Von der Qualität der Bücher, die ich im Laufe dieser vierzig

Jahre publiziert habe, war ich immer überzeugt, auch von ihrer Lesbarkeit, ihrer inneren Notwendigkeit, von den in ihnen ruhenden Verkaufsmöglichkeiten. Warum es dann einmal zündete und ein anderes Mal nicht, bleibt letzten Endes unerklärbar. Man kann nachträglich Theorien darüber aufstellen, aber selbst wenn sie stimmen sollten, lassen sie sich nicht verallgemeinern.

Jedes Buch ist ein Ausnahmefall. Als das Manuskript der ›Buddenbrooks‹ 1901 im Verlag eintraf, war S. Fischer über seinen Umfang tief erschrocken, weil er ein Buch von über 1000 Seiten für unverkäuflich hielt. Damals gab es so umfangreiche Romane moderner Autoren nicht. Als es schließlich in zwei Bänden erschien, fand es fast keine Käufer. Es dauerte ein Jahr, bis die ersten tausend Exemplare verkauft waren. Thomas Mann schreibt selbst darüber:

»Wie? hieß es, sollen die dicken Wälzer wieder Mode werden? Ist es nicht die Zeit der Nervosität, der Ungeduld, die Zeit der kurzen, der keck-künstlerischen Skizze? Vier Generationen Bürgertum, zum Auswachsen. Die Kritik verglich den Roman mit einem im Sande mahlenden Lastwagen. — Freilich, es gab sogleich auch andere Stimmen. Da war ein jüdischer Kritiker und Theoretiker, Samuel Lublinski mit Namen — er war krank und ist nun schon lange tot. Der schrieb im ›Berliner Tageblatt‹ mit sonderbarer Bestimmtheit: ›Dieses Buch wird wachsen mit der Zeit und noch von Generationen gelesen.‹«

Aber alle Anpreisungen, alle Rezensionen nützten nichts. Der Erfolg setzte erst ein Jahr später ein, als Fischer in richtiger Erkenntnis der Lage sich zu einer drastischen Maßnahme entschloß. Er veranstaltete eine einbändige wohlfeile Ausgabe zu dem damals gar nicht so außergewöhnlich niedrigen Preis von sechs Mark. Damit war, so merkwürdig das erscheinen mag, der Bann gebrochen. Hätte das Buch auch ohne diesen Schachzug so bald seinen Erfolg errungen? Die Frage mag heute fast anstößig klingen. Aber eines ist gewiß, es hätte sicherlich noch viele Jahre gedauert, bis es in das Bewußtsein der großen Leserschichten eingegangen wäre, die es in der ursprünglichen Publikationsform nicht erreicht hatte.

Als ich 1937 die Biographie der Madame Curie von ihrer Tochter Eve erwarb, kannte ich das Manuskript nicht. Mich verlockte die Geschichte dieser großen Physikerin und ihre Entdeckung des Radiums. Ich hatte damals schon eine ferne Ahnung, welche Folgen sich daraus eines Tages ergeben könnten. Ganz schlecht konnte das Buch nicht sein. Dafür garantierte die Herkunft der Autorin und die wissenschaftliche Kontrolle durch ihre Schwester, die schon damals berühmte Physikerin Madame Joliot-Curie. Aber an einen großen Erfolg des Buches zu glauben, kam mir nicht in den Sinn. Zu meinem größten Erstaunen setzte er mit dem Tag des Erscheinens ein, ohne daß ich einen Finger zu rühren brauchte. Dabei wurde es unter erschwerten Umständen publiziert, in der ersten Emigration, im Wiener Verlag, wo mir kein großer Propaganda-Apparat zur Verfügung stand.

Bei James Jones' ›Verdammt in alle Ewigkeit‹, von dem innerhalb von fünfzehn Jahren über eine halbe Million Exemplare verkauft worden sind, war es der Film, der das zunächst schwer verkäufliche Buch zum Dauer-Bestseller machte.

Als ich die deutschen Übersetzungsrechte des Romans von James Gould Cozzens ›Von Liebe beherrscht‹ in Amerika erwarb, wäre ich jede Wette auf einen großen Erfolg eingegangen. Das Problem der Rechtsprechung, die Tragik eines Anwaltslebens, sollte weite Kreise der Leser interessieren. Gewiß, das Buch gehörte nicht in die höchste Kategorie moderner Literatur. Aber es war mit großem Können geschrieben, wie man es oft in der angelsächsischen Produktion findet. Die erste große Besprechung erschien pünktlich am ersten Publikationstag in einer der großen Tageszeitungen. Sie war einer jener bösartigen Ausfälle, nicht nur gegen das Buch, sondern auch gegen den Verlag, jene Art von Kritik, die weniger aus sachlicher Analyse als aus allen möglichen Emotionen und Minderwertigkeitskomplexen resultiert. Sie versetzte dem Buch einen schweren Schlag, von dem es sich nicht mehr erholte.

Daß der ›Doktor Schiwago‹ von Boris Pasternak gewisse Erfolgschancen hatte, war mir klar, als ich die deutsche Übersetzung las. Zum ersten Mal war uns ein Blick hinter den Eisernen Vorhang gewährt, von einem Manne, dessen Name als großer Lyriker schon lange nach dem Westen gedrungen war. Bekannter war mir damals der Name seines Vaters, der Rußland während der Revolution verlassen und als Maler in Berlin gelebt hatte. Porträts von Gerhart Hauptmann und Walther Rathenau gehören zu seinen Werken.
Von meinem Freund Kurt Wolff erfuhr ich auf der Buchmesse im Jahre 1957, daß der italienische Verleger Giangiacomo Feltrinelli die Rechte an dem Roman persönlich von Pasternak in Moskau erworben habe und einen deutschen Verleger für die deutschsprachige Ausgabe suche. Ich kam sehr rasch mit Feltrinelli über seine für die damaligen Verhältnisse recht hohen Forderungen überein. Obwohl ich das russische Manuskript nicht lesen konnte — es lag noch keine deutsche Übersetzung

vor —, ging ich auf sie ein, weil etwas Geheimnisvoll-Rätselhaftes um dieses Buch und seinen Autor in der Luft lag. Damals wußte man noch nichts von Pasternaks tragischem Leben in Rußland und von den schweren, lebensbedrohenden Angriffen, denen er ausgesetzt war. Als die ersten Teile der Übersetzung eintrafen, gingen mir freilich die Augen auf. Ich sah nun, was mir da in die Hände gefallen war, eines jener einmaligen Romanwerke, die zu den großen Dokumenten einer Epoche heranwachsen können. Da ich einen Erfolg für möglich hielt, entwarf ich einen vielfältigen Propagandaplan und setzte die erste Auflage auf 20 000 Exemplare an. Mein Optimismus wurde von meinen Mitarbeitern jedoch nicht geteilt. Während meines Sommerurlaubs reduzierten sie die Erstauflage auf 10 000 Exemplare, unter dem Eindruck einer ihnen im Manuskript vor Veröffentlichung des Buches bekannt gewordenen Besprechung eines der einflußreichsten Rezensenten, die nicht viel von ›Doktor Schiwago‹ übrigließ. (Daß es keine göttliche Strafe für solche ruinöse Irrtümer gibt!)

Was sich dann bei Erscheinen des Buches im Herbst 1958 ereignete, läßt sich nicht durch Werbemaßnahmen des Verlages erklären. Es waren hauptsächlich drei Faktoren, die zu einer explosionsartigen Nachfrage nach diesem Buch führten: das lange Jahre aufgestaute Bedürfnis, etwas über das Leben in Rußland aus erster Quelle zu erfahren, die Gerüchte und Pressemeldungen über die Art und Weise, wie das Manuskript nach dem Westen gelangt war und die bedrohlichen Folgen für den Autor in Rußland, schließlich — allerdings bereits mitten im Verkaufserfolg — die Verleihung des Nobelpreises und seine von der russischen Regierung erzwungene Zurückweisung durch den Autor.

Aber durch alle diese Faktoren wären vielleicht ein paar tausend Exemplare mehr oder weniger verkauft worden; niemals aber wäre es zu diesem, die ganze westliche Welt erfassenden Schiwago-Run gekommen, wenn das Buch selbst es nicht ›in sich‹ gehabt hätte.

Man mag darüber diskutieren, ob der Roman ein literarisches Meisterwerk ist oder nicht, wie weit die Konstruktion des Buches den Anforderungen moderner Literatur entspricht — eines bleibt: Millionen von Menschen waren erschüttert. Es hatte sich etwas Wunderbares ereignet. Wie das winzige Radium-Partikel im Laboratorium der Madame Curie im Dunkel leuchtete, so erhellte die Aura dieses Buches das Dunkel, das über dem unbekannten Lande Rußland lag und trug zu einer menschlichen Annäherung bei, deren politische Auswirkungen nicht unterschätzt werden sollten.

Es war uns nicht beschieden, Boris Pasternak persönlich zu begegnen. Aber unser Briefwechsel hat uns einander nahegebracht. Unmittelbar vor Erscheinen der deutschen Ausgabe hatte ich Pasternak ein paar Zeilen geschrieben, ohne viel Hoffnung auf eine Antwort. Es war damals, als schriebe man ins Leere, ins Unbekannte, Nebelhafte. Aber da kam nach gar nicht so langer Zeit eine offene Postkarte in deutscher Sprache, in ungewöhnlich schöner Handschrift, aus dieser nebelhaften Ferne, mit vielen russischen Marken beklebt. Es schien unglaublich: eine Postkarte von Boris Pasternak.

26. September 1958
»Lieber, sehr verehrter Herr Fischer,
Ich beeile mich, Ihnen den Empfang Ihres seelenvollen, edelmütigen Briefes zu bestätigen. Insbesondere danke ich Ihnen für den herzlichen, persönlich gefärbten Zug Ihres Schreibens, bis darauf, daß Sie mich mit einem Gruß von Ihrer Frau und Ihrem Freunde* beehren. Dieser freundliche Ton beglückt mich mit einem Gefühl geistiger Nähe zu Ihnen und Ihrem Tätigkeitsbereich. — Falls Sie irgendwann nochmals Anlaß oder Wunsch fassen, mich mit einem Briefe zu erfreuen, benützen Sie bitte die folgende Landhausanschrift: Peredelkino bei Moskau (durch Bakowka), für mich. Ein Exemplar der deutschen Buchausgabe zu haben, wäre eine große Freude für mich . . .
Wundern Sie sich bitte nicht und seien Sie gar dadurch nicht gekränkt, daß ich Ihren breiten freigebigen Brief mit einer kargen ununterschriebenen Postkarte beantworte. Das geschieht ihres sichersten Erreichens halber. Hoffentlich werde ich an Sie künftighin auch lange Briefe in Umschlägen richten, will aber heute nicht die Äußerung meines Entzückens wegen der neuerrungenen Freundschaft ins Unbestimmte verschieben, und in dieser Weise kommt sie an Sie am ehesten an. Es ist eine lebhafte Genugtuung für mich, daß mein Buch Ihnen und den Ihrigen zusagt. Es ist meine Überzeugung, daß wir in Tagen der Folgen und Schlußergebnisse und nicht der Fortsetzungen des Altgeschauten und Erlittenen leben, daß das wenige und einzig wichtige, das durch Kriege und Umwälzungen bewirkt werden sollte, längst erreicht, bewiesen und eingepaukt ist. Man braucht die Kehle darüber nicht mehr heiser zu schreien. Ich wundere mich über Künstler und Denker die noch den vielen unnützen abgelebten politischen, ästhetischen und anderen Formen und Gegenformen Treue bewahren, da doch nur der neue, unbegriffene und kaum aufgekeimte Inhalt in Betracht kommt, wie es die Felder und Schößlinge nach dem dreißigjährigen Kriege oder dem Absturze des Tatarenjoches waren. Eine neue Zeit hebt an. — Aber genug davon. Herr R.

* Dr. Rudolf Hirsch.

von Walters schöne Übersetzungen von Block und Puschkin sah ich natürlich in den Zwanziger und bin froh, stolz und sicher über seinen gewiß sieghaften Anteil an meiner Arbeit. — Ich beschließe meinen Brief mit dem Ausdruck der tiefsten Hingabe an Sie und die hochverehrte Frau Fischer.«

Noch viele Briefe folgten.
Unsere Korrespondenz mit Boris Pasternak gehört zu unseren kostbarsten Briefdokumenten. In ihnen enthüllt sich ein Mensch mit einer kindlichen Seele, voller Dankbarkeit für alles Gute, was ihm geschieht, voller Hilflosigkeit gegenüber dem Ansturm des Bösen, dem er so gar nicht gewachsen war und von einer tiefen Einsicht in die Abgründe des Weltgeschehens. Ein wunderbarer Mensch, ein großes Herz. Ich hätte ihn gern in meine Arme geschlossen. Aber wir durften nicht zu ihm fahren. Unser Besuch hätte ihn gefährdet.
In ›Doktor Schiwago‹ hatten sich sämtliche Faktoren, die zu einem Erfolg führen können, auf glückliche Weise vereint. Ein außergewöhnliches Werk, das zur richtigen Zeit erschien, dessen Autor durch sein besonderes Schicksal in den Mittelpunkt des allgemeinen Interesses rückte, die Verleihung des Nobelpreises und seine erzwungene Ablehnung — alles kam zusammen und rief eine so vehemente Nachfrage hervor, daß der Verkauf der anderen zu dieser Zeit publizierten Bücher, unserer eigenen wie die andrer Verlage, darunter zu leiden hatte. Manche Buchhändler gingen so weit, dem Verlag die Störung des Weihnachtsgeschäftes vorzuwerfen, in der sehr ehrenvollen, aber völlig falschen Meinung, wir hätten mit unserer Werbung diese Springflut hervorgerufen. Gekrönt wurden diese Vorwürfe durch einen Artikel im Börsenblatt der Ostzone vom 20. Dezember 1958:

ETWAS ÜBER BESTSELLER
Also die Sache ist die: Die Tochter vom alten S. Fischer heißt Tutti Fischer und heiratete einen Mann namens Bermann. Aha, daher der Name Bermann-Fischer. Ganz recht. Besagter Herr Bermann ist Schwede, und zur Zeit rätselt man in westzonalen Fachkreisen, ob er irgendwelche Beziehungen zu dem Gremium besitzt, das die Nobelpreise verleiht. Nicht ohne Grund; denn:
Zur vorletzten Frankfurter Messe bot der italienische Verleger Feltrinelli das Romanmanuskript eines gewissen Pasternak seinen westdeutschen Kollegen wie warme Semmeln an. Keiner biß an, bis es schließlich Fischer nahm. Aber nicht, weil er sich davon etwas Besonderes versprach, sondern weil er gleichzeitig damit die Lizenz seiner ›Bücher des Wissens‹ preisgünstig nach Italien verkaufen konnte. Auf diese Weise in den Besitz des »Dr. Schiwago« gelangt, sah er sich um, was daraus zu machen sei. Und da literarisch nichts dazu war, mußte die Antisowjethetze das Kolorit für den Bestseller liefern. Dabei kam ihm nun allerdings die provokatorische Verleihung des Nobelpreises

an Pasternak zu Hilfe. Die Weltpresse rührte die Werbetrommel, und die Zahl der verkauften Exemplare stieg sprunghaft über 400 000. Der verkauften Exemplare, nicht etwa der gedruckten. Denn die Drukkereien kamen nicht mehr nach. Also ließ der Fischer-Verlag Zettel herstellen, die als eine Art Gutscheine zu Weihnachten verschenkt werden können, falls der Käufer das Buch nicht mehr rechtzeitig bekommen kann. Es kostet im übrigen sage und schreibe 25 Mark, wovon, wie man hört, 10 Mark in die Taschen des Verlegers wandern. Seh'n Sie, das ist ein Geschäft... und deshalb fragt man sich in unterrichteten Kreisen der Westzone auch, ob nicht die Beziehungen des Schweden Bermann in seinem Mutterland vielleicht bis zu dem Gremium reichen, das den Nobelpreis verleiht. Aber das ist natürlich nur eine Vermutung.

Jedenfalls werden so Bestseller gemacht. Bei uns geht das etwas anders vor sich. Hier bestimmen nämlich literarische Qualität des Buches und gesellschaftliche Aussage den Absatz. Das ist etwas unkomplizierter, aber gesünder, und dieser Unterschied spricht Bände: Für die Arbeit des Schriftstellers, des Verlegers, des Buchhändlers, für den Geschmack des Publikums, für den Boden, auf dem das alles wächst. Denn 60 000 ›Nackt unter Wölfen‹ wiegen schwerer als der ›Dr. Schiwago‹ mit seiner ganzen Sippe.

Erfolgseruptionen von diesem Ausmaß ereignen sich nicht oft im Leben eines Verlegers. Ich hatte sie in diesem Umfang nur einmal vorher erlebt — als ich die RM 2,85-Ausgabe der ›Buddenbrooks‹ im Jahre 1929 herausbrachte.

Zweimal in meinem Leben sind aber auch ganz große Erfolge an mir vorübergegangen, obwohl ich sie schon in der Hand hatte. Das eine Mal war es ›Im Westen nichts Neues‹ im Jahre 1928. Durch den Sportredakteur von ›Sport im Bild‹ wurde uns im Frühjahr 1928 ein Manuskript von einem uns unbekannten Autor, Erich Maria Remarque, eingereicht. Es handelte sich um ein Kriegsbuch, und ich nahm es an mich, da damals ein allgemeines Vorurteil gegen Kriegsromane herrschte und ich eine vorschnelle Ablehnung durch unser Lektorat befürchtete. Es war der letzte Tag vor einer Skireise nach der Schweiz, und ich wollte mir noch vorher ein Bild von dem Manuskript machen. Die folgende Nacht schlief ich nicht. Was später Millionen von Menschen bei der Lektüre dieses Buches ›Im Westen nichts Neues‹, geschah, erlebte ich in dieser Nacht, in der mein eigenes Kriegserlebnis, durch Remarques Gestaltungskraft über das Einzelschicksal hinausgehoben, in verwandelter Form zu neuer Wirklichkeit geweckt wurde.

Am frühen Morgen noch eilte ich zu S. Fischer und bat ihn dringend, seine Abneigung gegen Kriegsliteratur gegenüber diesem Sonderfall eines Buches zurückzustellen, und er versprach mir, den Autor zu sich zu bitten.

Als ich vier Wochen später zurückkehrte, galt meine erste Frage dem Vertragsabschluß mit Remarque. Da kam es heraus, daß Fischer zwar Remarque zu sich gebeten, sich aber zu einem Vertragsabschluß nicht hatte entschließen können und ihm lediglich versprochen hatte, das Buch zu erwerben, wenn er keinen anderen Verleger dafür finden könnte. Ich war enttäuscht, rief Remarque sofort an — und hörte, daß er soeben mit Ullstein abgeschlossen habe. Was dann geschah, ist ein Stück Buch- und Literaturgeschichte. Ich glaube, ›Im Westen nichts Neues‹ hat (außer der Bibel) alles in allem genommen die höchste Verkaufsziffer erreicht, die je einem Buch zuteil wurde.

Der erbitterte Haß der Reaktion in Deutschland und natürlich der Nazis, den das Buch auf sich zog, hat Remarque schon sehr frühzeitig bewogen, Deutschland zu verlassen. Daß ich es nicht verlegt habe, war mir immer schmerzlich, nicht wegen des entgangenen Erfolges — gewiß war auch das nicht gerade besonders erfreulich —, sondern weil ich es als Ausdruck eines Generationserlebnisses und als Antikriegsbuch für eines jener Bücher halte, ohne die die Welt ärmer wäre.

Der andere Unglücksfall geschah 1942, kurze Zeit nach Eröffnung unseres amerikanischen Verlages.

Eines Tages erschien ein unbekannter armenischer Schriftsteller in meinem Büro mit einem Berg von Manuskripten, die er in mehreren Koffern herbeischleppte. Es war das in Jahren gesammelte Material über die Untergrundbewegung in den USA — vom Ku Klux Klan über die Kommunisten bis zu den amerikanischen Nazis. Aus diesem Rohstoff war ein Buch erst zu machen. Er selbst konnte es nicht. Es mußte also einer jener ›ghostwriter‹ her, die in Amerika mit viel Geschick für andere Leute Bücher schreiben. Es gab deren eine ganze Menge, darunter sehr begabte Schriftsteller, die es vorzogen, sich auf diese Weise ihr Brot zu verdienen. Als mein Partner Fritz Landshoff sich durch die Manuskriptberge hindurchgelesen hatte, war er ebenso fasziniert von der Fülle der interessanten und aufregenden Enthüllungen wie ich. Wir legten das Material hintereinander drei der bekannten Ghostwriter vor. Alle drei schickten es mit total negativer Beurteilung zurück. Sollten wir, die wir noch kaum etwas von Amerika wußten, also wahre Greenhorns waren, klüger sein als diese mit allen Wassern gewaschenen Literaten? Wir sagten mit Bedauern unserem armenischen Freund ab. Ein Jahr später mußten wir erleben, wie das Buch, das unter dem Titel ›Under Cover‹ bei einem Verlag in Boston erschien, der größte Bucherfolg in der amerikanischen Verlagsgeschichte wurde. Über eine Million Exemplare wurden im Laufe eines Jahres verkauft. Ich hätte mir die Haare ausreißen können.

Um meinen Freund Landshoff zu trösten, versuchte ich, ihm dramatisch darzustellen, was uns als Emigranten in den Staaten alles von den ›Under-Cover‹-Leuten angetan worden wäre. Man hätte uns unser Büro demoliert, unsere Kinder gekidnapt, — ich weiß nicht was noch. Er sah mich aber nur traurig lächelnd an und sagte: »Für das viele Geld hätten wir uns zwei Kanonen kaufen können.« Alles mögliche sonst noch hätten wir uns kaufen können. Aber dieses große Los war an uns vorübergegangen. Weinen nützte nun nichts mehr.

Diese Geschichten vom Glück und Unglück des Verlegers sollen nur zeigen, wie das Schicksal eines Buches oft von Umständen abhängt, die jenseits seines Einflusses liegen.

Trotzdem darf man nicht nachlassen, immer wieder den Kampf für das Buch, an das man glaubt, für den Autor, von dessen Bedeutung man überzeugt ist, aufzunehmen, oft gegen den Strom schwimmend, gegen die ›Mode‹, gegen den sogenannten ›Geschmack‹ des Buchhandels und des Publikums. Ich glaube an unsere Autoren, auch an diejenigen, die sich heute noch nicht durchgesetzt haben. Hier heißt es, Geduld haben und immer wieder unermüdlich Presse, Buchhandel und Publikum an ihre Namen erinnern. Eines Tages kommt dann der Erfolg. Eines Tages wird der unbekannte Name ein Begriff.

Zweimal im Jahr, im Frühling und im Herbst, müssen die neuen Bücher, die rechtzeitig vor Ostern und vor dem Weihnachtsfest in den Buchhandlungen vorliegen sollen, in Rundschreiben an das Sortiment, in Spezialprospekten und Zeitungsanzeigen angekündigt und beschrieben werden. Jedesmal gibt es einen Kampf um die Werbetexte für die ca. 150 Bücher, die jährlich im S. Fischer Verlag erscheinen. Eine Handelsware, sei es ein Automobil, eine Waschmaschine oder die bisher unerreichte Qualität eines neuen Seifenpulvers anzuzeigen ist ein Kinderspiel, verglichen mit der Aufgabe, ein Buch von literarischem Wert zu beschreiben und es dem intellektuellen wie dem Durchschnittsleser interessant zu machen.

Den Inhalt eines solchen Werkes, an dessen Formung der Autor monate- und jahrelang gearbeitet hat, in zwanzig Zeilen wiederzugeben, ist sinnlos und wird in den meisten Fällen mehr schaden als nützen. Eine simple Geschichte platt nacherzählt, kann dem Leser nichts von der Schönheit und Besonderheit mitteilen, in die der Dichter in seiner Sprache, seinem Stil, seiner Gestaltungskraft das Einfache zum Bedeutenden gewandelt hat.

Die Hilfsmittel, zu denen der Lektor oder Werbefachmann in seiner Verzweiflung dann gewöhnlich greift, sind meistens genauso abwegig. Als da sind die Vergleiche mit den Werken der großen Vergangenheit. Wie viele neue Dostojewskis, Tolstois, Simplizius Simplizissimusse sind in den letzten Jahrzehnten angepriesen worden. Oder die superlativistischen Ergüsse über Stil und Sprache, die angeblich eine neue Epoche moderner

Literatur einleiten sollen, ebenso unglaubwürdig wie die düster makabren Andeutungen über das Schicksal der geschilderten Personen, bei denen den präsumtiven Buchkäufer das Grauen ergreift, bevor er die erste Seite gelesen hat. Schließlich eingehende Ausführungen darüber, was das Buch alles nicht bietet, was meistens leichter zu beschreiben ist als das, was es auszusagen hat.

Ist dann nach endlosen Diskussionen und immer wieder umgeschriebenen Fassungen der endgültige Text zustande gekommen, der Waschzettel, der in gekürzter Form auf der Klappe des Schutzumschlages erscheint und in den verschiedensten Variationen in Prospekten und Anzeigen verwandt wird, ergießen die Buchkritiker die Lauge ihres Spottes über die ihrer Meinung nach übertriebenen Werbebemühungen des Verlages für ein Buch, das sie nun ihrerseits, meistens mit den gleichen verfehlten Mitteln, zum Tode verdammen oder in den Himmel erheben.

Aber ich übertreibe, Werbung und Kritik sind unentbehrliche Mittel, dem Buch seinen Weg zu bereiten, und Generationen von Lektoren und Kritikern werden sich auch in Zukunft ihren oft undankbaren, aber notwendigen Bemühungen um das Buch hingeben.

Der Neue S. Fischer Verlag

Für mich war es tief befriedigend, daß es gelungen war, die meisten der großen Verlagsautoren mit ihren Gesamtwerken durch die Gefährdungen des Exils und die Jahre des Wiederaufbaues hindurch dem Verlag zu erhalten und einige der hervorragendsten Schriftsteller unserer Zeit für den Verlag zu gewinnen.

Der Erwerb des Gesamtwerkes von Sigmund Freud stellte eine bedeutende Erweiterung des Verlages dar. Mein Mitarbeiter Hans-Geert Falkenberg hatte 1960 bei einem Besuch in London erfahren, daß der Inhaber der Imago Publishing Company, Mr. John Rodker, bei der die deutschsprachige Freud-Ausgabe erschien, gestorben war und daß seine Witwe die Rechte verkaufen wollte. Verhandlungen mit einem Schweizer Verleger seien bereits im Gange. Ich flog sofort nach London, fest entschlossen, mir dieses Werk, das zu den grundlegenden Schöpfungen unseres Jahrhunderts gehört, nicht entgehen zu lassen.

In Deutschland war Freud nach dem Verbot seines Werkes in der Hitler-Zeit nur durch einige in der Fischer Bücherei von mir veröffentlichte Taschenbuchausgaben vertreten. Die deutschsprachige Gesamtausgabe war nach der Schließung des Psychoanalytischen Verlages in Wien (1938) im Jahre 1941 mit Hilfe einer Spende von Prinzessin Marie Bonaparte in der neugegründeten Imago Publishing Company, London, neu herausgebracht worden.

Als ich in den Jahren 1951–1958 einige Teile aus dem Gesamtwerk als Taschenbücher publizierte, dachte ich nicht daran, daß ich eines Tages die Nachfolge in der Publikation der Gesamtausgabe Freuds würde antreten können. Daß die neuen Erkenntnisse auf dem Gebiet der Seelenforschung, der modernen Psychologie und Psychiatrie in Deutschland für mehr als ein Jahrzehnt dem Bewußtsein der Menschen entzogen waren, ist gewiß nicht ohne Einfluß auf die geistige Situation in den Nachkriegsjahren, nicht zum wenigsten auf die Entwicklung der Literatur in Deutschland geblieben. Ihre Sterilität in dieser Zeit ist zum Teil wohl darauf zurückzuführen.

Wenn mir damals einer der führenden deutschen Psychiater, ordentlicher Professor an einer großen deutschen Universität, sagen konnte: »Ach, wissen Sie, die Lehre vom Unterbewußtsein von Freud ist ja nichts Neues«, so zeigte das eine so katastrophale Unkenntnis einer Entwicklung, die die ganze Welt bereits ergriffen hatte, daß man um die Zukunft der deutschen

Psychiatrie und Psychologie besorgt sein mußte. Ein verderblicher geistiger Hochmut sprach aus diesen Worten, der sich neuen Erkenntnissen verschloß, ein Glauben an die längst vergangene Superiorität der deutschen Medizin, die Ablehnung alles ›Ausländischen‹, und nicht zum wenigsten auch Antisemitismus. Die Ablehnung Freuds stammte noch aus der alten Münchener Schule Kraepelins*, der bei seinen Vorlesungen keine Gelegenheit vorübergehen ließ, ihm einen Hieb zu versetzen.

Die Wiedereinführung dieses großen Werkes in Deutschland durch den S. Fischer Verlag hat vielleicht mit dazu beigetragen, diesem unwürdigen Zustand ein Ende zu bereiten. Gelehrte wie Professor Carl Friedrich von Weizsäcker, Professor Alexander Mitscherlich, die Professoren Thure von Uexküll, Horst Eberhard Richter und Max Horkheimer versuchten mit großem Mut und persönlichem Einsatz, den Bann an den deutschen Universitäten zu brechen. Daß heute noch in gewissen akademischen Kreisen Deutschlands die Anerkennung dieses Werkes in Frage gestellt ist, läßt tiefe Schlüsse zu.

Thomas Mann spricht in diesem Zusammenhang in seinem Essay ›Freud und die Zukunft‹, der Festrede, die er zu Freuds 80. Geburtstag in Wien gehalten hat, von »antihumaner Bosheit« diesem »schlechten Motiv geistfeindlicher Lehren« und fährt fort: »Seine (Freuds) Entdeckung der ungeheuren Rolle, die das Unbewußte, das ›Es‹ im Seelenleben des Menschen spielt, besaß und besitzt für die klassische Psychologie, der Bewußtsein und Seelenleben ein und dasselbe ist, die gleiche Anstößigkeit, die Schopenhauers Willenslehre für alle philosophische Vernunft- und Geistgläubigkeit besaß.« An einer späteren Stelle sagt er zusammenfassend: » . . . so vollkommen bin ich überzeugt, daß man in Freuds Lebenswerk einmal einen der wichtigsten Bausteine erkennen wird, die beigetragen worden sind zu einer heute auf vielfache Weise sich bildenden neuen Anthropologie und damit zum Fundament der Zukunft, dem Hause einer klügeren und freieren Menschheit.«

Der Briefband 1873–1939, der 1960 erschien, zeigt Freud als genialen Gelehrten, als weisen, toleranten Menschen, als zärtlichen Liebhaber und Vater und als scharfen Kritiker seiner selbst.

Ich bin dem großen alten Mann nur ein Mal — in seinem Wiener Haus — begegnet. Der überaus freundliche Empfang, den der Einundachtzigjährige meiner Frau und mir bereitete, ist mir unvergessen geblieben, ebenso wie die Zuneigung, die er meinen damals noch kleinen Töchtern zeigte. Mir ist nur noch diese Erinnerung an den großen Forscher mit den scharf und

---

* In den zwanziger Jahren Professor der Psychiatrie an der Universität München.

zugleich traurig blickenden Augen geblieben und an seinen Arbeitsraum mit dem großen Schreibtisch, auf dem sich eine Sammlung von griechischen Klein-Bronzen befand.
In London sah ich sie im Arbeitszimmer seines Sohnes Ernst Freud wieder. Sigmund Freud war 1939 gestorben.

Im September 1959 reisten wir als Gäste des israelischen Außenministeriums zusammen mit Ernst Schnabel nach Israel. Diese Reise stand in Zusammenhang mit dem in der Fischer Bücherei erschienenen Band ›Anne Frank — Spur eines Kindes‹. Der sensationelle Erfolg des ›Tagebuchs der Anne Frank‹ in der Fischer Bücherei und seiner Dramatisierung, die über alle deutschen Bühnen lief und mehr als alle Erklärungen und Berichte es vermochte, den Menschen in Deutschland das Schicksal ihrer jüdischen Mitbürger lebendig zu machen, hatte eine Fülle von Denunziationen ausgelöst, die die Echtheit des Tagesbuchs in Zweifel zogen. Ich hatte deshalb unseren Autor und Freund Ernst Schnabel gebeten, alle erreichbaren Personen, die Anne Frank gekannt hatten, zu interviewen und aus diesen authentischen Zeugnissen ein Buch des Gedenkens an dieses Mädchen zu verfassen, das den Schmähungen und Entstellungen ein Ende bereiten sollte. Es erschien 1957 unter dem Titel ›Anne Frank — Spur eines Kindes‹ in der Fischer Bücherei.
Der Verlag stellte die Einnahmen und Ernst Schnabel seine Honorare aus dem Verkauf dieses Buches sowie aus den Radio- und Vorabdruckrechten einem von mir gegründeten ›Anne Frank-Stipendium‹* zur Verfügung, dessen Zweck es war, israelischen Studenten die finanzielle Möglichkeit zu einem einjährigen Studium in Europa zu geben. Die Auswahl der Studenten erfolgte durch den Rektor der Universität Jerusalem. Seitdem haben 39 Israelis aus den verschiedensten Studienfächern von dieser Möglichkeit Gebrauch gemacht. Als Dank für diese Stiftung erfolgte die Einladung an Ernst Schnabel und an uns zu einer vierzehntägigen Reise durch das Land.
Eines der großen Erlebnisse dieser Reise war meine Begegnung mit Samuel Joseph Agnon, dem großen alten Mann der israelischen Literatur, der das Neuhebräische zu dichterischer Ausdruckskraft erhoben hat. Ich kannte nur seine 1923 im Schokken Verlag, Berlin, erschienene Erzählung ›Der Verstoßene‹ und war begierig, ihm persönlich zu begegnen und von ihm zu erfahren, ob einer seiner großen Romane, von denen ich nur vom Hören-Sagen wußte, für eine deutsche Übersetzung noch frei sei.
Er empfing mich mit seiner Gattin in seinem schönen Haus in Jerusalem, das dicht an der jordanischen Grenze gelegen ist,

---

* Dieses Stipendium ist nicht zu verwechseln mit der vom Vater der Anne Frank in Holland gegründeten Anne-Frank-Stiftung.

sehr freundlich, aber zunächst mit großer Zurückhaltung, bis er von meinem Schicksal und dem Schicksal des Verlages erfahren hatte. Dann fielen die Reserven, und er ließ mich sein väterliches Wesen erkennen, die abgeklärte Weisheit des Patriarchen, des Repräsentanten großen Judentums.

›Nur wie ein Gast zur Nacht‹ (Oreah nata lalun) sollte als erstes Buch in deutscher Sprache erscheinen. Nach langen Bemühungen gelang es, in Karl Steinschneider den adäquaten Übersetzer für Agnons Sprachstil zu finden. Es ist für mich eine große Freude, mit dieser ersten deutschen Ausgabe eines seiner großen Romane dem Dichter Agnon den Weg zum Nobelpreis, der ihm als erstem israelischen Dichter verliehen wurde, mitbereitet zu haben.

Tibor Déry begegnete ich zum ersten Mal, als er 1963 aus Budapest zu einer Vorlesung nach München kam. Zu dieser Zeit hatte ich bereits seinen Roman ›Der unvollendete Satz‹, die Erzählung ›Niki‹ und einen Erzählungsband ›Die portugiesische Königstochter‹ veröffentlicht. Eine gekürzte Ausgabe von ›Der unvollendete Satz‹, die im Aufbau-Verlag in Ostberlin erschienen war, hatte mich auf ihn aufmerksam gemacht. Sein Schicksal als unabhängiger Sozialist und Vorkämpfer der Freiheit, das ihn für viele Jahre in Not und Haft gebracht hatte, fand seinen dichterischen Ausdruck in der Erzählung ›Niki‹ und in diesem Romanwerk, das — wie Pasternaks ›Doktor Schiwago‹ und der Roman S. J. Agnons — zu den dokumentarischen Romanen unserer Zeit gehört.

Ich fand ihn und seine junge, temperamentvolle Frau in der Halle seines Münchener Hotels, tief enttäuscht über den miserablen Kaffee, den man ihm dort serviert hatte. Wahrlich eine Zumutung, einem Ungarn mit solcher Brühe zu kommen. Ich konnte ihn erst im Restaurant Walterspiel in den Vier Jahreszeiten ein wenig trösten.

Unsere Freundschaft begann mit seinem Besuch in unserem Haus in Italien, wo er inmitten der toskanischen Landschaft ein neues Buch konzipierte.

Bewunderungswürdig sein klarer Geist und seine jugendliche Frische nach einem 70jährigen Leben konsequenter, kompromißloser Haltung. Am Kleinen wie am Großen konnte er sich freuen, und er hatte sich einen Humor erhalten, der nichts von seinem schweren Schicksal ahnen ließ. Es ist schön zu wissen, daß er in seiner ungarischen Heimat in Frieden leben und weiterschaffen kann.

Diese drei Männer, die ihr Leben für eine Idee eingesetzt haben, jeder auf seine Weise, sind Vorbilder in einer Zeit, in der Mut zum persönlichen Einsatz selten geworden ist und der faule Kompromiß als das naturgegebene ›Vernünftige‹ zur Grundlage der Politik und des Lebens wird.

Ein kämpferischer Geist wie diese aus alter europäischer Kultur stammenden Männer ist der viel jüngere Amerikaner Arthur Miller, der mit seinen Stücken die Weltbühnen erobert hat. Er hat sein Leben dem Kampf gegen Dummheit und Unterdrückung, gegen Inhumanität und gegen die Grausamkeit unserer sozialen Verhältnisse gewidmet.

Im März 1949 erwarb ich in New York die deutschen Aufführungsrechte an seinem Stück ›Death of a Salesman‹ (Der Tod des Handlungsreisenden). Niemand wollte damals daran glauben, daß das Thema dieses Dramas in Deutschland Interesse finden könnte. Mich interessierten die Diskussionen über die Frage, ob die Figur des amerikanischen Handlungsreisenden auf die Verhältnisse in Deutschland paßten, überhaupt nicht. Ich sah nur die eminente dramatische Begabung des Autors und seine bewegende Themenstellung, die eine soziale Kernfrage berührte. Der Erfolg des Stückes, das im April 1950 seine deutsche Premiere in Düsseldorf erlebte und nach seiner schönsten Aufführung unter der Regie Kortners in Berlin nun schon viele Jahre lang bis zum heutigen Tage über die deutschen Bühnen geht, gab mir recht. Verspäteter Ibsen, warf die Kritik ihm vor. Mag sein. Für mich ist dieses Stück lebendige Fortsetzung großer dramatischer Schöpfung.

Als ich ihn vor einigen Jahren auf seiner Farm in Connecticut besuchte, hatte ich mich in der weiten Landschaft verloren und schickte mich an, einen auf einem riesigen Traktor herannahenden Bauern nach dem Weg zu fragen. Im letzten Moment sah ich, daß der Farmer, der hoch oben auf dem Führersitz thronte, Miller war. Er lebt und arbeitet dort in der Tat wie ein Bauer inmitten seines mehr als 10 Hektar umfassenden Landes, mit seinen dunklen Wäldern und den weit ausschwingenden grünen Hügeln.

Arthur Millers dramatisches Werk, von seinem ersten Stück ›Alle meine Söhne‹ über die ›Hexenjagd‹ bis zu ›Zwischenfall in Vichy‹ zeigt volle Identität mit seiner politischen Haltung im öffentlichen Leben. In der McCarthy-Zeit wurde die profilierte Persönlichkeit dieses Mannes ganz deutlich, der auch bereit ist, seine Existenz für seine Überzeugung zu wagen.

Die Uraufführungen seiner Stücke in New York sind die Glanzzeiten des Broadway nach dem Kriege — zusammen mit den Stücken des großen amerikanischen Dramatikers: Tennessee Williams. Seine Sache ist das psychologische Theater, das er mit ›Glasmenagerie‹ und ›Endstation Sehnsucht‹ und vielen folgenden Stücken auch auf den europäischen Bühnen zu neuem Glanz brachte.

Als jüngster unter den amerikanischen Dramatikern folgt Edward Albee, der mit der ›Zoogeschichte‹ seine Uraufführung am Schloßpark-Theater in Berlin erlebte. Er war durch den Schauspieler Pinkas Braun, der als erster diese eminente Begabung erkannt und sein Stück aus eigenem Antrieb übersetzt hatte, zum Verlag gekommen. Erst sein Erfolg in Deutschland zog die Anerkennung des jungen Dramatikers in Amerika nach sich.

In seinem Coach-House im Stadtteil Greenwich Village in New York — einem jener alten Häuser mit einer Toreinfahrt, durch die einst die pferdebespannte Kalesche des wohlhabenden Eigentümers in den Hof des Hauses gefahren wurde — lebt er inmitten seiner erlesenen Sammlung moderner Gemälde und Skulpturen und empfängt seine Freunde in seiner scheuen, leisen Art, mit Herzlichkeit, Humor und ironischer Weltbetrachtung. Die Abgründe menschlicher Leidenschaften und Schwächen, die er mit so gewaltigem Ausbruch in seinem Stück ›Wer hat Angst vor Virginia Woolf?‹ aufgedeckt, sind hinter seinem stillen Wesen nur zu ahnen.

Diese Entdeckungsfahrten in den Bereich der Dichtung gehören zu den schönsten und wahrhaft befriedigenden Unternehmungen unseres eigenartigen Berufes. Die Begegnung mit den schöpferischen Geistern unserer Zeit, die unablässige Herausforderung, die in ihr lag, befruchtete mein Denken und weitete mein Weltbild.

Der Weg zu den amerikanischen Autoren, insbesondere denen der Bühne, ist mit Hindernissen gepflastert. Während in Deutschland, in Frankreich und Italien ein unmittelbares Verhältnis zwischen Autor und Verleger besteht, schaltet sich in den angelsächsischen Ländern ein literarischer Agent ein, der als Vertreter des Buch-Autors das Manuskript an den ihm geeignet erscheinenden Buch-Verleger vermittelt oder beim Bühnenautor einen Producer zu interessieren versucht.

In den Vereinigten Staaten gibt es keine staatlich oder städtisch finanzierten Theater. Das Schicksal eines Stückes hängt völlig vom Producer, dem Theaterunternehmer, ab, der vom Vertragsabschluß mit dem Agenten an persönlich für die Finanzierung der Aufführung, die Miete eines Theaters, das Engagement des Regisseurs und der Schauspieler etc. Sorge zu tragen hat. Dabei sucht er die finanzielle Beteiligung von Privatleuten zu gewinnen, für die sie ein Spekulationsgeschäft wie viele andere darstellt. Man nennt sie ›Angels‹.

Die Macht der Agenturen ist beträchtlich. Es gibt solche, die nicht nur die Buch-, Bühnen- und Filmrechte ihrer Autoren verwalten, sondern gleichzeitig auch Schauspieler vertreten und damit eine so beherrschende Position auf dem Gebiet des Films und Theaters einnehmen, daß kürzlich eine der größten ihrer Art durch das Antitrust-Gesetz zur Auflösung gezwungen wurde. Neben diesen Großunternehmungen gibt es unabhängige Einzelagenten. Dieses für den europäischen Verleger ungewohnte, komplizierte System hat zur Folge, daß das für uns so wesentliche persönliche Verhältnis zum Autor, das sich von juristisch-geschäftlicher bis zur literarischen Beratung erstreckt und fast immer eine freundschaftlich-menschliche Beziehung mit sich bringt, zwischen dem amerikanischen Autor und seinem Verleger wesentlich distanzierter ist.

Die den europäischen Verleger interessierenden Übersetzungsrechte werden fast niemals vom Autor oder seinem Verleger vertreten, sondern liegen in den Händen einer dieser Agenturen, die ihrerseits wiederum Vertreter in allen europäischen Ländern haben. Es kommt häufig vor, daß weder der Verleger noch der Autor weiß, welche dieser zahlreichen europäischen Agenturen für die Übersetzungsrechte zuständig ist.

Um Zeitverluste zu vermeiden, richtete ich eigene Vertretungen in London, New York, Paris und Rom ein, deren Aufgabe es ist, uns durch ständigen Kontakt mit Verlagen und Autoren über die kommenden Neuerscheinungen zu informieren, Uraufführungen zu besuchen und die Verbindung mit den zuständigen Agenten herzustellen. Ich war wohl der erste deutsche Verleger, der nach dem Kriege ein solches Vertreternetz eingerichtet hat. Heute gibt es keinen größeren deutschen Verlag mehr, der nicht über einen derartigen Informationsdienst verfügt.

Die Monopolstellung, die ich infolge meines Wohnsitzes in Amerika zunächst gegenüber meinen deutschen Kollegen in den Nachkriegsjahren hatte, ist einem heftigen Konkurrenzkampf um die Priorität in der Erwerbung von Auslandsrechten gewichen. Da es üblich ist, eine gewisse Honorarsumme für ein Buch im voraus zu garantieren und bei Vertragsabschluß vorauszuzahlen, überbieten sich die Verlage im Kampf um ein solches Recht bis zu Summen, die sehr häufig geschäftlich nicht mehr zu verantworten sind. Die bis vor kurzem noch ruhige Atmosphäre der Verlagstätigkeit hat sich in eine hektische Jagd nach dem Erfolgstitel verwandelt. An die Stelle der Verlegerpersönlichkeit, des Kunstkenners, des Enthusiasten und Mäzens rückt dadurch notwendigerweise immer mehr der Manager, der in Finanz- und Verwaltungsaufgaben Erfahrene, dessen Einfluß segensreich sein kann, wenn er vom Respekt vor der geistigen Leistung getragen ist. Der deutsche Verlag hat sich wohl am längsten vor dieser Entwicklung zu schützen verstanden. Aber es gibt genug Anzeichen dafür, daß sie auch hier vor den Tempeln der Literatur nicht haltmacht.

In den ersten Jahren nach dem Kriege habe ich das Feld der

Theater-Agenturen in USA ganz allein bearbeitet. Mit meiner europäischen Einstellung zum Verhältnis Verleger-Autor stieß ich auf unerwartete Widerstände. Es gehört besondere psychologische Einfühlungskraft dazu, die völlig anders geartete Auffassung der amerikanischen Agenten zu verstehen. Meistens waren es ältere Damen, die, merkwürdigerweise mit einem blumengeschmückten Hut auf dem Kopf, hinter ihrem Schreibtisch wie Zerberusse über ihre Autoren wachten und mit äußerstem Mißtrauen meinem Wunsch begegneten, den Autor kennenzulernen. Da sie europäische Verhältnisse nicht kannten, sahen sie darin einen Versuch, sie zu hintergehen und auszuschalten. Auch war es fast unmöglich, ihnen die europäischen Theaterverhältnisse zu erklären, und ich bin mir bis zum heutigen Tage nicht sicher, ob sie mich nicht doch als Theaterunternehmer betrachteten, trotz aller meiner Bemühungen, sie über die Tätigkeit der Theaterabteilung eines deutschen Verlages aufzuklären, die ja nur darin besteht, die Stücke ihrer ausländischen Autoren in die deutsche Sprache übertragen zu lassen, sie an die deutschen Theater zu vermitteln und die Innehaltung der Verträge zu überwachen.

Ich habe schließlich die Verhandlungen meiner Frau und später der Leiterin der Theaterabteilung, Stefani Hunzinger, überlassen, die dank ihres weiblichen Instinkts und ihrer gewinnenden Persönlichkeit mit ihren strengen geschäftstüchtigen Geschlechtsgenossinnen besser auskam, als es mir mit meinen eher eckigen Methoden gelang. Als ich eines Tage auf die Idee kam, eine jener gefürchteten Damen durch ein Blumenpräsent milde zu stimmen, wurde ich von eisigen Blicken durchbohrt und verschwand so schnell ich konnte wie ein begossener Pudel.

Die Leitung der gesamten Auslandsabteilung des Verlages übernahm nach 1950 meine Frau, die in unablässiger Arbeit ein Netz von internationalen Beziehungen knüpfte, die anfänglichen Schwierigkeiten und Mißverständnisse aus dem Weg räumte und eine auf gegenseitiges Vertrauen gegründete Verbindung mit den zahlreichen Verlegern und Agenten herstellte. Sie vertiefte die Beziehungen zu den amerikanischen, französischen, englischen und italienischen Verlagen für die während der jährlichen Buchmesse in Frankfurt unser Verlagshaus ein Treffpunkt wurde.

Der Organisation unserer Auslandsvertreter entsprach innerhalb des Verlages die Gruppe der Auslandslektoren, welche die von den Auslandsvertretern herangebrachten Bücher zu prüfen und darüber der Geschäftsleitung zu berichten haben, die dann über Annahme oder Ablehnung entscheidet.

So wurden im Laufe der Jahre dem Verlag aus Frankreich das Werk René Chars, Henri Michaux', Michel Butors und Petru Dumitrius angegliedert, aus England Christopher Fry, William

Golding, John Osborne, John Whiting, aus Italien vor allem unser Freund Italo Calvino, von dem ich noch Großes erwarte, neben den bereits erwähnten amerikanischen Autoren John Updike, der als große Zukunftshoffnung gilt, und William Styron, aus Rußland Sergej Jessenin, Ossip Mandelstamm und Alexander Block in der kongenialen Übertragung von Paul Celan.

Aber nach wie vor stand die Entdeckung und Förderung junger deutscher Schriftsteller im Mittelpunkt unserer verlegerischen Bemühungen. Viele junge Autoren schlossen sich dem Verlag an: neben Ilse Aichinger und Paul Celan kamen Ernst Schnabel, Paul Schallück, Hilde Spiel, Thomas Bernhard, Klaus Demus, Hilde Domin und durch den ins Lektorat des Verlages eingetretenen Klaus Wagenbach: Peter Huchel, Christoph Meckel, Christa Reinig, Herbert Heckmann und der früh verstorbene Johannes Bobrowski. Blicke ich auf diese Jahre zurück, so kann ich mir freilich nicht verhehlen, daß sich meine Bemühungen nicht in dem Ausmaß verwirklichen ließen, wie ich es mir gewünscht hätte. Das Generationsproblem spielt hier eine gewichtige Rolle.

Neue Aufgabengebiete drängten sich an uns heran. Professor Golo Mann brachte mir seine ›Deutsche Geschichte‹, dessen Geschichtsauffassung und Darstellung die Forderung des Tages erfüllen, Heinz Politzer sein bedeutendes Buch über Franz Kafka. Auf dem weiten Gebiet neuer Wissenschaften wie der Kybernetik, der Kommunikationsforschung und der Soziologie gab es aufschlußreiche Publikationen, die in einer Buchserie zusammenzufassen waren. Amerikanischem Vorbild folgend, nannte ich sie ›Paperbacks‹ (nach ihren in neuem Bindeverfahren hergestellten Einbänden in glanzkaschiertem Karton). Da mir kein anderer Name für diesen Buchtyp einfiel, entschloß ich mich zu der amerikanischen Bezeichnung und erlebte, wie das Wort ›Paperback‹ bereitwillig in den deutschen Sprachschatz aufgenommen und sehr bald auch von den anderen Verlegern für diesen neuartigen Buchtyp benutzt wurde.
Nach einer Idee und unter der Herausgeberschaft von Professor Pierre Bertaux und unserer jungen langjährigen Mitarbeiterin Ilse Grubrich-Simitis erschienen hier unter dem Sammeltitel ›Welt im Werden‹ grundlegende Werke internationaler Gelehrter wie
    ›Kybernetik und Management‹ von Stafford Beer
    ›Soziale Strategie für Entwicklungsländer‹ von Richard F. Behrendt
    ›Automation und Gesellschaft‹ von Walter Buckingham
    ›Kommunikationsforschung — Eine neue Wissenschaft‹ von Colin Cherry

›Dynamik der menschlichen Evolution‹ von Theodosius Dobzhansky

aber auch philosophische, psychoanalytische und historische Werke wie

Henri Pirennes ›Geschichte Europas‹
Sigmund Freuds ›Aus den Anfängen der Psychoanalyse‹
Mao Tse-tung ›Ausgewählte Schriften‹
Walther Rathenau ›Schriften und Reden‹

eine Neuauflage der Autobiographie Leo Trotzkis und verschiedene andere.

Daneben erstand ein weiteres Unternehmen, das als selbständiger Verlag arbeiten sollte, der G. B. Fischer Verlag. Seine ursprüngliche Aufgabe war es, diejenigen Werke des Hauptverlages, die ihren Weg von der Erstausgabe bis zum Erfolgsbuch hinter sich hatten, als billige Sonderausgaben in großen Auflagen einem neuen Publikum zugänglich zu machen und daneben eine gute Unterhaltungsliteratur zu pflegen. Hier wurden die großen Verkaufserfolge der Bücher von James Jones, Pearl S. Buck erzielt, von Hemingways Roman ›Wem die Stunde schlägt‹, der bald eine halbe Million Exemplare überschritt, von den großen Romanen Thomas Manns und Franz Werfels, aber auch von Klaus Manns Autobiographie ›Der Wendepunkt‹ und von Professor Walther Killys ›Zeichen der Zeit — Deutsches Lesebuch‹.

Heute hat sich aus diesem zunächst als Nachdrucksverlag gedachten Unternehmen eine Verlagsabteilung mit eigenem Programm entwickelt.

Die Fischer Bücherei

Im Frühjahr 1951 begann ich mit der Ausarbeitung des Verlagsplanes für eine Taschenbuchserie. Wie bei der Errichtung eines Gebäudes fing ich bei den Fundamenten, den wirtschaftlichen Grundlagen an. Sie ruhten auf vorsichtig geschätzten Verkaufsziffern, also auf recht unsicherem Grund. Wenn sie zu optimistisch angesetzt waren, würde das Gebäude sehr bald zusammenfallen. Aber der Oberbau, die ersten zur Publikation vorgesehenen Bücher, war so reizvoll, daß ich glaubte, den langen Statistiken, die vielversprechende Ausblicke eröffneten, vertrauen zu können.

Vor allem mußte eine neue Verkaufsorganisation geschaffen werden. Bücher drucken ist leicht, sie verkaufen, sie richtig an das Lesepublikum heranzuführen, sehr schwer. Eine Taschenbuchserie von hoher Qualität, wie sie mir vorschwebte, stellt besondere Anforderungen verkaufsorganisatorischer Art. Sowohl für den Buchhandel als auch für das Publikum war sie ein Novum, und ein falscher Schritt konnte eine Katastrophe bedeuten.

Mein Freund Christian Wegner in Hamburg schien mir der geeignete Mann für diese spezielle Aufgabe zu sein. Er hatte nach längerer Tätigkeit im Insel Verlag große verlegerische Kenntnisse erworben und später als Verkaufsleiter des Albatros Verlages, der Taschenbücher in englischer Sprache herausgab, die für uns nun wichtigen Erfahrungen auf dem Gebiet des Taschenbuchvertriebs gesammelt. Das Grossohaus Wegner, das er nach dem Krieg in Hamburg begründet und zu einem erfolgreichen Unternehmen ausgebaut hatte, besorgte eine Zeitlang auch die Auslieferung der Bücher des Suhrkamp Verlages. Ich hatte sie im Jahre 1951 jedoch einer Auslieferungsfirma in Frankfurt übertragen, da mir bei den damaligen Verkehrsverhältnissen die zu entfernte Lage Hamburgs als Verkaufszentrum für den Verlag nicht günstig schien. Die Trennung von Wegner, diesem ungemein tüchtigen, vitalen, erfahrenen Buchhändler, hatte mich immer bedrückt. Und so war es für mich ein doppeltes Motiv, ihn für mein neues Unternehmen zu gewinnen.

Als ich ihn telefonisch von meinem Entschluß unterrichtete, war er Feuer und Flamme. Mit dem nächsten Zug kam er nach Frankfurt, mit seinen Plänen für die Auslieferung und Lagerhaltung, die er noch während der Fahrt ausgearbeitet hatte.

Sowohl bei den amerikanischen Taschenbüchern als auch bei der inzwischen erfolgreich arbeitenden rororo-Serie hatte man sich damals zunächst auf Unterhaltungsliteratur beschränkt. Ich hatte ehrgeizigere Vorstellungen. Mit dem Taschenbuch konnte eine Aufgabe erfüllt werden, die gerade in dieser Zeit von entscheidender Bedeutung für das wieder erwachende geistige Leben nach dem Zusammenbruch war. Der Hunger nach geistiger Nahrung, nach Information, nach einer Ausfüllung der Bildungslücken, die in den Jahren des Nazismus entstanden waren, war riesengroß. Mein Wunsch, eine Taschenbuchserie von hohem Niveau zu schaffen, aus den Taschenbüchern mehr zu machen als nur eine Serie billiger Nachdrucke bereits erschienener Romane, kam — wie sich bald zeigte — dem Verlangen einer großen, unabschätzbaren Leserschaft entgegen.

Die ersten Publikationen mußten diese Absicht klar erkennen lassen. Indessen wollte ich den Bogen auch nicht überspannen und gleich zu Anfang mit zu hohen Ansprüchen an ein so großes Publikum herantreten, wie wir es für die hohen Erstauflagen von 50 000 Exemplaren brauchten. Man mußte langsam die Möglichkeiten abtasten. Und so wählte ich aus unserer eigenen Verlagsliste die folgenden sechs Titel

1. Thornton Wilder ›Die Brücke von San Luis Rey‹
2. Thomas Mann ›Königliche Hoheit‹
3. Joseph Conrad ›Der Verdammte der Inseln‹
4. Stefan Zweig ›Fouché‹
5. Pearl S. Buck ›Die Frauen des Hauses Wu‹
6. Carl Zuckmayer ›Herr über Leben und Tod‹.

Das gleiche galt für die äußere Ausstattung. Wo lag hier die noch zumutbare Grenze für den Durchschnittsleser? Würden die Buchkäufer uns folgen, wenn wir von dem bisher beim Taschenbuch üblichen Kitsch, der Sex- und Busen-Illustration, abgingen und Künstler von Rang beschäftigten? Auch hier versuchten wir es zunächst mit einem Mittelweg, von dem aus wir leicht zum anspruchsvollen Design, das unserem Kunstgefühl entsprach, weitergehen konnten.

Hier begann wieder die Tätigkeit meiner Frau, die mit sicherem Gefühl für künstlerische Buchgestaltung einen Stil für das Taschenbuch entwickelte, der bald im In- und Ausland Schule machte. Buchausstatter wie Eberhard Rensch, Wolf D. Zimmermann, Kurt Wirth und andere stellten sich in den Dienst der guten Sache, und wir erfuhren zu unserer Freude, daß die Behauptung, man müsse, um Erfolg zu haben, dem primitivsten Publikumsgeschmack Genüge tun, nicht zutrifft. Ich habe niemals an diese These vom schlechten Publikumsgeschmack geglaubt. Unsere Verkaufsstatistik zeigte sehr bald, wie recht wir hatten.

Nun galt es noch, die großen Papiermengen in der gewünschten Qualität und zu dem kalkulatorisch richtigen Preis sicherzustellen, was im Jahr 1951 gar nicht so einfach war, und die leistungsfähige Druckerei und Binderei zu finden. Sie mußte der Wegnerschen Auslieferung wegen in Hamburg gelegen sein und die technischen Voraussetzungen für die großen Erstauflagen und die erhofften raschen Nachdrucke haben. Auch das gelang in kurzer Zeit bei den Dachauer Papierfabriken und der Hanseatischen Druckanstalt in Hamburg, die später zum Teil in den Besitz des Verlages überging.

Alles schien sich zum Besten zu entwickeln. Die ersten sechs Bände, die am 10. März 1952 ausgeliefert werden sollten, waren nahezu fertig hergestellt. Da traf uns ein unerwarteter Schlag aus dem Hinterhalt, der unser schönes Unternehmen hätte zum Erliegen bringen können, bevor es das Licht der Welt erblickt hatte.

Im Jahre 1951 besuchte mich in Frankfurt einer der führenden Taschenbuchverleger Amerikas, der als ehemaliger Deutscher den deutschen Buchmarkt gut kannte, um bei mir Auskünfte über die Möglichkeit einer von Amerika aus finanzierten deutschen Taschenbuchserie einzuholen. Ich machte kein Hehl aus meinen eigenen Plänen, die damals schon ziemlich weit gediehen waren. Einige Zeit später bat er Christian Wegner, mit dem er vor 1933 geschäftlich verbunden war, unsere Einbandandrucke ›aus purem Interesse an dem Fortschritt unserer Arbeit‹ sehen zu können. Wegner schickte sie ihm, nichts Böses ahnend, mit freundlichen Grüßen nach New York.

Unsere Einbände zeigten als Charakteristikum, wie man weiß, zwei farbige, etwa 1 cm breite Streifen am oberen und unteren Buchrand. Vorn war das von Wolf D. Zimmermann entworfene Signet — die drei Fische — zu sehen. Auf der Rückseite befand sich der Slogan ›Das gute Buch für jedermann‹. Darunter zeigten wir ein Foto des Autors mit seiner kurzen Biographie. Alles das war sorgfältig ausgedacht, und niemandem von uns war je die Idee gekommen, diese Ausstattung könne ein Plagiat darstellen. Nur unserem amerikanischen Freund kam sie.

Wenige Wochen vor Erscheinen der ersten Bände platzte uns die Androhung einer einstweiligen Verfügung wegen unlauteren Wettbewerbs ins Haus. Wenn das Frankfurter Gericht, das zuständig war, den Antrag genehmigte, waren wir für unabsehbare Zeit zurückgeworfen, und es war zweifelhaft, ob wir den schweren finanziellen Verlust würden überwinden können, der durch unsere großen Investitionen entstehen mußte. Der amerikanische Verleger stützte seinen Antrag auf folgende Punkte: wir verwendeten zwei farbige Streifen — er auch; wir zeigten das Bild des Autors auf der Rückseite — er auch; unser Slogan lautete ›Das gute Buch für jedermann‹ — der seine ›The Book for the Millions‹.

Es war glücklicherweise nicht allzu schwer, den Frankfurter

Richter von der Haltlosigkeit des amerikanischen Plagiatvorwurfs zu überzeugen. Ich konnte ihm Dutzende von deutschen und amerikanischen Ausgaben moderner Verlage vorlegen, die die bunten Streifen trugen. Das Bild des Autors auf der Rückseite des Buches hatte der S. Fischer Verlag seit eh und je, wie ich zeigen konnte, verwendet. Und daß unser Slogan sich wesentlich von dem amerikanischen unterschied, war recht klar. Außerdem aber waren unsere Bände mit dem cellophanierten Einband, dem schönen Papier und Druck qualitätsmäßig den amerikanischen Taschenbüchern so überlegen, daß eine Verwechslungsgefahr nicht bestehen konnte. Und was sollte das Manöver überhaupt, da wir ja deutschsprachige Bücher machten und er englische, wenn er eben nicht die Vernichtung eines Unternehmens im Sinne hatte, das seinen Plan, selbst einen deutschen Taschenbuchverlag zu eröffnen, stören konnte? Acht Tage vor dem angesetzten Erscheinungstermin der ersten Bände lehnte der Richter den amerikanischen Antrag ab. Das Ungewitter war vorübergegangen, ohne Schaden anzurichten. Nur Nerven hatte es gekostet.

Das Erscheinen der ersten sechs Bände im März 1952 rief beim Buchhandel und beim Publikum eine Sensation hervor. Die Resonanz war über alle Erwartungen groß. Bei unseren Auslieferungsstellen begann ein gewaltiger Trubel. Das Telefon war durch die dringenden Nachbestellungen dauernd besetzt. Selbst sehr konservative Buchhändler, die dem ›gefährlichen‹ Taschenbuch ängstlich und skeptisch gegenüberstanden, gaben ihren Widerstand auf und kamen aus ihrer Reserve heraus. Telegramme trafen ein wie ›Großartiger Erfolg‹, ›Bin glücklich, Nachbestellung folgt‹ oder ›Es macht wieder Spaß, Buchhändler zu sein‹ oder ›Es ist eine Freude, diese Bände mit dem klaren, gut lesbaren Druck auf gutem Papier zu verkaufen. Ihre Reihe wird ein großer Erfolg‹. Eine Berliner Zeitung schrieb: »Die bunten Taschenbücher werden unseren Buchhändlern aus den Händen gerissen. Sie haben sich Berlin erobert... Nun steht es fest, was wir ja immer glaubten: das schleppende Buchgeschäft hatte seine Ursache nur im Preis.«

Die Sonne des Erfolges schien nun über uns. Und wir genossen ihre Strahlen mit gutem Gewissen. Erfolg ist immer schön. Aber daß wir ihn mit dem Besten, was wir zu geben hatten, erzielt haben, daß wir ohne Kompromisse in das unerschlossene Gebiet eines qualitätshungrigen Lesepublikums vorstießen, daß wir mit unserem Glauben an diesen großen Leserkreis recht behielten, und eine verlegerische Aufgabe, wie sie kaum zuvor gegeben hatte, erfolgreich durchführen konnten — all das verschaffte mir, jenseits des materiellen Erfolges, höchste Befriedigung, und die Bestätigung meiner Vorstellungen vom Sinn und Zweck des Verlegens von Büchern.

Mit den ersten sechs Titeln war es natürlich nicht getan. Sie waren ein vorsichtiger Versuch gewesen, sowohl als literarische Auswahl als auch in ihrer äußeren Ausstattung. Die positive Reaktion des Buchhandels und der Leser gab uns den Mut zum größeren Wagnis, zu Büchern, die der Erziehung, Aufklärung und Bildung dienen sollten, zum ›Buch des Wissens‹.

Von Anfang an hatte diese Idee meiner Frau und mir als das eigentliche Ziel und Wesen unserer Taschenbuchserie vorgeschwebt.

Die Anregung für den Aufbau dieser wissenschaftlichen Reihe gab uns das Lehrprogramm des St. Johns College in Annapolis, Virginia, in den Vereinigten Staaten. Unser Freund und früherer Lektor in Stockholm, Dr. Victor Zuckerkandl, der jetzt als Professor für Musikwissenschaften dort tätig war, machte uns mit den neuen Prinzipien dieses modernen Instituts bekannt. Sie beruhen auf den Ideen von Professor Robert M. Hutchins von der Chicago University.

Grundlage des Unterrichts waren die ›100 Großen Werke‹ der Literatur, der Wissenschaft und der Musik, die ausschließlich im Original studiert wurden. Die Interpretation war Sache des Lehrers.

So entwickelten wir ein Programm für diese neuartige Serie, ›Bücher des Wissens‹ in der Fischer Bücherei, und gewannen mit unserem Plan unsere Mitarbeiter, insbesondere Dr. Rudolf Hirsch, dessen Interessen und Kenntnisse in hohem Maße auf dem Gebiet der Geisteswissenschaften lagen und der ihn mit seinen Ideen befruchtete.

Die wichtigsten geisteswissenschaftlichen Werke sollten im Originaltext gebracht werden. Da es zunächst nicht möglich sein würde, vollständige Ausgaben zu veröffentlichen, sollten wesentliche Teile des Werkes dem Leser zum mindesten einen Einblick gewähren. Die Auswahl sollte von hervorragenden Gelehrten getroffen werden und durch umfassende Einführungsaufsätze, Bibliographien und Erläuterungen dem Leser eine Vorstellung des Gesamtwerkes und die Möglichkeit zu intensiverer Beschäftigung mit ihm geben.

Im Laufe der Jahre erschienen u. a. die wichtigsten Texte von Aristoteles und Platon, Augustinus, Erasmus, Luther bis zu Rousseau und Descartes, Kierkegaard und den drei überragenden Persönlichkeiten, die die Welt in ihren Grundlagen verändert haben und deren schöpferische Gedanken, durch den Nazismus unterdrückt, den Menschen in Deutschland — insbesondere der jüngeren Generation — so gut wie ganz vorenthalten worden waren: Albert Einstein, Sigmund Freud und Karl Marx.

Bei Einstein mußten wir uns — abweichend von unserem Grundprinzip, nur Originaltexte zu veröffentlichen — aus naheliegenden Gründen auf die einigermaßen verständliche Darstellung seiner umwälzenden Theorien beschränken. Der Erfolg von Lincoln Barnetts ›Einstein und das Universum‹, das der Autor mit Rat und Hilfe von Professor Einstein geschrieben hatte, zeigte uns, daß wir den richtigen Weg eingeschlagen hatten. Übertroffen wurde er aber durch den bald folgenden ›Abriß der Psychoanalyse‹ von Sigmund Freud. Es war gar nicht leicht gewesen, die in England lebenden Erben davon zu überzeugen, daß mit unseren Ausgaben — durch das Taschenbuch — der Psychoanalyse als wissenschaftliche Lehre in Deutschland der Weg gebahnt werden könnte. Auch an Einwänden aus dem Buchhandel fehlte es nicht. »Wie kann man ein solches Buch auf dem Bahnhof verkaufen?« Sie verstummten bald, denn es stellte sich sogleich heraus, daß man es konnte. Die Entscheidung lag beim Leser, der endlich wissen wollte, was sich in den Jahren der geistigen Öde und Dürre in Deutschland außerhalb der Grenzen zugetragen hatte.

Das Spiel mit Verkaufsziffern ist in den Anfangsjahren zum Überdruß gespielt worden. Ich muß aber dennoch ein paar Zahlen hier aufführen, weil sie zeigen, welcher Hunger nach geistiger Nahrung zu stillen war und durch das Taschenbuch gestillt werden konnte.

Der Verkauf des Buches von Barnett überschritt in wenigen Monaten die Hunderttausendgrenze, ebenso wie der des ›Abriß der Psychoanalyse‹, der Auswahl aus dem Werk von Karl Marx, der Platon-Bände, die von Bruno Snell herausgegeben wurden. Diese ›Bücher des Wissens‹, von denen im Laufe der Jahre etwa 250 Bände aus allen Gebieten der Geisteswissenschaften, der Kunst, Politik, Zeitgeschichte und der Naturwissenschaften erschienen sind, haben Auflagenziffern zwischen vierhundert- und fünfhunderttausend pro Band erreicht.[*]

Während die literarische Produktion der Fischer Bücherei ungeteilten Beifall gefunden hatte, setzte gegen unsere wissenschaftlichen Taschenbücher heftiger Widerstand von gewisser Seite her ein: nicht etwa gegen ihre Qualität — die war unangreifbar — aber gegen die ›Profanierung höchster geistiger Güter‹ durch ihre Massenverbreitung. Die merkwürdigsten Argumente wurden ins Feld geführt, u. a. die Achtung vor den geistigen Werten würde durch die zu leichte Zugänglichkeit zerstört; um ein Buch richtig in seinem Wert zu schätzen, müsse man es sich vom Munde absparen; diese hier so billig auf den Markt geworfenen Einsichten und Erkenntnisse wären nur für jedermann bestimmt; diese Bücher würden zwar gekauft, aber nicht gelesen — es handle sich um eine reine Modesache;

---

[*] Stand 1967. Bis zum Erscheinen dieser Taschenbuchausgabe (Frühjahr 1971) ist die Zahl der ›Bücher des Wissens‹ stetig weitergewachsen. Die Auflagen haben zum Teil die halbe Million überschritten.

und schließlich immer wieder: das Taschenbuch ist der Ruin des deutschen Buchhandels.

Nun, es lohnt sich heute nicht mehr, gegen diesen Unsinn zu polemisieren. Das hochqualifizierte Taschenbuch hat sich in Deutschland in seiner nun siebzehnjährigen Existenz seinen Platz erobert. Es ist zu einer Institution geworden, deren Bedeutung nicht mehr bestritten werden kann. Für mich war damals nur interessant zu sehen, wie unerschütterlich, selbst nach den furchtbaren Erlebnissen der letzten Jahre, geistiger Hochmut überlebt hatte.

Ganz besonders lag mir unser Beitrag zur aktuellen politischen Information und Erziehung am Herzen. Eine objektive Darstellung des Nationalsozialismus fehlte zu dieser Zeit. Die gängigen Schulbücher enthielten ganz unzureichende Informationen. Sie begnügten sich mit wenigen Sätzen. Es war erschreckend, wie die Wahrheit totgeschwiegen wurde; kaum ein Wort über die Konzentrationslager, über die Judenverfolgungen, den Widerstand, nichts über die Entstehung des Zweiten Weltkrieges, es seien denn Halbwahrheiten.

In Professor Walther Hofer, damals Professor für Zeitgeschichte an der Freien Universität Berlin, fand ich den Mann, der sofort erkannte, welche Bedeutung einer Veröffentlichung seiner Dokumentarsammlung über den Nationalsozialismus und seiner Forschungen über die letztvergangene Epoche deutscher Geschichte auf der breiten Basis des Taschenbuches zukam. Das Buch, das damals entstand: ›Der Nationalsozialismus, Dokumente 1933—1945‹ war in seiner dokumentarischen Objektivität unangreifbar, ein wichtiger Faktor angesichts der weitverbreiteten Tendenz, die grausame Wahrheit zu mildern und zu entstellen, möglichst nichts von ihr wissen zu wollen und sie vor der Jugend zu verbergen. Wie oft mußte ich von Geschichtslehrern hören: »Wir wollen ja informieren, aber wir kommen gegen die Proteste der Eltern nicht an.« Und die Eltern wiederum wußten nicht, wie die brennenden Fragen ihrer Kinder nach dem ›Warum‹ und ›Wie konntet Ihr nur?‹ zu beantworten waren, ohne das Gesicht zu verlieren. Freilich, ein furchtbares Dilemma. Gelöst wurde es bis auf den heutigen Tag nicht.

Ein wenig hat dieses Buch aber wohl zur Aufklärung derjenigen, die hören und wissen wollten, beigetragen. Es gehört zur ständigen Lektüre in deutschen Schulen.

Im Frühjahr 1955 erschien in der Fischer Bücherei ›Das Tagebuch der Anne Frank‹, das im Laufe der Jahre eine Auflage von über einer Million Exemplaren erreicht hat. Von einer früher in einem anderen Verlag erschienenen gebundenen Ausgabe wurden nur ein paar tausend Exemplare verkauft. Wenn es noch eines Beweises für die großen Aufgaben und Möglichkeiten des Taschenbuches bedurft hätte, mit diesem Buch war er erbracht. Was der schönen, gebundenen Ausgabe nicht beschieden war, gelang dieser neuen Publikationsmethode, die ein Buch, das für Millionen von Menschen bestimmt war, das in kindlicher Reinheit — eindrucksvoller als jede Dokumentation es könnte — das jüdische Schicksal in den Jahren des Grauens darstellte, wirklich in die Hände von Millionen von Lesern brachte. Man kann wohl sagen, daß dieses Buch, das zu den erschütterndsten Dokumenten unserer Zeit gehört, der Vergessenheit anheimgefallen wäre, wenn das Taschenbuch ihm nicht den Weg ins Freie geöffnet hätte.

Der Taschenbuchverlag Fischer Bücherei begann mit einem kleinen Mitarbeiterstab, dem Redakteur Fritz Arnold und einer Sekretärin. Die Leitung lag während der ersten vier Jahre von 1952 bis 1956 allein in meinen Händen, mit meiner Frau und Dr. Hirsch neben mir.

Arnold, der sich in dem relativ noch kleinen Betrieb der Anfangsjahre bewährt und verdient gemacht hatte, dessen Interessen aber hauptsächlich auf das Literarische gerichtet waren, wechselte Ende 1955 zum Insel Verlag über. Mit dem rapiden Anwachsen der Produktion von zwei Monatsbänden auf acht und mit der Ausdehnung der Reihe ›Bücher des Wissens‹ wurde die Einstellung eines eigenen Verlagsleiters für die Fischer Bücherei eine dringende Notwendigkeit.

In Heinz Friedrich, bis dahin Mitarbeiter des Hessischen Rundfunks, fand ich im April 1956 die Persönlichkeit für diese verantwortungsvolle Aufgabe. Sein lebendiges Interesse für die moderne Literatur, für die Geisteswissenschaften, für die erzieherischen Aufgaben, für die aktuellen Zeitprobleme und seine jugendliche Spannkraft und Energie, gepaart mit einem klaren Überblick über die verlegerisch-geschäftlichen Forderungen, ermöglichten es mir, ihm die Leitung des Taschenbuchverlages mehr und mehr zu überlassen. Ich konnte bei ihm sicher sein, daß er meinen Initiativen in loyaler Weise folgen und zu der von mir erwünschten engen Zusammenarbeit geeignet und bereit sein würde.

Wir waren inzwischen dazu übergegangen, unsere ›Bücher des Wissens‹ als Originalausgaben eigens für uns schreiben zu lassen, d. h. Aufträge an uns geeignet erscheinende Gelehrte und Forscher für von uns gewählte Themen zu vergeben, anstatt Nachdruckslizenzen an bereits erschienenen Büchern von anderen Verlegern, wie es bisher üblich war, zu erwerben. Das Bedürfnis nach diesen Büchern war offenbar unerschöpflich, und wir kamen ihm mit einer Fülle neuer Ideen entgegen.

Die ersten Anthologien von Erzählungen aus Amerika, Frankreich und England waren so erfolgreich, daß ich mich entschloß, eine ganze Serie derartiger Anthologien unter dem Gesamttitel ›Die Welt erzählt‹ zu veranstalten. Es sind bis jetzt 17 Bände aus 14 verschiedenen Ländern erschienen, von denen die drei deutschen, von Benno von Wiese herausgegebenen, die größte Verkaufsziffer mit über 200 000 Exemplaren aufweisen.*

Im Jahre 1954 hatte sich die Fischer Bücherei finanziell so günstig entwickelt, daß ich an die Verwirklichung eines verlegerischen Wunschtraumes gehen konnte, der mir bislang unerfüllbar zu sein schien: Eine Enzyklopädie als Taschenbuch. Wie sie anzulegen war, stand mir klar vor Augen. Es lag in der Natur des Taschenbuchs, daß jeder Band ein ganzes Gebiet vollständig umfassen mußte, so daß der Käufer nicht genötigt sein würde, alle vorhergehenden Bände zu erwerben, wie das bei den existierenden Konversationslexika der Fall ist.

Auch mußte sie sich, ohne an wissenschaftlicher Qualität einzubüßen, einer Darstellungsform bedienen, die für den gebildeten Leser verständlich war. Sie sollte aber vor allem dem Studierenden zuverlässigen Einblick in die Nachbargebiete seiner Spezialinteressen eröffnen. Dies schien mir bei der rapiden Entwicklung und zunehmenden Unüberblickbarkeit der Wissenschaften ihre wichtigste Aufgabe und ihr eigentlicher Sinn zu sein.

Ich ging mit Rudolf Hirsch an die Verwirklichung des ehrgeizigen Planes. Als Herausgeber wählten wir unseren Freund Dr. Richard Friedenthal, der sich mit dem Knaurschen Lexikon einen Namen auf diesem Gebiet gemacht hatte. Mit großer Energie machte er sich an die Arbeit, erkrankte aber nach zweijähriger Vorbereitung so schwer, daß er ausscheiden mußte. Nur ein Band war bis zur Vertragsreife gediehen. Es war eine recht verzweifelte Lage, in der wir uns nach so intensiven Vorarbeiten, Reisen, Vorbesprechungen und Investitionen befanden.

Da führte uns Heinz Friedrich einen jungen Mann zu, Ivo Frenzel, der nach seinem Studium der Philosophie in Göttingen drei Jahre Assistent an der Technischen Hochschule in Karlsruhe gewesen war, mehrere Jahre das wissenschaftliche Sekretariat des Österreichischen Collegs geleitet und die jährlichen Alpacher Hochschulwochen vorbereitet hatte. Durch diese Tätigkeiten verfügte er neben seiner wissenschaftlichen Ausbildung über große Personalkenntnisse sowohl auf dem Gebiet der Geisteswissenschaften als auch unter Naturwissenschaftlern, Technikern und Architekten, Kenntnisse, die für den Aufbau unserer Enzyklopädie von entscheidender Bedeutung waren.

* Stand 1967. Bis zum Erscheinen dieser Taschenbuchausgabe wurden weitere fünf Bände der Reihe veröffentlicht. Der Band ›Deutschland erzählt – Von Schnitzler bis Johnson‹ überschritt das 400. Tausend.

Er begann seine Tätigkeit als Leiter des ›Fischer Lexikons‹ mit einem kleinen Stab von Mitarbeitern am 1. Mai 1956. Nach elf Monaten intensivster Arbeit hatte er die Reihe, die zunächst auf 35 Bände vorgesehen war, so weit gesichert, daß im April 1957 die ersten beiden Bände ›Nichtchristliche Religionen‹ von Professor Helmuth von Glasenapp (ein Manuskript, das noch von Dr. Friedenthal in Auftrag gegeben war) und ›Staat und Politik‹ von Professor Dr. Ernst Fraenkel und Professor Dr. Karl Dietrich Bracher erscheinen konnten, denen jeden zweiten Monat ein neuer Band folgte.

Die Hingabe und Begeisterung, mit der an diesem großen Projekt von meinen jungen Mitarbeitern geschafft wurde, brachte eine systematisch gegliederte Gesamtübersicht über das Wissen unserer Zeit in vierzig Bänden zustande, ein Werk, das sich mit seinen in die vielen hunderttausend gehenden Auflagen jedes Bandes einen sicheren Platz als in seiner Art einmalige Enzyklopädie erobert hat. Heute, nach zehn Jahren, beträgt die Gesamtauflage über fünf Millionen Bände.* Übersetzungen des ›Fischer Lexikons‹ erscheinen in englischer, französischer, italienischer, holländischer, spanischer und portugiesischer Sprache.

Als Motto stand über unseren Bemühungen ein Satz von d'Alembert, der im Jahre 1751 in der Einleitung zu seiner französischen Enzyklopädie geschrieben hatte:

»Das Werk, das wir begonnen haben und zu Ende zu führen wünschen, hat einen doppelten Zweck: als Enzyklopädie soll es, soweit möglich, die Ordnung und Verkettung der menschlichen Kenntnisse erklären, und als methodisches Sachwörterbuch der Wissenschaften, Künste und Gewerbe soll es von jeder Wissenschaft und jeder Kunst — gehöre sie zu den freien oder den mechanischen — die allgemeinen Grundsätze enthalten, auf denen sie beruhen, und die wesentlichen Besonderheiten, die ihren Umfang und Inhalt bedingen.«

Der außergewöhnliche Erfolg dieser 40bändigen Enzyklopädie, die Zustimmung, die sie bei den Fachleuten und bei der Presse fand, und Besprechungen, die in die Sätze ausklangen: »Das Fischer Lexikon stellt in der Geschichte des Taschenbuches wie in der der Enzyklopädie eine epochemachende Leistung dar« und »Diese neuartige Enzyklopädie ist eine Pioniertat ersten Ranges« lassen mich hoffen, daß ich mit diesem Werk, dessen Vollendung eine große Rolle in meinem verlegerischen Wirken spielte, einen bescheidenen Beitrag zur allgemeinen Bildung geliefert habe.

* 1971: sechseinhalb Millionen.

Der Wunsch, eine unserer veränderten Welt entsprechende ›Weltgeschichte‹ zu schaffen, hatte mich, seit meinem ersten Versuch während der Jahre der Emigration, nicht verlassen. Jetzt, auf der Höhe des Erfolges, konnte ich mit ganz anderen Mitteln an seine erneute Durchführung gehen. Eine erste Besprechung im März 1961 mit einigen führenden deutschen Historikern schlug fehl. Mit Ausnahme einiger jüngerer Gelehrter war man der Ansicht, daß eine Universalhistorie, wie sie mir vorschwebte, noch verfrüht sei; daß sich eine synthetische Zusammenschau bei der Spezialisierung moderner Geschichtsforschung nicht verwirklichen lasse. Ich gab jedoch nicht so schnell auf. Es erschien mir absurd, daß es nicht möglich sein sollte, eine Geschichte unserer Welt zu schreiben, die sich von dem Vorurteil europäischer Vorherrschaft befreien und der sozialen, ökonomischen und kulturellen Geschichte den gleichen Platz einräumen konnte wie der dynastischen und kriegerischen bisheriger Geschichtsschreibung.

Meine Mitarbeiter waren genauso enttäuscht wie ich über den Konservatismus unserer Historikerversammlung, die sich unserem jugendlichen Enthusiasmus verschloß. Professor Jean Bollack, Gelehrter von umfassendem Wissen, Gräzist an der Universität Lille, uns freundschaftlich verbunden und überzeugt von der Durchführbarkeit unseres Planes, und Ivo Frenzel ließen sich jedoch nicht abschrecken und machten sich ans Werk, eine internationale Gruppe jüngerer Historiker für unsere Idee ›Eine neue Weltgeschichte für eine neue Welt‹ zu gewinnen.

In erstaunlich kurzer Zeit gelang es den beiden, zuerst in gemeinsamem Bemühen, später war es Professor Bollack allein, in kaum mehr als neun Monaten achtzig Historiker, Spezialisten auf ihren Gebieten — aus fünfzehn Ländern der Erde — für den von uns ausgearbeiteten, 35 Bände umfassenden Plan zu gewinnen: darunter 32 Franzosen, 17 Deutsche, 11 Engländer, 9 Amerikaner, 4 Belgier und 10 Historiker aus Italien, Dänemark, Rumänien, Uruguay, Holland, Griechenland, Ägypten, Australien, Israel und Kanada. Die Vorarbeiten bis zur Ablieferung der ersten Manuskripte erforderten vier Jahre. Im Februar 1965 konnten die ersten beiden Bände, ›Die altorientalischen Reiche‹ und ›Griechen und Perser, Die Mittelmeerwelt im Altertum‹ der Öffentlichkeit übergeben werden. Bis Mitte 1967 sind 14 Bände erschienen.*

Es ist wohl das erste Mal, daß ein so umfassendes, in seiner Anlage so völlig neuartiges Geschichtswerk dieses Umfanges in einer Taschenbuchserie veröffentlicht wird. Es war meine Absicht, es zunächst in dieser Form herauszubringen, um weitesten Kreisen eine Geschichtsauffassung zugänglich zu ma-

* 1971: 28 Bände.

chen, die sich von nationalistischen, eingeengt lokalen Ideologien freigemacht hatte und die Welt nicht nur vom Gesichtspunkt abendländisch-christlicher Historie betrachtete.

Ohne eine solche grundlegende Änderung in der Geschichtsauffassung des modernen Menschen kann sich keine der neuen Entwicklungsphasen unserer Welt entsprechende Wandlung in den Beziehungen der heutigen Staatsgebilde zueinander vollziehen.

Diese ›Neue Weltgeschichte für eine neue Welt‹ ist auf ungewöhnliches Interesse auch im Ausland gestoßen. Sie erscheint unter anderem in den Vereinigten Staaten, in Frankreich, England und Italien und wird vielleicht ein wenig zur Aufklärung, Information und zu der so notwendigen Befreiung von der Last überalteter Geschichtsbegriffe beitragen.

Der Umfang der Arbeit, die Vielzahl der Pläne und die Verschiedenartigkeit der Arbeitsgebiete waren inzwischen so groß geworden, daß der sehr erweiterte interne Mitarbeiterstab zu ihrer Bewältigung nicht mehr ausreichte. Auch konnte die Verantwortung für die wissenschaftliche Redaktion der zahlreichen Originalpublikationen nicht mehr allein von den Lektoren der Fischer Bücherei getragen werden. So scharte ich einen Beraterstab aus Gelehrten der verschiedensten Fakultäten um mich. Es war keine Ehrengarde, die sich da zusammenfand, es waren Fachleute, die uns berieten, die aktiv mitarbeiteten und die mit an der Verantwortung trugen. Professor Golo Mann gehörte zu ihnen und Professor Walther Hofer als Geschichtswissenschaftler, Professor Walther Killy als Germanist, Professor Helmut Viebrock als Anglist, Professor Jean Bollack und Professor Pierre Bertaux, für allgemeine geisteswissenschaftliche Fragen Professor Hans Kohn von der Columbia University, New York, und von Fall zu Fall die Vertreter der verschiedenen Zweige der Naturwissenschaften. Wir trafen uns in unregelmäßigen Abständen zu Programmbesprechungen, in denen jeder Gelegenheit hatte, neue Ideen zu propagieren und durchzusetzen oder sich dem Widerspruch zu fügen. Es wurde lebhaft gekämpft, und oft gab es heiße Köpfe.

Ich kann nicht alle die Bücher und Buchreihen hier beschreiben, die auf diese Weise entstanden, neben dem ›Fischer Lexikon‹ und der ›Weltgeschichte‹ waren es u. a. die hundert Bände der ›Exempla Classica‹ und das vierbändige Deutsche Lesebuch ›Zeichen der Zeit‹, beide herausgegeben von Professor Walther Killy, die zahlreichen Bände zur Politik und Zeitgeschichte, objektive Dokumente zur jüngstvergangenen deutschen Geschichte und ihre Analyse, und literarhistorische Werke wie die vierbändige Sammlung von ›Interpretationen‹ deutscher Literatur von Gryphius bis zu Kafka und Brecht und eine zweibändige

Literaturgeschichte und die vier Bände ›Geschichte in Gestalten‹.

Einmal im Jahr, im August oder September, trafen wir uns alle, Redaktions- und Beraterstab, zum sogenannten Symposion in meinem Haus in der Toskana. Hier fanden unvergeßliche Diskussionen unter freiem Himmel, unter den Strahlen der italienischen Sonne, gekühlt von den Winden des tyrrhenischen Meeres, statt, gefolgt von bescheiden festlichen Mählern an langen Holztischen mit unserem Chianti und den Gemüsen und dem Obst des Gartens.

Wir spielten uns die Ideen und Einfälle wie Bälle zu. Die offenen Diskussionen, von bissiger Kritik bis zur begeisterten Zustimmung, bildeten die Grundlage für meine Entschlüsse und Entscheidungen.

Meiner Frau fiel, neben ihrer ständigen Mitwirkung an den allgemeinen Beratungen, die Weiterentwicklung der Buchausstattung zu. Zusammen mit dem jungen Grafiker Eberhard Rensch, den wir zu unserem ständigen Berater in allen künstlerischen Fragen gemacht hatten, zog sie immer wieder neue, begabte Buchkünstler an uns heran und überraschte uns mit immer wieder neuen Ausstattungsentwürfen, die unseren Büchern auch durch ihr äußeres Gewand besondere Anziehungskraft verliehen.

Die ständig zunehmende Menge von Taschenbüchern, die plötzlich dem Buchhandel auch von anderen Verlagen zuströmten, forderte unabweislich eine Umorganisierung der Buchhandlungen. Nicht nur die Verkaufsmethode, die sich bisher darauf konzentriert hatte, dem Besucher der Buchhandlung ein gewünschtes Buch vorzulegen oder seine Aufmerksamkeit auf die eine oder andere Neuerscheinung zu lenken, bedurfte einer Wandlung, sondern auch die Unterbringung und Ausstellung der regelmäßig jeden Monat eintreffenden neuen Taschenbücher bedurften neuer Vorrichtungen. Um dem Buchhändler bei dieser Umstellung zu helfen, konstruierten wir drehbare Ausstellungstürme, die einige hundert Exemplare unserer Taschenbücher aufnehmen konnten und die die Selbstbedienung durch den Käufer ermöglichten. Viele Tausende von solchen Türmen wurden im Laufe der Zeit — teils kostenlos, teils gegen einen geringen Unkostenbeitrag — an das Sortiment geliefert. Sie sicherten uns für längere Zeit bevorzugte Behandlung in der Ausstellung unserer Produktion, bis andere Taschenbuchverlage auch auf diesem Gebiet mit uns in Konkurrenz traten. Der Vorsprung, den Rowohlt mit seinen rororo-Büchern durch seinen zwei Jahre früheren Beginn vor uns hatte, war rasch aufgeholt; wie zwei Rennpferde jagten wir, Nase an Nase, nebeneinander her. Die anderen Taschenbuchverlage, die inzwischen wie Pilze aus der Erde schossen, hatten wir weit hinter uns gelassen. Mit gespannter Aufmerksamkeit verfolgten wir die Pläne des anderen und feuerten uns in edlem Kampf gegenseitig zu immer neuen Unternehmungen an. Kollisionen ließen sich dabei nicht immer vermeiden. Kurz bevor ich mit meiner Enzyklopädie herauskam, erfuhr ich, daß Rowohlt eine — wenn auch ganz anders geartete — unter gleichem Titel vorbereitete. Trotz der mehr als zweijährigen Vorbereitungszeit hatten wir bis zum letzten Moment nichts von unseren gegenseitigen Plänen gewußt. Es blieb nur gerade noch Zeit, den von uns geplanten Titel ›Fischer Enzyklopädie‹ in ›Fischer Lexikon‹ zu ändern, um eine beide Teile schädigende Titelgleichheit zu vermeiden.

Es war ein, trotz aller Härte, freundschaftlich-kollegialer Konkurrenzkampf, der schließlich auch gemeinsame Propaganda-Maßnahmen für das deutsche Taschenbuch erlaubte und meinen freundschaftlichen Gefühlen für den einfallsreichen, vitalen Kollegen Ledig keinen Abbruch tat.

Wenn man neben dem ursprünglichen S. Fischer Verlag mit seinen angestammten großen Autoren, neben dem Verlag der modernen Literatur des In- und Auslandes, der wissenschaftlichen Abteilung, der Fischer Bücherei und dem G. B. Fischer Verlag, noch den Theaterverlag und die Vierteljahresschrift ›Neue Rundschau‹ in Betracht zieht, so gewinnt man ein ungefähres Bild von diesem Unternehmen mit seinen etwa hundert Angestellten und seinen literarischen und wissenschaftlichen Mitarbeitern, das ich im Laufe der vergangenen fünfzehn Jahre aus den Trümmern der Nazi- und Exilzeit aufgebaut habe.

Wenn ich durch die Stände der Buchmesse wandere, begrüßen mich überall meine jungen früheren Mitarbeiter, deren verlegerische Laufbahn unter meinen Fittichen begonnen hat.

Heinz Friedrich hat inzwischen den ›Deutschen Taschenbuchverlag‹, eine Gemeinschaftsgründung mehrerer großer literarischer Verlage, in selbständiger Leitung zum Erfolg geführt.

Ivo Frenzel, sein Nachfolger in der Fischer Bücherei, ist ebenfalls selbständiger Verleger als Chef von Rütten & Loening geworden, um dann zum Fernsehen überzuwechseln. Klaus Wagenbach hat seinen eigenen Verlag in Berlin eröffnet. Es war schön, mit diesen jungen Menschen, den Vertretern einer neuen, wachen Generation, zu arbeiten und Lebendiges aufzubauen.

Viele von ihnen sind gekommen und gegangen. Sie haben mir und dem Verlag vieles gegeben und, wie ich hoffe, einiges für ihr Leben empfangen.

Ich ziehe mich zurück

Zum modernen, literarischen Verlag gehört ein junger Verleger, der mit seiner Generation aufgewachsen in ihrer Gedankenwelt lebt und sich in ihrem Geist mit der Umwelt auseinandersetzt. Es waren nur die ersten acht Jahre meiner verlegerischen Tätigkeit, von 1925 bis 1933, in denen ich in diese Aufgabe hineinwachsen konnte, bis sie abrupt durch den Einbruch des Nazismus unterbrochen wurde.

Siebzehn Jahre lang, von 1933 bis 1950, war mein ganzes Bestreben darauf gerichtet, den Verlag durch Exil und Rückkehr hindurch am Leben zu erhalten und seinen Bestand zu bewahren. Was ich dann 1950 in Deutschland übernahm und mit den Exilverlagen zusammenführte, mußte in den folgenden Jahren zu einem Unternehmen umgeformt werden, das sowohl den traditionellen Aufgaben als auch den Forderungen einer gewandelten Welt im Geistigen wie im Organisatorischen gerecht werden konnte.

Als ich im Jahre 1962 mein 65. Lebensjahr erreicht hatte, schien es mir, daß ich die Aufgaben, die mir das Leben gestellt hatte, nach den mir gegebenen Möglichkeiten erfüllt hatte.

Der Verlag hatte sich wieder zu einem Unternehmen von Weltruf entwickelt. Daß es mir gelungen war, dieses Ziel durch alle abenteuerlichen Wanderungen und alle Zusammenbrüche hindurch zu erreichen, war mir wie ein Wunder, wenn ich die Zeit hatte, darüber nachzudenken.

Ich konnte mich aber jetzt nicht länger mehr der Erkenntnis verschließen, daß nun jüngere Kräfte vonnöten seien, um den Verlag in eine veränderte, neue Welt hinüberzuleiten. Ich habe immer die alten Männer bedauert, die zu solcher Einsicht nicht fähig sind und sich dem Glauben hingeben, nur sie könnten die Welt vor der »Leichtfertigkeit« einer unerfahrenen Jugend retten. Nicht unwesentlich trug freilich zu meinem Entschluß die Erkenntnis bei, daß die Finanzierung eines Unternehmens, das durch seine Expansion und durch den zunehmenden Konkurrenzkampf ständig neue Investitionen erforderte, allein aus Familienmitteln, wie bisher, nicht mehr zu verantworten war. Ein Zusammenschluß mit anderen Verlagen oder die Anlehnung an Unternehmungen, die auf breiterer Basis fundiert waren, schien mir geboten.

Sowohl den Verlagsautoren als auch meiner Familie gegenüber fühlte ich mich in meinen Jahren zu einer Lösung verpflichtet, die den kommenden Anforderungen im Falle meines Ausscheidens durch Krankheit oder Tod gewachsen sein würde, zumal keines der jüngeren Familienmitglieder an der Leitung des Verlages interessiert war. Meine langjährigen freundschaftlich-geschäftlichen Beziehungen zu Georg von Holtzbrinck, dem Inhaber des Deutschen Bücherbundes in Stuttgart, mit dem zusammen ich gerade die Hamburger ›Hanseatische Druckanstalt‹ erworben hatte, legten den Gedanken an ein Zusammengehen nahe. Die Verbindung mit diesem Mann, der neben seiner eminenten organisatorisch-geschäftlichen Fähigkeit Respekt vor der geistigen Leistung hat, soll die Erwartungen und Hoffnungen, die ich in eine den Zeitumständen entsprechende Fortführung meines Unternehmens gesetzt habe, erfüllen. Der Wiener Verleger und Drucker Thomas F. Salzer, mit dem ich schon seit meinen Wiener Tagen in Verbindung stand, schloß sich der neuen Kombination an. Die jungen literarischen Mitarbeiter, in deren Händen in Zukunft die Leitung des achtzig Jahre alten Verlages liegt, haben freie Hand, ihn weiterzuführen.

Aber es waren nicht nur diese Erwägungen und Sorgen, die meinen Rücktrittsentschluß reifen ließen.

Als ich 1946 nach zehnjährigem Exil zum ersten Mal nach Deutschland zurückkam, war es meine Absicht, zusammen mit Peter Suhrkamp den S. Fischer Verlag wieder aufzubauen, ihm die exilierten Autoren wieder zuzuführen und durch meine neu gewonnenen Weltbeziehungen ihn ins Literarisch-Internationale zu entwickeln. Ich selbst wollte in der neuen amerikanischen Heimat, die mir ans Herz gewachsen war, verbleiben. Ich mußte jedoch sehr bald einsehen, daß dieser Plan undurchführbar war. Es wurde mir klar, daß ich in Deutschland zu bleiben hatte. Als es zum endgültigen Bruch mit Suhrkamp kam, wurde mir erst ganz bewußt, wie tief ich mit dem wiederauferstandenen Verlag bereits verbunden war. Meiner Frau, die inzwischen zu mir geeilt war, um mir bei den schweren Entscheidungen zur Seite zu stehen, erging es ähnlich. So sehr sie an Amerika hing, so war auch ihr der Gedanke unerträglich, nicht unmittelbar an der Verwaltung des Erbes, an dessen Bewahrung wir unsere Kräfte gesetzt hatten, teilzunehmen. Damals lebte in uns der Glaube an eine Mission, die wir in Deutschland zu erfüllen hatten. Er stand so sehr im Vordergrund unseres Denkens und Fühlens, daß uns die materiellen Schwierigkeiten, denen wir uns gegenübersahen, gering erschienen. Aus ihm schöpften wir die Kraft, sie zu überwinden. Und es gelang in erstaunlich kurzer Zeit.

Unser Idealismus aber, der Glaube an ein neues, weltoffenes, liberales Deutschland als freiheitliches Zentrum Europas, wurde mehr und mehr enttäuscht. Darum muß ich hier aussprechen, welche Gedanken und Gefühle mich bewegen, wenn ich auf meine Erfahrungen und Erlebnisse nach dem Ende des Krieges zurückblicke.

Ich übersehe nicht jene Kräfte, die sich mit Mut und Integrität den reaktionären Strömungen entgegenstemmen. Ich denke hier u. a. an Publikationsorgane wie ›Die Zeit‹ und ›Der Spiegel‹, an die politische Tätigkeit junger Schriftsteller vom Schlage eines Günther Grass und Hans Magnus Enzensberger, an die Bemühungen vieler Verlagshäuser wie auch an die vielen Freunde, die meine Besorgnis teilen.

Ich muß mich aber fragen, ob alle diese Kräfte, deren Lauterkeit und Intensität ich bewundere, ausreichen werden, den nationalistischen Tendenzen Einhalt zu gebieten, welche die Demokratie bedrohen.

Schon einmal hat sich in Deutschland ein Liberalismus von nicht geringen Graden isoliert und zum Scheitern verurteilt gefunden. Hat sich die Mentalität weiter Kreise durch die Erfahrungen des Nazismus und seiner Folgen wesentlich verändert?

Unmittelbar nach dem Kriege schien ein Gesinnungswandel eingetreten zu sein. Die furchtbaren Leiden hatten die Menschen aufnahmefähig gemacht und ihr Bewußtsein für die Ideale einer freien Welt geöffnet. Es gab ein neues Gemeinschaftsgefühl ohne Hochmut und Neid, eine Gemeinsamkeit, die uns anfeuerte, an der allgemeinen Aufbauarbeit mitzuwirken.

Aber ein neuer Nationalismus ist erwacht, von den Parteipolitikern an den Wunschträumen Wiedervereinigung und Aufhebung der Oder-Neiße-Linie genährt. Die Verantwortung dafür ruht schwer auf den Schultern der deutschen ›Staatsmänner‹, denen heute der Mut fehlt, die Geister, die sie einst heraufbeschworen, zurückzurufen. Wer von ihnen glaubt wohl an die Erfüllbarkeit solcher Wunschträume, wie sie sie ihren Wählern vorgaukeln?

Wieviel Jammer wäre den Menschen in Ost und West erspart geblieben, wenn die Anerkennung des anderen Deutschland, das von Rußland niemals aufgegeben werden wird, die Möglichkeit zu friedlichem Zusammengehen der beiden deutschen Staaten geschaffen hätte.

Utopie? — Vielleicht. Aber gewiß der fruchtbarere und menschlichere Weg, als diese Art von verhärtetem, zum Chauvinismus hochgezüchtetem Irrealismus, der niemals zu etwas Gutem führen kann.

Ein Antisemitismus glimmt unter der Oberfläche, der kein reales Objekt mehr hat und in seiner Weiterexistenz sozusagen seine Rechtfertigung der Vergangenheit findet. Daneben gibt es einen aus den gleichen Quellen stammenden Philosemitismus, der letzten Endes die Kluft vertieft statt sie zu überbrücken.

Minister, die vor dem Parlament die Unwahrheit sagen, kehren nach kurzer ›Bewährungsfrist‹ auf ihre Sessel zurück; andere können aggressive, nationalistische Thesen öffentlich vertreten, die mit ihren wilden Forderungen nach Rückgabe der verlorenen Gebiete in striktem Gegensatz zur Politik ihres Kabinetts stehen, ohne daß sich eine Stimme der Distanzierung erhebt, geschweige denn die Forderung nach Rücktritt laut wird.

Wie soll bei dieser Haltung der führenden Kreise, bei dieser leichtfertigen Unterschätzung der hohen Verpflichtung, die dem Staatsmann, dem Richter, auferlegt ist, eine gesunde, verantwortungsbewußte Jugend heranwachsen, welche die Teilnahme an der Gestaltung der Zukunft als ihre Aufgabe erachtet? Politische Gleichgültigkeit muß die Folge sein.

Trotz jahrelanger Bemühungen verantwortungsbewußter Kreise beschränkt sich die Schule auf das äußerste Minimum an Information über die letztvergangene deutsche Geschichte, wenn nicht sogar eine Literatur Eingang findet, wie das offiziell empfohlene Buch von Reinhart Podgorny ›Wir suchten die Freiheit‹, in dem sich der Satz findet: »Haben wir endlich den Mut, unserer Jugend klarzumachen, daß Deutschland größer ist, als das, was ihm durch die Macht seiner Bezwinger geblieben ist. Machen wir dem Volke klar, daß Tiefpunkte nie der Maßstab für politisches Denken sein dürfen. Nehmen wir uns ein Beispiel an den Völkern, die solche schandbaren Zustände im Bereich ihrer Intelligenz in der urwüchsigen Art, die ihnen noch anhaftet, auf kürzestem Wege radikal beenden würden.«

Das ist keine Wiederholung der Geschichte, von der uns die Historiker zu berichten wissen, daß es sie nicht gibt, sondern das Wiederaufleben einer Mentalität, die während der Notjahre nach dem verlorenen Krieg nur geschlummert hatte.

Die Gleichgültigkeit, mit der man diesen bedrohlichen Erscheinungen begegnet und sie bagatellisiert, läßt mich mit Schaudern an die Situation zwanzig Jahre nach dem Ersten Weltkrieg zurückdenken. Eine unheilvolle Mißbeziehung zur Freiheit und zur Umwelt droht wieder den Frieden im Innern und nach außen zu stören.

Zu schwer lastet die Vergangenheit auf mir, als daß ich noch einmal an dem Kampf teilhaben könnte, der jetzt anheben müßte, um Deutschland an seine Aufgabe als Mittler des Friedens, als Schöpfer eines liberalen, humanen Zentrums eines künftigen Europa heranzuführen, seine Menschen von den Komplexen eines unheilvollen kleinbürgerlichen Nationalismus zu befreien. Nicht ›Bewältigung der Vergangenheit‹, sondern aus Einsicht erwachsene Weltoffenheit ist die Forderung, die Ehrlichkeit gegenüber der Geschichte im Guten und im Bösen, und der Wille zur Verantwortung für die künftige Gestaltung eines Europa und einer neuen Welt: das ist es, was der kommenden Generation als Verpflichtung auferlegt ist.

Ein Schrifttum zu fördern, das sich diesen großen Aufgaben widmet, wird dem Verlag seinen Sinn geben.

Das Haus in der Toskana

Vom ›Belvedere‹, der über den Abhang unseres toskanischen Hügels vorgebauten Dachterrasse meiner Bildhauerwerkstatt, sieht man weit über das fruchtbare, von Weinbergen und Olivenhängen umgebene Tal von Camaiore bis zum Meer, das in den späten Nachmittagsstunden wie eine goldene Scheibe in den Strahlen der sinkenden Sonne aufleuchtete. Campus Maior hatten es die Römer genannt.

In dieser Talmulde, die von noch heute hochragenden Wachttürmen auf den umliegenden Bergen beschützt wird, unterhielten sie Vorratslager für ihre nach Norden ziehenden Armeen. Einer der Türme, in viele Blöcke zersprengt, steht als Ruine hoch im Berg hinter meinem Haus. In der Tiefe seines Verlieses findet man Münzen aus der Zeit der Sarazenen, die bis hierher vorgedrungen waren.

Es ist die nördlichste Toskana, wo wir leben, wild und freundlich zugleich, wie ihre Bewohner, von denen mein Freund Marino Marini, der nicht weit von uns seinen Sommersitz und seine Bildhauerwerkstatt hat, zu sagen pflegt, sie seien Teufel und Engel in einem. Die Nachfahren der Etrusker sind sie gewiß, hundert- und tausendfach gemischt mit den durchziehenden Heeren von Nord und Süd, im ewigen Wechsel der Herrschaft über dieses gelobte Land, von dem ein Strom der Kultur und der Schönheit über die Welt ausging — Lucca, Pisa, Florenz, Siena, San Gimignano, Volterra und unzählige kleinere Orte mit unsagbaren Kunstschätzen liegen wie ein Perlenkranz um unseren kleinen Besitz, auf dem wir zu erleben suchen, was die Jahrhunderte hier so unerschöpfbar aufgestapelt haben. Die rote toskanische Erde, in den heißen trockenen Sonnenstrahlen glühend, mag die Energien ausstrahlen, die auch uns in unserer Arbeit beflügelten.

Wir hatten diesen Platz gefunden als ich 1955 mit meiner Frau und meinen Töchtern für ein paar Wochen in der Nähe von Forte dei Marmi die Sommerferien verbrachte. Das Meer, die Pinienwälder und die Apuanischen Alpen, die wie ein Schutzwall gen Norden das Tal der Versilia abschließen, hatten es uns angetan; und nicht zum wenigsten die Nähe von Florenz, das wir nicht oft genug sehen konnten. So machten wir uns auf die Suche nach einem Stück Land, zuerst in der Nähe von Forte, später weiter entfernt von den Sommersiedlungen, in die Berge wandernd, bis wir schließlich, halb durch Zufall, halb geleitet durch einen Besuch bei unserem italienischen Verlegerkollegen Mondadori beim Abstieg durch die Olivenhänge des

Monte Prana auf einem Plateau standen, das in drei großen, weitausschwingenden, mit Weinreben bedeckten Stufen in eine tiefe Schlucht abfällt. Der Blick in die Weite, der sich uns von der hochgelegenen Fläche an diesem Augusttag bot, war so überwältigend, daß wir uns nicht mehr losreißen konnten. Wir wußten sogleich, dies ist der Platz, wo wir eines Tages, nach all den Abenteuern der letzten fünfundzwanzig Jahre, das Zentrum und den Ruhepunkt unseres Lebens finden konnten.

Der Besitzer des Grundstücks war bereit, es zu verkaufen. Aber es war Teil eines größeren Landbesitzes, der insgesamt sechzehn verschiedenen Eigentümern gehörte, die einen Gemeinschaftsvertrag abgeschlossen hatten, der auf das Jahr 1653 zurückgeht. In diesen Vertrag mußte ich eintreten und wurde so auch Mitbesitzer von einem Sechzehntel einer kleinen, über unserem Platz in den Bergen gelegenen Kapelle — mit der Verpflichtung, dort die Messe lesen zu lassen und drei Quintale Weizen jedes Jahr der Gemeinde Pieve di Camaiore zu spenden. Sie hat ihren Namen von ihrer tausend Jahre alten Pfarrkirche, die einst das geistliche Zentrum der Gegend war.

Weit verstreut in den Bergen liegen die uralten, aus groben Feldsteinen erbauten Häuser der Bauern, die hier seit Hunderten von Jahren vom Weinbau und von Gemüse- und Obstzucht leben. Jeden Sonntag morgen rufen sie die Glocken, die wir von unserem Weinberg aus im uralten Turm der im Tal gelegenen Kirche schwingen sehen, zur Messe.

Der Bau eines Hauses war für uns ein wichtiges, bedeutungsvolles Ereignis. Denn dieses Haus sollte alles, was wir an Erfahrung gesammelt, an Liebe und Tragik erlebt hatten, zum Ausdruck bringen. Hier aber, in diesen geschichtsträchtigen Hügeln zu bauen, ohne die wie aus der Natur heraus entstandenen Steinhäuser der seit Jahrhunderten angesiedelten Bauern zu profanieren, war eine schwer lösbare Aufgabe. Von Lucca bis nahe an unseren Platz heran stehen zudem — weit voneinander entfernt, hinter Cypressen und Pinien versteckt — die herrlichsten Renaissance-Villen, selbst im Zerfall noch von unerreichbarer Schönheit. Mit unseren Architekten, einem deutschen und zwei florentinischen, fanden wir schließlich die Lösung in einem flachen Bungalow, dessen ganze Vorderfront, die sich zum Tal hin öffnet, aus drei versenkbaren Glasfenstern besteht, überdeckt von einem weit vorspringenden Dach. Wir hatten, um nicht mit den Bauten der Gegend zu konkurrieren, einfach auf die Fassade verzichtet und den Bau so angelegt, daß er in der Landschaft verschwindet und nur in unmittelbarer Nähe sichtbar wird.

Hinter dem Haus steigt das Gelände zu den über tausend Meter hohen Vorbergen der Apuanischen Alpen an. Breite mit Pinien, Cypressen und Tausenden von Olivenbäumen bestandene Flächen erheben sich in kühnem Schwung zu dem weit ausholenden Kreisbogen der Berge, der das Tal umgibt und sich zum Meer hin öffnet. Es sind wilde Schluchten und Abstürze, die diese so sanft erscheinenden Hügel voneinander trennen, einst Zufluchtsstätten der Partisanen, die sich vor den SS-Truppen hierher zurückgezogen hatten.

Man muß sich die Wege zu den Gipfeln dieser Vorberge selbst suchen, Maultierpfade meist, einziger Zugang zu den winzigen kleinen Dorfflecken, die hier in völliger Abgeschlossenheit liegen, nur durch Radio und Television mit der Außenwelt verbunden. Freundliche Menschen leben hier, mit einem merkwürdigen Dialekt, der, wie man sagt, noch von gotischen Eindringlingen stammt. Sie laden uns seltene Fremdlinge zu ihrem Wein und ihrem selbstgemachten Schafskäse.

Hat man dann die Höhe erklommen, so bietet sich die großartige Gipfellandschaft der Zweitausender dar, bis in den Frühsommer hinein mit Schnee bedeckt. Und weit im Norden liegen die Marmorberge von Carrara, deren weißes Gestein im heißen Sommer wie Schnee leuchtet.

Von meiner Terrasse blicke ich über die weite grüne Fläche des Rasens auf rot blühenden Oleander, Orangenbäume und Zitronen, Magnolien und Kamelien und auf einige jener zauberhaften Dogwoods, die ich aus Connecticut hierher gebracht habe. Die Cypressen, die wir vor zehn Jahren pflanzten, sind hoch in den Himmel gewachsen. Wir leben mit ihnen wie mit Lebewesen, wie mit den weit ausladenden Pinien und den blau-grauen und den grünen Zedern, den Bougainvillea und dem Jasmin, der die Wände des Hauses ganz bedeckt und den ganzen Frühling hindurch bis in den Sommer hinein die Luft mit seinem süßen Duft erfüllt.

Aber es kann auch wild hergehen. Im Vorfrühling braust der Tramontana von den Bergen über uns hinweg und neigt unsere Bäume tief herab. Gewitter kreisen um unser Tal mit gewaltigen Entladungen, mit unaufhörlich rollendem Donner, der von den Bergwänden zurückgeworfen die Fenster klirren läßt, und mit Blitzesfluten, die den Nachthimmel nicht mehr dunkel werden lassen.

Alles, was wir gerettet und später wieder gesammelt haben, ist in diesem Haus vereint: unsere Bücher und Bilder, unsere Instrumente und unsere Schätze von Briefen unserer Autoren und von Freunden, die unseren Lebensweg begleitet haben.

Und sie kommen aus aller Welt, um mit uns für einige Tage die Schönheit dieser Landschaft zu genießen, in die wir mit dem Gedanken an sie unser Haus gesetzt haben. Es sollte ein Haus der Freundschaft sein — aber auch ein Haus des Schaffens.

Seit meiner Studentenzeit in München habe ich mich der Bildhauerei gewidmet. Immer wieder kehrte ich zu ihr zurück,

wenn meine Verpflichtungen als Arzt und als Verleger es zuließen. Überall baute ich mir eine Werkstatt auf, wo es nur
immer ging, in einem leeren Zimmer in Stockholm, im Keller
des Hauses in Connecticut und nun in einem am Rand unseres
toskanischen Hügels dafür errichteten kleinen Haus.

Diese Landschaft ist ein Bildhauerparadies. Sie ist erfüllt von
der Tradition des Marmors. In den kleinen Orten, von Pietrasanta bis Carrara, liegt er in Blöcken und Platten, in riesigen
Lagern und kleinen Werkstätten, in allen Farben und Qualitäten, bereit zum Abtransport in alle Welt. Überall hört
man das eintönige Geräusch der Marmorsägen, welche die gewaltigen Blöcke, die von den Bergen auf mächtigen Lastwagen
herabgeschafft werden, in zentimeterdünne Platten zerschnei-
den.

Die Menschen hier leben mit dem Marmor, bearbeiten ihn wie
der Tischler das Holz, und sie haben sich ihre handwerkliche
Fertigkeit durch die Jahrhunderte erhalten.

Aber wie die Behandlung des Steines, so kennen sie auch die
Bronze. Die Gießereien in Pietrasanta, Pisa und Florenz sind
Meisterwerkstätten. Und so ist es kein Wunder, daß Künstler
aus aller Welt hier ihre Arbeiten vollenden und von hier aus
ihre Ausstellungen in Europa und Amerika beschicken.

Viele der größten Werke Marino Marinis sind hier entstanden.
Aus dem Travertin der Lager von Querceta hat Henry
Moore seine gewaltigen Figuren geschaffen.

Wir leben in freundschaftlicher Nachbarschaft mit ihnen, oft
vereint mit unseren Freunden aus Literatur und Kunst und
unseren Musikerfreunden, die an warmen Sommerabenden im
Anblick der weiten Landschaft ihre Instrumente erklingen lassen. Es war ein langer Weg bis zu diesem Ort des Friedens.

Wir sind ihn zusammen gegangen, meine Frau und ich, immer
dem einen, selbstgewählten Ziel entgegen: das uns anvertraute
kulturelle Erbe, das zu mehr als nur persönlichem Besitz geworden war, vor der Zerstörung zu bewahren und im Geiste seines
Begründers weiter zu führen und zu mehren.

Anhang

Übersetzung des Telegramms an Präsident Roosevelt (s. Seite 217 f.).

Herr Präsident:

Wir erlauben uns, Ihre Aufmerksamkeit auf eine große Gruppe geborener Deutscher und Italiener zu lenken, die nach den gegenwärtigen Bestimmungen, irrtümlich, als »Ausländer feindlicher Nationalität« bezeichnet und behandelt werden.

Es handelt sich dabei um Personen, die wegen totalitärer Verfolgung aus ihrem Land geflohen sind und Zuflucht in den USA suchten und die aus diesem Grunde ihrer früheren Staatsangehörigkeit beraubt worden sind.

Ihre Lage ist mit keiner früheren Situation vergleichbar, und es kann nicht als gerecht erachtet werden, sie unter der schimpflichen Bezeichnung »Ausländer feindlicher Nationalität« einzuordnen.

Viele von ihnen, Politiker, Wissenschaftler, Künstler, Schriftsteller gehörten zu den frühesten und weitestblickenden Gegnern der Regierungen, mit denen die Vereinigten Staaten jetzt im Kriege liegen.

Viele von ihnen haben ihre Existenz und ihr Eigentum geopfert und ihr Leben aufs Spiel gesetzt im Kampf gegen die Mächte des Bösen, vor denen sie warnten, zu einer Zeit, da die meisten Regierungen der Welt das Übel unterschätzten und Kompromisse mit ihm schlossen.

Wohl ist es wahr, daß das Gesuch um Identitätsbestimmung solchen Personen eine Gelegenheit gibt, zusätzliche Angaben über ihren politischen Status zu machen. Aber da bisher keine offizielle gegenteilige Erklärung abgegeben worden ist, würden diese Opfer des Nazismus und Faschismus, diese unerschütterlichen und konsequenten Verteidiger der Demokratie, allen gegenwärtigen und zukünftigen Restriktionen unterworfen sein, die gegen möglicherweise bestehende ›Fünfte Kolonnen‹ gerichtet sind. Wir appellieren deshalb an Sie, Herr Präsident, der für uns alles repräsentiert, was in einer Welt der Lüge und des Chaos noch redlich, ehrenhaft und anständig ist, eine offizielle Klärung herbeizuführen, so daß eine eindeutige und praktikable Unterscheidungslinie zwischen den potentiellen Feinden der amerikanischen Demokratie auf der einen Seite und den Opfern und geschworenen Feinden des totalitären Übels auf der anderen gezogen werden kann.

G. A. Borgese	Bruno Frank	Arturo Toscanini
Albert Einstein	Thomas Mann	Bruno Walter

Vertrags-Entwurf (s. Seite 267)

Zwischen Herrn Dr. Gottfried Bermann Fischer als Bevollmächtigtem
a) des S. Fischer Verlag N. V., Amsterdam-C., Singel 262
b) der Erben S. Fischer und
c) der S. Fischer Verlag G. m. b. H., Frankfurt a. M., Falkensteiner Straße 24, nebst Filiale in Berlin-Zehlendorf-West, Forststraße 27, der im folgenden kurz »der Verlag« genannt wird,

einerseits

und Herrn Heinrich genannt Peter Suhrkamp, Frankfurt a. M., Falkensteiner Straße 24

andererseits

wird heute folgender
Verlagsleiter-Vertrag
geschlossen.

§ 1.

Verlagsleiter-Bestellung.
Der Verlag überträgt Herrn Suhrkamp die Leitung des Verlags mit Wirkung vom ...

§ 2.

Zeichnungsbefugnis.
Herr Suhrkamp erhält Alleinzeichnungsrecht für den Verlag unbeschadet der Bestimmungen des § 4 dieses Vertrages.

§ 3.

Rechte und Pflichten des Verlagsleiters.
Bei der Leitung des Verlages wird Herr Suhrkamp darauf Bedacht nehmen, von der Tradition des S. Fischer Verlags ausgehend dem jungen, aufstrebenden Schöpferischen in der Weltliteratur Entwicklungsmöglichkeiten und tätige Unterstützung zu bieten und den Verlag als Zentrum des geistigen Lebens unserer Zeit zu erhalten, daneben aber die vorhandenen Werte des Verlags durch sorgsame Überwachung und Betreuung zu bewahren und die finanzielle und geschäftliche Auswertung dieser Werte zum Nutzen der Autoren und des Verlags nach allen Richtungen und unter Ausnutzung aller Möglichkeiten durchzuführen.

§ 4.

Stellung zum Gesamtkonzern.
Zur Verwirklichung dieser Aufgaben wird der Verlagsleiter den Verlag als Teil des Gesamtkonzerns S. Fischer Verlag mit Häusern in Amsterdam, Frankfurt a. M., Berlin und Wien führen und jederzeit die Interessen des Verlages mit den Interessen dieser und etwaiger künftiger Schwesterfirmen in Überein-

stimmung halten. Herr Suhrkamp wird in engster Zusammenarbeit und ständiger Fühlungnahme mit dem Konzern, die von diesem gestellten Aufgaben erfüllen, an der Erhaltung und Erweiterung des Besitzes des Gesamtkonzerns und an seiner traditionsgemäßen Weiterentwicklung mitwirken. Er wird dabei berücksichtigen, daß das finanzielle und besitzmäßige Schwergewicht, insbesondere auf dem Gebiete des Autorenrechts, beim S. Fischer Verlag N. V. in Amsterdam liegt.

Herr Suhrkamp, der sich in der bisherigen selbständigen Führung des Verlags als Einzelfirma unter seinem Namen in Frankfurt und durch die frühere Betreuung des Berliner Unternehmens unter schwierigen politischen Verhältnissen große Verdienste um die Erhaltung des Verlages und seiner Tradition erworben hat, anerkennt die Notwendigkeit und den Vorrang einer zentralen Leitung des Gesamtkonzerns. Er wird deshalb den vom Bevollmächtigten Dr. Gottfried Bermann Fischer gegebenen allgemeinen Richtlinien für die Führung des Verlags folgen, wobei seiner Stellung im deutschen Verlagsbuchhandel Rechnung getragen werden soll.

§ 5.

Als Verlagsleiter erhält Herr Suhrkamp

1. für die Dauer des Vertrags ein Gehalt in Höhe von monatlich DM . . . brutto,
2. Eine Gesamttantieme in Höhe von 25 Prozent des von der Generalversammlung festgesetzten und daraufhin an die Gesellschafter ausgeschütteten Gewinns,
3. Eine Unkostenentschädigung in Höhe der von Herrn Suhrkamp für erforderlich gehaltenen und steuerlich anerkannten Unkostenaufwendung für den Verlag,
4. eine Pension

a) zu seinen Lebzeiten nach Vertragsende in Höhe von 75 Prozent des letzten Gehalts,
b) für seine Frau Annemarie Suhrkamp, geb. Seidel, nach seinem Tode in Höhe von 50 Prozent des letzten Gehalts bis zu deren Tode,
c) die volle Tantieme-Ausschüttung gemäß Ziff. 2 auf Lebenszeit von Herrn Suhrkamp und nach dessen Tod im Falle des Überlebens seiner Frau Annemarie Suhrkamp, geb. Seidel, für die Dauer von drei Jahren, wobei das Todesjahr mitgerechnet wird.

§ 6.
Ausschließlichkeitsklausel.

Herr Suhrkamp wird für die Dauer dieses Vertrages und seiner nach diesem Vertrag laufenden Bezüge seine Arbeitskraft ausschließlich dem Verlag in der Weise zur Verfügung stellen, daß

er sich weder direkt noch indirekt an einem anderen Verlagsunternehmen beteiligt oder dieses durch seine Arbeitskraft
ohne Einwilligung von Dr. Gottfried Bermann Fischer unterstützt.

§ 7.
Vertragsdauer.
Dieser Vertrag ist auf unbestimmte Zeit geschlossen. Er kann
beiderseits unter Einhaltung einer Kündigungsfrist von 6 Monaten mittels eingeschriebenen Briefs zum Ende eines jeden
Jahres gekündigt werden. Macht keine Seite vom Kündigungs-
recht Gebrauch, so verlängert sich der Vertrag automatisch.
Durch eine Beendigung des Vertrags durch vertragsmäßige
Kündigung werden die Pensionsansprüche von Herrn Suhrkamp bzw. seiner Frau Annemarie Suhrkamp, geb. Seidel, gemäß § 5 Ziff. 4 nicht berührt.

§ 8.
Erfüllungsort.
Erfüllungsort für diesen Vertrag ist Frankfurt a. M.

Frankfurt a. M., den ...   Frankfurt a. M., den ...

. . . .

Namenregister

Peter de Mendelssohn

S. Fischer und sein Verlag
1487 Seiten. Leinen im Schuber
Die Geschichte eines bedeutenden Verlegers, seines Hauses
und seiner Autoren – ein großes Stück Kulturgeschichte, ein
gestaltenreiches Erzählwerk: »der geistige Roman einer
Epoche«. (Martin Gregor-Dellin)

Schmerzliches Arkadien
Wolfgang Krüger Verlag
176 Seiten. Geb.
Ein liebenswerter, zarter Roman voller Atmosphäre und
Sensibilität, der die eigene Jugend in Erinnerung bringt.

Unterwegs mit Reiseschatten
Essays. 303 Seiten. Geb.
Peter de Mendelssohn beschwört Erscheinungen der Literaturgeschichte vom Anfang des vorigen Jahrhunderts, er
setzt sich mit Problemen des Schreibens und des Bücher-
machens auseinander und überträgt mit Literarischem,
Historischem, Biographischem, Anekdotischem vielfältige
äußere und innere Reiseerfahrungen, Landschaften und
Atmosphäre in seine gründliche und beschwingte Essayistik.

Unterwegs.
Peter de Mendelssohn zum 70. Geburtstag
125 Seiten. Leinen
Widmungen, Würdigungen, Erinnerungsblätter, Studien
von Monika Schoeller, Gottfried und Brigitte Bermann
Fischer, Pamela Wedekind-Regnier, Heinrich Maria Ledig-
Rowohlt, Herbert Schlüter, Walter von Cube, Hans-Otto
Mayer, Hilde Spiel, Liesl Frank-Lustig, Richard Friedenthal,
Rolf Hochhuth, Jan Lustig, Gerhard Gaul, Golo Mann, Horst
Bienek, Martin Gregor-Dellin, Rudolf Goldschmit, Max von
Brück, Rudolf Hirsch, Dolf Sternberger, Klaus W. Jonas,
J. Hellmut Freund.

S. Fischer

fi 205/2